BIBLIOTHÈQUE DU VOYAGEUR

LE GRAND GUIDE DU VIETNAM

Traduit de l'anglais et adapté par
Carisse Beaune, Gérard Busquet et Jean-Noël Mouret

GALLIMARD

Aucun guide de voyage n'est parfait. Des erreurs, des coquilles se sont certainement glissées dans celui-ci, malgré toutes nos vérifications. Les informations pratiques, adresses, numéros de téléphone, heures d'ouverture, peuvent avoir été modifiés ; certains établissements cités peuvent avoir disparu. Nous serions très reconnaissants à nos lecteurs de nous faire part de leurs commentaires, de nous suggérer des corrections ou des compléments qui pourront être intégrés dans la prochaine édition.

Dépôt légal : mars 2001
N° d'édition : 96913
ISBN : 2-74-240743-X

Imprimé à Singapour

CEUX QUI ONT FAIT CE GUIDE

C'est à **Scott Rutherford** que les éditions APA, installées à Londres, ont confié la direction de l'équipe éditoriale de cette nouvelle édition du *Grand Guide du Vietnam.*

La première édition avait été placée sous la responsabilité de **Helen West**. Cette Néo-Zélandaise diplômée de langue et de civilisation vietnamiennes a rédigé plusieurs chapitres de ce guide consacrés à l'histoire et à la société vietnamiennes.

Nul n'était mieux qualifié que **Tran Van Dinh**, écrivain natif de Hué, pétri de culture vietnamienne et occidentale, pour présenter au lecteur les religions du Vietnam.

Nguyen Tan Dac, ethnologue et directeur adjoint de l'institut des Études sud-est asiatiques de Hanoi, connaît les régions les plus reculées du Vietnam. Depuis la fin de la guerre, il a entrepris des recherches approfondies sur les groupes ethniques montagnards du Tonkin et de l'Annam, et rédigé le chapitre de ce guide consacré à la population.

Le reporter britannique **Tim Page** est l'un des plus célèbres photographes envoyés au Vietnam dans les années 1960-1970 pour couvrir le conflit, et ses clichés ont été, à l'époque, publiés dans les journaux et magazines du monde entier. Nous lui devons de nombreuses illustrations de cet ouvrage.

Avant de s'installer à Singapour en 1991, le photographe américain **Joseph Lynch** avait déjà effectué plusieurs reportages dans la région, comme en témoignent les nombreux clichés qui illustrent ce guide.

Ont également contribué à l'illustration de cet ouvrage **Kim Naylor**, **Catherine Karnow**, **Jean-Léo Dugast**, **Bill Wassman**, **Alain Evrard**, **Zdenek Thoma**, collaborateurs attitrés de cette collection, ainsi que **Wim Van Cappellen** et **Brenda Turnnidge**.

Pour la mise à jour de ce guide, les éditions APA ont fait appel à **Susan Cunningham** qui a réactualisé les chapitres consacrés à Hanoi et au nord du Vietnam. Le sud du pays et Ho Chi Minh-Ville ont été couverts par **Sharon Owyang**, tandis que les pages sur le Centre, Hué et Danang ont été revues par **Andrew Forbes** et **David Henley**.

La traduction et l'adaptation de la première édition française du présent ouvrage ont été réalisées par **Clarisse Beaune** et **Gérard Busquet** et une relecture a été effectuée par **Xavier Guillaume**, chargé de cours d'histoire et de civilisation vietnamiennes à l'Institut national des langues et civilisations orientales de Paris. Pour cette nouvelle édition, revue et augmentée, l'adaptation a été confiée à **Jean-Noël Mouret**.

TABLE

Cartes

Histoire et société

TABLE

ITINÉRAIRES

INFORMATIONS PRATIQUES

仁人長者共
紫氣騰輝嘉祥
穀旦美德社樂
公若子

闻德澤入人之深
碑猶能使人遥而
令公忠義祠者哉
人也值 大明屋
有府人篤於桑梓
有為最多後遂命
公而光大
猶詩古文
公挺身

36

RAP DONG BA

HISTOIRE ET SOCIÉTÉ

Depuis peu, le Vietnam ouvre ses portes, dévoilant aux voyageurs la beauté de ses paysages et la richesse de son patrimoine culturel. Alors que s'estompent les images obsédantes d'un pays dévasté par la guerre, visions que le cinéma et la littérature n'ont cessé d'alimenter, les visiteurs découvrent un pays d'une grande diversité géographique et ethnique et une civilisation vieille de trois mille ans.

La longue histoire du Vietnam, lieu de rencontre des cultures indienne et chinoise, est un compagnon de voyage omniprésent. La terre porte les inaltérables témoignages du passé : glorieux champs de bataille, témoins d'une lutte millénaire contre l'envahisseur chinois, vestiges de brillantes civilisations — thalassocratie du Funan, royaume indianisé du Champa — et capitales des dynasties nationales qui s'épanouirent bien avant l'arrivée des colonisateurs français, la montée du communisme et l'engagement américain dans un tragique conflit.

Si la nation vietnamienne s'est formée, à partir de chefferies sinisées du Nord, à travers une « longue marche vers le Sud », les débuts de son histoire se perdent dans le mythe. Ce sont ces légendes, où se croisent rois et dragons, héroïnes et divinités, que le présent ressuscite lors des grandes fêtes données dans les temples et les pagodes en l'honneur, tout à la fois, des divinités bouddhiques, taoïstes et hindoues, ou à travers le culte des ancêtres.

Mais, au-delà d'une histoire purement factuelle et chronologique, une anecdote permet de mieux saisir la finesse de l'âme vietnamienne : au début du XVe siècle, la Chine envahit le Vietnam – ce n'était d'ailleurs ni la première, ni la dernière fois. L'armée chinoise fut sévèrement battue par les Vietnamiens. Plutôt que de passer les prisonniers au fil de l'épée, pratique fort courante à l'époque, l'empereur Le Loi préféra présenter ses excuses à l'empereur de Chine pour avoir défait ses troupes, négocia un traité de paix avec son puissant voisin et renvoya les vaincus dans leur pays en mettant à leur disposition des chevaux et des navires. Le Loi savait parfaitement que sa victoire, aussi éclatante fut-elle, n'était jamais que temporaire et que son pays serait toujours sous la menace chinoise. Ce en quoi l'avenir lui donna raison.

Pages précédentes : détail du décor d'un temple à Ha Tien, dans le sud du pays ; jonques dans la baie de Halong, au nord-est du Vietnam ; étal d'articles religieux à Hanoi ; barques et sampans sur la rivière des Parfums, à Hué. A gauche, paysanne sur un marché du delta du Mékong.

Ce pragmatisme face à l'inévitable est peut-être le trait de caractère le plus marquant de ce peuple : depuis les origines, tous les moyens sont bons pour préserver l'identité nationale – et, aux yeux des Vietnamiens, l'un des meilleurs moyens pour y parvenir est incontestablement la patience. Patience qui se manifeste aussi bien dans la vie d'un personnage comme Ho Chi Minh, dont chaque acte tendait vers un but unique, la libération de son pays, que dans l'obstination des combattants anonymes qui creusèrent des centaines de kilomètres de tunnels dont la technologie guerrière américaine ne put jamais venir à bout. Il est probable que si les stratèges français, puis américains, s'étaient penchés attentivement sur l'histoire du Vietnam, deux guerres désastreuses auraient pu être évitées.

Une autre manifestation de ce pragmatisme est que les Vietnamiens, à la différence de la majorité des peuples d'Asie du Sud-Est, ne sont pas obsédés par l'idée de « perdre la face ». Ainsi, lorsque la collectivisation à outrance menée à partir de 1975 se révéla un échec cuisant, le gouvernement n'hésita pas à faire volte-face et à proclamer une grande réforme économique (*doi moi*). Bien que le Vietnam soit l'un des derniers régimes communistes de la planète, le pays est tout entier tourné vers l'avenir. Ce qui n'a rien d'étonnant si l'on considère que plus de 60 % de la population a moins de vingt-cinq ans et n'a, par conséquent, jamais connu la guerre.

Le Vietnam d'aujourd'hui ne ressemble guère aux clichés qui ont encore cours en Occident. La reconstruction est achevée, l'heure de la construction a sonné. Malgré les difficultés, les pesanteurs et les à-coups économiques, le pays semble avoir de sérieuses chances, à moyen terme, de rejoindre le cercle des nations développées. Le défi est d'envergure, mais, dans l'esprit des Vietnamiens, et comme leur histoire l'a prouvé, il n'y a pas de combat perdu d'avance.

Pour mieux comprendre le Vietnam contemporain, cet ouvrage se propose donc d'évoquer son histoire et de présenter ses populations, ses religions et ses arts, avant de partir à la découverte de ses paysages et de ses richesses monumentales.

A droite, jeune fille de Ho Chi Minh-Ville, l'ex-Saigon. Pages suivantes : la garde impériale de Hué au début du XXe siècle.

CHRONOLOGIE

Les origines

2879 av. J.-C. Fondation du royaume légendaire de Van Lang par Hung Vuong.
2879-258 av. J.-C. Dynastie Hung.
1800-1400 av. J.-C. Culture de Phung Nguyen (premier âge du bronze).
111 av. J.-C.-939 apr. J.-C. Domination chinoise.
257 av. J.-C. Établissement du royaume d'Au Lac. Le général chinois Chao Tuo (Trieu Da) fonde le royaume de Nan Yueh (Nam Viet).
39 apr. J.-C. Révolte des sœurs Trung.

43 apr. J.-C. L'insurrection est écrasée par le général chinois Ma Yuan. Pour la première fois, le peuple viet est placé sous administration chinoise directe.
542-544. Ly Bi prend la tête du soulèvement contre la dynastie chinoise des Liang et fonde le royaume indépendant de Van Xuan.
939-967. Dynastie Ngo.
968-980. Dynastie Dinh.
970-975. Dinh Bo Linh obtient la reconnaissance par la Chine de l'indépendance du Nam Viet, en échange du versement d'un tribut à la dynastie Song.
980-1009. Dynastie Tien Le (Le antérieurs).
1009-1225. Dynastie Ly (Ly postérieurs).
1225-1400. Dynastie Tran.
1400-1428. Dynastie Ho.
1407-1428. Domination ming.
1428-1776. Dynastie Le (Le postérieurs).

Division et colonisation

XVIe siècle. La décadence de la dynastie Le provoque la division du pays en deux principautés rivales.
1543. Après de nombreuses batailles, les descendants des Le occupent la capitale du Sud. Celle-ci est transférée près de Thanh Hoa.
1592. La mort du dernier empereur Mac, Mac Mau Hop, met fin à la guerre.
1672. Le seigneur Trinh entérine la partition du pays à hauteur de la rivière Linh.
Vers 1770. A la cour, début de l'affrontement entre factions pro-chinoise et pro-française.
1776-1792. Révolte des « Frères de Tay Son ».
1792-1883. Dynastie Nguyen.
1861. Prise de Saigon par les troupes françaises. Défaite de l'armée vietnamienne. Les Français s'emparent de Gia Dinh et des provinces avoisinantes. En 1867, tout le Sud est annexé par la France.
1862. Le traité de Saigon cède trois provinces du Sud à la France.
1893. Échec de la révolte de Ha Tinh, fomentée par le mouvement royaliste initié par l'empereur Ham Nghi et Phan Dinh Phung.
1904. Victoire des Japonais sur les Russes. L'Occident n'est plus invincible.
1907. Phan Boi Chau et le prince Cuong De fondent le mouvement « Voyage vers l'Est », basé au Japon. Les Français découvrent la conspiration et font pression sur Tokyo pour obtenir l'extradition des membres du groupe.
1919. A la conférence de Versailles, Nguyen Ai Quoc (le futur Ho Chi Minh) soumet une motion pour le respect des droits et de la souveraineté des Vietnamiens. Elle est repoussée.
1920. Ho Chi Minh participe à la fondation du parti communiste français.
1923. Ho Chi Minh est formé comme agent du Komintern à Moscou.
1930. Fondation du parti communiste indochinois.

La Seconde Guerre mondiale et ses conséquences

1942. Ho Chi Minh est prisonnier en Chine. Libéré en 1943, il prend la tête du Viet-minh.
1945. Le Japon, qui occupe le Vietnam, renverse l'administration coloniale et déclare le pays « indépendant » sous « protection » japonaise. En août, les Japonais capitulent. Le Viet-minh prend le contrôle de la majeure partie du

pays (« révolution d'Août »). Le 2 septembre, proclamation de l'indépendance du Nord.
1946. Négociations entre Ho Chi Minh et les Français à Paris. La violation des accords conclus entraîne le début des hostilités.
1951. Fusion entre le Viet-minh et le Lien Viet. Annonce de la formation du Parti des travailleurs (Lao Dong), couverture du Parti communiste interdit.

La partition Nord-Sud
1954. Capitulation française à Dien Bien Phu. Accords de Genève : le Vietnam est divisé à hauteur du 17e parallèle. Le Sud est dirigé par le Premier ministre Ngo Dinh Diem, le Nord par Ho Chi Minh.
1955. Diem refuse de procéder aux élections générales prévues pour juillet 1956 et organise un référendum avec le soutien des États-Unis.
1959. Le groupe 559 organise l'infiltration du Sud *via* la piste Ho Chi Minh.
1960. Formation du Front national de libération du Sud-Vietnam (FNL). Renforcement des maquis viet-cong.
1962. Trois mille deux cents conseillers militaires américains s'installent au Sud-Vietnam.
1963. Diem est renversé et assassiné.
1965. Début des bombardements américains sur le Nord. Violents combats d'infanterie autour de Danang.
1968. Massacre de My Lai. L'attaque de l'ambassade américaine lors de l'offensive du Têt démoralise les Américains.
1969. Mort de Ho Chi Minh. A Paris, début des négociations pour la paix.
1973. Signature des accords de Paris. En mars, départ des dernières troupes américaines.
1975. En avril, chute de Saigon et capitulation du gouvernement du Sud-Vietnam.

La réunification
1976. Réunification du Vietnam.
1977. Le Vietnam siège à l'ONU.
1978. Signature d'un traité d'amitié entre le Vietnam et l'URSS.
1979. Invasion du Cambodge par les troupes vietnamiennes qui s'emparent de Phnom Penh et renversent le gouvernement khmer rouge de Pol Pot. En représailles, les Chinois envahissent le nord du Vietnam. Ils se retirent après trois mois de combats.
1982. Premier Congrès national du Parti.

A gauche, bas relief représentant un dragon (détail d'un tombeau impérial de Hué) ; à droite, Ho Chi Minh (vers 1950).

L'ouverture
1986 . Lors du VIe Congrès, lancement d'un programme de libéralisation sociale et économique (*doi moi*).
1987. Adoption d'une loi favorisant les investissements étrangers.
1988. Création d'un système de contrats forfaitaires encourageant les paysans à cultiver leurs propres terres. Augmentation spectaculaire de la production de riz.
1989. Les Vietnamiens évacuent le Cambodge.
1990. Réorientation de la politique étrangère. Pourparlers de paix avec la Chine. Établissement de relations diplomatiques avec l'Union européenne ; levée de l'embargo américain.

1991. Normalisation des relations avec la Chine.
1993. Fin des sanctions économiques contre le Vietnam qui peut à nouveau emprunter librement, notamment auprès du FMI.
1994. Levée de l'embargo américain.
1995. Rétablissement des liens diplomatiques avec les États-Unis. Le Vietnam rejoint l'ASEAN (Association des Nations de l'Asie du Sud-Est).
1996. Stagnation des réformes économiques. Les entreprises étrangères désinvestissent en masse.
1999. Les officiers supérieurs critiquent ouvertement le gouvernement.
2000. Visite officielle du président Clinton.

QUATRE MILLE ANS D'HISTOIRE

La plupart des documents concernant l'antiquité vietnamienne ont été détruits au cours des siècles, de sorte que l'histoire ancienne de ce pays ressemble à un recueil de légendes dont de nombreuses pages auraient été arrachées. Toutefois, les annales chinoises et vietnamiennes, les traditions locales et de récentes découvertes archéologiques ont permis de reconstituer quelques-unes de ces pages manquantes.

LE TEMPS DES MYTHES

L'histoire légendaire du Vietnam est indissolublement liée à celle de la Chine. On retrouve en effet dans la cosmogonie vietnamienne la théorie chinoise des cinq éléments : le métal, le bois, l'eau, le feu et la terre, qui correspondent aux cinq Orients (l'Ouest, l'Est, le Nord, le Sud et le Centre) et donc aux cinq régions du territoire. L'Ouest est associé à la couleur blanche, l'Est au vert, le Nord au noir, le Sud au rouge et le Centre au jaune.

Les Vietnamiens empruntèrent également aux Chinois la théorie du mandat céleste, selon laquelle tout souverain, ou « Fils du Ciel », intercesseur privilégié entre les mondes humain, céleste et terrestre, régnait en vertu d'un mandat confié par le Ciel à son ancêtre, fondateur de la dynastie. Si le prince se montrait cruel, orgueilleux et dépravé, la divinité céleste pouvait lui retirer ce mandat pour le confier à un homme vertueux, digne de fonder une nouvelle dynastie.

Dans des temps immémoriaux, un vaste empire peuplé de nombreuses ethnies s'étendait au cœur de l'Asie. Les deux principaux groupes ethniques de cet « empire du Milieu » étaient les Han et les Viet, ou Yue. Tandis que les Han formaient un peuple homogène, les Viet étaient divisés en centaines de groupes connus sous le nom de Bach Viet (les « Cent Viet »). Établis au sud du Yangzi, dans la région des « Cinq Montagnes », ils pratiquaient l'agriculture, tandis que les Han, installés au nord-ouest, excellaient dans l'art de la chasse et de la guerre.

Trois grands souverains viet auraient régné sur les Cinq Montagnes : Toai Nhan, qui découvrit le feu ; Phuc Hi, qui révéla le Yi Qing (recueil de pratiques divinatoires) et domestiqua certaines espèces animales, et Shen Nong, qui enseigna à son peuple la culture du riz. A la fin du règne de Shen Nong, les Han envahirent les Cinq Montagnes, contraignant les tribus viet à un premier exode vers le sud.

D'après la tradition vietnamienne, De Minh, arrière-petit-fils de Shen Nong, épousa la princesse Vu Tien. Leur fils, Loc Tuc, devint roi du Xich Quy, le « pays des Démons rouges », et adopta le nom de règne de Kinh Duong Vuong. Son royaume, établi au sud du fleuve Bleu, était délimité par le Yunnan au sud, le Sichuan à l'ouest et le littoral de la mer de Chine à l'est. Son fils, Sung Lam, lui succéda sous le nom de Lac Long Quan, le « Seigneur-Dragon des Vastes Mers ». Lac Long Quan serait « le héros civilisateur du peuple dont descendront les Vietnamiens » (Huard).

Pages précédentes : la pagode Thien Mu, à Hué. A gauche, statue d'Uma dansant, de l'époque cham ; à droite, tour cham près de Cam Rahn.

Les annales vietnamiennes mentionnent le mariage de Lac Long Quan avec la belle princesse Au Co, fille du roi De Lai et descendante des Immortels des Hautes Cimes. De cette union naquirent cent géants. Le royaume prospéra mais les époux, persuadés que leurs origines différentes ne leur permettraient pas de jouir du bonheur terrestre, décidèrent de se séparer. Au Co partit avec cinquante de ses fils dans les montagnes, et les autres suivirent leur père vers les plaines et les régions côtières.

En 2879 av. J.-C., Lac Long Quan désigna son fils aîné comme successeur. Ce fut le premier des dix-huit souverains de la dynastie Hung, laquelle devait régner sur le Van Lang pendant un millénaire. Selon la plupart des historiens, ce premier État féodal, qui rassemblait les quinze tribus Lac Viet vivant dans le nord et le centre du Vietnam, s'épanouit au Ier millénaire avant notre ère.

A la même époque vivaient dans les montagnes du Viet Bac les Tay Au (ou Au Viet), ancêtres des Tay actuels. En 257 av. J.-C., leur chef, Thuc Phan, vainquit le dernier souverain Hung et s'empara du Van Lang. Il régna sous le nom d'An Duong et établit la capitale du nouvel État, baptisé Au Lac (car il réunissait les Au Viet et les Lac Viet), à Co Loa.

En 214 av. J.-C., ce royaume fut conquis par Qin Shihuangdi, fondateur de l'empire de Chine. A sa mort, profitant de la déliquescence des institutions, le général chinois Trieu Da fonda, en 207 av. J.-C., le royaume de Nam Viet, qui englobait une partie de la Chine du Sud et du nord du Vietnam. Sous les Trieu, le Nam Viet entra peu à peu dans la sphère d'influence chinoise et, en échange de tributs périodiques à la cour des Han (206 av. J.-C. - 220 apr. J.-C.), se vit accorder la protection de ce puissant voisin contre toute menace d'invasion étrangère. Mais, en 111 av. J.-C., le Nam Viet fut conquis par les armées de Han Wudi. La domination chinoise devait durer plus d'un millénaire, de 111 av. J.-C. à 939 apr. J.-C.

La domination chinoise

Sous le nom de Giao Chi, le Nam Viet devint un protectorat chinois divisé en trois provinces administrées par des mandarins de haut rang. C'est à cette époque que furent introduits l'écriture chinoise, l'araire de métal qui permit la culture par labour au lieu de la culture sur brûlis, et l'élevage du ver à soie. Mais les Vietnamiens, soucieux de préserver leur identité, opposèrent une résistance farouche à cette politique de sinisation.

Ainsi, les injustices perpétrées par un gouverneur chinois despotique provoquèrent en 39 apr. J.-C. une première révolte populaire. La vieille aristocratie terrienne féodale, qui se sentait menacée dans ses privilèges par les réformes administratives, prit la tête de l'insurrection. Deux sœurs, Trung Trac et Trung Nhi – héroïnes nationales vénérées jusqu'à ce jour –, vainquirent les armées des Han en l'an 40 et rétablirent l'indépendance. Toutefois, les troupes impériales chinoises, mieux armées et plus aguerries, matèrent la rébellion trois ans plus tard.

Le Vietnam fut dès lors administré comme une simple province, et une politique d'assimilation fut instaurée. Le chinois devint la langue officielle de l'élite, déjà pétrie de culture chinoise et imprégnée du système de valeurs confucéen.

En 541, les excès du gouverneur chinois Xiao Zi provoquèrent une nouvelle insurrection, menée par le mandarin Ly Bon. Ce dernier chassa les troupes chinoises et se proclama roi du Nam Viet en 544. Mais les Chinois reconquirent le pays en 547. D'autres révoltes furent écrasées en 590, 600 et 602.

Les Tang, qui prirent le pouvoir en Chine en 618, tentèrent d'accroître leur emprise sur le Vietnam en y implantant des colons et conquirent la région située au sud du Tonkin, qu'ils baptisèrent An Nam (le « Sud pacifié »). De

nombreuses révoltes éclatèrent, malgré la présence d'un solide appareil administratif.

LES NGO ET LES DINH

Les troubles qui suivirent la chute des Tang, en 907, offrirent aux Vietnamiens l'occasion tant attendue de s'affranchir de la tutelle chinoise.

A l'issue d'une longue guerre, le général Ngo Quyen vainquit les Chinois à la bataille navale de Bach Dang, dans la baie de Halong, et fonda en 939 la première dynastie nationale.

A gauche, spécimen de grand tambour de l'époque Dong Son; ci-dessus, évocation de la vie rurale traditionnelle.

Il établit le centre du pouvoir à Co Loa, ancienne capitale du royaume d'Au Lac, pour marquer la continuité des traditions du peuple Lac Viet.

Ngo Quyen passa les six premières années de son règne à combattre les révoltes des chefs féodaux. A sa mort, en 944, le royaume sombra dans le chaos et acquit le nom de Thap Nhi Su Quan, les « Douze Principautés féodales qui s'entre-déchirent ». Ce royaume, sur lequel pesait, au nord, la menace constante d'une intervention des Song, allait demeurer morcelé vingt ans encore.

Dinh Bo Linh, le plus puissant de ces douze princes, élimina ses rivaux l'un après l'autre. Il réunifia le pays en 967, lui donna le nom de Dai Co Viet et prit le nom de Dinh Tien Hoang, « Premier Auguste Empereur Dinh ». Conscient du danger que représentait la puissance militaire des Song, il s'engagea à leur verser tribut tous les trois ans en échange d'un pacte de non-agression. Cet accord devait régir pendant des siècles les relations entre les deux pays. Dinh Tien Hoang restructura l'armée en dix corps et instaura une hiérarchie de fonctionnaires civils ainsi qu'un système judiciaire rigoureux. Grâce à ces mesures énergiques, l'ordre et la sécurité furent restaurés.

Mais ce règne prometteur fut brutalement interrompu : Dinh Bo Linh fut assassiné en 979 par un garde du palais. L'héritier du trône, alors âgé de six ans, était incapable de faire face aux intrigues de la cour.

LES LE ANTÉRIEURS

En 981, avec le soutien de la reine mère, le général Le Hoan prit le pouvoir et adopta le nom de Le Dai Hanh. Il maintint la cour à Hoa Lu et parvint à repousser plusieurs invasions chinoises dans le Nord. Malgré ces attaques, il continua à verser tribut aux Song.

Puis il entreprit de pacifier le Sud et lança, en 982, une campagne contre le royaume indianisé du Champa, né au IIe siècle dans la région de Danang. Le Dai Hanh tua le roi cham et mit à sac la capitale, Indrapura (l'actuelle Dong Duong, dans la province de Quang Nam), d'où il rapporta un énorme butin. La conquête du nord du Champa se traduisit par l'introduction de valeurs cham dans la culture vietnamienne, notamment en musique et en danse.

Le règne de Le Dai Hanh marqua la première tentative d'unification et de renforcement de la nation vietnamienne. Ce monarque tenta de développer le réseau routier afin de mieux administrer les provinces de son royaume. Mais les particularismes locaux et l'hostilité à toute centralisation marquée, encore tenaces, donnèrent lieu à de nombreuses rébellions.

Le Dai Hanh mourut en 1005. Son successeur fit venir de Chine les textes sacrés du bouddhisme mahayana et tenta de populariser cette nouvelle religion, destinée à supplanter les cultes animistes. L'élite sinisée demeura fidèle aux cultes taoïste et confucianiste, mais le moine Khuong Viet parvint à faire du bouddhisme l'un des piliers du royaume. La dynastie s'effondra en 1009.

mettre sur pied un gouvernement centralisé fort, s'appuyant sur un système judiciaire et une armée de métier.

Les Ly construisirent les premières digues et canaux destinés à drainer les crues dévastatrices du fleuve Rouge et sédentariser la population. Ces travaux permirent un développement de l'agriculture.

Le souverain, propriétaire de la terre, en redistribuait une partie en domaines et apanages à ses proches et fidèles serviteurs ainsi qu'aux monastères bouddhiques, et percevait impôt et corvée sur les terres des communes. Les Ly réglementèrent l'achat et la vente de terres, ce qui permit, au XIe siècle, l'apparition

La dynastie des Ly

Les Ly, qui régnèrent de 1010 à 1225, furent la première des grandes dynasties nationales. En 1009, le général Ly Cong Uan s'empara du pouvoir avec l'aide du bonze Van Hanh. Il prit le nom de Ly Thai To et transféra, en 1010, sa capitale à Dai-La, sur l'emplacement de l'actuelle Hanoi. Selon les annales, le roi vit en songe un dragon s'élever au-dessus de la future capitale et décida alors de la baptiser Thang Long (le « Dragon prenant son essor »). En 1054, son successeur Ly Thanh Tong rebaptisa le pays Dai Viet.

Sur le conseil d'administrateurs confucéens compétents, la dynastie des Ly parvint à

d'une classe de petits propriétaires terriens à côté des grands domaines seigneuriaux. L'artisanat (tissage, orfèvrerie, poterie) et, par conséquent, le commerce, connurent aussi un grand essor au cours de cette période.

Les Ly élevèrent le bouddhisme au rang de religion nationale. En 1034, ils reçurent des Song les textes essentiels du canon bouddhique. Des bonzes conseillaient les souverains, et la diplomatie prit peu à peu le pas sur les armes. Certains souverains, tels Thai Tong, Anh Tong et Cao Tong, dirigeaient les sectes bouddhiques de Thao Duong. Thai Tong (1028-1054) fit à lui seul construire cent cinquante monastères.

Les confucéens n'en continuèrent pas moins de jouir de la faveur impériale. En 1070 fut fondée à Hanoi une académie nationale destinée à former les futurs fonctionnaires. Pendant trois ans, les candidats étudiaient les grands classiques confucéens et apprenaient à maîtriser les règles de la composition littéraire et poétique. Ils devaient ensuite passer des concours très difficiles avant d'accéder aux postes mandarinaux convoités. En 1089 furent fixés les neuf degrés de la hiérarchie mandarinale. La bureaucratie vietnamienne était née.

LA DYNASTIE DES TRAN

En 1225, Ly Hue Ton abdiqua en faveur de sa fille, Chieu Thanh. Tran Canh, ambitieux parvenu, parvint par d'habiles manœuvres à épouser l'impératrice, puis la répudia pour fonder la dynastie des Tran.

Sous les Tran, le bouddhisme continua à jouer un rôle important mais fut détrôné par le confucianisme. Les concours littéraires furent remaniés, de même que les impôts. En 1226, le cours de la monnaie fut réglementé et en 1230 fut édicté un code pénal sévère.

La dynastie des Tran s'illustra par ses succès militaires et diplomatiques. Après s'être emparées de l'empire de Chine, les armées mongoles envahirent le Vietnam à trois reprises; elles furent à chaque fois repoussées avec de lourdes pertes. Finalement, en 1288, le brillant général Tran Hung Dao, qui appartenait à la famille royale, remporta une éclatante victoire sur Kubilaï Khan, sur le Bach Dang.

Dans la lutte séculaire qui opposa le royaume du Champa aux Vietnamiens, ces derniers remportèrent un grand succès au début du XIVe siècle. En 1307, le roi cham Jaya Simhavarman consentit à céder les deux provinces septentrionales de Quang Tri et Thua Tien (Hué) en échange de la main de la princesse Huyen Tran. Ce succès fut de courte durée car les Cham reprirent possession de ces territoires à la mort de leur roi.

Aux XIVe et XVe siècles, victoires et défaites se succédèrent. En 1311, Anh Tong mit à sac Vijaya, capitale du Champa, et installa son frère sur le trône. Mais le roi cham Che Bong Nga (1360-1390) vainquit les Vietnamiens à plusieurs reprises et s'empara de Thang Long, qu'il saccagea en 1371 et en 1377. Vingt ans plus tard, les Vietnamiens réoccupèrent les territoires cham jusqu'à Danang. Le Champa ne devait être définitivement conquis qu'en 1471, lorsque Le Thanh Ton s'empara de Vijaya.

A gauche, le grand chat (la Chine) recevant le tribut des souris (le Vietnam); ci-dessus, deux lettrés.

LA DYNASTIE DES HO

Nghe Tong se laissa manipuler par un ministre ambitieux, Le Qui Ly, neveu de sa femme et éminence grise du régime. Peu après sa mort, en 1394, Le Qui Ly s'imposa comme régent. En 1396, il lança une émission de papier-monnaie pour renflouer le trésor et s'efforça de limiter l'extension des grands domaines aux dépens des petits propriétaires terriens. Le cursus des études mandarinales fut modifié afin d'inclure, outre l'étude des classiques confucéens, des connaissances pratiques sur l'agriculture, des mathématiques et de l'histoire.

En 1400, Le Qui Ly déposa le dernier souverain Tran et fonda la dynastie des Ho. Il réorganisa et renforça l'armée. Il réforma le système des impôts et ouvrit les ports aux navires étrangers contre paiement de droits de

douane. Des réformes juridiques furent entreprises et un service médical fut institué.

Pour renverser l'usurpateur, les partisans des Tran firent appel aux Ming. Ces derniers envoyèrent une armée qui occupa Hanoi et captura le souverain en 1407. Ils installèrent un membre de la famille Tran sur le trône mais, déterminés à faire main basse sur le Vietnam, l'administrèrent comme une province chinoise à partir de 1413. Leur politique de sinisation forcée leur aliéna la majeure partie de la population. Les ouvrages littéraires en vietnamien furent brûlés, les œuvres artistiques ou d'intérêt historique détruites ou emportées en Chine et le chinois fut imposé dans les écoles et l'administration. Le pays fut mis en coupe réglée : ses ressources agricoles et minières, exploitées grâce au servage, furent exportées vers la Chine, et les riches Vietnamiens dépossédés de leurs biens.

Les Le postérieurs

En 1418, Le Loi, héros célèbre pour son courage et sa générosité, amorça un mouvement de résistance anti-chinoise dans la province de Thanh Hoah. Après des débuts difficiles, ce « prince de la Pacification » sut rallier à sa cause la plupart des aristocrates et des administrateurs vietnamiens et isoler les garnisons chinoises par ses opérations de guérilla. Il s'at-

taquait aux postes militaires faiblement défendus, harcelait les lignes de communication de l'ennemi et se repliait lorsque les forces chinoises étaient supérieures en nombre. Il imposa une discipline militaire à ses troupes, leur interdisant de se livrer au pillage dans les régions qu'il tenait – ce qui le rendit très populaire.

Les armées envoyées par les Ming pour secourir la garnison chinoise encerclée dans Dong Do (Hanoi) furent écrasées lors de deux batailles décisives. Afin de mettre un terme aux hostilités, Le Loi reconnut la suzeraineté chinoise en envoyant une ambassade chargée de présents à la cour des Ming. En échange, cette dernière le reconnut comme nouveau souverain. En 1428, Le Loi monta sur le trône sous le nom de Le Thai To. Il rebaptisa le pays Dai Viet et entreprit l'énorme tâche d'en reconstruire l'économie ruinée par la guerre.

Il réduisit les effectifs de l'armée, qui passèrent de 250 000 à 100 000 hommes. Afin d'accroître la production agricole, il autorisa les quatre cinquièmes des soldats à retourner à tour de rôle dans leur village pour les labours et les récoltes. Il réorganisa la justice et le système pénal. Un nouveau Collège des fils de l'État (Quoc Tu Giam), ouvert aux fils de l'aristocratie comme aux enfants de familles pauvres, fut fondé afin de former les futurs cadres administratifs.

Le Thai To mourut en 1443, laissant le trône à son fils Le Thai Tong. La mort de ce dernier, peu après, fut suivie d'une période de trouble et d'intrigues qui ne prit fin qu'à l'avènement, en 1460, de Le Thanh Ton.

Sous son règne (1460-1497), la dynastie allait connaître son apogée. Le Thanh Ton réforma le système fiscal, encouragea l'agriculture, notamment en créant des fermes d'État sur les terres en friche, et promulgua le code Hong Duc, qui, pour la première fois, prenait en compte les droits des femmes à la propriété. L'ordre et la sécurité régnaient sur l'ensemble du pays, fortement centralisé et administré par six ministères (Affaires civiles, Finances, Rites, Justice, Guerre et Travaux publics). Les paysans-soldats excellaient non seulement dans le domaine des armes mais aussi dans la mise en valeur des localités agricoles qu'ils établissaient au fur et à mesure de leur progression vers le sud, en territoire cham. En 1471, l'empereur remporta une victoire décisive sur le Champa, qui fut dès lors intégré au Vietnam. Le Thanh Ton, lui-même fin lettré, fonda l'académie Tao Dan, qui permit l'essor de la littérature d'inspiration confucéenne, et rédigea le premier ouvrage consacré à l'histoire nationale.

A gauche, fenêtre de style chinois ; la cour royale du Tonkin ; ci-dessus, village de la région de Hué.

Les successeurs de Le Thanh Ton se révélèrent inefficaces et les intrigues de cour se multiplièrent. Entre 1497 et 1527, dix empereurs dont quatre usurpateurs se succédèrent sur le trône. Tirant parti de cette anarchie, un mandarin ambitieux, Mac Dang Dung, fonda sa propre dynastie en 1427. Celle-ci devait se maintenir soixante-six ans.

Pendant ce temps, les Le, regroupés autour des seigneurs Nguyen Kim et Trinh Viem, cherchaient par tous les moyens à restaurer leur autorité. Au terme de sanglants combats, ils reconquirent la capitale du Sud, Tay Do, et, en 1543, installèrent la cour près de Thanh Hoa. Finalement, en 1592, à la mort de Mac Mau Hop, les forces coalisées des Trinh et des

Nguyen s'emparèrent de Hanoi. Les partisans des Mac, soutenus par les Ming, se retranchèrent dans la région de Cao Bang, à la frontière chinoise.

Le seigneur Trinh partit rétablir l'ordre dans le Nord, dévasté par la guerre, laissant temporairement la capitale méridionale aux mains de Nguyen Hoang, neveu de Nguyen Kim. Après avoir pacifié le Nord et restauré l'autorité des Le sur Hanoi, le seigneur Trinh revint dans le Sud pour trouver Nguyen Hoang régnant en maître sur la région.

Dès lors, les Le ne régnèrent plus que nominalement. De 1620 à 1672, les Trinh et les Nguyen s'affrontèrent sans que l'une des deux

familles ne l'emporte. Lorsque, en 1674, ils décidèrent d'un commun accord de mettre un terme à ces luttes, les Trinh étaient maîtres du Tonkin et les Nguyen de l'Annam, avec Hué pour capitale. Cette trêve devait durer près d'un siècle. Ils fixèrent la limite des deux principautés sur le cours du Song Qiang, à la hauteur du 18 parallèle.

Les Nguyen mirent cette paix à profit pour étendre leur territoire et coloniser le sud du Vietnam occupé par les Cham et les Khmers. Dès 1674, ils occupèrent Phu Xuan (Hué) et, grâce à une politique de colonisation massive, étendirent graduellement leur contrôle sur toute la Cochinchine. Le Cambodge devint même brièvement un protectorat des Nguyen.

La révolte des Tay Son

Une révolte populaire, suscitée par la mauvaise administration et la corruption des Le, mit un terme à cette expansion. En 1771, trois frères, Nguyen Nhac, Nguyen Lu et Nguyen Hue, soulevèrent les villageois de la province de Binh Dinh. Ce mouvement égalitariste, baptisé Tay Son (les « Montagnards de l'Ouest »), se rendit maître du Sud dès 1778 et s'empara de Hué en 1786. Nguyen Hue entra dans Hanoi la même année et devint le protecteur officiel des Le, qui demeuraient les monarques en titre.

La dynastie chinoise des Qin, profitant du désordre, envoya une armée d'occupation à Hanoi en 1788. Face à cette invasion qui mettait la nation en péril, Nguyen Hue se proclama empereur sous le nom de Quang Trung et vainquit les forces chinoises à la suite d'une campagne éclair. Il pacifia tout le Centre et le Nord, du col des Nuages à la frontière chinoise, et consacra toute son énergie à réorganiser le pays dévasté. Il relança l'économie et rétablit le système administratif. L'écriture chinoise fut remplacée par une écriture nationale, mi-idéographique, mi-phonétique, le *chu nôm*, qui devint officielle. Mais ce souverain énergique et capable, dont le règne s'annonçait prometteur, mourut prématurément en 1792.

Les Nguyen

Malgré les succès des Tay Son, le prince Nguyen Anh et ses partisans étaient bien décidés à restaurer le pouvoir légitime des seigneurs Nguyen. Nguyen Anh dut se réfugier à plusieurs reprises au Siam, mais n'abandonna jamais une lutte qui devait durer près d'un quart de siècle. En 1787, avec l'aide des Siamois, il débarqua dans le sud du Vietnam. La même année, il envoya à Versailles son fils Canh, alors âgé de quatre ans, solliciter sous la conduite de Pigneau de Béhaine, évêque d'Adran, l'aide de Louis XVI. Ce missionnaire zélé, installé depuis vingt ans au Vietnam, espérait bien que la victoire de son protégé lui permettrait de propager le catholicisme.

Malgré les offres alléchantes de cessions territoriales (l'île de Poulo-Condore et le port de Faifo, aujourd'hui Hoi An, près de Tourane, l'actuelle Danang) et d'une exclusivité commerciale au Vietnam, la France n'avait aucune intention de s'embarquer dans une coûteuse aventure indochinoise. Aux termes d'un traité signé le 28 novembre 1787, le gouvernement français s'engagea à fournir des vaisseaux, des armes et des soldats, mais, les caisses du royaume étant vides, ces promesses ne furent jamais honorées.

L'infatigable évêque d'Adran, fort du soutien financier de négociants français aux Indes, acquit des armes et recruta des volontaires. Quatre vaisseaux chargés d'armes et de soldats rallièrent Saigon en 1788, peu après que Nguyen Anh eut pris la ville. L'aide opportune de conseillers militaires comme Dayot, Puymanel, Vannier et Chaigneau permit à Nguyen Anh de conquérir la Cochinchine.

Qui Nhon, citadelle des Tay Son, tomba en 1799. Nguyen Anh se rendit maître de Hué en 1801, puis de tout le Tonkin en 1802. La même année, il se proclama empereur du Vietnam, à Hué, sous le nom de Gia Long.

La cour ne tarda pas à être divisée entre factions pro-françaises et pro-chinoises. Malgré sa dette envers les Français, Gia Long se méfiait de leurs visées sur le Vietnam. Aussi s'appuya-t-il plus volontiers sur ses conseillers confucéens que sur les missionnaires catholiques. Il restaura le système de valeurs confucéen afin de se concilier les élites conservatrices mises à mal par la politique réformiste des Tay Son.

A gauche, l'une des premières résidences européennes de Saigon ; ci-dessus, détachement français à Danang dans les années 1830.

Gia Long consacra tous ses efforts à pacifier puis à unifier le pays. Il édicta un code pénal autoritaire, copié sur celui des Mandchous, et renforça la centralisation administrative. Les poids et mesures ainsi que la monnaie furent normalisés, d'importantes réformes agraires entreprises et de nombreuses écoles construites. Hué, la capitale, se dota d'innombrables palais, mausolées et temples reflétant l'harmonie de l'ordre cosmique et de l'ordre humain placé sous l'égide du Fils du Ciel.

Le Vietnam, qui s'étendait de la frontière chinoise à la péninsule de Ca Mau, acquit un grand prestige régional. Dans le même temps, craignant que l'ouverture sur l'étranger ne sape les fondements de l'empire, les Nguyen fermèrent les ports au commerce avec l'Europe.

Les officiers vietnamiens formés par des conseillers militaires français, conscients de la supériorité technologique occidentale, souhaitaient voir l'armée et le pays modernisés. Le prince héritier Canh, qui connaissait la France et avait été éduqué dans un collège missionnaire de Malacca, leur semblait tout désigné pour mener le pays sur la voie de l'industrialisation. Ses plus chauds partisans étaient les généraux Nguyen Thanh et Le Van Duyet, gouverneurs de Thang Long (Hanoi) et de Gia Dinh (Saigon). Mais les confucéens lui préféraient le prince Mien Tong, son frère cadet. Lorsque Canh mourut, en 1821, officiellement de la rougeole, les missionnaires soupçonnèrent les pro-chinois de l'avoir empoisonné.

Lorsqu'il accéda au pouvoir, en 1820, sous le nom de Minh Mang, Mien Tong abandonna la politique prudente de son père à l'égard de l'Occident. Fervent confucéen pétri de culture chinoise, Minh Mang détestait les « barbares de l'Ouest » et rompit toutes relations avec la France. Les partisans du prince Canh furent déportés ou exécutés. Accusé de haute trahison, le général Nguyen Thanh fut acculé au suicide et la tombe de Le Van Duyet profanée (outrage suprême pour un Vietnamien). Afin d'enrayer les progrès du christianisme, l'empereur fit persécuter les missionnaires et les

Vietnamiens convertis. Son fanatisme entraîna ainsi l'échec de la première tentative de modernisation du pays.

Le règne des empereurs Thieu Tri (1841-1847) et Tu Duc (1848-1883) représenta, pour le Vietnam, une période de stagnation politique et économique. Les mandarins confucéens de la cour, aveuglés par leur xénophobie, se refusaient à envisager toute réforme et préconisaient une politique isolationniste.

L'INTERVENTION FRANÇAISE

Les demandes du gouvernement français d'établir un consulat et une délégation commerciale à Tourane étaient toutes rejetées par la cour de Hué. Aussi la politique de persécution des chrétiens menée par les Nguyen fournit-elle le prétexte à une intervention au Vietnam. Des canonnières françaises étaient intervenues en 1843 et 1847 pour faire libérer des missionnaires. Mais c'est le débarquement d'un corps expéditionnaire dans le port de Tourane (Danang), en août 1858, qui marqua le début d'une présence qui allait durer près d'un siècle.

Conscients des dangers de la politique des Nguyen, le catholique Nguyen Truong To, Bui Vien (premier ambassadeur du Vietnam à Washington) et Nguyen Lo Trach lancèrent en 1860 un projet de modernisation du pays. Nguyen Lo Trach rédigea un manifeste à l'adresse de Tu Duc, dans lequel il préconisait une réforme de l'enseignement, la modernisation de l'armée sur le modèle occidental, l'industrialisation et l'ouverture du pays au commerce international. Ces propositions firent l'objet d'un long et tumultueux débat à la cour, mais les mandarins firent échouer le projet.

Ce refus eut des conséquences désastreuses pour le pays. Lorsque les vaisseaux de guerre français ouvrirent le feu sur Danang, les Vietnamiens se révélèrent incapables de résister aux armes modernes.

Saigon fut prise en 1859. En 1861, la victoire française lors de la bataille de Chi Hoa marqua la fin des combats pour l'armée vietnamienne au sud du pays et le début d'une guérilla qui ne devait jamais s'éteindre tout à fait. En 1862, Tu Duc dut ouvrir trois ports aux navires de commerce français, admettre la libre pratique du catholicisme, céder trois provinces de Cochinchine à la France et lui verser une lourde indemnité. En 1867, la Cochinchine devint une colonie française. En 1882, les Français s'emparèrent de Hanoi et, l'année suivante, profitèrent de la mort de Tu Duc pour attaquer Hué et imposer leur protectorat sur l'Annam et le Tonkin. Dans la période troublée qui s'ensuit, trois empereurs, Duc Duc, Hiep Hoa et Kien Phuc, se succèdent, victimes de mystérieux assassinats.

En 1884, l'empereur Ham Nghi, âgé de quatorze ans, lança le mouvement Can Vuong (« Aide au souverain »), appelant ses sujets à la résistance. Mais l'insurrection orchestrée à Ha Tinh échoua. En 1888, Ham Nghi fut pris et exilé par les Français en Algérie.

A gauche, le jeune prince Canh ; à droite, carte du golfe du Tonkin et du nord du Vietnam datée de 1635.

MON NOM EST VIETNAM

Un premier nom de Van Lang fut donné au pays par le groupe ethnique des Hung, ou Lac, arrivés d'Indonésie vers le VIe siècle avant notre ère, inventeurs de la riziculture irriguée et des tambours de bronze encore en usage aujourd'hui chez les Muong. Puis vinrent de la province chinoise du Guangxi les Au, ou Tay Au. Ces deux peuples se mêlèrent pour former le nouveau royaume d'Au Lac. Ensuite arrivèrent des provinces côtières de l'ancienne Chine les Viet (ou Yue), aux environs du Ve siècle av. J.-C. Avec les autres groupes ethniques composant les Bach Viet (les « Cent Viet »), les Yue entamèrent une longue marche vers le sud de la péninsule indochinoise qui devait durer plus de quinze siècles.

Le mot Vietnam ne fut forgé qu'au XIXe siècle, lorsque l'empereur de Hué, Gia Long, décida de rebaptiser le pays Nam Viet. Afin d'obtenir l'approbation de l'empereur de Chine, son suzerain, il envoya en 1802 un ambassadeur qui s'adressa en ces termes au Fils du Ciel : « *Le nouveau royaume des Nguyen a réussi là où les précédentes dynasties des Tran et des Le avaient échoué. Il est en effet parvenu à réunir sous sa bannière l'ancien An Nam et le nouveau territoire des Viet Thuong. C'est pourquoi, nous sollicitons la permission de changer l'ancien nom d'An Nam en Nam Viet.* »

L'empereur estima que Nam Viet évoquait trop l'ancien royaume de Nam Viet Dong qui, aux IIIe et IIe siècles av. J.-C., avait englobé les provinces chinoises du Guangdong et du Guangxi. On résolut le problème en inversant l'ordre des mots. Nam Viet devint Viet Nam, c'est-à-dire les « Viet du Sud » ou le « Sud peuplé par les Viet », principal groupe ethnique de ce pays.

Le caractère *nam*, qui signifie « sud », servit sans doute à différencier les Viet du Nord qui restèrent en Chine de ceux qui émigrèrent vers le sud de la péninsule. Quant au mot *viet*, il est la prononciation vietnamienne du caractère chinois *yue*, qui signifie « au-delà », « loin ». Il a aussi le sens de « traverser », « passer par », « continuer son chemin ».

Les étymologistes ont déterminé que les Vietnamiens étaient à l'origine un peuple de nomades et de chasseurs en séparant les deux composants calligraphiques de l'idéogramme de ce nom ; l'élément de gauche se prononce *tau* en vietnamien et signifie « courir » ; l'élément de droite, qui se prononce *viet*, a le sens et le profil d'une hache ; ce second composant comporte également la particule *qua*, qui signifie « lance » ou « javelot ».

Marco Polo longea en 1292 les côtes vietnamiennes. Dans son récit, *Le Devisement du monde*, il appelle ce territoire Caugigu, forme latinisée de Giao Chi Quan, nom donné au Vietnam par la dynastie chinoise des Han lorsqu'elle s'empara du pays au IIIe siècle av. J.-C. Les Malais transformèrent ce mot en Kutchi et les Japonais en Kotchi. Les Portugais dénommèrent ce pays Cauchi Chine (le Cauchi vassal des Chinois) afin de le distinguer de la région de Cauchi, ou Kutchi, en Inde, également appelée Cochin.

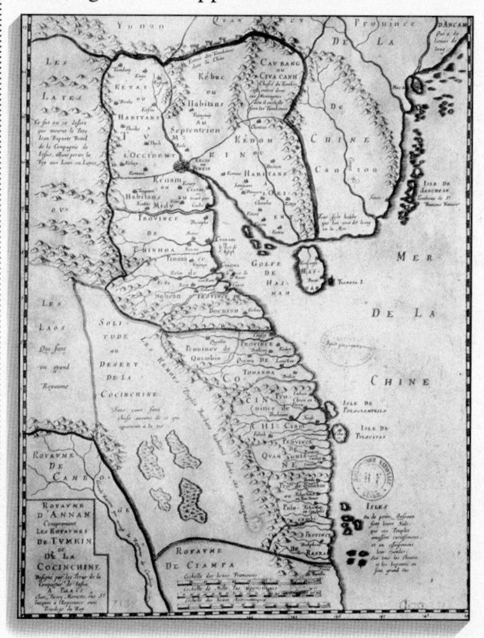

Ces dénominations, écrites ou prononcées à l'occidentale, évoquent un vocable beaucoup plus ancien : celui de Cattigara, qui apparaît sur l'une des cartes dressées par le géographe grec Ptolémée, au Ier siècle de notre ère, lors de ses voyages en Inde et en Asie du Sud-Est. L'ultime but de ces voyages était le port d'Oc Eo, dans la province méridionale de Kien Giang.

Depuis la plus haute antiquité, la péninsule indochinoise a joué un rôle de premier plan dans les migrations et le commerce entre la Chine et l'Inde, d'où le nom d'Indochine que le géographe danois Konrad Malte-Brun (1775-1826) lui donna dans son *Précis de géographie universelle*.

COLONISATION ET ÉMANCIPATION

La Cochinchine fut d'abord placée sous la tutelle d'« amiraux gouverneurs » qui cédèrent la place, en 1879, à un gouverneur civil assisté d'un conseil colonial chargé du budget de la colonie. En 1881, celle-ci envoya à l'Assemblée nationale son premier député. Le Tonkin était administré d'une manière analogue, tandis que l'Annam était gouverné de manière indirecte car les Nguyen y conservaient certains pouvoirs. En 1887 fut constituée une Union indochinoise, qui plaçait l'Annam, le Tonkin et la Cochinchine sous l'autorité d'un gouverneur général.

Les efforts des Français pour mettre en valeur les ressources naturelles et développer les infrastructures (construction de ports, d'une ligne ferroviaire Hanoi-Saigon, d'équipements sanitaires, irrigation, travaux d'urbanisation) ne modifièrent en rien l'attitude des Vietnamiens à leur égard. Ces derniers n'avaient pas plus de considération pour le nouvel occupant que pour l'ancien suzerain chinois.

Le début du XXe siècle vit néanmoins naître plusieurs mouvements anticolonialistes. L'un d'eux, de tendance réformiste, populaire parmi les aristocrates, les intellectuels et les jeunes, était dirigé par Phan Boi Chau, Phan Chau Trinh et le prince Cuong De (arrière-petit-fils du prince Canh), et prônait l'adoption des techniques industrielles et des idéaux démocratiques apportée par les Occidentaux.

La victoire des Japonais sur les Russes, en 1905, montra que l'Occident n'était pas invincible. Le Japon devint non seulement un modèle mais un centre de ralliement pour tous les jeunes révolutionnaires asiatiques. En 1907, Phan Boi Chau et le prince Cuong De lancèrent le mouvement Dong Du (« Voyage vers l'est »), et nombre de jeunes Vietnamiens furent envoyés secrètement au Japon.

Lorsque les autorités françaises firent pression sur Tokyo pour obtenir l'extradition des révolutionnaires vietnamiens, la plupart de ces étudiants trouvèrent refuge en Chine. Phan Boi Chau s'installa ainsi à Canton, où il fonda l'Association pour la restauration du Vietnam.

Pages précédentes : le jeune empereur Duy Tan et sa suite. A gauche, entrée des troupes françaises à Hung Hoa en 1884; à droite, l'empereur Duy Tan, monté encore enfant sur le trône d'Annam.

Inspirée par la révolution chinoise menée par Sun Yat-sen en 1911, cette organisation préconisait désormais des méthodes plus violentes pour obtenir l'indépendance. A la suite d'une vague d'attentats terroristes au Tonkin, ce mouvement fut démantelé par la police française ; Phan Boi Chau et Phan Chau Trinh furent arrêtés et placés en résidence surveillée.

En 1916, Duy Tan fomenta une rébellion qui fut découverte et écrasée. Le jeune empereur fut exilé à l'île de la Réunion et remplacé par Khai Dinh. Dans les années 1920, ce monarque et des politiciens modérés (Pham Quynh au Tonkin et Bui Quang Chieu en Cochinchine) tentèrent d'obtenir du gouver-

nement français des réformes et une dévolution graduelle des pouvoirs aux Vietnamiens. Ces demandes demeurèrent vaines malgré les promesses de Paris lors de la Première Guerre mondiale.

Au lendemain du conflit, le nationalisme gagna du terrain, encouragé par le mouvement indépendantiste indien, la révolution soviétique et la doctrine d'autodétermination du président Wilson.

LES PARTIS RÉVOLUTIONNAIRES

L'échec des nationalistes modérés renforça la détermination des extrémistes de tous bords. Le Parti révolutionnaire du Jeune Annam, fondé en 1925, fut démantelé par la police en 1929. Sur ces entrefaites, en 1927, fut créé à Canton le Parti nationaliste du Vietnam, appelé à dominer le mouvement indépendantiste. Ce parti, inspiré par la rhétorique révolutionnaire et par l'organisation du Guomindang chinois de Sun Yat-sen, mena des actions terroristes et tenta de gagner à sa cause les unités vietnamiennes de l'armée française. Son action culmina avec l'insurrection de la garnison de Yenbay, en 1930, durement réprimée.

La révolution bolchevique eut un grand retentissement sur la lutte anticoloniale vietnamienne et sur Nguyen That Thanh, le futur Ho Chi Minh. Celui qui se faisait alors appeler tard, partit pour Canton en qualité d'interprète de la mission Borodine, chargée de conseiller le Guomindang et le parti communiste chinois. C'est là qu'il fonda l'Association de la jeunesse révolutionnaire (Than Nien). Les recrues étaient formées par le parti communiste chinois ou par l'académie militaire de Moscou puis envoyées en Indochine pour constituer des groupes de propagande.

Quand la mission Borodine fut expulsée par le Guomindang, en 1927, le futur Ho Chi Minh quitta la Chine. En 1930, il se rendit à Hong Kong, où il fonda le parti communiste indochinois, dont le quartier général clandestin fut établi à Haiphong.

Nguyen Ai Quoc (Nguyen le Patriote) était né en 1890, au sein d'une famille de petits fonctionnaires annamites. En 1911, il s'embarqua pour l'Europe et s'établit à Paris, où il partagea le logement de Phan Chau Trinh, militant nationaliste exilé en France en 1915.

Il rédigea avec ce dernier et un groupe de patriotes vietnamiens une pétition dénonçant le colonialisme français au Vietnam, texte qui fut soumis à la conférence de Versailles, en 1919. Il milita aux côtés des intellectuels qui fondèrent le parti communiste français en décembre 1920 et devint rédacteur en chef du *Paria*, organe anticolonialiste du parti. Il se rendit à Moscou en 1923 pour y être formé comme agent du Komintern et, deux ans plus

Au début des années 1930, la situation au Tonkin et en Annam était très tendue. Les Français levaient de lourdes taxes afin de financer les grands travaux. Malgré l'échec de la mutinerie de Yenbay et la répression sanglante menée par les Français, les paysans dépossédés de leurs terres et les ouvriers acculés à la misère se soulevèrent à maintes reprises, sous l'égide des communistes. Les autorités tentèrent de démanteler l'organisation communiste et de faire extrader Ho Chi Minh de Hong Kong, en 1931. Mais ce dernier put leur échapper et se réfugia à Moscou, puis en Chine.

En 1924, à la mort de l'empereur Khai Dinh, son fils Bao Dai fut envoyé en France faire ses études. Il revint au Vietnam en 1932, bien décidé à promulguer des réformes et à obtenir des concessions politiques de la part des Français, mais il se révéla vite incapable de tenir tête aux colonisateurs et à son entourage conservateur.

La Seconde Guerre mondiale

Peu après l'armistice de juin 1940, le général Catroux, gouverneur général de l'Indochine, dut accepter l'occupation des grands ports vietnamiens par les Japonais qui, en échange, laissèrent l'administration coloniale en place. Ce n'est que le 9 mars 1945 que, sentant poindre la victoire alliée, les Japonais prirent le contrôle effectif du pays et emprisonnèrent les fonctionnaires et militaires français. Bao Dai devint ainsi l'empereur fantoche d'un Vietnam « indépendant » sous tutelle japonaise.

En mai 1941, le comité central du parti communiste indochinois, dirigé par Ho Chi Minh, avait fondé, dans la province chinoise du Guangxi, la Ligue révolutionnaire pour l'indépendance du Vietnam, plus connue sous l'abréviation de Viet-minh. Tout au long du conflit, Vo Nguyen Giap, l'un des lieutenants de Ho Chi Minh, avait lancé des opérations de guérilla dans plusieurs régions du Nord-Vietnam et mis sur pied un service de renseignement. Truong Chinh, le jeune secrétaire général du parti, organisa dans tout le pays un vaste réseau de cellules communistes. Elles devaient jouer un rôle vital après la reddition japonaise, proclamée le 15 août 1945.

Le Vietnam se retrouva dans une situation chaotique à la fin de la guerre. Le gouvernement de Bao Dai n'avait qu'une existence nominale et la conférence de Potsdam décida, le 2 août 1945, que les Japonais seraient désarmés par le Guomindang au nord du 16e parallèle et par les Britanniques au sud. Par le biais de l'organisation clandestine du parti communiste et du Front unifié du Viet-minh, Ho Chi Minh occupa autant de terrain que possible avant l'arrivée des forces alliées.

La révolution d'Août

La « révolution d'Août » débuta le 16 août 1945, lorsque le Viet-minh proclama la formation d'un Comité national pour la libération du Vietnam. Le Viet-minh occupa Hanoi trois jours plus tard et s'empara de Hué le 23 août. Lorsque, le 25, Bao Dai abdiqua, pensant comme tous les Vietnamiens que le Viet-minh était une organisation nationaliste soutenue par les Alliés, les guérilleros de Ho Chi Minh

A gauche, mandarin et sa suite au Tonkin (nord du Vietnam); ci-dessus, la rue Han Bo, à la fin des années 1930.

contrôlaient Saigon et la campagne environnante. Le 29 août, Ho Chi Minh annonça la formation d'un gouvernement provisoire à Hanoi et proclama l'indépendance du pays et l'avènement de la république démocratique du Vietnam, le 2 septembre.

Les troupes françaises se réinstallèrent dans le Sud à l'automne. Les Chinois, qui avaient laissé l'administration du Tonkin au Viet-minh, acceptèrent de quitter le pays après avoir conclu un accord avec Paris en février 1946. A l'issue d'élections générales au Tonkin en janvier 1946, Ho Chi Minh fut élu président de la République le 2 mars 1946 et se prépara à négocier avec Paris le futur statut du Vietnam. Le 6 mars, Sainteny, représentant le gouvernement français, reconnut la nouvelle république démocratique du Vietnam comme un État libre au sein de l'Union française et de la Fédération indochinoise. En contrepartie, Ho Chi Minh accepta la présence de troupes françaises au Tonkin. La réunification des trois régions, ou *ky* (Tonkin, Annam, Cochinchine), au sein du jeune État devait faire l'objet d'un référendum.

Mais les relations entre la France et la république démocratique ne tardèrent pas à se dégrader. Dès le 25 mars se constitua en Cochinchine, à l'initiative de Thierry d'Argenlieu, haut-commissaire d'Indochine, une république autonome, proclamée le 1er juin 1946.

La conférence de Fontainebleau (6 juillet-1er août), chargée de régler le futur statut du Vietnam, achoppa sur la Cochinchine.

La guerre d'Indochine

Dès l'automne 1946, la guérilla reprit dans le Sud. Le 8 novembre, le parlement de Hanoi adopta la première Constitution du Vietnam indépendant. A la suite d'un obscur litige douanier, la flotte française bombarda Haiphong le 23 novembre pour contraindre le Viet-minh à évacuer le port. Le 19 décembre 1946, Vo Nguyen Giap lança une offensive générale contre les garnisons françaises à Hanoi ainsi que dans le nord et le centre du pays. La guerre pour l'indépendance, qui devait durer près de dix ans, venait de commencer.

Confronté à des troupes aguerries et bien armées, le Viet-minh dut prendre le maquis et adopter la stratégie maoïste de la « guerre populaire », harcelant des unités militaires isolées de manière à éviter toute bataille rangée.

Les Français tentèrent de rallier à leur cause des personnalités vietnamiennes non communistes. Bao Dai devint ainsi, le 21 mai 1949, chef d'État d'un Vietnam indépendant (regroupant la Cochinchine, l'Annam et le Tonkin) au sein de l'Union française. Cet État fut reconnu par Londres et Washington en février 1950, et une mission militaire américaine s'installa à Saigon.

L'instauration d'un gouvernement communiste à Pékin bouleversa les données du problème, car les Chinois apportèrent une aide précieuse au Viet-minh. Le 18 janvier 1950, la Chine populaire reconnut la république démocratique du Vietnam. L'Union soviétique et les pays de l'Est lui emboîtèrent le pas.

A partir d'octobre 1950, les forces viet-minh, équipées en matériel lourd par les Chinois, prirent l'offensive et anéantirent les garnisons de Cao Bang et de Lang Son, tenant bientôt toute la zone frontalière avec la Chine. Malgré une contre-attaque victorieuse du général de Lattre de Tassigny, les Français allaient demeurer sur la défensive tandis que les forces viet-minh se transformaient en armée régulière capable de grandes offensives.

Ho Chi Minh tenta d'élargir son soutien populaire en faisant appel à toutes les forces nationalistes opposées à la présence française. La Ligue pour l'union nationale du Vietnam (Lien Viet) qui était, en théorie, un groupement de divers partis nationalistes, remplaça graduellement le Viet-minh après 1951. Ho Chi Minh annonça en même temps la fondation du Parti des travailleurs vietnamiens (Lao Dong), couverture du parti communiste. Le contrôle du Viet-minh par les communistes se fit de plus en plus évident, car les membres les plus éminents du gouvernement occupaient également les instances suprêmes du Lao Dong et du Lien Viet. Les nationalistes non communistes n'avaient cependant d'autre choix que de se battre aux côtés du Viet-minh ou de collaborer avec les Français.

Giap gagna du terrain en 1952 et 1953. Plusieurs divisions viet-minh s'infiltrèrent au Laos, où elles menèrent des actions communes avec le mouvement pro-communiste du Pathet Lao. Le Viet-minh encercla le delta du fleuve Rouge au Tonkin et menaça l'Annam. Les États-Unis, impliqués dans cette guerre contre le communisme, financèrent, à partir de 1953, 80 % de l'effort de guerre français.

A gauche, l'alliance des Vietnamiens, des Cambodgiens et des Laotiens contre la France ; ci-dessus, le général Giap.

DIEN BIEN PHU

L'année 1954 s'annonça encore plus désastreuse pour le corps expéditionnaire français. De nouvelles offensives viet-minh menaçaient le sud du Vietnam, le centre et le nord du Laos ainsi que le nord-est du Cambodge. Afin de briser cet encerclement et d'enrayer l'offensive viet-minh sur le Laos, le général Navarre massa des troupes d'élite dans le camp retranché de Dien Bien Phu, près de la frontière laotienne.

Mais les troupes françaises furent prises au piège par Giap et capitulèrent le 7 mai 1954.

Les accords de Genève, signés le 20 juillet 1954, reconnurent la république démocratique du Vietnam au nord, la république du Vietnam au sud, et fixèrent la ligne de démarcation des deux États au 17e parallèle. Les forces viet-minh devaient se retirer du sud et du centre du Vietnam et les troupes françaises du nord du Vietnam, du Cambodge et du Laos. Ces accords envisageaient la réunification du Vietnam après des élections générales prévues pour juillet 1956 sous contrôle international.

Jean-Baptiste Ngo Dinh Diem, Premier ministre catholique de la république du Vietnam, manœuvra en vue de se débarrasser de Bao Dai. A l'issue d'un référendum truqué (Ngo Dinh Diem obtint 98,2 % des suffrages...), Bao Dai fut déposé le 26 octobre 1955, et la dynastie des Nguyen abolie.

Les derniers soldats français quittèrent le Vietnam en avril 1956, mais les élections pour la réunification du pays, stipulées par les accords de Genève, n'eurent jamais lieu. Ngo Dinh Diem, soutenu par Washington, n'avait jamais entériné ces accords et ne se sentait nullement obligé d'organiser des élections. Dans le Nord, les bouleversements socio-économiques et le mécontentement, suscités par une réforme agraire aussi radicale que hâtive, ne favorisaient pas plus la tenue d'un scrutin.

Entre 1954 et 1974, les deux Vietnams, virtuellement en guerre, n'eurent aucun échange diplomatique, culturel ou économique. La perspective d'une réunification pacifique par le biais d'élections démocratiques apparut de plus en plus illusoire à mesure que la République démocratique intensifiait sa propagande révolutionnaire et ses opérations de guérilla dans le Sud.

La guerre du Vietnam

Le régime de Ngo Dinh Diem obtint de Washington une aide économique et militaire massive, faisant du Sud-Vietnam un virtuel protectorat américain. Le Front national de libération du Sud-Vietnam (FNL), dirigé par d'anciens partisans marxistes, fut fondé en décembre 1960. Ses objectifs étaient de renverser Ngo Dinh Diem, d'éliminer ses protecteurs américains et de réunifier le pays. En 1960-1961, ce mouvement élargit son assise dans les campagnes. Les maquisards, baptisés Vietcong par les autorités de Saigon, multiplièrent les opérations contre les unités de l'armée sud-vietnamienne encadrée par des conseillers américains de plus en plus nombreux.

Mais c'est la confrontation du gouvernement, catholique et anticommuniste, et du clergé bouddhiste, pacifiste et neutraliste, qui précipita la chute de Ngo Dinh Diem. Le 11 juin

1963, Thich Quang Duc, moine de soixante-six ans, s'immola par le feu dans une rue de Saigon pour protester contre la campagne anti-bouddhique de Ngo Din Diem, bientôt imité par plusieurs moines. La population fit cause commune avec les religieux et cette campagne de suicides eut alors un retentissement mondial.

Las de cet allié encombrant, les États-Unis encouragèrent l'armée sud-vietnamienne à renverser le dictateur. Le 1er novembre 1963, Ngo Dinh Diem et son frère Ngo Dinh Nhu furent assassinés, ce qui ouvrit la voie à une longue période d'instabilité politique. Les coups d'État militaires successifs affaiblirent et déstabilisèrent le pouvoir. Le FNL en profita pour aménager la piste Ho Chi Minh et lancer des offensives massives dans le Sud à partir de 1964.

Le 1er avril 1967, une constitution anticommuniste fut promulguée par l'Assemblée sud-vietnamienne à l'initiative du général Nguyen Cao Ky, l'homme fort du moment. En septembre 1967, le général Nguyen Van Thieu fut élu président de la république du Sud-Vietnam.

Les succès du FNL et la détérioration de la situation politique dans le Sud provoquèrent une intervention militaire massive des Américains à partir de 1965. Le président Lyndon Johnson ordonna les premiers bombardements du Nord-Vietnam le 7 février. En mars, les premières unités de marines débarquèrent à Danang. A la fin de 1967, il y avait plus de 500 000 GI's américains et près de 100 000 soldats alliés (Coréens, Australiens et Néo-Zélandais) cantonnés au Vietnam.

A gauche, prise de Dien Bien Phu sur les Français par l'armée du général Giap; ci-dessus, Ho Chi Minh au début des années 1950.

Le président Johnson croyait fermement à la « théorie des dominos » selon laquelle le communisme allait gagner de proche en proche toute l'Asie du Sud-Est, et, ainsi, finirait par menacer inéluctablement les États-Unis, qui risquaient à terme un débarquement des « rouges » sur la côte du Pacifique... Cette théorie explique ainsi l'engagement massif des Américains dans un pays qui n'avait en fait guère d'importance réelle à leurs yeux.

L'offensive du Têt

L'offensive du Têt, déclenchée le 30 janvier 1968, à la veille du Nouvel An lunaire, marqua un tournant décisif dans cette guerre. Des commandos viet-cong occupèrent plus d'une centaine de villes dont Saigon, Danang et Hué. La contre-offensive américaine parvint à enrayer ces attaques mais fit de nombreuses victimes civiles, et l'opinion publique américaine commença à se mobiliser contre la « sale guerre ». Le président Johnson dut suspendre les bombardements sur le Nord-Vietnam et proposer des négociations.

Ho Chi Minh mourut en 1969 sans avoir atteint l'objectif de sa vie : l'unification d'un Vietnam communiste. Confronté à l'impopularité croissante de la guerre, le président Nixon, qui avait succédé à Johnson en 1968, décida de « vietnamiser » le conflit. Les Américains retirèrent graduellement le gros de leurs troupes tout en renforçant l'armée sud-vietnamienne.

A partir de février 1970, Henry Kissinger et Le Duc Tho se rencontrèrent en secret à Paris pour négocier le retrait des troupes américaines. En 1972, deux événements accélèrent paradoxalement le processus de paix : la visite officielle de Nixon en Chine, prélude à la normalisation des relations entre les deux pays, et une offensive ratée de l'armée nord-vietnamienne au sud du 17e parallèle, qui entraîna en représailles des bombardements massifs sur Hanoi. D'autre part, une certaine détente était intervenue entre les États-Unis et l'URSS. La menace communiste s'estompant pour les uns et l'espoir d'une victoire militaire s'amenuisant pour les autres, les pourparlers de paix reprirent à Paris, officiellement cette fois, entre Kissinger et Le Duc Tho. Ces entretiens débouchèrent le 27 janvier 1973 sur un accord prévoyant un cessez-le-feu et le retrait définitif des troupes américaines, retrait effectif dès la fin de l'année. La république du Vietnam et le Gouvernement révolutionnaire provisoire (GRP) du FNL définirent leurs zones d'influence respectives dans l'attente d'élections générales placées sous contrôle international.

La même année, Henry Kissinger et Le Duc Tho furent récompensés par le prix Nobel de la paix, mais Le Duc Tho refusa son prix.

Les combats entre la république du Vietnam et le GRP reprirent bientôt, mais le Sénat américain refusa de voter de nouveaux crédits militaires au Sud-Vietnam, successivement demandés par Nixon, alors englué dans le scandale du Watergate qui l'amena à démissionner en 1974, puis par son successeur, Gerald Ford. La présence américaine au Sud-Vietnam se résuma alors à un petit noyau de techniciens de l'armée et d'agents de la CIA. L'armée sud-vietnamienne manquait d'argent, de matériel et de munitions.

En janvier 1975, et en violation des accords de Paris, les Nord-Vietnamiens décidèrent de profiter de la faiblesse de l'adversaire. Après un pilonnage d'artillerie, ils lancèrent leurs chars à l'assaut de la frontière du 17e parallèle. Prises de panique, les troupes du Sud refluèrent en masse, abandonnant les Hauts Plateaux aux soldats du Nord. L'une après l'autre, les garnisons furent abandonnées sans un coup de feu. Le 21 avril 1975, le président Nguyen Van Thieu, au pouvoir depuis 1967, préféra quitter le pays pour se réfugier en Grande-Bretagne. Il fut remplacé par son vice-président, Tran Van Huong, qui démissionna à son tour une semaine plus tard, cédant la place au général Duong Van Minh, qui ne resta au pouvoir que quarante-trois heures, puisque, le 30 avril au matin, les troupes communistes faisaient leur entrée dans Saigon, aussitôt rebaptisé Ho Chi Minh-Ville. Quelques heures plus tôt, les tout derniers Américains, réfugiés sur le toit de leur ambassade, venaient de quitter le pays par hélicoptère. Déjà, dans les jours qui avaient précédé la chute de Saigon, quelque 135 000 Vietnamiens avaient choisi de fuir le pays. Cet exil volontaire préludait à l'exode de quelque 600 000 *boat people* entre 1975 et 1980.

Dans les mois qui suivirent la fin des hostilités, les Nord-Vietnamiens se trouvèrent pris de court. N'ayant jamais imaginé une victoire aussi rapide et aussi facile, ils n'avaient prévu aucun plan d'intégration pour le Sud. Le Gouvernement révolutionnaire provisoire envoya à la hâte des cadres venus du Nord pour prendre en main le Sud, ce qui n'améliora pas les relations avec une population viscéralement anti-communiste. Après quelques mois de débats, la tendance « dure » qui voulait la collectivisation rapide du Sud l'emporta. La direction du Parti décida de dissoudre le FNL et le GRP et, en juillet 1976, le pays officiellement réunifié sous la bannière communiste fut rebaptisé république socialiste du Vietnam (RSVN).

UN BILAN DÉSASTREUX

Au total, les États-Unis ont engagé 3,14 millions d'hommes dans le conflit et dépensé plus de 200 milliards de dollars. Officiellement, les pertes s'élèvent à quelque 60 000 soldats américains et 223 000 soldats sud-vietnamiens, auxquels s'ajoutent plus de 300 000 disparus, et à 900 000 morts du côté des Nord-Vietnamiens et du Viet-cong. Le bilan réel est beaucoup plus lourd et peut être estimé à près de deux millions de morts parmi les militaires, plus de cinq millions de tués, de blessés et de mutilés parmi les civils. Des millions d'hectares de terres et de forêts (probablement plus de 20 % du territoire) ont été empoisonnés par 72 millions de litres de défoliants, dont le tristement célèbre « agent orange » à base de dioxine, qui a décimé la faune sauvage et provoque encore des cancers et des malformations chez les nouveau-nés. Treize millions de tonnes de bombes ont été larguées sur le pays, détruisant en grande partie l'outil industriel et les réseaux ferroviaire et routier. Certains secteurs, comme les sites cham de My Son, sont encore minés.

Mais le bilan humain, au-delà des pertes, est également très lourd. Vivant sous perfusion américaine, le Sud était en 1975 dans un état désastreux, avec des millions de chômeurs et d'illettrés, des centaines de milliers de prostituées et de drogués et des dizaines de milliers de personnes vivant du crime organisé. Sans parler des milliers d'enfants « amérasiens » nés de mère vietnamienne et de père américain, et qui se retrouvaient étrangers dans leur propre pays natal. En outre, les purges brutales qui accompagnèrent la réunification se traduisirent par l'internement de dizaines de milliers d'« intellectuels » suspects aux yeux des autorités de Hanoi.

Un quart de siècle plus tard, ces événements ont laissé des traces profondes encore perceptibles. Le Vietnam est aujourd'hui un pays en voie de cicatrisation.

A gauche, un Mig 17 vietnamien dans le collimateur d'un avion américain en 1967 ; un pilote américain fait prisonnier par les Vietnamiens ; ci-dessus, entrée d'un char viet-minh dans le palais présidentiel, en 1975.

LE VIETNAM AUJOURD'HUI

En décembre 1976, quelques mois après la réunification du Vietnam, la décision prise par le Ve Congrès du parti communiste vietnamien de contraindre le Sud à l'orthodoxie communiste pure et dure – collectivisation forcée des petites industries, du commerce et de l'agriculture, épuration massive, internement des « intellectuels » – fut une catastrophe économique et diplomatique. Très vite, le pays, ravagé par la famine, tomba dans un état de pauvreté et de sous-développement chroniques, tandis que le capital de sympathie qu'il s'était constitué pendant le conflit se trouvait sérieusement écorné. Les images, largement diffusées dans le monde entier, des *boat people* à la dérive, chassés de leur pays par la misère et les persécutions et victimes des pirates du golfe de Siam, eurent un retentissement considérable. Dans l'opinion publique, le Vietnam n'était plus ce petit pays héroïque qui avait victorieusement tenu tête à l'impérialisme américain, mais l'une des plus sombres dictatures de la planète.

UN NOUVEAU CYCLE DE GUERRES

Pour les dirigeants vietnamiens, la situation devint vite inextricable. Déjà confrontés au blocus économique et à l'isolement diplomatique, ils ne tardèrent pas à devoir affronter le problème du Cambodge. Tout comme la Chine, le gouvernement de Hanoi avait ouvertement soutenu les Khmers rouges de Pol Pot dans leur marche vers le pouvoir, que ces derniers avaient conquis en avril 1975. Mais très vite les exigences des nouveaux maîtres de Phnom Penh devinrent inacceptables : au début de 1976, ils réclamèrent ouvertement la restitution du delta du Mékong, sous prétexte que la région faisait autrefois partie intégrante de l'empire khmer. En 1977, craignant que les populations du Sud ne profitent de l'occasion pour s'allier aux Khmers rouges contre le gouvernement de Hanoi, le Vietnam entra en conflit ouvert avec le Kampuchéa démocratique (Cambodge) et son allié chinois. Afin de ne pas se retrouver militairement isolée face à la Chine, la république socialiste du Vietnam décida en juin 1978 de rejoindre le Comecon et, en novembre, elle signa un traité d'amitié et de sécurité avec l'Union soviétique. Mais la menace cambodgienne se faisait de plus en plus pressante : les incursions se multipliaient dans le sud du pays, et, au mois d'avril, un commando khmer rouge avait massacré plus de trois mille civils à Ba Chuc (voir p. 327).

Un nouveau cycle de guerres devait commencer en décembre 1978, avec l'invasion du Cambodge, suivie de la prise de Phnom Penh au début de 1979 et de l'installation d'un gouvernement pro-vietnamien. Ignorante alors de la véritable nature du régime des Khmers rouges, l'opinion publique internationale ne comprit pas les raisons de cette invasion et taxa le Vietnam d'« impérialisme ».

A gauche, un ancien combattant de Dien Bien Phu ; à droite, cimetière de chars, à Dong Ha.

Toujours alliée indéfectible de Pol Pot, la Chine, forte de ce revirement de l'opinion, saisit alors le prétexte de la « punition » qu'il fallait infliger aux Vietnamiens pour lancer une violente offensive sur la frontière entre les deux pays, le 17 février 1979. En fait, les troupes chinoises, moins aguerries que l'armée vietnamienne, essuyèrent une sévère défaite et durent se retirer dix-sept jours plus tard, après avoir perdu plus de 20 000 hommes. L'affaire se déplaça alors sur le terrain diplomatique, et la Chine, soutenue par les États-Unis qui voyaient là une occasion inespérée de revanche, obtint des Nations unies la condamnation du Vietnam et des mesures d'embargo draconiennes.

Ces multiples affrontements mobilisèrent cependant une énergie et des ressources qui allaient faire cruellement défaut au développement économique. Par ailleurs, le soutien de Hanoi à l'invasion soviétique de l'Afghanistan en 1979 – traité d'alliance oblige – ne contribua guère à améliorer son image sur la scène mondiale.

Si l'opinion internationale, dans son ensemble, avait finalement approuvé la chute du régime sanguinaire de Pol Pot, la présence de troupes vietnamiennes sur le territoire cambodgien continuait à susciter l'hostilité des États-Unis, de la Chine populaire et de l'Association des nations de l'Asie du Sud-Est.

Le gouvernement de coalition du Cambodge démocratique, établi en 1982 et présidé par le prince Norodom Sihanouk, fut finalement reconnu par la communauté internationale, malgré la participation des Khmers rouges. Cette guerre sans issue devenait de plus en plus coûteuse pour le Vietnam tant du point de vue financier que diplomatique.

L'OUVERTURE

Les difficultés économiques forcèrent les dirigeants à réviser à la baisse certains de leurs objectifs. En 1984, on fit cesser la collectivisation et l'on créa un marché parallèle. A l'occasion de son VIe Congrès, en 1986, le parti, dirigé par un réformateur, Nguyen Van Linh, décida de suivre l'exemple soviétique, adoptant le slogan « *Changer ou mourir* ». Le gouvernement promit de libéraliser de nombreux secteurs de l'économie et d'ouvrir le pays sur l'extérieur.

Pour faire face à une pénurie alimentaire croissante, il encouragea les paysans à produire davantage par un système de contrats forfaitaires. Les familles pouvaient conserver et revendre sur le marché libre leur production excédentaire. La production de riz augmenta ainsi de 10 % et les lopins individuels alimentèrent bientôt les marchés en fruits, légumes et bétail. La production d'objets manufacturés et l'exportation de denrées agricoles augmentèrent elles aussi.

Toutefois, la perestroïka à la vietnamienne avait ses limites, quelquefois ubuesques : ainsi, jusqu'en 1988, il était interdit aux Vietnamiens d'adresser la parole dans la rue à un étranger, sauf si celui-ci était originaire d'un pays communiste... En 1989, les dirigeants vietnamiens assistèrent, atterrés, aux convulsions politiques et sociales provoquées par la libéralisation dans les pays de l'Est et en Chine. Tout en réaffirmant son soutien au programme de réformes économiques, Nguyen Van Linh rejeta alors toute idée d'un système pluraliste. Dans le même temps, l'Union soviétique et les pays socialistes européens durent suspendre leur aide économique, aggravant ainsi la crise économique vietnamienne.

C'est dans ce contexte incertain que, en 1990, Hanoi décida de réorienter sa politique étrangère. Le retrait des troupes vietnamiennes du Cambodge, en septembre 1989, avait ouvert la voie à un règlement politique du conflit. En septembre 1990, les pontes du parti se rendirent en Chine pour tenter de renouer avec Pékin. Le même mois, un plan de paix, soumis par les Nations unies, fut approuvé par les cinq membres permanents du Conseil de sécurité. En octobre, la signature des accords de Paris mettait officiellement fin au conflit cambodgien, amenant les pays européens à lever leur embargo sur le Vietnam, à lui accorder une aide économique substantielle et à accroître les investissements privés.

Parallèlement, les relations avec la Chine furent enfin normalisées. En novembre 1991, Do Moi, qui avait succédé à Nguyen Van Linh au mois de juin, se rendit en visite officielle à Pékin. Ces contacts aboutirent, dans les jours qui suivirent, à la réouverture de la frontière entre la Chine et le Vietnam, stimulant le commerce entre les deux pays. A son tour, le Chinois Li Peng effectua une visite officielle à Hanoi en décembre 1992.

Mais, malgré les sourires et les poignées de main, la tension demeure entre les deux pays. En particulier, la question de l'appartenance des îles Spratley (Truong Sa) et Paracels (Hong sa), deux petits archipels perdus en mer de Chine méridionale, resurgit régulièrement, la Chine et le Vietnam s'en disputant d'autant plus âprement la propriété que l'on suppose que ces deux territoires sont riches en pétrole (les îles Spratley sont revendiquées tout aussi vigoureusement par quatre autres pays : Taïwan, les Philippines, la Malaisie et le sultanat de Brunei).

A gauche, jeunes soldats vietnamiens dans la salle de lecture de leur base ; ci-dessus, étal de bannières patriotiques dans le Vieux Quartier de Hanoi.

Les relations diplomatiques avec le reste du monde ont également connu une embellie. La Suède avait été le premier pays occidental à établir des relations avec Hanoi en 1969, suivie par de nombreux pays européens. Les années 1990 ont vu la reprise des relations avec les États-Unis, l'ouverture d'une ambassade américaine à Hanoi et d'une ambassade du Vietnam à Washington.

LE CHAUD ET FROID ÉCONOMIQUE

Exclu pendant près de vingt ans des circuits économiques et bancaires mondiaux, le Vietnam connaît aujourd'hui une croissance certaine et a amorcé son intégration à la sphère économique Asie-Pacifique : Singapour est son principal partenaire commercial et Taïwan son premier investisseur étranger. Le Japon a concédé un premier prêt en novembre 1992, mettant fin aux sanctions appliquées depuis 1978, et les États-Unis ont levé leur embargo commercial début 1994. En 1995, le Vietnam a rejoint les rangs de l'ASEAN (Association des nations de l'Asie du Sud-Est).

De même, les liens économiques avec les pays de l'Union européenne se sont resserrés, et la France arrive au troisième rang des investisseurs au Vietnam. La production industrielle et agricole progresse à pas de géant, et l'ouverture du pays au tourisme a suscité un essor rapide de l'hôtellerie et apporte un précieux flux de devises.

Cependant, si le pays, enfin en paix depuis 1992, a achevé sa reconstruction et peut se consacrer à sa modernisation, les objectifs de ses dirigeants sont loin d'être atteints. En ouvrant massivement le Vietnam aux investissements étrangers, ils espéraient en retirer une hausse rapide du niveau de vie. En 1994, avec un taux de croissance record de 8,2 %, le Vietnam semblait bien parti pour devenir l'un des « dragons » de l'Asie du Sud-Est. A Hanoi comme à Ho Chi Minh-Ville, les centres d'affaires se multipliaient et les Chinois de Hong Kong, les Coréens, les Japonais, les Taïwanais rivalisaient avec les Américains et les Européens. Malheureusement, de nombreuses compagnies étrangères n'ont pas tardé à se désengager totalement : plus de soixante-dix en 1997, cent vingt-huit en 1998, sans parler de la fermeture, la même année, de dix-neuf grandes banques. La raison officielle est toujours la même : un contexte économique défavorable dans toute l'Asie ; mais la véritable explication réside dans l'impossibilité pour une entreprise étrangère de fonctionner normalement dans ce pays. Entre la corruption généralisée à tous les niveaux, une législation incompréhensible, l'incapacité du gouvernement, partagé entre ligne dure et ligne réformatrice, à définir et à tenir une politique économique cohérente, et certains problèmes quotidiens liés au sous-équipement chronique du pays (par exemple, les communications téléphoniques y sont parmi les plus chères du monde), beaucoup d'investisseurs ont préféré abandonner purement et simplement le Vietnam. Le taux de croissance est retombé à 3,5 % en 1998, et la *doi moi* (« Changer pour faire du neuf »), la nouvelle politique économique adoptée en 1986, a trouvé ses limites.

La tendance, qui s'accélère, ne semble pas devoir se renverser à court terme si l'on tient compte du retour de Hong Kong dans le giron chinois et des problèmes économiques graves auxquels sont confrontées les grands entreprises coréennes dans leur propre pays.

De toute façon, seules des mesures gouvernementales fixant clairement les règles du jeu seront susceptibles d'enrayer l'hémorragie. Cet assainissement est d'autant plus nécessaire que si les cadres du parti eux-mêmes sont prêts à « faire de l'argent » par tous les moyens, des secteurs entiers relevant traditionnellement de la responsabilité de l'État sont laissés à l'abandon.

Ainsi, 80 % de la population vit en zone rurale, le plus souvent sans eau ni électricité. Les téléphones privés sont rares et, si les villes sont envahies par les motos et les voitures japonaises dernier cri, à la campagne, posséder une bicyclette reste un luxe. Les problèmes de malnutrition et de surpopulation ne sont toujours pas résolus, tandis que l'éducation et la santé se dégradent : l'analphabétisme touche encore près de 5 % des hommes et 11 % des femmes, et l'on compte moins d'une médecin pour 2000 habitants. Le revenu moyen par habitant stagne à 250 $US et 50 % de la population vit en dessous du seuil de pauvreté. En revanche, la présence de nouveaux riches, surtout dans les grandes villes, est un facteur de déséquilibre social. Le fossé s'accroît également entre ceux dont une partie de la famille est installée à l'étranger, et qui reçoivent par son intermédiaire des subsides non négligeables, souvent réinvestis dans le commerce et dans l'hôtellerie, et le reste de la population.

A gauche, discothèque à Ho Chi Minh-Ville; ci-dessus, hommes d'affaires occidentaux à Hanoi.

Dans ce contexte, il n'est pas étonnant que la moindre ouverture vers le capitalisme entraîne aussitôt une croissance spectaculaire de l'économie parallèle sous toutes ses formes : contrebande, en particulier avec la Chine voisine, trafics en tous genres, prostitution... Attirés par l'espoir d'une vie plus facile, les ruraux migrent vers les villes, où le taux de chômage est pourtant déjà très élevé.

Cependant, de réels progrès ont été enregistrés : le taux d'inflation, qui atteignait 1 000 % en 1988 et 500 à 700 % dans les années 1990, s'est stabilisé et a été ramené à moins de 10 % par an. L'émigration a quasiment cessé, et les demandeurs d'asile auprès des pays occidentaux ne sont plus que quelques dizaines chaque année. Le pays est redevenu l'un des plus grands exportateurs mondiaux de riz. Enfin, l'application d'une politique volontariste d'autonomie énergétique (équipement hydroélectrique systématique des cours d'eau dans le nord du pays et forages pétroliers off-shore) commence à porter ses fruits. Et, paradoxalement, le retard économique du Vietnam l'a tenu à l'écart de la bulle spéculative des années 1990, ce qui lui a valu d'être relativement épargné par la crise économique qui a secoué les pays asiatiques en 1997.

Un régime monolithique

En proclamant la libéralisation économique en 1989, Nguyen Van Linh avait simultanément réaffirmé le rejet du multipartisme sous quelque forme que ce soit – probablement pour ne pas heurter de front la tendance « dure » du parti. Depuis, rien n'a changé officiellement. La mainmise du parti communiste sur le pouvoir est toujours aussi absolue.

Cependant, en février 1990, le gouvernement tenta une timide ouverture en autorisant les critiques – de préférence constructives. Confrontés à une avalanche de griefs dénonçant pêle-mêle la corruption, l'incapacité des cadres du parti ou les privilèges exorbitants de la nomenklatura, les dirigeants refusèrent d'engager plus avant le débat et préférèrent lancer une campagne accusant l'« impérialisme étranger » de tenter de déstabiliser le Vietnam pour y installer « une démocratie de type petit-bourgeois ». Dans le même ordre d'idées, le gouvernement a décidé, en 1998, de rendre obligatoire l'enseignement du marxisme-léninisme dans les écoles et les universités.

Par ailleurs, le pouvoir ne cesse de souffler le chaud et le froid et, paradoxalement, d'autres signes sont venus contredire ce blocage idéologique. La presse, bien que totalement contrôlée par le gouvernement, a retrouvé une certaine liberté de ton et n'hésite plus à aborder des sujets longtemps tabous, comme les scandales financiers, les abus de pouvoir de la police, la criminalité, le sida, le chômage… Toutefois, il n'est pas question de mettre nommément en cause de hauts dirigeants. Le courrier électronique, par exemple, peut en théorie être intégralement surveillé, mais cette possibilité n'est pas utilisée en pratique – pour le moment. Parallèlement, la présence policière se fait plus discrète, les haut-parleurs qui, dans les rues, diffusaient en permanence la propagande gouvernementale sont moins omniprésents, et les Vietnamiens se sentent visiblement plus libres dans leur comportement et leurs propos.

Mais tout peut changer du jour au lendemain : les lois et les règlements sont sans cesse modifiés de manière aussi absurde que contradictoire, et la seule loi véritablement respectée en permanence et à tous les niveaux est celle du pot-de-vin.

Le Vietnam doit cependant tenir compte de la pression internationale. En 1979, l'opération humanitaire « Un bateau pour le Vietnam », lancée par Bernard Kouchner, amena les autorités à laisser partir officiellement les candidats à l'émigration. A la fin de 1992, les Américains réussirent à faire s'entrouvrir les frontières du Vietnam en négociant l'envoi d'une délégation pour tenter de retrouver leurs soldats disparus pendant les combats (les MIA, « *missing in action* ») en échange d'une levée partielle de l'embargo. En octobre et novembre 1998, les autorités de Hanoi libérèrent près de 8 000 prisonniers politiques – dont nombre de religieux. *A contrario*, les familles des « contre-révolutionnaires » sont toujours victimes de discriminations. La brimade la plus courante consiste à leur refuser la délivrance du *ho khau*, sorte de permis de séjour indispensable pour pouvoir s'inscrire à l'école, rechercher un emploi, posséder des biens immobiliers, monter une entreprise ou ouvrir un commerce…

L'année 1999 vit l'arrivée au pouvoir de la fraction la plus conservatrice du parti. La liberté politique et la liberté de culte pour les minorités religieuses sont moins que jamais à l'ordre du jour. Mais les dirigeants vietnamiens ont besoin de l'Occident et ne s'en cachent pas : ils ont accueilli avec les honneurs le président Clinton lors de sa visite officielle en novembre 2000.

A gauche, les enseignes occidentales se multiplient ; à droite, le mausolée de Ho Chi Minh à Hanoi.

HÔ - CHI - MINH

PAYSAGES ET CLIMAT

Avec une superficie totale de 327 500 km², le Vietnam forme un immense S qui s'étend sur toute la longueur de la péninsule indochinoise et que baigne la mer de Chine sur son flanc oriental.

Le territoire vietnamien s'étire sur 1 650 km du nord au sud, et ne dépasse pas 600 km en son point le plus large. La partie la plus étroite, à proximité du 17e parallèle, mesure 50 km. Plus des trois quarts du territoire sont occupés par des montagnes et des forêts. La variété de la flore et de la faune dépasse encore l'étonnante diversité topographique de ce pays.

Le Vietnam partage 1 150 km de frontières avec la Chine au nord, 750 km avec le Laos et 930 km avec le Cambodge à l'ouest.

Il possède en outre une large façade maritime (2 500 km) prolongée par un vaste plateau continental et par des milliers d'archipels qui s'étendent du golfe du Tonkin au golfe de Thaïlande. Ces îles incluent les archipels Paracels (Hoang Sa) et Spratly (Truong Sa). Ce second archipel se compose d'îlots coralliens dont le plus grand ne dépasse pas 275 m sur 450 m, semés en mer de Chine, à mi-chemin entre le Vietnam et les Philippines. La Chine, Taiwan, les Philippines, la Malaisie et le Vietnam revendiquent tous cet archipel en raison de son sous-sol riche en pétrole, et entretiennent des garnisons sur tel ou tel de ses îlots.

Le pays du dragon

Situé entre 8°33' et 23°20' de latitude nord et entre 102° et 109°27' de longitude est, le Vietnam est doté d'une étonnante diversité physique. Certains géographes imaginatifs ont comparé ses trois grandes régions – le Bac Bo, ou Nord (Tonkin), le Trung Bo, ou Centre (Annam), et le Nam Bo, ou Sud (l'ancienne Cochinchine) – à un dragon, d'autres à une balance dont les deux plateaux seraient formés par les riches deltas du fleuve Rouge, au nord, et du Mékong, au sud.

Le nord du pays est caractérisé par des chaînes de montagnes entaillées de profondes vallées, dont la principale est celle du fleuve Rouge. C'est près de la frontière chinoise, à la limite des provinces de Hoang Lien Son et de Lai Chau, que l'on trouve les plus hauts sommets du pays, le Fan Si Pan (3 160 m), le Phu Ta Leng (3 096 m) et le Pu Si Long (3 076 m). La présence de cette frontière naturelle n'a cependant pas empêché de nombreuses invasions chinoises.

Pages précédentes : frêle embarcation franchissant le Mékong ; le col de Han Vai, dans le centre du Vietnam. A gauche, la baie de Ha Long ; à droite, extraction de charbon à ciel ouvert près de la baie de Ha Long.

Le fleuve Rouge

Aux régions de haute et de moyenne montagne, faiblement peuplées, s'opposent les plaines de Cao Bang, Lang Son et Vinh Yen,

irriguées par le Lo, le Chay, le Cau, le Luc Nam et le Ky Cung, ainsi que l'immense delta du fleuve Rouge (Song Hong), où vivent les neuf dixièmes de la population du Nord-Vietnam.

Le fleuve Rouge (1 150 km) prend sa source dans la province chinoise du Yunnan puis coule dans le nord du Vietnam avant de se jeter dans le golfe du Tonkin. En période de crue, son débit peut atteindre 30 000 m³ par seconde et sa charge alluvionnaire 3 kg par mètre cube. Pour se protéger de ces crues, les Vietnamiens ont construit dès le XIIe siècle un système de digues qui est toujours en place. Les alluvions rouge brique, qui ont valu son nom au fleuve, font progresser le delta de 80 m par an. Ses deux principaux affluents sont le Song Lo (le « fleuve Clair ») et le Song Da (le « fleuve Noir »).

L'Annam

Le Vietnam central, ou Annam, forme une longue bande convexe ponctuée de petites plaines coincées entre la mer de Chine et les hauts plateaux du Truong Son (cordillère annamitique). Cette région se caractérise, sur sa façade littorale, par un cordon de dunes et de lagons et, à l'ouest, par des terrasses formées d'anciens dépôts alluvionnaires. Les monts calcaires de la chaîne de Pu Sam Sao bordent au nord-ouest la frontière avec le Laos.

Les hauts plateaux volcaniques du Truong Son, qui culmine à 2 600 m au Ngoc Linh, entre Danang et Da Lat, sont l'une des régions forestières les plus riches du Vietnam. On y pratique aussi la culture du thé et du café.

Le Mékong

Le Mékong, ou Cuu Long Giang (le « fleuve des Neuf Dragons »), est le troisième cours d'eau d'Asie (4 180 km), après le fleuve Bleu en Chine et le Gange en Inde. Il prend sa source au Tibet, traverse la Chine, où il porte le nom de haut Mékong, puis se fraie un passage aux frontières septentrionales de la Birmanie, du Laos et de la Thaïlande, à partir desquelles il prend le nom de bas Mékong. Il coule ensuite au Cambodge avant de pénétrer dans le sud du Vietnam et de se jeter dans la mer de Chine méridionale. Le bassin du Mékong couvre 810 000 km^2.

Le delta du Mékong occupe la majeure partie du Nam Bo. En effet, les alluvions qui se sont déposées au cours des siècles à son embouchure ont formé une immense plaine de 75 000 km^2. Ces dépôts ne s'accumulent pas dans le delta du fleuve, mais autour de la péninsule de Ca Mau, au niveau du cap Ca Mau (Mui Ca Mau), dans l'extrême sud du pays, dont ils allongent le territoire de 75 m par an.

L'aménagement et la maîtrise du bassin du bas Mékong font l'objet d'une coopération entre le Laos, la Thaïlande et le Vietnam.

Le climat

Le Vietnam est situé dans la zone de mousson d'Asie du Sud-Est, entre le tropique du Cancer et l'équateur, ce qui lui vaut un climat généralement humide mais sujet à des variations régionales.

La température moyenne de 22 °C, qui change peu d'une saison à l'autre, est néanmoins sujette à de petites variations subites, et l'humidité permanente donne une impression de fraîcheur.

Le Nord, balayé par les vents qui soufflent d'Asie centrale, connaît un climat comparable à celui de la Chine. On y distingue deux saisons principales. De novembre à avril, le climat y est relativement froid et humide. Dans les montagnes au nord et au nord-est de Hanoi, l'air polaire qui descend de Sibérie peut faire chuter les températures jusqu'à 0 °C, tandis que de février à avril les vents venus de l'océan répandent un fin crachin sur toute la région. L'été, qui va de mai à octobre, se caractérise par des températures plus élevées, de fortes chutes de pluie et parfois des typhons. Dans le Nord comme dans le Centre, juin, juillet et août sont les mois les plus chauds.

Dans le Centre, on considère que la frontière climatique entre le Nord et le Sud se situe aux environs de Danang. Cet affrontement entre les masses d'air se manifeste à la hauteur du col des Nuages (Deo hai Van), presque toujours plongé dans un épais brouillard. Ainsi, les provinces septentrionales de l'Annam (Vietnam central) connaissent des températures et un régime de précipitations similaires à ceux du delta du fleuve Rouge, tandis que les districts du Sud partagent les conditions climatiques du delta du Mékong. A Hué, qui se trouve au centre du pays, la saison froide, qui s'étend de novembre à mars, est marquée par de fréquentes chutes de crachin qui durent parfois pendant toute une semaine.

A gauche, la crue du Mékong au moment de la mousson; l'éclair d'un orage de mousson près de Hué; ci-dessus, un troupeau de buffles d'eau, animal indispensable à l'agriculture.

Le climat du Sud est caractérisé par des températures relativement constantes, seulement altérées par l'arrivée de la mousson en mai. On y distingue cependant trois saisons : une saison des pluies, de mai à octobre, suivie d'une période à faibles précipitations, de novembre à février, puis une saison sèche, de février à avril, avant le retour de la mousson.

Dans le Sud, les mois les plus chauds sont mars, avril et mai : les températures peuvent alors atteindre ou dépasser 35 °C. La moyenne annuelle est de 29 °C à Ho Chi-Minh-Ville, de 25 °C à Hué et de 21 °C à Hanoi.

Les pluies apportées par les vents de mousson qui soufflent de l'océan Indien sont généralement abondantes dans le Nord comme dans le Sud, avec des variations selon le relief. Entre mai et décembre, la mousson d'été fait monter les températures ainsi que le degré d'hygrométrie, qui varie entre 80 % et 100 %. Au changement de mousson, de violents typhons venus de mer de Chine ravagent souvent le littoral central. Les hauts plateaux connaissent un climat plus frais que celui de la région côtière, avec toute l'année des températures nocturnes plus basses que la moyenne.

LA FLORE

Aux temps préhistoriques, la majeure partie du territoire vietnamien était densément boisée. Mais l'exploitation par l'homme, au cours des millénaires, a largement réduit ces vastes forêts. Durant le XXe siècle, la guerre et les défoliants chimiques (dont l'épandage a été évalué à 72 millions de litres), ainsi que l'accroissement de la population et l'exploitation incontrôlée des bois d'œuvre ont encore aggravé la déforestation. Le gouvernement a entrepris de reboiser quelque 1 600 km² par an. Toutefois, ce programme ne réussit pas à compenser une perte annuelle estimée à 2 000 km² (cette perte

représente plus de 50 % depuis 1945). D'autre part, le reboisement a souvent été effectué sans grand souci d'écologie, en plantant systématiquement des eucalyptus.

Les forêts tropicales couvrent cependant encore 40 % du pays, et elles abritent plus de 700 espèces végétales répertoriées, lesquelles constituent une importante ressource d'huiles, de plantes médicinales, de résines, de bois précieux et industriels. Mais l'abattage systématique des bois précieux destinés à l'exportation risque à plus ou moins brève échéance de provoquer des inondations et une érosion préjudiciables à l'économie de ce pays traditionnellement agricole, comme cela s'est produit en Thaïlande dans les années 1980.

LA FAUNE

Très riche, la faune vietnamienne est presque semblable à celle du Bengale et de la péninsule malaise. Elle compte 273 espèces de mammifères parmi lesquelles l'éléphant, le buffle sauvage, le rhinocéros, l'antilope, le tapir, le singe, le tigre royal, le sambar, l'ours des cocotiers ; 180 espèces de reptiles (dont des tortues et des crocodiles) ; plus de 273 espèces d'oiseaux (échassiers, oiseaux de proie, faisans, toucans...), ainsi que des centaines d'espèces de poissons et d'invertébrés.

Certes, le Vietnam est confronté à un essor économique et à l'accroissement de sa population (estimée actuellement à près de 80 millions d'habitants). Ainsi, des rizières sont transformées en sites industriels, peu en mesure de surcroît de limiter ou de filtrer les fumées et les gaz que leurs cheminées recrachent dans l'atmosphère. L'usage de pesticides, d'herbicides et d'engrais chimiques par les agriculteurs a également des effets dévastateurs sur l'environnement. Et l'agriculture sur brûlis, que certaines tribus montagnardes continuent de pratiquer, détruit les forêts et expose les sols à l'érosion. Enfin, l'extension des villes entraîne des difficultés d'évacuation et de traitement des déchets, ainsi que des problèmes de distribution et de pollution de l'eau.

Toutefois, malgré cette croissance de l'industrialisation et de l'urbanisation, et en dépit des ravages d'un braconnage intensif, le Vietnam recèle encore des ressources naturelles insoupçonnées. Ainsi, en 1992, le naturaliste John MacKinnon, qui étudiait la forêt tropicale de Vu Quang, au nord-est de Vinh, près du Laos, a découvert le crâne et les cornes d'une espèce de bovin jusqu'alors inconnue, *Pseudoryx nghentinensis* (du nom de la province de Nghe An). Les Vietnamiens appellent *sao la* cet animal d'aspect proche de l'oryx. Deux ans plus tard, on captura deux spécimens vivants de cet animal, qui pesaient pas moins de 100 kg.

Depuis, on a trouvé d'autres espèces inconnues, dont le muntjac géant, cervidé doté de longue canines, découvert en 1994 dans la province du Dac Lac, à proximité du Cambodge. Aussi le gouvernement a-t-il décidé d'étendre de 16 000 à 60 000 ha l'aire protégée par la réserve naturelle existante et d'y interdire toute construction.

A gauche, hippocampes mis à sécher en vue d'un usage médicinal ; à droite, voilier en croisière dans les îles de Ha Long.

QN-2608-H

LES POPULATIONS DU VIETNAM

Le Vietnam est, après l'Indonésie, le pays le plus peuplé d'Asie du Sud-Est (66,7 millions d'habitants en 1990, près de 80 millions en 2000). La densité moyenne est de l'ordre de 188 habitants au kilomètre carré et les deux principaux foyers de peuplement sont le bassin du fleuve Rouge et le delta du Mékong.

DÉMOGRAPHIE

Conséquence d'une guerre qui a duré plus de trente ans, et dont le bilan global est de un million de morts parmi les militaires et de plus de cinq millions de tués, de blessés et de mutilés parmi les civils, le Vietnam connaît actuellement des problèmes démographiques qui concernent tant le taux d'accroissement que l'espérance de vie. Dans les années 1980, celle-ci avait considérablement baissé pour atteindre le chiffre de cinquante-trois ans pour les hommes et de cinquante-six ans pour les femmes.

En outre, le pays subit un déséquilibre des structures d'âge (plus de 50 % de la population a moins de quinze ans). Le Vietnam connaît un rapide accroissement démographique (1,6 million d'habitants par an), phénomène qui s'explique par un taux de natalité très élevé, de l'ordre de 35 ‰, conjugué à une faible mortalité (entre 7 ‰ et 10 ‰).

La politique économique planifiée des communistes n'a pas su s'adapter à cet essor démographique, ce qui a conduit le gouvernement à considérer celui-ci comme l'un des principaux obstacles au développement économique. Plusieurs solutions ont été avancées pour tenter de réduire la natalité : en 1976 a été mis sur pied un projet de redéploiement de la population par la création de « nouvelles zones économiques ». Ce programme coercitif n'a pu aboutir du fait de l'hostilité générale qu'il a suscitée : la plupart des travailleurs ont en effet refusé de se soumettre aux injonctions du Parti et de quitter leur famille et leur emploi pour s'établir en milieu rural.

Une nouvelle loi sur le mariage et la famille, promulguée en 1986, a contribué à renforcer l'arsenal des mesures destinées à limiter les naissances. Si des résultats sont enregistrés dans les villes, les campagnes acceptent moins facilement ces réglementations.

Pages précédentes : école d'hôtesses de l'air. A gauche, élève d'un cours de violon à Hanoi ; à droite, actrice en costume de scène.

ETHNOGRAPHIE

Le Vietnam est un pays pluriethnique dans la mesure où il abrite une soixantaine d'ethnies différentes. Cependant, les Kinh (« grand peuple »), ou Vietnamiens proprement dits, représentent les neuf dixièmes de la population, tandis que les ethnies minoritaires (quatre millions d'habitants) sont essentiellement réparties dans les montagnes du Nord, du Nord-Ouest et du Centre.

Ces dernières vivent surtout dans des régions relativement difficiles d'accès, insalubres (où sévit notamment le paludisme), où la densité de population est exceptionnellement basse (entre 25 et 35 habitants au kilomètre carré dans les provinces de Son La et de Dac Lac).

L'Asie du Sud-Est continentale est une région qui présente une grande richesse et une grande complexité tant du point de vue ethnique que linguistique, puisque cinq peuples, parlant des langues appartenant à cinq familles distinctes, y coexistent : Mélanésiens, Négritos, Australoïdes, Indonésiens et Mongoloïdes, ces deux derniers groupes étant les plus nombreux. Dans une vallée du haut Tonkin, par exemple, on rencontrera, au bord de la même rivière, des Tay (famille kadaï), sur les pentes, des Khamou (famille austro-asiatique), plus haut, des Lolo (famille sino-tibétaine), et sur les crêtes, des Hmong (famille miao-yao).

LES CINQ FAMILLES LINGUISTIQUES

Selon la classification établie par André G. de Haudricourt, les cinq familles linguistiques dominantes sont les suivantes :
– la famille austro-asiatique (également appelée mon-khmère), la plus anciennement implantée en Asie du Sud-Est, est représentée au Vietnam par les ethnies des montagnes et des plateaux comme les Mnong, les Ba-na, les Xo-dang et les Rengao, ainsi que par les 500 000 Khmers qui vivent dans le delta du Mékong. La langue que parlent les Vietnamiens appartient à cette famille linguistique. En outre, les 350 000 Muong qui vivent dans la partie méridionale du delta du Tonkin parlent un vietnamien archaïque qui se rattache à cette famille linguistique ;
– la famille austronésienne (ou malayo-polynésienne) regroupe des dialectes parlés par les tribus du Centre, telles que les Rha-de (E-de) et les Gia-rai (ou Jarai) ;
– la famille kadaï (terme forgé par le linguiste américain P. K. Benedict pour désigner les idiomes formant un lien entre les langues austronésiennes et thai) regroupe l'ethnie kadaï proprement dite, vivant dans le nord du Vietnam, ainsi que les tribus de parler thai du nord du delta du Tonkin ;
– la famille miao-yao comprend principalement les ethnies hmong (méo) et yao (ou man), établies à la frontière laotienne ;
– enfin la famille sino-tibétaine inclut les Chinois vietnamiens des grandes villes ainsi que les minorités montagnardes du haut Tonkin telles que les Ha Nhi et les Lolo.

LES KINH

Les Vietnamiens, peuple très largement majoritaire, sont établis dans les régions basses et les plaines côtières, régions de culture intensive où la densité de population est très forte puisqu'elle atteint, par exemple, 1 100 habitants au kilomètre carré dans la province de Thai Binh.

Perdus entre légendes et annales dynastiques, l'origine et les modes d'existence des premiers Viet, ou Kinh, ont longtemps fait l'objet de débats contradictoires. Mais il semble maintenant établi, grâce aux recherches de l'École française d'Extrême-Orient, que le peuple vietnamien s'est constitué à partir de plusieurs peuplades originaires de la basse vallée du fleuve Bleu (Yangzi), en Chine, tribus qui se mêlèrent aux populations d'origine mélano-indonésienne, qui habitaient alors le delta du fleuve Rouge (culture de Hoa Binh, apparue au IXe millénaire avant notre ère). Il se produisit donc, vers le IIe millénaire avant notre ère, un métissage progressif entre les tribus locales du centre du Tonkin et des migrants chinois, qui « mongolisèrent » ce premier noyau ethnique indonésien.

A cette époque, les premiers Viet partageaient, au sein d'une aire géographique qui s'étendait du fleuve Bleu à Java et de l'Inde au Japon, une communauté de culture attestée par l'outillage, le vocabulaire et certains rites essentiels comme la mutilation et le noircissement des dents, les fêtes des Eaux, les tambours de bronze, le rite du tatouage, le bétel, les maisons sur pilotis, les combats de coqs et la culture du mûrier.

Ces ethnies établies dans le delta du fleuve Rouge occupèrent progressivement tous les bassins du Nord-Vietnam et les régions côtières du Centre. Elles pratiquaient la riziculture, la chasse et la pêche ainsi que l'élevage de porcs. Elles étaient selon toute probabilité animistes. Elles portaient un costume particulier, qui ressemblait à celui de certains peuples des îles du Pacifique. Les scènes représentées sur des tambours de bronze (danses ou scènes de bataille) rappellent la culture des Dayak de Bornéo et des Batak de Sumatra. C'est aussi dans le delta du fleuve Rouge que se constitua la langue vietnamienne, à partir de dialectes muong auxquels vinrent s'ajouter des éléments mon-khmers, tha et chinois.

Ce noyau de cultures, substrat de l'actuelle civilisation vietnamienne, se déplaça lentement vers le sud de la péninsule indochinoise, atteignant le centre du pays en 982 et Hué en

1306, Saigon en 1674; cette longue marche s'acheva en 1714, lorsque les Viet colonisèrent Ha Tien, dans le sud du delta du Mékong, étendant ainsi leur empire de la frontière chinoise au golfe de Thaïlande.

NOMS DE FAMILLE

Il y a seulement 140 noms de famille en usage aujourd'hui au Vietnam. Les plus courants sont Nguyen, Pham, Phan, Tran et Le. Bien que les enfants héritent du nom de leur père, deux personnes qui portent le même nom n'ont pas forcément la même origine. En fait, la plupart des noms de famille sont ceux des seize dynasties qui ont régné sur le pays : Thuc, Trung, Trieu, Mai, Khuc, Ly, Phung, Kieu, Ngo, Dinh, Le, Tran, Ho, Mac, Trinh et Nguyen (dans l'ordre chronologique). La plupart du temps, cette homonymie n'indique pas l'appartenance à la même famille mais un lien de loyauté envers un souverain d'autrefois.

Une trentaine seulement de ces 140 noms sont d'origine vietnamienne. La plupart sont chinois (Khong, Luu, Truong, Lu, Lam), cambodgiens (Thach, Kim, Danh, Son), ou appartiennent à une minorité ethnique (Linh, Giap, Ma, Deo).

A gauche, une leçon de piano; ci-dessus, moment de détente dans la fraîcheur du soir.

LES CHINOIS

On estime à un million le nombre de Chinois actuellement établis au Vietnam. Trois mille d'entre eux seulement ont conservé la nationalité chinoise, tandis que les autres, appelés Hoa, ont opté pour la citoyenneté vietnamienne. Quel que soit leur statut, ils perpétuent les coutumes et les traditions de leurs ancêtres. Ils sont surtout établis à Cholon, quartier chinois de Ho Chi Minh-Ville, où ils forment une communauté prospère. Petits boutiquiers ou hommes d'affaires, ils continuent de jouer un rôle économique important dans le Vietnam contemporain. Sur le million de Vietnamiens qui, entre 1975 et 1982, ont quitté le pays, près de la moitié était d'origine chinoise, en raison des affrontements militaires entre les deux pays.

LES ETHNIES MONTAGNARDES DU NORD

Les hauts plateaux et les massifs montagneux du Nord abritent environ un million et demi d'habitants, qui appartiennent à des groupes ethniques et linguistiques très divers. Leur mode de vie et leur système économique sont fonction de l'altitude : ainsi les Tay et les Nung, qui vivent au-dessous de 600 m, pratiquent la riziculture irriguée, les Ha Nhi et les Lolo, établis entre 600 m et 900 m, ainsi que les Hmong (ou Méo) et les Man, implantés entre 900 m et 1 500 m, ont recours à la culture sur brûlis qui leur impose un semi-nomadisme.

Les Tay (environ 900 000) sont établis dans les provinces de Cao Bang, de Lang Song, de Bac Thai, et dans la région de Dien Bien Phu. Leurs villages, ou *ban*, d'ordinaire entourés d'une haie de bambou, regroupent de 40 à 50 maisons sur pilotis. Originaires de Chine méridionale, les Tay se seraient installés dans le nord du Vietnam dès le VIe siècle av. J.-C. Outre le riz, ils cultivent du soja, de l'anis, de la cannelle, du thé, du tabac, du coton, et font pousser des fruits. Ils pratiquent également l'élevage et la pisciculture. A l'inverse des Thai, auxquels ils sont apparentés, les Tay ont toujours entretenu des échanges avec les Vietnamiens et ont adopté des divinités bouddhiques, taoïstes et confucianistes, à côté de leur propre culte des ancêtres, du génie de la terre, du foyer et de divers esprits locaux. Ces derniers sont vénérés dans une forêt ou au sommet d'une éminence sacrée. Les rites de mariage et de funérailles suivent les prescriptions du confucianisme.

Les Nung (environ 560 000), très proches par la langue et les coutumes des Tay – dont ils partagent même parfois les villages –, sont surtout établis sur la rive orientale du fleuve Rouge, dans les provinces de Cao Bang et de Lang Son. Peuple de riziculteurs, ils cultivent également le maïs, le millet, l'arachide, la patate douce ainsi que le laquier et des arbres fruitiers. Ils élèvent en outre du bétail et de la volaille, et cultivent le coton et l'indigo, qui servent au tissage et à la teinture de vêtements.

Les Thai (environ 760 000) vivent dans le nord-ouest du Vietnam, sur les berges du fleuve Rouge. Ils se subdivisent en Thai noirs et Thai blancs. Les villages des premiers sont reconnaissables à leurs maisons sur pilotis en forme de carapace de tortue, tandis que les habitations des seconds sont de plan rectangulaire et agrémentées d'un balcon. Les Thai possèdent leur propre écriture, dérivée du sanskrit, vecteur d'un riche patrimoine culturel. Ils pratiquent la riziculture irriguée et cultivent dans des champs en terrasses le maïs, le manioc, la patate douce, le coton et l'indigo. Ils pratiquent également la cueillette, la chasse et la pêche. Les femmes thai sont réputées pour la qualité de leur tissage et pour leurs broderies à motifs floraux et animaliers. La coutume veut en effet que la jeune mariée apporte des draps, des couvertures et des moustiquaires en nombre suffisant pour toute la belle-famille.

De langue tay-thai également, les Giay (environ 28000) sont venus de Chine il y a près de deux siècles, et ont établi leurs villages dans les districts de Hoang Lien Son, de Ha Tuyen et de Lai Chau. L'organisation villageoise de ces riziculteurs est très proche d'un modèle communautaire. Les activités artisanales se limitent le plus souvent à la vannerie, au tissage, à la fabrication d'instruments aratoires et de bijoux. A chaque agglomération giay est rattachée une forêt interdite, appelée *doon xia*, dont le plus grand arbre est considéré comme sacré. C'est sous sa ramure qu'on honore la divinité protectrice de la communauté. Pendant toute la cérémonie est installée à l'entrée du village, pour en interdire l'accès à tout étranger, une perche en bambou à laquelle des animaux sacrifiés sont suspendus. Si la vue d'oreilles de cochon ou de pattes de poulet suspendues à cette perche ne suffit pas à dissuader l'intrus, les villageois peuvent lui réclamer des poules ou de l'alcool de riz qui seront offerts au génie du village. Au centre de chaque maison giay se dresse un autel voué au culte du Ciel, de la Terre, du dieu du foyer et des ancêtres, chacun représenté par un vase d'encens. Les Giay possèdent en outre un vaste répertoire de proverbes et de maximes qui constituent une sorte de code moral.

A gauche, jeune femme née d'un soldat américain et d'une mère vietnamienne; ci-dessus, éventaire d'alimentation à Cho Lon.

Les Lao (environ 7000) parlent, tout comme les Thai, une langue kadaï. Ils sont en fait plus proches des Thai que leurs congénères qui vivent en territoire laotien. Ils se sont établis dans la province de Son La, à la frontière laotienne, ainsi qu'autour de Dien Bien Phu et de Phong To, dans la province de Lai Chau. Ils vivent dans des maisons sur pilotis au toit en forme de carapace de tortue, comme celles des Thai noirs. Leurs vêtements sont d'ailleurs très proches de ceux de cette minorité. Les Lao ont mis au point des méthodes de riziculture élaborées, semblables à celles des Thai. Ce sont par ailleurs des artisans renommés, surtout dans les domaines de la céramique, du tissage et de la broderie. Le bouddhisme n'a eu qu'une influence limitée sur les Lao. Le culte rendu au Bouddha vise surtout à demander une bonne récolte. Dans tous les villages lao on trouve un chaman, qui fait office de guérisseur et d'érudit dans la mesure où il est le dépositaire des légendes, des histoires et des chansons populaires.

Autre ethnie de langue tay-thai originaire de Chine, les Lu (environ 3000 aujourd'hui) se sont établis dans les districts de Phong To et de Sin Ho, dans la province de Lai Chau, vers le Ier siècle de notre ère. Leurs villages, bien organisés, regroupent en général de 40 à 60 habitations. Les Lu pratiquent la riziculture irriguée et font également pousser du maïs, du manioc, du coton et de l'indigo dans des champs sur brûlis, ainsi que des légumes et des fruits dans des jardins. Ils élèvent des animaux, destinés avant tout à être consommés à l'occasion des grandes cérémonies religieuses, notamment funérailles et noces. Les Lu se nourrissent principalement de riz gluant accompagné de poisson et de légumes. Comme les autres ethnies du même groupe, les Lu ont une conception panthéiste de l'univers. Leur folklore comprend de nombreux contes populaires, des proverbes, des poèmes et des récits historiques.

Les San Chay (environ 77000) sont arrivés de Chine au début du XIXe siècle et se sont principalement établis dans les provinces de Ha Tuyen et de Bac Thai. Ils sont également représentés dans les régions de Hoang Lien Son, Vinh Phu, Ha Bac et Quang Ninh. Leurs connaissances en agriculture et en médecine se sont constituées grâce aux échanges avec les ethnies voisines. L'intelligence du milieu naturel, les préceptes de morale et le code de conduite sont transmis par des chants, des proverbes, des poèmes et des danses rituelles (danse de la réparation des routes, danse de la pêche au harpon, etc.).

Les Bo Y (environ un millier) sont établis dans les régions montagneuses du Hoang Lien Son, à la frontière sino-vietnamienne, ainsi que dans le district de Quan Ba de la province de Ha Tuyen. Originaires de Chine, ils sont installés au Vietnam depuis deux siècles et demi. Les Bo Y qui vivent près de la frontière chinoise parlent le mandarin et portent le costume traditionnel chinois, tandis que leurs congénères établis dans la province de Ha Tuyen parlent un dialecte tay-thai et ont adopté le costume des Nung. Les femmes Bo Y arborent de beaux bijoux d'argent. Les villages bo y sont toujours installés à proximité d'une source dont l'eau est canalisée jusqu'aux maisons grâce à des tuyaux de bambou. Chaque habitation, construite à même le sol, possède son potager; le maïs est la principale récolte. Le bouddhisme, le taoïsme et le confucianisme ont toujours exercé une grande influence sur la vie spirituelle et les activités quotidiennes des Bo Y. Cette minorité a éga-

lement conservé des pratiques et des rites polythéistes et animistes, comme en témoignent ses conceptions de la vie et de la mort. Ainsi, elle rend un culte aux ancêtres, au ciel, à la terre, et honore les génies du sol, de la forêt, des fleuves et du feu.

Dans toutes ces ethnies de parler tay-thai, la famille patrilinéaire est l'unité de base de la société traditionnelle.

Les Hmong (les Méo de l'ancienne littérature ethnographique) sont environ 400 000, répartis dans des villages, ou *giao*, des hauts plateaux du Tonkin, et parlent un dialecte miao-yao. Chaque communauté regroupe une dizaine de familles appartenant toutes à la

même lignée. Les maisons, en bois, sont construites à même le sol, et les greniers sur pilotis. Les Hmong pratiquent la riziculture en terrasses grâce à un ingénieux système d'irrigation, ainsi que la culture sur brûlis du maïs et de l'opium. Outre le chanvre, principal matériau textile, certaines communautés font pousser du coton. Les fruits qu'ils cultivent (pêches, prunes et pommes) sont renommés dans tout le pays pour leur qualité. Les Hmong pratiquent la cueillette de la gentiane, de la cardamome, des champignons, récoltent le miel, la résine du *Toxicodendron succedanea* pour fabriquer de la laque, ainsi que des plantes médicinales dans les forêts avoisinantes ; toutes ces activités leur procurent une source de revenus non négligeable. L'artisanat est assez élaboré : fabrication d'armes, d'instruments aratoires, de bijoux, tannerie, tissage, vannerie, menuiserie. La plupart des familles hmong possèdent un cheval, des buffles, des vaches, des porcs et des poulets. Les hommes chassent principalement le renard, le sanglier et le tigre. Autrefois, la littérature hmong, qui se compose de légendes, de chansons et de proverbes, se transmettait par la tradition orale. Le totémisme et le chamanisme sont toujours en vigueur dans cette société où l'on pratique le culte des esprits ainsi que certains rites d'exorcisme. Toutefois le bouddhisme, le taoïsme et le confucianisme ont influé sur certaines conceptions hmong (croyance en la réincarnation, par exemple).

A gauche, jeunes filles thai noires du nord du Vietnam ; ci-dessus, femme muong.

Les Dao (environ 350 000) qui, comme les Hmong, parlent un idiome miao-yao, émigrèrent de Chine au milieu du XIIIe siècle. Ils se sont établis dans les moyennes et basses régions de la province de Nghe Tinh et vivent dans de gros bourgs ou des hameaux isolés, où ils pratiquent la riziculture et la culture sur brûlis, fixe ou itinérante. Ils élèvent des bovins et des chèvres pour la viande, des volailles et des porcs pour les sacrifices et des chevaux de selle. Leurs maisons sont bâties à même le sol ou sur pilotis. Les Dao sont d'habiles artisans ; les hommes façonnent leurs propres outils, leurs armes ainsi que de nombreux objets en bambou et en rotin. Ils fabriquent également du papier sur lequel ils consignent en caractères chinois les généalogies, les actes officiels et les textes religieux. Certaines activités artisanales comme le travail de l'argent et le tannage du cuir se transmettent de père en fils. Les femmes cultivent le coton qu'elles tissent et teignent à l'indigo. Elles appliquent sur le tissu de très belles broderies dont elles connaissent les motifs de mémoire. Les Dao honorent leurs ancêtres ainsi que Ban Vuong, père mythique de leur ethnie. Leurs rites agraires rendent avant tout hommage à l'esprit du riz mais célèbrent également les génies du sol, de l'eau et du feu. Le taoïsme, plus encore que le bouddhisme et le confucianisme, a marqué de son empreinte la vie spirituelle des Dao. Cette influence se manifeste à l'occasion des fêtes saisonnières et des prières implorant la protection divine que l'on récite lors des naissances, des funérailles, en cas de maladie ou de catastrophe naturelle.

LES MINORITÉS DU CENTRE

Les groupes minoritaires établis sur les hauts plateaux du Centre (les anciens « Montagnards » de l'ethnographie française) sont les derniers descendants des Indonésiens qui s'installèrent aux temps préhistoriques dans la péninsule indochinoise.

Ils appartiennent à deux souches linguistiques distinctes. Les Ba-na et les Xo-dang parlent des dialectes austro-asiatiques, tandis que les idiomes des Gia-rai (ou Jarai) et des Rha-de (ou E-de) appartiennent à la famille austronésienne. Ces ethnies, dont l'organisation sociale repose sur le village, pratiquent principalement l'agriculture sur brûlis et l'élevage.

Les Gia-rai (200 000) vivent dans les provinces de Gia Lai, de Kon Tum et de Dac Lac, ainsi que dans le nord du Phu Khanh. On pense qu'ils quittèrent le littoral pour s'installer sur les hauts plateaux du Tay Nguyen au début de l'ère chrétienne. Ils vivent dans des villages appelés *ploi* ou *bôn*, qui comptent une cinquantaine d'habitations (bâties dans le style des longues maisons indonésiennes ou plus courtes) ordonnées autour d'une maison communale, ou *nga rong*.

La société gia-rai se compose de familles matriarcales, chacune constituant une unité économiquement indépendante. Un conseil des anciens élit le chef de village, responsable de toutes les affaires communes.

Les Gia-rai cultivent des haricots, des fruits, du riz ainsi que d'autres céréales; ils élèvent des porcs et de la volaille (principalement pour les offrir en sacrifice aux génies), des bœufs, des chevaux et des éléphants comme animaux de trait. Les chevaux sont également montés pour la chasse. La cueillette, la chasse et la pêche sont des activités d'appoint. Les chasseurs prennent principalement des sangliers car les tigres, les panthères, les éléphants sauvages et les rhinocéros se font de plus en plus rares. La cueillette incombe aux femmes et aux enfants.

Ce sont les jeunes filles qui choisissent elles-mêmes leur conjoint, auquel elles font connaître leur décision par un entremetteur. Trois temps forts ponctuent l'engagement marital : l'échange de bracelets en bronze entre les jeunes gens en présence des deux familles et de l'intermédiaire, ce qui scelle la promesse de mariage ; l'interprétation des rêves des jeunes gens, rite qui permet de prédire l'avenir du ménage et qui joue un rôle déterminant dans la décision finale ; enfin, la cérémonie d'accueil du marié chez sa belle-famille.

Chez les Gia-rai, les funérailles, coûteuses, obéissent à une série de rites complexes, notamment dans la construction de la maison funéraire, à l'intérieur de laquelle on dispose de belles sculptures en bois représentant des hommes, des femmes et des oiseaux. Les Gia-rai pensent que l'esprit du défunt va rejoindre ses ancêtres dans un autre monde. Les Gia-rai, animistes, croient en un monde invisible habité de génies, ou *yang*, forces surnaturelles qui régissent la nature et la société. On retrouve entre autres parmi celles-ci les génies de la source, de la montagne, du village, de la maison, du riz, des ancêtres et de la guerre.

Les rites demeurent l'affaire de chaque famille. Dans cette société matriarcale où prédominent d'anciennes croyances agraires, certaines communautés vénèrent les rois du feu, de l'eau et du vent. Actuellement, ces rois ne sont plus que des chamans qui officient pour invoquer la pluie ou éloigner la maladie. Le folklore gia-rai, extrêmement riche, inclut de la poésie, des danses et des musiques traditionnelles interprétées sur divers instruments.

Les Rha-de (environ 140 000) vivent surtout dans la province de Dac Lac et, en moins grand nombre, dans la région de Phu Khanh. Leurs villages, appelés *buôn*, sont gérés par un *pô pin ea*, élu par tous les membres de la communauté. Ils comprennent de vingt à trente « longues maisons » sur pilotis, abritant chacune une famille matriarcale élargie, placée sous l'autorité de la femme la plus âgée et la plus respectée. C'est elle qui régit les affaires communes et arbitre les querelles internes ; elle a également la garde des métiers à tisser communaux, des gongs de bronze, des vieilles jarres utilisées pour la préparation de l'alcool de riz ainsi que des ustensiles destinés aux hôtes et aux musiciens. Un siège particulier, taillé dans l'épaisseur d'un seul tronc d'arbre, lui est réservé.

Les Rha-de pratiquent la polyculture sur brûlis. Ils édifient au milieu de leurs champs une hutte qui sert d'abri à la personne chargée d'éloigner les oiseaux et les animaux nuisibles. En dehors du riz, ils cultivent du maïs, de la canne à sucre, des bananes, des cucurbitacées, du coton ainsi que du tabac. Presque tous les villages possèdent leur propre forge, où les artisans fabriquent et réparent les outils agricoles. La vannerie, la poterie rudimentaire et les très beaux tissages teints à l'indigo que fabriquent les Rha-de sont réservés à leur propre usage.

Polythéistes, les Rha-de vénèrent en particulier deux divinités agraires : Ae Die et Ae Du. Des cérémonies sont consacrées chaque année au culte de l'esprit du riz et des génies du sol, de l'eau et du feu. Tout comme les Gia-

A gauche, sacrifice offert par un village hmong en l'honneur du gouvernement central, dans les années 1960 ; ci-dessus, femme dao ; à droite, femmes méo.

rai, les Rha-de honorent également les rois du feu et de l'eau.

La littérature rha-de, transmise par la tradition orale, abonde en mythes, légendes, contes de fées et épopées qui remontent à leurs origines. Les instruments de musique comprennent des gongs, de larges tambours, des flûtes, des instruments à cordes et des cors.

La sculpture sur bois fait partie intégrante de l'architecture rha-de. Elle est aussi employée pour orner les maisons funéraires. Les défunts sont enterrés avec certains de leurs biens ; une maison funéraire en forme de bateau est érigée au-dessus de la tombe. On y fait des offrandes de riz au défunt jusqu'à ce

qu'ait lieu une cérémonie particulière qui marque l'abandon de la tombe.

Les minorités du Sud

Les Cham (environ 76 000) sont les descendants du brillant royaume indianisé de Champa qui, depuis la fin du IIe siècle jusqu'au XVe siècle, établit son hégémonie sur les côtes du Sud et rayonna sur la péninsule sud-est asiatique. Quoiqu'ils aient été fortement vietnamisés, les Cham ont gardé l'usage de leur langue parlée, de souche austronésienne.

Ils se subdivisent en deux groupes distincts par leur religion et leur organisation sociale. Le premier groupe, majoritaire, établi dans la région de Phan Rang-Phan Ri, pratique une forme d'hindouisme qui lui est propre, à laquelle se mêlent des divinités et des rites bouddhiques. Il a conservé une organisation sociale reposant sur le lignage matrilinéaire.

Le second groupe, établi dans la région de Chau Doc, est constitué de musulmans orthodoxes qui sont, pour la plupart, agriculteurs ou commerçants. Ces derniers ont adopté un système de filiation patrilinéaire ; leur organisation sociale est fondée sur la structure villageoise.

Enfin, environ 40 000 Khmers se sont implantés depuis des siècles au cœur de la péninsule de Ca Mau, dans le delta du Mékong. Bien intégrés à la société vietnamienne, ces Cambodgiens, qui sont riziculteurs, pêcheurs, commerçants ou fonctionnaires, continuent à parler et à écrire le khmer. C'est la seule ethnie du Vietnam qui pratique le bouddhisme du Petit Véhicule (voir p. 87).

Les bouleversements ethniques récents

Depuis les années 1950, les changements politiques et les guerres ont profondément bouleversé la carte ethnographique du Vietnam. Avant le conflit entre le Nord communiste et le Sud, les larges plaines des deltas du fleuve Rouge et du Mékong, ainsi que les petits bassins littoraux du Centre, étaient habités par l'ethnie vietnamienne proprement dite, les Kinh, mais les massifs montagneux du Nord et du Nord-Ouest ainsi que les hauts plateaux du Centre demeuraient l'apanage de populations tribales relativement peu vietnamisées.

Ces régions ont connu, du fait de la guerre ou de la volonté des autorités vietnamiennes, une immigration des Kinh. En effet, environ un million d'entre eux ont pénétré les territoires des minorités, y apportant des changements sociaux et économiques considérables. Ainsi, très souvent, le Parti et les instances du pouvoir ont supplanté les structures traditionnelles. De même, l'organisation en coopératives a, par exemple, balayé la propriété seigneuriale des Tay ou les structures claniques des Lolo. Bien souvent, l'idéologie communiste dominante est entrée en conflit avec les croyances et les traditions locales de ces minorités, en particulier dans la région des Hauts Plateaux, qui a fait l'objet d'une vietnamisation systématique.

A gauche, femmes méo au XIXe siècle ; à droite, mandarin impérial en tenue d'apparat.

影接無人

LES RELIGIONS

Le Vietnam a hérité de l'empire du Milieu trois grandes philosophies religieuses et les a assimilées à ses cultes populaires. Un millénaire de présence chinoise (de 111 av. J.-C. à 939 apr. J.-C.) a en effet profondément modelé la mentalité vietnamienne en introduisant sur ce territoire le confucianisme et le taoïsme, auxquels vint s'adjoindre le bouddhisme venu de l'Inde : trois systèmes philosophico-religieux appelés Tam Giao, la « triple religion ».

A ces trois courants de pensée, qui se sont très vite transformés en religion dans leur forme populaire, est venu s'ajouter, au XVIIe siècle, le christianisme. Les premiers missionnaires, des jésuites, commencèrent en effet à évangéliser le Vietnam dès 1615.

Ainsi, ce qui caractérise la mentalité vietnamienne, c'est un syncrétisme, tant religieux que culturel. En général, un Vietnamien obéit dans la vie sociale et familiale à un code éthique confucéen, pratique certains rites bouddhiques, mais peut également célébrer des cultes taoïstes – surtout à la campagne. Ces cultes sont souvent un mélange de taoïsme et de bouddhisme populaires qui se sont greffés sur des cultes autochtones dont l'origine remonte à la naissance de la culture vietnamienne, dans le bassin du fleuve Rouge.

LES CULTES ANTIQUES

Il y a plusieurs millénaires, les tribus viet quittèrent la Chine pour le Sud (*Nam*) et s'installèrent dans le delta du fleuve Rouge. Pour construire et défendre ce territoire qu'ils appelaient « terre et eau » (*dat* et *nuoc*) nouvellement acquis, il leur fallait se concilier les forces en œuvre dans la nature, visibles et invisibles, favorables ou hostiles, déterminer leur nature et leurs intentions, leur résister si nécessaire, s'en attirer si possible les faveurs, et donc ne jamais provoquer leur colère. Ils cherchèrent donc à pénétrer les mystères du Ciel (ordre supérieur), à comprendre les forces et mouvements de la Terre (ordre inférieur), à établir des relations entre les hommes (ordre intermédiaire) et à comprendre la façon dont les choses émergent, existent, progressent, disparaissent et reparaissent au sein du flux primordial, à travers la plus haute forme d'éducation (Dao Giao), la religion.

Pages précédentes : moine de la pagode de Giac Vien, à Ho Chi Minh-Ville. A gauche, un bouddha ; à droite, petit oratoire au bord de la route, chargé de bâtonnets d'encens.

Au sommet de la hiérarchie religieuse se trouve Ong Troi, le seigneur du Ciel. Gardien et protecteur du destin humain, il régit également les forces occultes et les mystères de l'univers. La Terre, Dat, ou Tho, est protégée par Tho Cong – ou Tho Than –, divinité du sol et du foyer. Dans les campagnes, Tho Cong est celui qui pourvoit à la nourriture et protège contre les bêtes sauvages et contre la morsure des serpents venimeux. Les génies du sol, des fleuves et des montagnes, selon les principes

de la géomancie, déterminent l'orientation des maisons, des villes, des tombes, des temples et, partant, la bonne et la mauvaise fortune des familles, des communautés et des nations.

Entre le Ciel et la Terre, mais jamais indépendant, s'étend le règne humain – hommes et femmes, vivants et morts, ancêtres et descendants. Le culte des ancêtres est aussi essentiel que la procréation au maintien de la famille, du clan, de la nation et de l'humanité.

Chacun de ces trois règnes – céleste, humain et terrestre – a son système propre, ses lois, ses éléments bons ou mauvais, ses modes de transformation et surtout ses divinités. Les esprits du soleil, de la lune, des étoiles appartiennent au règne céleste, tandis que les génies des montagnes, des plaines et des fleuves ressortissent du règne terrestre. Ces divinités sont partout, dans les pierres, les arbres, les lacs, les animaux; elles sont nourries, logées et vénérées par le truchement d'offrandes propitiatoires et une conduite appropriée.

Les Vietnamiens vénèrent également certains animaux dotés, selon eux, de pouvoirs surnaturels : le dragon (symbole de vertu et de droiture), le phénix (symbole de grâce et d'immortalité), la licorne (symbole annonciateur de bonheur), la tortue (symbole de longévité).

A côté des pagodes (où l'on vénère des divinités bouddhiques et taoïstes) et de la maison communale (*dinh*), dédiée au génie tutélaire de la localité, on trouve dans chaque village vietnamien des lieux de culte plus petits : le *den*, où l'on honore la mémoire d'un héros, d'un empereur ou d'un génie qui a particulièrement aidé la communauté, et le *miêu*, d'ordinaire juché sur une éminence, réservé au culte des esprits bons et mauvais – et auquel se rattachent le *van miêu*, consacré au culte de Confucius et de ses disciples, et le *vo miêu*, dédié au dieu de la Guerre ou à un héros guerrier.

LE CULTE DES ANCÊTRES

Le culte des ancêtres, dont l'existence est millénaire et qui repose sur la croyance selon laquelle les ancêtres continuent à vivre parmi leurs descendants, s'est renforcé au contact du confucianisme, qui insiste, entre autres devoirs, sur la notion de piété filiale (*hieu*). Les ancêtres accorderont protection et bienfaits à leurs descendants à condition que ces derniers les honorent et qu'ils entretiennent leur tombe.

Dans chaque maison, les ancêtres sont représentés, jusqu'à la cinquième génération, par des tablettes posées sur un autel. Traditionnellement, la tablette est contenue dans une boîte rouge (couleur faste), elle-même enfermée dans un étui laqué rouge et agrémenté d'une sobre décoration dorée. Sur ces planchettes rectangulaires figurent, en caractères chinois, les noms de famille, les titres ainsi que les surnoms symboliques et littéraires du défunt, ses dates de naissance et de décès, ainsi que le nom du donateur.

Le culte des ancêtres est assuré par le descendant le plus âgé de la branche aînée du clan. On ne manque jamais d'informer les ancêtres d'une naissance, d'un décès ou de tout événement important dans la vie de ce clan.

Manquer d'honorer la mémoire de ses ancêtres est considéré comme un grave acte d'impiété filiale, classé parmi « les six crimes atroces ». Le culte des ancêtres exige, par ailleurs, de tout Vietnamien qu'il se marie et qu'il ait un fils pour assurer la pérennité du rite. Ce sont en effet ces rites qui soudent et renforcent la notion de clan familial (*ho,* ou *tac*), fondement du système social vietnamien.

À l'occasion des anniversaires de la mort d'un défunt, ses proches se réunissent pour faire des offrandes de nourriture et d'encens. On se prosterne devant l'autel où l'on brûle des simulacres d'objets en papier et de billets. On se rend ensuite au cimetière afin de prier et d'entretenir les tombes. La tradition veut que l'on honore la mémoire du disparu lors des troisième, quarante-neuvième et centième jours après l'enterrement. Les Vietnamiens rendent également hommage à leurs ancêtres lors des fêtes du Nouvel An lunaire, qui symbolise la communion des vivants et des morts à travers le renouveau de la nature, et durant la fête de la Pure Clarté (Thanh Minh), célébrée soixante jours après la fête du Printemps. La famille se rend alors au cimetière pour entretenir les tombes de ses défunts.

A gauche, la pagode de Tay An, à Chau Doc; moine khmer du Sud; ci-dessus, temple près de Hué; à droite, le temple de Hoi An.

Le confucianisme

Fondé sur les enseignements du philosophe chinois Confucius, Kongfuzi ou maître Kong (vers 555-vers 479 av. J.-C.), le confucianisme (Nho Giao, ou Khong Giao, en vietnamien) est bien, plutôt qu'une religion, une morale politique et sociale qui dicte à chacun sa place, ses droits et ses devoirs au sein de la famille comme de la société, afin d'assurer la paix et l'ordre : d'une pensée correcte découle une conduite droite. Confucius ne formula jamais ses théories par écrit, ce sont ses disciples qui rassemblèrent dans le *Lunyu* (les *Entretiens*) ses commentaires et aphorismes. Le confucianisme, qui fut érigé en philosophie d'État par la dynastie chinoise des Han (206 av. J.-C.-220 apr. J.-C.) et pénétra à la même époque au Vietnam, a profondément modelé les comportements sociaux des Vietnamiens.

Selon Confucius, tout homme de bien doit mettre en œuvre deux principes complémentaires, le *jen* (vertu, humanité, bonté) et le *yi* (justice), et posséder plusieurs qualités morales : la piété filiale (assurée par le culte des ancêtres), le respect des rites et des règles de préséance, la loyauté, la fidélité à la parole donnée, le courage.

Confucius définit cinq « relations naturelles » auxquelles chacun doit se conformer afin que l'ordre et la cohésion sociale soient assurés : les rapports entre père et fils (le fils doit obéir à son père sans réserve), entre homme et femme (la femme n'a aucun droit individuel), entre aîné et cadet, entre amis, entre prince et sujet (rapport identique à la relation entre père et fils). Des rites complexes et précis permettent de sceller cet ensemble de relations.

En revanche, pour être en droit de gouverner, le prince doit étudier les cinq Classiques de Confucius (le *Livre des odes*, le *Livre des documents*, le *Livre des rites*, les *Annales des printemps et automnes* et le *Livre des mutations*), se conformer à leurs prescriptions et se montrer bienveillant envers ses sujets. La vertu royale devait, par son seul rayonnement, harmoniser nature et société.

Le confucianisme accorde une grande importance à l'éducation. N'importe qui peut prétendre à l'étude et à la connaissance approfondie des cinq Classiques. La connaissance n'est pas le privilège de la naissance, mais du mérite et de la détermination personnels.

Après un millénaire de présence chinoise, loin de renier l'apport confucéen, les Ly instituèrent au XIe siècle les premiers concours mandarinaux destinés à former les cadres de l'empire, à l'imitation de ceux qui existaient en Chine. Ces concours, en principe ouverts à tous (à l'exception des comédiens et des femmes), supposaient la connaissance parfaite des cinq Classiques mais aussi celle des principes bouddhiques et taoïstes.

En 1802, lorsque la dynastie des Nguyen opéra la réunification du territoire vietnamien, le confucianisme fut remis à l'honneur et promulgué au rang de doctrine officielle de l'empire.

Malheureusement, ce confucianisme sclérosé, attaché à ses valeurs et à ses principes tenus pour immuables, fut incapable de faire face aux bouleversements amorcés par l'ouverture sur l'Occident. Car les colonisateurs français apportèrent avec eux les principes nouveaux des sciences exactes et de la révolution industrielle, que les néo-confucéens de Hué, immobilistes et isolationnistes, récusèrent avec dédain. L'extrême rigidité des mandarins qui entouraient les derniers empereurs Nguyen explique en partie la chute de cette dynastie.

LE TAOÏSME

Le taoïsme fut introduit au Vietnam au début de l'ère chrétienne par les envahisseurs han. De son fondateur présumé, Laozi (« vieux maître », en chinois), qui vécut au VIe siècle avant notre ère, on sait fort peu de chose, sinon qu'il aurait été archiviste à la capitale des Zhou, puis serait parti vers l'ouest, juché sur un bœuf, et aurait dicté au gardien d'une forteresse le *Livre de la voie et de la vertu*, ou *Daodejing*.

La philosophie taoïste, développée par ses deux disciples, Liezi et Zhuangzi (V^e et IVe siècle avant notre ère), traite de la relativité de toute expérience, prône la simplicité et la nonintervention des hommes et de l'État dans le cours de la nature et de la société, le but ultime étant la fusion de l'individu avec le *tao*, sorte d'entité primordiale et éternelle, par le biais de la méditation. Le *tao* se compose de deux principes complémentaires, présents en toute chose : le *yang*, principe mâle, lumineux, actif, chaud, céleste ; et le *yin*, principe féminin, obscur, passif, froid, terrestre. De leur opposition naît l'espace, de leur alternance le temps.

En Chine comme au Vietnam, il existe deux niveaux de compréhension et de pratique du taoïsme. L'un, réservé aux lettrés, consiste en une recherche contemplative des forces en

présence dans l'univers, de l'interaction du macrocosme et du microcosme par le jeu subtil du *yin* et du *yang* et de leurs multiples correspondances.

Sous sa forme populaire, le taoïsme est une religion naïve au panthéon foisonnant, peuplé de nombreux génies, esprits et divinités, sur lesquels règne Ngoc Hoang, l'« Empereur de Jade », entouré d'une cour d'Immortels. A sa gauche se tient le ministre Nam Tao (« Étoile du Sud »), qui enregistre les naissances, et, à droite, le ministre Bac Dau (« Étoile du Nord »), qui enregistre les décès. A la fin de l'année, Tao Quan, le génie du foyer, leur soumet un rapport sur les actes de chaque famille. Viennent ensuite les esprits des Trois Mondes, ou Chu vi : Lieu Hanh, qui règne sur le monde céleste, Thuong Ngan, sur le monde terrestre, et Mau Thoai, sur le monde aquatique. A côté coexistent des divinités féminines appelées Than Man (« Sainte Mère ») et masculines, ou Duc Ong (« Monseigneur »).

A gauche, cérémonie au temple de Cao Dai, à Tay Ninh, dans le Sud; ci-dessus, statues dans un temple bouddhique.

Des hommes (*ong dong*), mais surtout des femmes (*ba dong*), faisaient jadis fonction d'intercesseurs entre les divinités taoïstes et les hommes. Ces devins, magiciens et médiums officiaient dans des sanctuaires, ou *den*, réservés à ces cérémonies propitiatoires. Leur nombre a diminué depuis l'instauration du communisme.

LE BOUDDHISME

Né en Inde du Nord au VIe siècle av. J.-C., le bouddhisme a été élaboré par le prince Siddharta Gautama. Celui-ci vit un remède aux souffrances humaines dans l'extinction de tout désir et le renoncement à tout attachement. Ce détachement permet d'échapper au cycle des réincarnations et d'accéder au nirvana, état de félicité suprême. Siddharta Gautama prêcha la non-violence, l'amour universel et la chasteté.

Au Vietnam, le bouddhisme mahayana, ou du Grand Véhicule (Dai Thua, ou Bac Tong), importé de Chine, est largement majoritaire, tandis que le bouddhisme hinayana, ou du Petit Véhicule (Thieu Thua, ou Nam Tong), importé d'Inde, n'est observé que par les quelque 400 000 Cambodgiens qui vivent dans le delta du Mékong. Les adeptes du Mahayana reconnaissent l'existence d'innombrables bouddhas, ainsi celle des bodhisattvas, sages qui renoncent au nirvana et se réincarnent parmi les hommes afin de les délivrer de la souffrance. Les disciples du Petit Véhicule ne reconnaissent que le Bouddha historique, Siddharta Gautama, et prônent le seul salut individuel.

Au Vietnam, le bouddhisme mahayana se divise en deux mouvements principaux : l'école du Dhyana (zen, ou *thien*, en vietnamien), la plus ancienne, et l'école *agama*, dite de « la Terre pure » (Tinh Do), plus connue sous le nom d'amidisme.

L'école du Dhyana, fondée sur une profonde ascèse personnelle, prône l'illumination subite, la vision totale des choses par le détachement de l'esprit de toute pensée précise. Ne nourrissant aucune intention particulière, le disciple peut échapper au karma (sa destinée déterminée par le poids de toutes ses actions passées, de ses vies antérieures) et donc au cycle des réincarnations. C'est de cette école que se réclament la plupart des bonzes vietnamiens.

Pour sa part, la secte de la Terre pure enseigne qu'il suffit de révérer le Bouddha Amitabha, qui règne sur le paradis de l'Ouest, ou Terre pure, pour y renaître. La pratique principale consiste à réciter une courte prière pour invoquer la protection et la pitié d'Amitabha.

prérogatives des confucéens portèrent atteinte à la position des bouddhistes. La seconde invasion chinoise, puis la dynastie des Le postérieurs, qui restaura l'indépendance nationale en 1428, firent perdre au bouddhisme sa prééminence.

BOUDDHA CONTRE CONFUCIUS

Le bouddhisme continua toutefois à jouir d'un grand crédit dans les campagnes, où il perdit cependant de sa rigueur philosophique en assimilant les divinités locales taoïstes ou animistes.

Les bonzes étant bien implantés dans les campagnes, les Trinh du Nord et les Nguyen du Sud décidèrent, au XVIe siècle, de s'appuyer sur le clergé bouddhiste pour gouverner. C'est ainsi que furent créées, aux XVIe et XVIIe siècles, les deux principales sectes dhyanistes (Tao Dong et Lien Ton), qui prévalent encore dans le nord du pays.

C'est sous les Ly postérieurs (1009-1225) que le bouddhisme prit véritablement son essor au Vietnam. En effet, ces souverains administraient le pays en s'appuyant sur des bonzes, qui constituaient alors l'essentiel de l'élite cultivée.

Le bouddhisme connut son apogée du XIe siècle au début du XIVe siècle. A l'aide des généreux subsides qu'ils recevaient des princes, les monastères purent constituer de grands domaines fonciers. Toutefois, les bonzes qui occupaient de hautes fonctions à la cour faisaient ombrage au mandarinat confucéen. En outre, l'opulence de certains monastères n'était pas sans exciter la jalousie des lettrés. C'est au cours du XIVe siècle que les

Mais, dès 1802, la dynastie des Nguyen de Hué réinstaura le confucianisme comme doctrine d'État. A partir des années 1920, les moines des grands sanctuaires entreprirent de rénover le bouddhisme vietnamien. Ils fondèrent, en 1951, l'Association générale des bouddhistes du Vietnam. En 1954, après la partition du pays, les prises de position des bonzes au Sud-Vietnam contribuèrent à déstabiliser le régime de Ngo Dinh Diem.

Le bouddhisme fut sans doute la religion la plus malmenée par les communistes. Dès 1954, dans le Nord, et à partir de 1975, dans le Sud, les moines furent persécutés, les biens monastiques confisqués et, pendant de nombreuses années, le recrutement interdit. A l'heure actuelle, religieux et laïcs sont regroupés au sein de l'Église bouddhique du Vietnam, dont les différentes instances organisent la propagation de la foi, le recrutement des bonzes et l'enseignement des textes sacrés.

Certaines pagodes ont rouvert leurs portes aux fidèles et aux jeunes aspirants, telle la célèbre pagode Thien Mu, à Hué, qui abritait, en mars 1991, neuf moines et trois novices. La plupart des monastères sont entretenus par les fidèles et les moines, qui cultivent des lopins de terre alloués par l'État. Cette politique d'autogestion tend à rendre les communautés monastiques indépendantes.

L'HINDOUISME

Les divinités hindoues apparurent dans les sanctuaires cham de My Son, au IVe siècle. De nos jours, les Cham de la région de Phan Rang-Phan Ri, dans le delta du Mékong, pratiquent une forme d'hindouisme hybride. Ils observent certains rites en l'honneur des trois divinités qui, selon la forme populaire du brahmanisme, sont identifiées à l'absolu cosmique : Brahma (associé au principe de la création de l'univers), Vishnou (qui symbolise le principe de la conservation) et Shiva (associé au principe de la destruction), vénéré sous la forme phallique du linga.

A gauche, la pagode de Giac Lam, à Ho Chi Minh-Ville ; ci-dessus, église catholique au sud de Hanoi.

L'ISLAM

La communauté musulmane du Vietnam ne compte plus que quelques milliers de fidèles, khmers et cham pour la plupart, soit environ 0,5 % de la population. Une stèle datant du Xe siècle, et portant des inscriptions en langue arabe, est le plus ancien témoignage de la présence musulmane sur le sol vietnamien. Ce pilier fut trouvé près de la ville côtière de Phan Rang.

Les Cham musulmans sont pour la plupart établis autour de Chau Doc, dans le delta du Mékong. Ils ne pratiquent toutefois qu'un islam assez peu orthodoxe. Ainsi, ils ne prient qu'une fois par semaine, le vendredi, au lieu d'accomplir les cinq prières quotidiennes requises, ne mangent pas de porc mais boivent de l'alcool, n'effectuent pas le pèlerinage à La Mecque et n'observent le ramadan (jeûne annuel d'un mois) que trois jours durant. De plus, ils ne possèdent que de rares exemplaires du Coran et même leurs chefs religieux lisent l'arabe avec difficulté. Enfin, les Cham célèbrent aussi bien des rituels inspirés de l'islam que des cultes animistes ou hindous.

LE CHRISTIANISME

Bien que des missionnaires chrétiens se soient rendus brièvement au Tonkin en 1533, et en Annam en 1596, ce ne fut qu'en 1615 que des jésuites portugais fondèrent les premières missions catholiques à Hoi An, Danang et Hanoi. Les premiers prêtres vietnamiens furent ordonnés en 1668. Mais cette religion étrangère, qui considérait le culte du Ciel et celui

des ancêtres comme des pratiques superstitieuses, ne pouvait qu'inquiéter l'élite mandarinale. Dès 1630, la dynastie des Trinh publia le premier d'une série d'édits proscrivant le christianisme.

Tout au long du XVIIIe siècle, les Trinh et les Nguyen menèrent une politique fluctuante, alternant persécutions et tolérance religieuse. Le christianisme fut interdit dans le Nord de 1712 à 1720, et dans le Sud en 1750. C'est à cette époque de troubles que le missionnaire jésuite Alexandre de Rhodes mit au point le *quoc ngu*, ou romanisation de l'écriture vietnamienne, encore en usage de nos jours.

Mgr Pigneau de Behaine, évêque d'Adran, joua un rôle déterminant dans l'histoire, tant religieuse que politique, du Vietnam. Il aida Nguyen Anh dans sa politique de reconquête du pays et, sous le règne du fondateur de la dynastie des Nguyen (1802-1820), les chrétiens jouirent d'une totale liberté religieuse.

Il n'en alla pas de même pour ses successeurs, très attachés à l'idéologie confucéenne. Minh Mang (1820-1841) interdit en 1825 l'entrée de missionnaires chrétiens sur le territoire vietnamien. Trieu Tri (1841-1847) se montra plus tolérant, mais Tu Duc (1848-1883) fit persécuter les chrétiens.

Ces prises de position intransigeantes fournirent un prétexte aux Français pour leur intervention au Vietnam. Par le traité signé en 1862 avec la France, Tu Duc reconnut le libre exercice du culte catholique au Vietnam, mais les persécutions reprirent de plus belle entre 1882 et 1884, et bien des fidèles et des missionnaires payèrent leur foi de leur vie. Elles ne cessèrent qu'en 1885, quand la France eut conquis tout le pays.

Les chrétiens du Vietnam purent dès lors pratiquer leur religion sans être inquiétés. Les congrégations s'implantèrent, ouvrant des écoles, des hôpitaux, et l'Église s'organisa. En 1939, on estimait à 100 000 le nombre de catholiques, sur une population de 18 millions de Vietnamiens.

Toutefois, l'avènement de la république démocratique du Vietnam, en 1954, changea la face des choses : sur les 800 000 Nord-Vietnamiens qui s'enfuirent vers le sud, 600 000 étaient catholiques. Depuis 1975, la liberté de culte est théoriquement garantie, mais il n'en demeure pas moins que le nombre des ordinations est limité arbitrairement et que toutes les écoles catholiques ont été nationalisées. A l'heure actuelle, le Vietnam compte environ 5 millions de catholiques, dont la ferveur est grande (les églises sont pleines les dimanches et les jours de fête) et parmi lesquels les vocations sont nombreuses. En dépit de brimades continuelles, les catholiques sont la deuxième communauté religieuse du Vietnam (7 % de la population).

Enfin, le protestantisme fit son entrée au Vietnam en 1911. Cette communauté recrute la plupart de ses fidèles (environ 200 000) parmi les tribus montagnardes du Centre. Comme celle des prêtres catholiques, l'activité des pasteurs protestants est aujourd'hui limitée par le gouvernement.

A gauche, musulmans du Sud ; à droite, la cathédrale de Hué.

LES FÊTES TRADITIONNELLES

Si des fêtes ont lieu toute l'année au Vietnam, les principales se déroulent au printemps et à l'automne, et la plus importante est la fête du Têt, qui célèbre le Nouvel An lunaire (entre le solstice d'hiver et l'équinoxe de printemps) et dont le nom complet, Têt Nguyen Dan, signifie « fête de la Première Aurore ». Dans les semaines qui précèdent, les Vietnamiens se bousculent sur les marchés pour se procurer de la nourriture, des cadeaux et des fleurs, sans regarder à la dépense : la fête ne serait pas complète sans les traditionnelles branches de pêcher ou d'abricotier en fleurs ou sans le kumquat en pot. Les rites débutent une semaine avant la fête. Pendant ces sept jours, les dieux du foyer (les *Tao Quan*) sont censés monter au ciel pour rendre compte à l'Empereur de Jade de l'état du monde terrestre et de l'activité de chaque famille. La veille du Nouvel An a lieu une cérémonie de « clôture de la vieille année » où l'on doit payer ses dettes, mettre un terme aux vieilles querelles, nettoyer sa maison et se recueillir sur les tombes des ancêtres pour inviter ceux-ci à participer aux festivités. Le premier jour de la nouvelle année est crucial : il ne faut rien faire qui puisse attirer les mauvais esprits et compromettre l'année à venir. Dans la semaine qui suit, les célébrations se multiplient, ainsi que les pèlerinages vers les pagodes les plus sacrées, comme la pagode des Parfums.

◀ *Censée effrayer et chasser les mauvais esprits, la danse du Dragon* (rong mua) *est un des rites essentiels de la fête du Têt.*

▲ *La veille du Nouvel An lunaire, on incinère rituellement, en famille, les objets en papier offerts aux ancêtres pou honorer leur mémoire et obtenir leur protectio*

◀ *La fête de la mi-automne – qui coïncide avec l'équinoxe d'automne – est celle des enfants : ils défilent en portant des lanternes et reçoivent des cadeaux.*

▲ *Pour le Nouvel An, les bonzes rédigent les vœux des fidèles en caractères chinois. Ces bandelettes sont ensuite accrochées dans les pagodes ou brûlées.*

LES FESTIVITÉS LOCALES

Durant les deux premiers mois lunaires (février et mars du calendrier occidental), la plupart des villages organisent leur fête annuelle. Les villageois se rendent en famille à la pagode et brûlent de l'encens pour honorer les divinités locales et les ancêtres. Les plus jeunes participent à des concours de saut à la perche, d'arts martiaux, ou à des tournois d'échecs, dont les pièces sont tantôt des personnages vivants, tantôt des figurines géantes. Dans le delta du fleuve Rouge, des processions de barques vont vénérer le génie des Eaux, Ha Ba. Dans le village de Lim, près de Hanoi, jeunes gens et jeunes filles se livrent à un concours de chants d'amour, selon un très ancien rituel de fertilité.

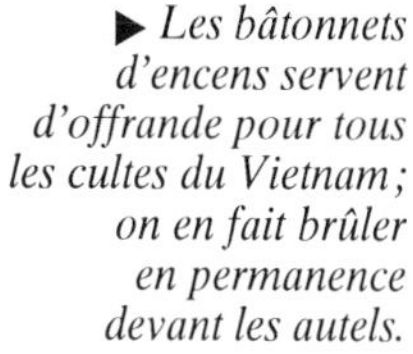

▶ *Les bâtonnets d'encens servent d'offrande pour tous les cultes du Vietnam ; on en fait brûler en permanence devant les autels.*

▼ *Lors de la fête du Têt, les Vietnamiens présentent aux ancêtres du riz, du bétel, de l'encens, des messages votifs sur papier rose et des faux billets.*

▼ *Le culte des ancêtres est la principale religion du Vietnam. Il est essentiellement pratiqué à domicile, devant l'autel installé dans chaque foyer. Dans certaines pagodes, on vénère aussi les statues des ancêtres.*

LA MUSIQUE ET LE THÉÂTRE

Selon Confucius, « l'art de se cultiver commence par la poésie, s'affirme en observant les règles de l'étiquette et se parfait avec la musique ». Les tambours de bronze de Dong Son, qui représentent des danseurs évoluant au son d'instruments de musique, ainsi que le lithophone de Ndut Lien Krat retrouvé dans le sud de l'Annam, attestent l'existence de traditions musicales et chorégraphiques au Vietnam dès l'âge du bronze. Tout comme les autres arts, la musique subit l'influence chinoise pendant le millénaire de colonisation Han. Mais elle fut aussi marquée par l'art musical du Champa, royaume indianisé que le Vietnam conquit au XVe siècle.

LA MUSIQUE DE COUR ET DE CHAMBRE

C'est à cette époque qu'apparut la musique de cour, calquée sur le modèle ming. On définit alors plusieurs genres musicaux correspondant à des cérémonies religieuses et civiles précises : ainsi, le *Giao Nhac* était joué à Hué sur le tertre de Nam Giao (le « temple du Ciel ») lors des fêtes triennales célébrant le culte du Ciel et de la Terre. Le *Miêu Nhac* accompagnait les cérémonies du culte de Confucius et des empereurs défunts. Le *Cuu Nhat Giao trung nhac* était destiné à aider la lune et le soleil lors des éclipses tandis que le *Dai Trieu Nhac* accompagnait les grandes audiences. Ces musiques ne sont plus jouées actuellement. Seuls sont encore donnés, en de rares occasions, le *Nhac Nhac*, ou musique élégante, exécuté par un orchestre d'une quinzaine d'instrumentistes, et le *Dhai Nhac*, qui accompagnait les danses de cour.

Il existait aussi une forme de musique de chambre, généralement destinée à un public raffiné. L'une des formes de musique de cour les plus connues est l'*A Dao*, dont le nom est lié à un épisode important de l'histoire du Vietnam : au XVe siècle, lors de la seconde invasion chinoise, les Vietnamiens eurent recours à toutes sortes de stratagèmes pour repousser l'envahisseur. Ainsi, une paysanne du village de Dao, dans la province septentrionale de Hai Hung, divertit par ses danses et ses chants les soldats des Ming, tandis que ses compatriotes organisaient une contre-attaque. Le *Hat A Dao*, ou « Chanson de la dame de Dao », fut composé par un cercle de lettrés pour commémorer à la fois sa beauté et son courage.

Pages précédentes : dans les loges avant une représentation de Cai Luong, *à Ho Chi Minh-Ville. A gauche, actrice à Ho Chi Minh-Ville ; à droite, représentation théâtrale en plein air.*

Le *Hat A Dao* était une forme de poésie chantée déclamée par une actrice, chez elle, où le public, formé d'amis venus célébrer un heureux événement, se divertissait en écoutant d'anciens poèmes ou des poèmes qu'ils avaient eux-mêmes composés. Le chant était rythmé par le *phach*, un instrument en bambou que l'on frappait à l'aide de deux baguettes, et accompagné au *dan day*, un luth à trois cordes,

doté d'un long manche. L'assemblée donnait son appréciation et commentait le talent de la chanteuse en battant un petit tambourin. Cette forme musicale a beaucoup contribué à enrichir le répertoire poétique vietnamien, incitant de nombreux lettrés et souverains (tel Tu Duc) à composer des vers.

Hué possédait sa propre musique de chambre, appelée *Ca Hué* et destinée à une formation de deux à cinq instruments. Le *Ca Tai Tu* (ou *Dan Tai Tu*), à l'honneur dans le Sud, avait également son propre répertoire lyrique.

Ces différentes formes de musique savante, transmises autrefois de maître à élève, sont maintenant enseignées dans les conservatoires de Hanoi, Hué et Ho Chi Minh-Ville.

LA MUSIQUE POPULAIRE

La musique populaire se compose essentiellement de chansons illustrant les grands moments de la vie quotidienne des paysans. Il existe un type de chant pour chaque événement: berceuses (appelées *Hat Ru* dans le Nord, *Ru Em* dans le Centre et *Au O* dans le Sud), chants de mariage et de funérailles. Les *Ho* sont des chants de travail (*ho* signifie : « appeler les gens à la tâche ») qui accompagnent le repiquage du riz, la moisson, le décorticage et le blanchissage du paddy, ainsi que le labeur des bûcherons, des artisans et des bateliers. Tout d'abord, une personne entonne le chant qui est repris en chœur par le groupe. Chaque région possède son propre type de *Ho*. L'un des plus chers au cœur des Vietnamiens est le *Ho Mia Nhi*, chanson des batelières de la rivière des Parfums, à Hué. Ce chant en forme de quatrain évoque avec un puissant lyrisme les attentes et les tristesses de l'amour.

Les *Ly* sont des chansons d'amour composées de trois séquences. La première met en scène la rencontre, la seconde raconte la cour amoureuse, et le chant se termine par des adieux. Les *Ly* furent souvent créés par des poètes célèbres, qui gardèrent cependant l'anonymat. Cette filiation établit une sorte de lien invisible entre les traditions populaire et savante de la musique vietnamienne.

LA MUSIQUE RELIGIEUSE

La musique religieuse, qui accompagne les cultes rendus aux esprits ou les cérémonies bouddhiques, tend à disparaître et demeure limitée à des régions spécifiques. Ainsi les *Hat Ba Trao* sont des chansons des régions côtières du Centre, destinées à apaiser les esprits de la Mer. Dans le nord du Vietnam, le *Hat Chau Van* est un chant d'exorcisme incantatoire, accompagné de percussions, censé expulser les esprits malfaisants d'une personne possédée.

La musique bouddhique comprend le *Tan*, ou psalmodie chorale, et le *Tung*, ou récitation des sutras (textes sacrés du bouddhisme).

Le *Tan* est accompagné par un orchestre à cordes et à percussions et se caractérise par un rythme très syncopé. Le *Tung* est un sorte de récitatif conduit par un moine et ponctué par des coups frappés sur un tambour de bois.

LES TRADITIONS THÉÂTRALES

La plus ancienne forme de théâtre vietnamien connue à ce jour est le *Tro He*, ou farce, qui aurait été inventé par Lieu Thu Tam, sous la dynastie des Le antérieurs (980-1009). Sous la dynastie des Tran (1225-1400) apparurent deux nouvelles formes d'expression théâtrale : le *Hat Giau Mat*, ou représentation masquée, et le *Hat Coi Tran*, ou pièce sans costume.

L'actuel théâtre lyrique vietnamien, qui mêle le théâtre de cour, la tradition populaire et des influences étrangères, comporte trois genres principaux : le *Cheo*, le *Tuong* et le *Cai Luong*.

Le *Cheo* est la plus ancienne forme de théâtre chanté. Ce mot est une déformation du substantif chinois *xiao*, qui signifie : « rire ». Le *Cheo*, théâtre populaire par excellence, se constitua sous les Ly et les Tran à partir des chants, danses et pantomimes populaires, et se fixa en tant que genre au XVe siècle. Les spectacles se déroulent en face du *dinh* ou devant une pagode bouddhique. La troupe, composée d'acteurs-chanteurs et de musiciens, se déplace de village en village ; tous les accessoires tiennent dans un coffre qui constitue, avec une natte, le seul élément de décor. Le *Cheo* possède un vaste répertoire qui laisse une place prépondérante à l'improvisation des acteurs et l'on juge une troupe sur sa capacité à renouveler et à actualiser un thème connu. L'orchestre, qui comprend des tambours, des gongs, des crécelles, deux instruments à cordes et une flûte, est assis à droite de la scène. Un spectateur versé dans l'art du *Cheo* frappe sur un grand tambour réservé au public pour signaler le début de la pièce. Lorsqu'un acteur joue particulièrement bien, un des spectateurs martèle la peau du tambour, marquant ainsi l'approbation générale. Si le public juge la représentation mauvaise, on frappe le bois du tambour.

A gauche, bas-relief cham représentant des danseuses (musée de Danang) ; ci-dessus, pause cigarette pour la troupe de la danse du Dragon.

La pièce commence par une série de roulements de tambour qui se terminent par trois coups. L'orchestre entonne alors l'ouverture au cours de laquelle l'actrice principale présente l'intrigue de la pièce. Le public connaît parfaitement toutes les règles du *Cheo*, qui furent définies dès 1501. Tout au long de la pièce, les acteurs commentent l'action, questionnent le public qui leur répond. Des mélodies connues de tous symbolisent certains événements tels que le mariage, la naissance, la mort. Tous les gestes des acteurs, y compris les mouvements des yeux et de la bouche, ont un sens. Le chœur et le bouffon (*he*), personnage clé omniprésent, soulignent les moments dramatiques. Le bouffon, maquillé de noir, interrompt les joueurs et commente leurs actions, se moque d'eux ou loue leurs prouesses. Souvent, le public interpelle un acteur pour lui demander de rejouer une séquence ou l'interroger sur un détail de l'intrigue.

Le *Cheo* est sans aucun doute la forme de théâtre populaire la plus démocratique. Tournant systématiquement le pouvoir et ses représentants en dérision, il apprenait indirectement aux paysans et aux artisans à exorciser les injustices sociales dont ils étaient victimes. C'est ainsi que sous certaines dynasties cette forme de théâtre fut interdite et ses acteurs poursuivis.

Si le *Hat Cheo* fait partie intégrante de la tradition vietnamienne, le *Hat Tuong*, originaire de Chine, apparut au XIIIe siècle, après que la dynastie des Tran eut repoussé les trois invasions mongoles. Parmi les prisonniers de guerre se trouvait un maître du théâtre chinois, Ly Nguyen Cat, qui prit la citoyenneté vietnamienne et enseigna son art à la cour. De Chine viennent les maquillages, les costumes de cérémonie, les masques, la codification des gestes et des couleurs, la puissance des percussions, les instruments à vent ainsi que l'importance accordée à l'héroïsme et aux nobles sentiments. Le *Hat Tuong* est une pièce en quatre actes où alternent des parties en vers chantées par les rôles principaux et des parties en prose déclamées par les rôles secondaires.

Une représentation de *Hat Tuong* débute par une introduction chantée exposant la trame de la pièce. Chaque acteur décrit son personnage et son rôle au public. Décor et accessoires sont réduits à leur plus simple expression : ainsi, une branche évoque la forêt, une roue peinte une charrette. L'orchestre, assis à droite de la scène, n'accompagne pas seulement le chant, mais aussi les mouvements des comédiens dans les moindres détails. L'action, toujours dramatique, obéit aux préceptes et valeurs confucéens (loyauté envers le souverain, piété filiale, etc.).

Bien que le *Hat Tuong* permette quelques critiques et une relative souplesse d'expression, ce genre théâtral demeura l'apanage de l'élite. Au fil des siècles, il s'écarta du modèle chinois : ainsi, les rôles féminins, interprétés par des hommes, furent enfin tenus par des femmes ; et l'orchestre accueillit des instruments cham d'origine indienne. Aujourd'hui, il comprend des cymbales, des gongs, des tambours, des tambourins, des flûtes et plusieurs instruments à cordes tels que le *dan nguyet*, un luth en forme de lune, le *dan nhi*, un violon au registre aigu composé de deux cordes pincées tendues sur une peau de tambour, le *thap luc*, cithare à seize cordes pincées, enfin le *dan bau*, instrument typiquement vietnamien à une seule corde, que l'on pince ou que l'on fait vibrer à l'aide d'un archet pour produire une variété de longues résonances et de vibratos subtils.

Le *Cai Luong*, ou théâtre rénové, né dans le Sud vers 1916-1918, met en scène, dans un style plus accessible, des pièces du répertoire classique chinois. Influencé par le théâtre européen, le *Cai Luong* abandonna le style épique traditionnel pour des actes plus courts, délaissa le chant pour le dialogue et privilégia la psychologie et l'émotion.

Ci-dessus, instruments traditionnels, au conservatoire de Hanoi ; à droite, les marionnettes sur l'eau de Thang Long, à Hanoi.

LES MARIONNETTES SUR L'EAU

A côté des spectacles de marionnettes classiques, ou *Mua Roi Can*, il existe au Vietnam une tradition unique au monde : le *Mua Roi Nuoc*, ou théâtre de marionnettes sur l'eau. Sans doute né dans les rizières du Nord et probablement inspiré par le spectacle des inondations régulières du fleuve Rouge, ce type de spectacle connut son apogée au XVIIIe siècle.

La représentation se déroule sur un plan d'eau. Le marionnettiste, plongé dans l'eau jusqu'à la poitrine et caché au public par un écran, actionne ses personnages grâce à un système de pieux et de perches de bambou.

Traditionnellement, chaque village du Nord possédait sa troupe de marionnettes, et les représentations avaient lieu dans l'étang le plus proche de la maison communale (*dinh*). Les astuces de mise en scène étaient jalousement tenues secrètes et, encore récemment, certains vieux maîtres refusaient de dévoiler leurs techniques et leurs tours de main, mais la crainte de voir cet art disparaître les a finalement incités à accepter des apprentis, dont la formation demande au minimum trois ans. Grâce à l'action de sauvegarde entreprise par le Théâtre municipal de marionnettes sur l'eau de Hanoi, plusieurs troupes ont été reconstituées. Deux sont installées à demeure à Hanoi, les autres effectuent des tournées régulières dans les provinces du Nord ou se produisent à l'étranger.

Taillées dans un bloc de bois de figuier et peintes de couleurs vives, les marionnettes peuvent atteindre 50 cm de hauteur et pèsent de 15 à 20 kg. Généralement, les membres et la tête sont articulés, et il faut jusqu'à quatre marionnettistes pour faire évoluer une seule figurine. Utilisées quotidiennement, les marionnettes sont hors d'usage au bout de trois mois seulement. Leur fabrication occupe ainsi à plein temps les artisans d'un village proche de Hanoi.

Accompagnées par un orchestre qui rythme le spectacle, les représentations de *Mua Roi Nuoc* se composent de douze actes, chacun racontant une légende, un épisode de l'histoire du Vietnam ou une scène de la vie quotidienne, depuis la défense du pays contre les envahisseurs étrangers jusqu'au méticuleux travail du repiquage du riz ou à l'évocation du repos entre les moissons. Une des légendes les plus appréciées et les plus représentées est celle de la Tortue d'or du lac Hoan Kiem à Hanoi, qui fit don à l'empereur Le Thai To d'une épée magique avec laquelle il repoussa l'envahisseur chinois. Et le clou du spectacle, qui enchante toujours les enfants, est l'apparition du dragon crachant des feux d'artifice.

CUONG
97

ARTS ET LITTÉRATURE

Situé, avec les autres pays de la péninsule indochinoise, au carrefour de l'Inde et de la Chine, le Vietnam a été le point de rencontre de diverses populations et influences culturelles. Ainsi, ce sont les Cham, qui, établis au début de notre ère dans la région côtière du Vietnam central, apportèrent l'architecture religieuse et la sculpture indiennes. Les influences chinoises, perceptibles dès la préhistoire, s'accentuèrent après la conquête han (111 av. J.-C.) et continuèrent à s'exercer sur les arts vietnamiens bien après le IXe siècle et la reconquête de l'indépendance.

L'ARCHITECTURE

C'est à partir du Ier siècle de notre ère que les Vietnamiens adoptèrent peu à peu les principes de l'architecture chinoise et les normes de la géomancie présidant à toute construction. Loin d'être conçus pour eux-mêmes, les édifices et sépultures devaient en effet traduire les rapports de la Terre et du Ciel. On consultait toujours un géomancien afin qu'il détermine le site le plus favorable, selon sa disposition par rapport au Dragon bleu (souffle *yang*), au Tigre blanc (souffle *yin*) ainsi qu'à la configuration des planètes. A l'aide d'une boussole, il déterminait l'orientation et la forme des différents éléments de la construction. Cette recherche d'une parfaite harmonie entre l'homme et la nature confère à l'architecture vietnamienne un charme unique, auquel s'ajoute un certain sens du mystère.

Étant donné la faible résistance des matériaux utilisés (bois, brique crue, tuiles cuites), on ne trouve pas au Vietnam de monuments très anciens, à l'exception de tombeaux chinois de pierre et de brique.

Les palais, les tombes impériales, les ponts couverts, les temples et les maisons communales sont les principaux monuments représentatifs de l'architecture vietnamienne classique. Les palais et édifices religieux, à l'instar des pavillons chinois, se présentent comme des structures à colonnes en bois ou en maçonnerie montées sur une terrasse en pierre et coiffées d'une lourde toiture en saillie, à arêtiers relevés, couverte de tuiles vernissées. Ce sont les colonnes qui soutiennent la charpente, chevillée et non clouée, tandis que les cloisons de bois ou de brique sont modulables. Ces édifices sont ornés de sculptures sur bois, alors que le décor peint ou laqué prédomine en Chine.

Pages précédentes: Chanceux ou pas, *par Le Thuet Cuong. A gauche,* Jeune fille à la feuille de bananier, *par Nguyen Quan; à droite, calligraphe traçant des caractères chinois.*

Comme en Chine, les pavillons et cours des palais impériaux s'ordonnent symétriquement selon une hiérarchie rigoureuse, comme l'univers autour de son centre. Les corps de bâtiment principaux, disposés sur un axe sud-nord, s'ouvrent au sud, tandis que les pavillons annexes sont placés à l'est et à l'ouest.

Lorsque le Vietnam recouvra son indépendance, sous la dynastie des Ly (XIe-XIIIe siècle), l'architecture vietnamienne s'individualisa et s'enrichit d'éléments bouddhiques, grâce à la construction de nombreux temples et pagodes.

Destinés à honorer un héros historique, les temples, ou *den*, se présentent généralement comme une construction basse en forme de H couché, cernée sur trois côtés par une enceinte de galeries à plan carré, une grande cour fermée par un portique s'ouvrant devant l'entrée principale. Lieu de prière, les pagodes, ou *chua*, s'organisent le plus souvent autour de trois salles reliées par des passages: une salle antérieure, où se tiennent les fidèles, une salle des brûle-parfum, où sont lues les prières, et une salle des autels principaux, où sont alignées les statues du panthéon bouddhique. Les galeries latérales abritent les logements des bonzes.

De la pagode de Quynh Lam et de la tour de Bao Thien, fleurons architecturaux de cette période, il ne reste plus que des gravures sur pierre et sur bois, des statues éparses, des fragments de céramique, des briques et des socles de colonnes. Mais on peut encore admirer la très belle pagode au Pilier unique (1049) et le temple de la Littérature, ou Van Mieu (1070), à Hanoi.

Au cours de la période suivante (XIIIe-XVe siècle), les formes architecturales devinrent plus vigoureuses et se détachèrent peu à peu du modèle chinois. Les architectes recherchèrent avant tout la stabilité, la simplicité et l'équilibre des formes. La citadelle de Thanh Hoa, construite sous la dynastie des Ho, en 1397, est le principal vestige de cette époque. A partir du XVe siècle, après la seconde invasion chinoise, puis sous les Trinh et les Nguyen, les influences chinoises, de plus en plus fortes, paralysèrent l'élan créateur des architectes vietnamiens chargés de la construction des palais et des tombes impériales.

Du XVIIe au XIXe siècle, c'est surtout dans les villages que se manifesta alors le talent des bâtisseurs vietnamiens, et en particulier dans la construction des *dinh*, maisons communales qui abritent un autel des génies protecteurs de la communauté et servent à la vie publique. Elles se présentent comme de longues structures en bois, construites quelquefois de plain-pied mais le plus souvent sur pilotis, trait qui n'est pas sans évoquer une origine indonésienne. L'influence de la Chine du Sud transparaît dans les toitures et, pour les plus grands de ces édifices, dans leurs soubassements en terrasse. A partir du XVIIe siècle, le *dinh* surpassa en importance la pagode bouddhique et devint le principal support du talent artistique des artisans – charpentiers, sculpteurs, laqueurs.

A partir du XIXe siècle, l'architecture vietnamienne entra en sommeil, remplacée par l'architecture française, qui continue à marquer le paysage vietnamien à travers les nombreux bâtiments qui subsistent de l'époque coloniale – bâtiments administratifs, grands hôtels, théâtres, gares, églises, villas, etc. – mais aussi dans les techniques de construction actuelles, comme l'utilisation quasi générale de la tuile dite « mécanique » ou « bordelaise » y compris dans les campagnes les plus reculées.

LA CÉRAMIQUE

Dès le néolithique furent produites au Vietnam les premières poteries montées à la main ou moulées « au panier ». L'apparition des premiers tours et fours daterait du début du premier millénaire avant notre ère. L'art funéraire semble avoir alors été un grand support de la céramique, comme en témoignent les objets en terre cuite (maquettes de bâtiments, vaisselle, outils miniatures) retrouvés dans les tombes de Dong Son (IIe-Ier siècle av. J.-C.). Sous l'occupation han, l'art céramique atteignit un haut niveau artistique, tant dans la production d'objets utilitaires que dans le domaine de l'architecture (briques cuites à motifs). Dès le IXe siècle, la céramique vietnamienne s'exporta en Asie du Sud-Est, concurrençant la céramique chinoise. Dans le Nord, on fabriquait notamment des vases en grès ou en faïence à glaçure beige, décorés de motifs brun foncé aux contours incisés sur fond blanc. A la même époque, les artistes du Thanh Hoa empruntèrent aux Song les glaçures « céladon », qu'ils ornèrent de motifs animaliers ou floraux. Aux XIIIe et XIVe siècles, la production d'objets en terre cuite, faïence, grès et porcelaine tendre connut un grand essor, grâce au développement des marchés local et étranger. Au XIVe siècle, les artistes vietnamiens se lancèrent dans la production de nombreux grès porcelainiers revêtus d'un émail blanc à motifs bleus sous couverte, inspirés des fameux *qinghua* (« bleu et blanc ») chinois. De nos jours, les principaux centres de la céramique sont Bat Trang, près de Hanoi, qui maintient la tradition du « bleu et blanc », et Bien Hoa, dans le Sud.

A gauche, Bao Ninh, auteur du Malheur de la guerre *; ci-dessus, portail du temple de la Littérature, à Hanoi.*

La sculpture

D'inspiration essentiellement religieuse, la sculpture vietnamienne utilise principalement le bois et la pierre. Les temples et les pagodes présentent les plus beaux exemples de sculpture sur bois – frises soulignant la toiture, arêtes faîtières des toits, pignons, extrémités des solives, cloisons intérieures – et de ronde-bosse en pierre ou en bronze.

La ronde-bosse est utilisée pour représenter les grandes divinités des panthéons bouddhique et taoïste, mais aussi des personnages historiques – bonzes célèbres, fondateurs de monastères, « portraits » des souverains et des dignitaires qui ornent les tombes impériales.

Dans les palais, les temples et monuments funéraires, on trouve aussi un riche décor en pierre : balustrades, rampes d'escalier, socles de colonnes, de statues, ornements de ponts, stèles, etc. On distingue les stèles funéraires, ou *bia mo chi*, les stèles dites *ha ma*, invitant les cavaliers à descendre de leur monture devant un lieu saint, et les stèles commémorant un événement important. Parmi ces dernières, les plus belles sont sans doute les quatre-vingt-deux stèles du temple de la Littérature (Van Mieu) de Hanoi, où figure le nom des lauréats aux concours littéraires qui s'y déroulèrent du XVe au XVIIIe siècle.

La sculpture, et l'art vietnamien en général, emprunte ses principaux éléments décoratifs aux trois religions qui ont marqué son histoire. On trouve des symboles bouddhiques tels que la roue de la vie et la fleur de lotus ; des motifs taoïstes comme les huit attributs des Douze Immortels ; les quatre animaux mythiques (le dragon, symbole de vertu masculine, le phénix, emblème de grâce féminine, la licorne, présage de bonheur, et la tortue, symbole de longévité), ou encore des caractères chinois protecteurs (bonheur, richesse, longévité), des entrelacs végétaux ou des motifs purement géométriques.

Plus que l'art de cour, très imprégné de culture chinoise et régi par des canons qui entravaient parfois l'imagination, les arts populaires sont sans aucun doute l'expression la plus authentique de l'âme vietnamienne. Ils comprennent une grande diversité de corporations dont les plus représentatives sont les graveurs sur bois, les laqueurs et les incrusteurs.

La gravure sur bois

La gravure sur bois remonterait au XIe siècle, mais la couleur ne fut introduite qu'au XVe ou au XVIe siècle. Certains historiens pensent que l'art de l'estampe, plus tardif, date du XVIIIe siècle. Selon la tradition artisanale vietnamienne, des villages entiers étaient spécialisés dans la xylographie. Cette activité constituait – et constitue toujours – un revenu d'appoint non négligeable pour les paysans. Les villages les plus réputés se trouvent dans le bassin du fleuve Rouge, au nord de Hanoi. Ainsi, le plus célèbre est celui de Dong Ho, qui a donné son nom à un style. A l'heure actuelle, le village de Tranh Lang Ho, dans la province de Bac Ninh, compte parmi les ateliers les plus actifs de cet art populaire.

Par leur style et leurs thèmes, ces estampes ne sont pas sans évoquer les sculptures sur bois des *dinh*. En effet, elles puisent leur inspiration dans la mythologie, l'histoire, la littérature, mais aussi dans la vie paysanne et sont, à ce titre, une précieuse source d'information sur les mœurs et les croyances des siècles passés.

Proverbes, portraits de héros ou de divinités, scènes de batailles historiques ou de la vie quotidienne, souvent pleines de verve et d'humour, allégories populaires et commentaires sociaux : tels sont les principaux sujets qu'abordent les graveurs d'estampes. Ainsi la chance est-elle représentée par une truie dodue, décorée de guirlandes et parfois en train d'allaiter ses petits ; une poule entourée de ses poussins symbolise la prospérité ; le coq, annonciateur de l'aube, incarne la paix et le courage. La satire sociale s'en prenait autrefois aux mandarins qu'elle représentait sous la forme de gros matous auxquels une troupe de rats et de souris (le petit peuple) venaient chacun apporter un morceau de viande ou de poisson.

Chaque étape de la confection d'une estampe – dessin du motif, préparation du papier, gravure de la matrice, impression, ajout des couleurs au pinceau – est prise en charge par un artisan spécialisé, souvent différents membres d'une même famille.

Ces estampes servent à la décoration des maisons ou comme objets de culte (représentations du Bouddha ou de divinités taoïstes, amulettes). Elles sont généralement fabriquées à l'occasion des fêtes du Nouvel An, c'est pourquoi on les appelle aussi « estampes du Têt ».

Les laques

Le travail du laque fut sans doute introduit au Vietnam par des artisans chinois, mais à une date encore contestée. Certains archéologues pensent que l'usage de l'ornementation laquée remonte à la première invasion chinoise, ainsi qu'en témoigneraient des objets retrouvés dans des tombes des IIIe-IVe siècles de notre ère. D'autres pensent que cette technique fut introduite au XVe siècle par Tran Tuong Cong, alors ambassadeur à la cour de Chine. Aujourd'hui, les objets laqués offrent une grande diversité : paravents, coffres, plateaux, vases et échiquiers.

La laque elle-même est le suc laiteux obtenu par incision du laquier (*Toxicodendron succedanae*). Cette gomme résineuse, qui se solidifie à l'air et brunit en séchant, ne laisse pas passer l'humidité et résiste à l'acide, aux coups et aux éraflures. Elle constitue donc une protection idéale pour des matériaux comme le bois et le bambou.

Après avoir recueilli cette résine, on la laisse reposer pendant plusieurs semaines, elle se décante alors en plusieurs couches de qualité différente. On écume et on réserve la couche supérieure, brun foncé, la plus fluide et la meilleure qui, mélangée à divers ingrédients, servira de couche finale. La laque est ensuite brassée pendant huit à dix heures à l'aide d'une large palette. Elle perd ainsi son eau et s'épaissit. On y ajoute ensuite un peu de térébenthine afin de la rendre plus souple et de faciliter son application. Autrefois, on ajoutait à ce premier mélange de laque et de térébenthine un peu de résine de pin ou de sulfate de fer pour obtenir la teinte noire appelée « couleur aile de cancrelat ». L'hématite donnait plusieurs nuances de rouge et l'indigo du bleu. De nos jours, on ajoute plus simplement des colorants chimiques, tels que les teintures d'aniline pour le rouge carmin et le vert, ou simplement la gouache bleue. Autre technique, mise au point en 1926, l'usage de coquillages réduits en poudre. Ainsi, les coquilles d'œuf broyées produisent un blanc très pur tandis que la poudre de nacre, de coquilles d'escargot ou de coquillages donne un éclat bleu et violet. On rehausse parfois le travail du laque de fines bandes ou de lamelles d'or ou d'argent.

L'artiste choisit et prépare avec soin le support qu'il va laquer. Le bois est recouvert d'un mince tissu de coton ou de soie sur lequel on passe une nouvelle couche de laque. Après séchage, on applique un mastic fait de résine de laque, ou *son lo*, de sciure et de kaolin afin de donner au support, après ponçage, un lissé parfait. On passe trois à quatre nouvelles couches de laque. Entre chaque application, on laisse le support sécher plusieurs jours avant de le poncer à nouveau.

Ce n'est qu'après cette longue préparation que l'objet est prêt pour la décoration. L'artiste trace d'abord à la laque les contours et traits du dessin et colore ensuite les diverses plages, couleur par couleur, chaque application nécessitant un temps de séchage intermédiaire. Le nombre de couleurs et le temps de polissage créent une large gamme de teintes et de nuances. Afin de donner à l'objet tout son lustre, l'artiste effectue un dernier ponçage avec une très fine poudre constituée de cendre et de paille.

Ci-dessus, Bambou, *par le Vietnamien du Nord Truong Dinh Hao.*

Poètes et lettrés

Si la poésie est considérée au Vietnam comme le genre littéraire par excellence, la tradition orale (dictons, contes folkloriques et chansons populaires) constitue la plus ancienne forme littéraire nationale. Sous la domination chinoise apparut la littérature écrite, savante, rédigée en caractères chinois, ou *nôm*. Enfin, au XVIIe siècle, naquit la littérature en *quoc ngu*, ou langue romanisée, qui ne prit son essor qu'à la fin du XIXe siècle. Quelle que soit l'écriture utilisée, la langue vietnamienne, syllabique et aux multiples accents toniques, se prête particulièrement aux nuances de la poésie. Et la forme poétique est tellement familière aux Vietnamiens que, pour être efficaces, même les slogans politiques doivent être rédigés en vers.

La poésie vietnamienne se divise traditionnellement en deux catégories : le *ca dao*, transcriptions écrites de poèmes oraux et de chansons populaires, et le *tho van*, poésie des lettrés, pratiquée par les empereurs, les universitaires, les moines bouddhistes, les mandarins, mais aussi par les féministes ou les révolutionnaires, y compris les marxistes – Ho Chi Minh en est un bon exemple.

La tradition orale

Les dictons, adages ou aphorismes constituent une part importante de la littérature orale vietnamienne (*truyen khau*). Œuvres anonymes, ces proverbes sont le reflet d'une forme de sagesse et d'humour populaires. Souvent rimés, pour être aisément mémorisés, ils émaillaient autrefois la conversation des mandarins comme celle des paysans. Les Vietnamiens ont encore très souvent recours à ces adages pour exprimer une critique sans froisser les susceptibilités.

Les contes folkloriques proviennent de sources diverses : épopées des minorités ethniques, épisodes historiques, adaptations de contes chinois, cham ou des *jataka* (recueil des vies antérieures du Bouddha) sous forme de fabliaux. Ces innombrables légendes témoignent souvent d'une veine anticonformiste, grivoise et satirique, qui raille le joug chinois et le despotisme des souverains vietnamiens.

Les chansons populaires sont elles aussi très nombreuses (voir p. 98). Les plus répandues sont les chansons d'amour, aubades, ballades, complaintes, mais il existe aussi des chansons propres aux différents corps de métier. Plus encore que les contes, elles avaient – et ont gardé – une fonction contestataire. Il en va de même du théâtre populaire chanté de tradition orale, le *Cheo* (voir p. 99).

La littérature écrite

Rédigée en caractères chinois, la littérature savante adopta les genres littéraires à l'honneur sous les Han et sous les Tang. Il se constitua au Vietnam une classe de lettrés qui maîtrisaient les classiques chinois et rédigeaient dans cette langue des poèmes et des textes philosophiques pétris de confucianisme et de bouddhisme.

Du XIe au XIVe siècle, les bonzes, qui formaient alors l'élite intellectuelle du pays, composèrent de nombreux poèmes illustrant les grands principes bouddhiques. Parallèlement, les lettrés écrivirent en prose des ouvrages d'histoire et de géographie ainsi que des recueils de contes, véritable mine d'informations sur le fonctionnement de l'empire et les croyances populaires de l'époque. Ainsi, au XIIIe siècle, Le Trung composa l'un des premiers recueils de contes et récits tandis que Le Tac rédigea, au XIVe siècle, un *Précis historique de l'Annam* (*An Nam Chi Luoc*).

LA LITTÉRATURE EN « NÔM »

Le *nôm* est le système d'écriture dérivé du chinois que les Vietnamiens adoptèrent au XIIIe siècle. Si le *chu nôm*, ou « langue vulgaire », demeura l'expression du vietnamien populaire, il supposait cependant une parfaite maîtrise du chinois classique et de la prononciation vietnamienne des caractères chinois.

La littérature en *nôm* se compose essentiellement de poèmes et de romans en vers. Durant tout le XVe siècle, la poésie en *nôm* se développa et tenta de s'affranchir de modèles chinois, sur le plan tant stylistique que thématique. Nguyen Trai (1380-1442) est l'un des poètes et hommes d'État les plus chers au cœur des Vietnamiens, car on lui doit un *Recueil de poésies en langue nationale* (*Quoc am thi tap*), et il joua un rôle prépondérant lors de la reconquête du Vietnam sur les Ming. L'empereur Le Thanh Ton (1460-1497), qui s'entoura d'un cercle de lettrés, fut l'auteur d'un des premiers recueils de poésie en *nôm*. Ce *Recueil de poésies de l'ère Hong Duc* (*Hong Duc Quoc am thi tap*), qui réunit plus de trois cents poèmes, définit ce qui allait demeurer les principales sources d'inspiration de la poésie vietnamienne jusqu'au XIXe siècle : l'amour et la contemplation de la nature, la beauté des pagodes et des temples, une exaltation des devoirs et des vertus de l'homme de bien confucéen.

Du XVIe au XIXe siècle, la poésie et le roman versifié s'éloignèrent des canons chinois et acquirent un caractère typiquement vietnamien. Véritable littérature nationale, le *nôm* puisa largement dans les contes et les traditions orales populaires qu'il introduisit avec une admirable maîtrise dans les poèmes et les œuvres romanesques. Le XVIIIe siècle fut marqué par l'œuvre de deux poétesses, Doan Thi Diem, auteur de la *Complainte de l'épouse du guerrier* (*Chinh phu ngam*), et Ho Xuang Huong, qui composa des poèmes dont les idées non conformistes, les allusions érotiques et les images familières ne sont pas sans avoir favorisé le succès.

Mais il convient de réserver une place à part au *Kim Van Kieu*, chef-d'œuvre de la poésie vietnamienne, composé dans les premières

A gauche, le peintre Tran Van Thao; Le Testament, *par Buu Chi; ci-dessus, aquarelle sur soie, artisanat tribal.*

années du XIXe siècle par Nguyen Du (1765-1820). Qualifié de « miroir de l'âme vietnamienne », ce roman de 3254 vers, au souffle poétique exceptionnel, symbolise pour les Vietnamiens le cœur et l'esprit de leur nation, et chacun, même les enfants, en connaît par cœur plusieurs passages. Les noms des principaux personnages sont d'ailleurs passés dans le langage courant pour décrire tel métier ou tel trait de caractère : ainsi, « une Tu Ba » désigne une proxénète, « un Tuc Sinh » un viveur, « une Hoan Tu » une femme jalouse…

Né dans le village de Nghi Xuan, dans la province de Ha Tinh, au sein d'une famille de lettrés et de mandarins, Nguyen Du occupa sous le règne de Gia Long les charges de grand chancelier, de ministre puis d'ambassadeur en Chine, avant de se retirer pour se consacrer à la littérature (il est également l'auteur d'un *Vaste recueil de légendes merveilleuses*).

Inspiré d'un roman chinois assez insipide du XVIe siècle, le *Kim Van Kieu* relate les aventures de deux jeunes gens, Kim et Kieu, épris l'un de l'autre, mais que des circonstances dramatiques séparent pendant quinze ans. Contrainte de se prostituer et de mener une vie d'aventure dans un pays déchiré par les guerres civiles, Kieu finit par se retirer dans un couvent bouddhiste. Kim, la croyant morte, épouse sa sœur. Les deux héros finissent cependant par se retrouver et se jurent une amitié éternelle. Ce grand roman doit sa célébrité à la pureté et à la force qui se dégagent de ses vers et à la profondeur des réflexions sur la destinée humaine, dont les deux héros se font l'écho, et que résume l'épilogue : *« Considérons que toute chose ici-bas découle de la volonté du ciel. C'est le ciel qui, à chaque créature humaine, assigne sa destinée. S'il nous condamne à une existence de vent et de poussière, nous subirons vent et poussière. Nous accorde-t-il d'être pur et noble, alors seulement, il nous sera donné de mener une vie pure et noble. Pourquoi favoriserait-il qui que ce soit, en l'avantageant à la fois par le talent et par la*

destinée ? Que ceux qui ont du talent ne se glorifient donc pas de leur talent ! Le mot Trài [talent] rime avec le mot Tai [malheur]. Et si un lourd Karma pèse sur notre destin, ne récriminons pas contre le ciel et ne l'accusons pas d'injustice. La racine du bien réside en nous-mêmes. Cultivons cette bonté du cœur qui vaut bien plus que le talent. »

Les conflits qui ont endeuillé le Vietnam pendant près d'un demi-siècle ont donné une signification nouvelle au *Kim Van Kieu* – dont le titre originel était *Doan Truong Tan Thanh*, « Nouveaux accents de la douleur ». Chacun a ainsi vu dans cette épopée tragique une métaphore des malheurs qui ont successivement frappé le pays et ses habitants. Les Vietnamiens ont eu le sentiment que le même mauvais sort (*oan*) qui s'acharne sur les héros s'abattait sur eux, et qu'ils étaient injustement punis pour des crimes qu'ils n'avaient pas commis. De leur côté, les émigrés vietnamiens, les *Viet Kieu*, se sont identifiés aux tribulations de Kieu et au triste sort de Kim, tout en gardant comme lui au fond du cœur l'espoir de retrouver un jour leur bien-aimée – en l'occurrence leur pays.

Aujourd'hui étudié dans toutes les écoles primaires du Vietnam, le *Kim Van Kieu* est également le lien le plus fort et le plus intime qui rattache les Vietnamiens émigrés à la mère-patrie.

LA LITTÉRATURE EN « QUOC NGU »

Le *quoc ngu* est le nom de la transcription de la langue vietnamienne en alphabet romain. D'abord limité aux milieux catholiques, le *quoc ngu* ne se répandit qu'à la fin du XIXe siècle, sous l'égide de l'administration coloniale française, qui voyait dans ce système de transcription assez simple le moyen d'asseoir son autorité sur l'ensemble du territoire vietnamien, en diminuant le pouvoir des mandarins. Devenu obligatoire à partir de 1906, l'emploi du *quoc ngu* a permis la traduction d'œuvres classiques occidentales, et, partant, l'introduction d'idées philosophiques et de genres littéraires nouveaux, tout en se soustrayant à l'emprise culturelle chinoise. Ainsi, à la fin des années 1930, le groupe Tu Luc rénova totalement les normes romanesques et poétiques en éliminant définitivement tous les termes chinois et allusions littéraires sophistiquées pour adopter un style réaliste, clair et concis.

La transcription romanisée a également permis la naissance du journalisme, inconnu sous la monarchie. Dès le début du XXe siècle apparurent une quantité de journaux, illustrant les différentes tendances politiques aussi bien que littéraires.

A gauche, Le Bain, *gouache de Van Ngoc; ci-dessus, une galerie d'art à Ho Chi Minh-Ville.*

LA LITTÉRATURE CONTEMPORAINE

Entre l'adoption généralisée du *quoc ngu* et l'influence occidentale, la littérature vietnamienne aurait pu prendre un nouveau départ. Celui-ci fut contrarié par la volonté expresse des autorités du Nord-Vietnam de ne voir publiés que des récits édifiants, exaltant l'idéologie communiste et les actes héroïques des travailleurs et des combattants. Ce contrôle étroit s'est poursuivi après la réunification de 1976 et aujourd'hui encore la censure reste vigilante. Cela n'a pas empêché quelques écrivains d'oser, ces dernières années, des romans fort peu « dans la ligne », comme *Le Chagrin de la guerre*, de Bao Ninh (pseudonyme d'un ancien combattant de la guerre du Vietnam), *Le Héros qui pissait dans son froc*, de Vu Bao, dont le titre français dit bien à quel point le livre est aux antipodes de l'histoire officielle, ou encore *Un général à la retraite* et surtout *Le Cœur du tigre*, de Nguyen Huy Thiep, dénonciation corrosive de la société vietnamienne contemporaine. Rapidement mis à l'index, ce roman a valu à son auteur d'être contraint à vivre dans une semi-clandestinité.

Cependant, et même si les auteurs jugés dissidents sont en butte aux tracasseries du régime, la littérature vietnamienne est bien vivante, d'autant plus que la population est désormais alphabétisée à plus de 90 % et que le goût de la lecture est largement partagé dans toutes les catégories de la société.

LA PEINTURE CONTEMPORAINE

De tous les beaux-arts, la peinture est aujourd'hui le plus pratiqué au Vietnam. Que ce soit à Hanoi ou à Ho Chi Minh-Ville, de nombreuses galeries se sont ouvertes dans les années 1990 et présentent des œuvres d'excellente qualité, et la réputation des peintres vietnamiens a largement débordé les frontières du pays pour atteindre l'Europe, les États-Unis, le Japon et l'Australie.

Les artistes contemporains abordent avec le même bonheur tous les genres, du figuratif, du réalisme et de l'expressionnisme à l'abstraction et au surréalisme, avec de fréquents hommages à l'impressionnisme.

Curieusement, la peinture est un art récent au Vietnam, à la différence de pays comme la Chine, le Japon ou la Corée, qui ont une tradition picturale millénaire. Il aura fallu attendre la colonisation française pour que la peinture, jusque-là strictement cantonnée dans le domaine des arts décoratifs – ornementation religieuse et portraits sur soie – devienne un mode d'expression à part entière.

La confrontation des deux cultures a donné naissance à une véritable école franco-vietnamienne, au sein de laquelle on peut distinguer quatre périodes : jusqu'à 1925, de 1925 à 1945, de 1945 à 1980, et de 1980 à nos jours.

Durant la première période, un petit groupe d'étudiants issus des écoles confucéennes eut l'occasion de découvrir la peinture européenne et de créer une forme picturale nouvelle, où les thèmes traditionnels vietnamiens étaient traités en utilisant les techniques occidentales de peinture à l'huile.

En 1925, l'École des Beaux-Arts de l'Indochine fut créée à l'initiative du peintre Victor Tardieu. Elle fonctionna jusqu'en 1945 et permit à cent vint-huit jeunes artistes de se familiariser avec l'art européen. Parmi cette « première génération » de peintres vietnamiens, il faut citer les maîtres Nguyen Gia Tri, Nguyen

Phan Chanh, To Ngoc Van, Bui Xuan Phai, Nguyen Sang et Nguyen Tu Nghiem. Nguyen Gia Tri s'est attaché à utiliser l'art traditionnel du laque pour réaliser des tableaux d'inspiration Art nouveau représentant des ambiances et des thèmes typiquement vietnamiens. Nguyen Phan Chanh est connu pour ses personnages féminins peints sur soie. To Ngoc Van a su mêler le réalisme et le romantisme pour créer une forme personnelle d'impressionnisme, mêlée de surréalisme et traversée de sentiments nationalistes.

L'influence de ce premier groupe fut très nette dans les années 1930. Un deuxième groupe lui succéda dans les années 1960 et tout en restant fidèles à leurs racines. En imaginant des utilisations nouvelles des techniques traditionnelles, en faisant le choix de couleurs chaudes, ils ont su se détacher de l'académisme formaliste hérité du XIXe siècle et véhiculé par le colonialisme.

Devenus formateurs à leur tour, ils ont animé le Collège des Beaux-Arts – qui a succédé à l'École du même nom – et le Collège des Arts appliqués de Hanoi. Le résultat en est la naissance d'une véritable « école vietnamienne » qui combine harmonieusement l'idéal esthétique asiatique et les canons de l'art français – phénomène tout à fait original et unique en Asie.

1970, dont les figures de proue étaient Bui Xuan Phai, Nguyen Sang et Nguyen Tu Nghiem. Phai, l'artiste le plus célèbre du Vietnam, a surtout représenté des scènes des rues de Hanoi et de la vie quotidienne des humbles. Sang a utilisé la technique du laque et la peinture à l'huile pour réaliser ses portraits. Nghiem, qui s'est élevé contre l'académisme, a inventé un style qui traite des sujets traditionnels dans un langage contemporain.

Malgré leurs différences d'approches et de styles, tous ces artistes partageaient le même désir de se confronter aux peintres européens

A gauche, atelier de copiste ; ci-dessus, détail d'un décor de laque.

Après 1945, les groupes de peintres vietnamiens concentrés à Hanoi, à Saigon et à Hué ont chacun développé leur propre langage pictural. Isolés par la guerre, puis par la partition du pays, les artistes du Sud n'avaient guère connaissance des travaux de leurs confrères du Nord, mais étaient en relation directe avec les mouvements et les tendances venus d'Europe et d'Amérique.

A l'inverse, les artistes du Nord étaient fortement incités à s'inspirer du « réalisme soviétique » alors à l'honneur en URSS, en Europe de l'Est et en Chine. La plupart des tableaux de cette époque, qui représentent surtout des hommes politiques idéalisés ou exaltent l'héroïsme des combattants et des travailleurs, ne présentent pas grand intérêt, au-delà du témoignage historique qu'ils constituent.

Malgré la réunification, il aura fallu attendre 1986 et l'instauration de la libéralisation économique (*doi moi*) pour voir refleurir l'activité artistique, la vente d'œuvres d'art étant alors à nouveau autorisée. L'exposition organisée en 1991 à Hong Kong par la galerie Plum Blossom a marqué le grand retour de l'art vietnamien sur la scène internationale, tandis que des galeries privées ne tardaient pas à s'ouvrir entre 1993 et 1995, comme la galerie Fleuve Rouge ou la galerie Mai à Hanoi, et la galerie Saigon ou la galerie Vietnam à Ho Chi Minh-Ville.

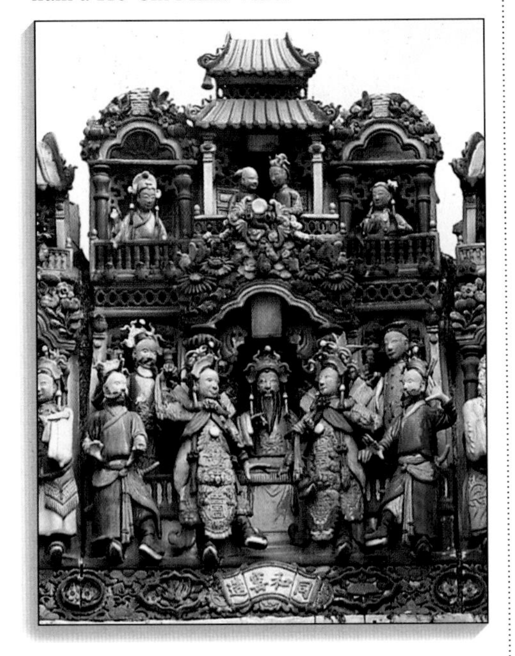

Depuis 1975, deux générations d'artistes se sont succédé, qui ont délibérément tourné le dos au passé. Peindre la guerre et son cortège de peurs, de ruines et de détresse ne les intéresse guère – à la différence d'autres peintres contemporains d'Asie du Sud-Est, comme les Thaïlandais, les Chinois, les Indonésiens ou les Philippins. Au contraire, ils pratiquent un art sensuel et expressif, tout imprégné de sérénité bouddhique, dont le souci premier est de représenter le beau.

Parmi ces jeunes peintres, deux groupes ont acquis une solide notoriété : la « Bande des Cinq » et les « Cinq nouvelles têtes ». Chacun composé de cinq membres, ils rassemblent des artistes issus de la promotion 1987-1990 du Collège des Beaux-Arts de Hanoi. Tran Quoc Tuan, Dinh Quan, Pham Ngoc Minh, Tran Quang Huy et Nguyen Quoc Hoi, des « Cinq nouvelles têtes », sont maintenant connus dans le monde entier. Dang Xuan Hoa, Hong Viet Dung, Ha Tri Tieu, Tran Luong et Pham Quang Vinh, de la « Bande des Cinq », ont exposé pour la première fois en 1990 et s'attachent à représenter la vie quotidienne dans toute sa vigueur. S'ils ont cessé d'exposer ensemble, ils poursuivent leurs travaux et sont considérés comme les peintres les plus prometteurs de la nouvelle génération.

D'autres artistes se sont également fait un nom ces dernières années, comme Truong Dinh Hao, Van Ngoc, Hoang Hong Cam, Nguyen Thanh Chuong, Le Thiet Cuong, Do Quang Em et Le Quang Ha, ou encore le peintre abstrait Tran Van Thao.

D'autre part, le Vietnam a maintenant ses grands maîtres comme Tran Luu Hau, Le Cong Than ou Viet Hai, qui ont commencé à peindre dans les années 1950, ou encore Trinh Cung, inspiré par la dynamique, Nguyen Trung, fasciné par l'abstraction, Nguyen Quan, imprégné de surréalisme, et Buu Chin, aux tableaux délicatement mélancoliques.

D'autres peintres, tout aussi talentueux, ont eu le « mauvais goût » d'aborder des sujets peu appréciés des autorités. Ainsi, les tableaux de Truong Tan, qui mettent en scène la sexualité de l'artiste, ont été purement et simplement confisqués par ordre du ministère de l'Intérieur lors d'une exposition en 1995.

Cependant, ces soubresauts des nostalgiques de l'art « officiel » se font de plus en plus rares, et le marché de l'art est en pleine expansion. Actuellement, plus de deux cents expositions se tiennent chaque année au Vietnam et on y recense plus de trois cents galeries d'art et plus de quinze cents associations artistiques. En une dizaine d'années, la cote moyenne des œuvres a été multipliée au minimum par vingt.

La contrepartie de cet engouement est la multiplication de pseudo-galeries qui proposent fort cher des tableaux fort médiocres. Mais si quelques peintres ont pu céder à la tentation de l'argent facile et s'il devient de plus en plus difficile d'émerger pour les artistes débutants, le Vietnam demeure un vivier de talents marqués et originaux.

A gauche, détail d'un bas-relief en bois peint dans un temple ; à droite, première page d'un ancien catéchisme en latin et annamite.

LA LANGUE VIETNAMIENNE

Bien que l'origine de la langue vietnamienne ait longtemps été sujette à controverse, il est maintenant admis qu'elle se rattache à la famille austro-asiatique (ou mon-khmère).

Mais, loin d'être une langue pure, elle a connu de nombreux apports au cours de son histoire. Ainsi, plus d'un millénaire de domination han explique que le vietnamien se soit approprié des milliers de mots chinois, qui représentent 80 % du vocabulaire. Il a par ailleurs emprunté des termes au thai ainsi qu'aux innombrables dialectes des minorités ethniques, sans oublier le français : ainsi « fromage » se dit-il *pho mat*. Et les nouvelles technologies sont désignées par des termes japonais.

Le vietnamien est une langue monosyllabique tonale. Chaque syllabe constitue une unité de sens, mais un mot peut être polysyllabique. Une syllabe peut se prononcer sur six tons distincts, chacun doté d'un sens différent, ce qui représente une réelle difficulté pour le débutant. Par exemple, selon son accentuation, la syllabe *ma* signifiera « fantôme », « mère », « cheval », « tombe », un terme de parenté ou « pousse de riz ». Ces tons, qui sont indiqués à l'écrit par des signes diacritiques, confèrent au vietnamien une grande musicalité. Par ailleurs, si la même langue se parle dans tout le pays, il existe des variations régionales et une différence d'accent prononcée entre le Nord, le Centre et le Sud.

Outre le vocabulaire, la domination han se traduisit également par l'utilisation extensive des caractères chinois, appelés *chu nho*. Il semble qu'avant l'invasion chinoise prévalait le système d'écriture d'origine indienne que la minorité muong utilise encore de nos jours.

Dès les XIe-XIIe siècles, des lettrés vietnamiens comprirent la nécessité d'établir un système d'écriture propre au vietnamien, mais ce n'est qu'au XIIIe siècle que le poète Nguyen Thuyen, ou Han Tuyen, systématisa les tentatives de ses prédécesseurs et établit une écriture mi-idéographique, mi-phonétique, fort complexe, connue sous le nom de *chu nôm*.

Bien que cette écriture ait été en usage dans la littérature populaire et pour tous les documents non officiels, le *chu nôm* ne fut jamais reconnu officiellement, et de nombreux auteurs vietnamiens continuèrent à se servir des caractères chinois en vigueur depuis les premiers siècles de notre ère.

Puis le jésuite français Alexandre de Rhodes (1591-1660) mit au point en 1648 une écriture alphabétique romanisée du vietnamien, le *quoc ngu*. Il publia en 1651 le premier et célèbre dictionnaire vietnamien, portugais et latin en *quoc ngu*.

Cette transcription alphabétique du vietnamien fut d'abord utilisée par l'Église catholique et l'administration coloniale, et elle ne se répandit réellement qu'à la fin du XIXe siècle. En 1906, l'étude du *quoc ngu* devint obligatoire dans l'enseignement secondaire. Deux ans plus tard, la cour de Hué demanda au ministère de l'Instruction d'instituer un programme d'enseignement uniquement en *quoc ngu*. Après l'abolition des concours littéraires triennaux, en 1919, la transcription romanisée devint l'écriture nationale.

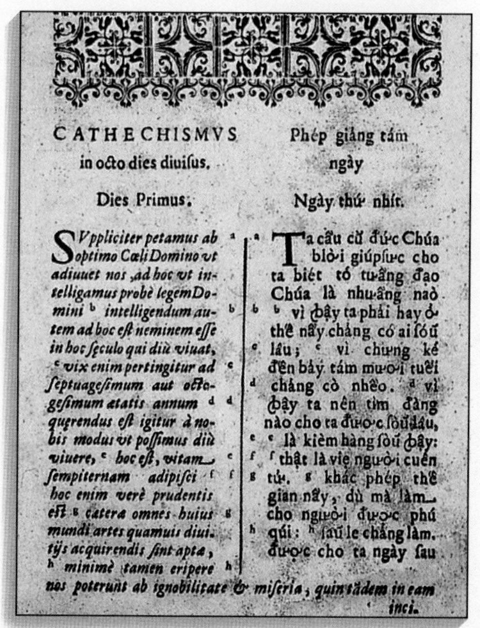

CATHECHISMVS in octo dies diuisus.

Dies Primus.

SVppliciter petamus ab optimo Cœli Domino vt adiuuet nos, ad hoc vt intelligamus probè legem Domini [b] intelligendum autem ad hoc est neminem esse in hoc seculo qui diù viuat, [c] vix enim pertingitur ad septuagesimum aut octogesimum ætatis annum [d] quærendus est igitur à nobis modus vt possimus diù viuere, [e] hoc est, vitam sempiternam adipisci [f] hoc enim verè prudentis est [g] cæteræ omnes huius mundi artes quamuis diuitijs acquirendis sint aptæ, [h] minimè tamen eripere nos poterunt ab ignobilitate & miseria, quin tandem in eam inci.

Phép giảng tám ngày

Ngày thứ nhít.

Ta cầu cùng đức Chúa blời giúp sức cho ta biét tỏ tuầng đạo Chúa là nhuẩng nào [b] vì ꞗậy ta phải hay ở thế nầy chẳng có ai sốũ lâu; [c] vì chưng kẻ đến bảy tám mươi tuổi chẳng cò nhều. [d] vì ꞗậy ta nên tìm đàng nào cho ta được sốũ lâu, [e] là kiềm hàng sốũ ꞗậy: [f] thật là việc người cuẩn tử. [g] khác phép thế gian nầy, dù mà làm cho người được phú qúi: [h] sau le chẳng làm. được cho ta ngày sau

Parmi les langues étrangères, le français, l'anglais et le russe sont les plus répandues. Le français est encore couramment parlé par les Vietnamiens qui ont vécu la période coloniale.

L'anglais, moins répandu et souvent moins bien maîtrisé, n'est, en principe, pas enseigné dans les écoles. Seuls parlent cette langue les enfants « privilégiés » et les adultes qui ont connu la présence militaire américaine.

Le russe, davantage parlé dans le Nord que dans le Sud, pour des raisons politiques connues, perd de son importance et de sa popularité, pour les mêmes raisons.

TEMPLES ET PAGODES

Dans chaque village du Vietnam, un centre religieux regroupe la maison communale (*dinh*), la pagode (*chua*) et le temple (*den* ou *mieu*). Le *dinh* est à la fois un lieu de culte où l'on vénère les génies protecteurs et les célébrités locales et l'endroit où les hommes se réunissent pour débattre des affaires du village. La *chua* est plutôt fréquentée par les femmes, tandis que le *den* est voué au culte des héros.

En règle générale, un temple est composé d'un portail (*cay tien huong*), d'une première salle (*phuong dinh*), d'une salle centrale (*ngoai cung*) et enfin d'une troisième salle (*noi cung*) où se dresse l'autel principal. Mais les pratiques religieuses des Vietnamiens sont très éclectiques : ainsi, d'un village à l'autre, on ne vénère pas les mêmes dieux, et il n'est pas rare de voir des statues de Confucius voisiner avec des divinités des panthéons bouddhiques et taoïstes. Dans le Nord, des statues de héros de la guerre du Vietnam, et même de Ho Chi Minh, ont été ajoutées ces dernières années. Dans les années 1950 et 1960, tandis que les autorités communistes tentaient de décourager la pratique religieuse dans le Nord, le gouvernement catholique du Sud persécutait les bouddhistes. Les années 1980 ont vu le retour à la liberté de culte, tout au moins pour les religions traditionnelles du pays, et de nombreux temples et pagodes ont depuis été rénovés grâce aux dons des fidèles.

▶ *Le* svastika *est un très ancien symbole bouddhique qui exprime l'harmonie.*

▲ *L'eau est associée à la méditation et chaque pagode possède un bassin où fleurissent les lotus, symboles de paix.*

▶ *Les cloches de bronze portent des inscriptions rappelant les noms des donateurs et l'histoire du village.*

◀ *La pagode au Pilier unique (Chua Mot Cot), à Hanoi, fut édifiée en 1049. En bois à l'origine, elle fut détruite en 1954 puist reconstruite en béton.*

▲ *A l'entrée de chaque sanctuaire, comme ici à la pagode de Thien Mu à Hué, se dressent deux statues de gardiens (*quan bao*), l'un bénéfique et l'autre maléfique.*

▶ *Deux fois par mois, les 14ᵉ et 30ᵉ jours du mois lunaire, les fidèles se rendent le soir à la pagode pour prier, se repentir et promettre de bien agir.*

▼ *L'influence du style chinois – toits relevés, tuiles vernissées et inscriptions en idéogrammes – est évidente au Vietnam.*

▶ *Les moines et les nonnes bouddhistes sont vêtus de simples robes blanches ou brunes. Ils accueillent volontiers les visiteurs autour d'une tasse de thé vert pour leur raconter l'histoire de la pagode.*

LA SYMBOLIQUE DE L'ENCENS

Les fidèles se comportent de façon très libre dans les pagodes : chacun va et vient à sa guise, bavarde avec les moines, boit du thé et fait des offrandes. Mais il ne viendrait à l'idée de personne de se rendre à la pagode sans y brûler de l'encens. Selon les circonstances, on en brûlera tout un paquet ou quelques bâtonnets seulement, mais toujours en nombre impair – pair est maléfique. Après avoir allumé l'encens, les fidèles se recueillent quelques instants devant l'autel, puis saluent respectueusement avant de planter les bâtonnets dans un vase empli de cendres. La fumée qui s'élève symbolise la communication avec le monde céleste et véhicule les prières jusqu'aux ancêtres et aux dieux.

LA CUISINE VIETNAMIENNE

Les Vietnamiens font preuve d'une grande imagination dans le domaine culinaire : on ne recense pas moins de 500 plats nationaux. Cette variété tient également à des différences régionales. Ainsi, la cuisine du Sud est-elle plus relevée que celle du Nord et utilise souvent du lait de noix de coco dans la cuisson des aliments, leur conférant une légère saveur sucrée. De nombreux mets du Sud sont, en outre, accompagnés de légumes crus, d'herbes et enveloppés dans de fines galettes de riz ou des feuilles de bananier. La cuisine du Nord, moins variée, se rapproche de la cuisine chinoise et, comme elle, utilise abondamment le glutamate de sodium.

Les principaux ingrédients

Au Nord comme au Sud, cependant, le riz (*com*) est l'aliment de base. Il est consommé tel quel, « à la chinoise », c'est-à-dire servi blanc, nature, et dans un bol à part, ou sous forme de galette, de vermicelle, de gâteau, voire de « vin » et d'alcool.

Principal condiment local, le *nuoc mam* est une saumure élaborée à partir d'anchois salés mis à fermenter en tonneau pendant six mois. Il remplace le sel et constitue un riche apport en protéines. Si l'on y ajoute du piment pilé, du jus de citron vert, de l'ail haché et un peu de sucre, le *nuoc mam* devient *nuoc cham*. On y trempe diverses entrées ou amuse-gueules tels que les populaires pâtés impériaux.

Outre le *nuoc mam*, la cuisine vietnamienne, légère et parfumée, se distingue de la cuisine chinoise par l'apport réduit de graisse et de sauces. En revanche, elle utilise abondamment les herbes aromatiques comme la citronnelle, la coriandre, la menthe, le persil ou le basilic, ainsi que l'ail, le piment, le citron vert ou encore le gingembre, c'est-à-dire toutes les épices que l'on trouve en Asie du Sud-Est.

Les 3 000 km de côtes et les innombrables fleuves et canaux qui baignent ce pays fournissent toute l'année poissons et fruits de mer en abondance. Les poissons (*ca*) d'eau douce et de mer, les crabes (*cua*), crevettes (*tom*) et mollusques forment la principale source de protéines. Les poissons sont grillés, cuits en sauce, ou frits sous forme de croquettes. Les Vietnamiens sont également friands de grenouilles (*ech*).

Pages précédentes : rouleaux de printemps aux crevettes, ou goi cuon. *A gauche, poissons et crustacés de la baie de Halong ; à droite, la cuisine vietnamienne est à base de produits frais.*

Les viandes les plus consommées sont le porc (*lon*), le poulet (*ga*) et le canard (*vit*) ; le bœuf (*bo*), plus cher, est plus rare. Les viandes sont servies bouillies, grillées, sautées, frites ou cuites à l'étouffée.

A l'occasion, il est possible de goûter des plats plus « exotiques » à base de cobra (*ran*), de python (*tran*), de tortue (*rua*), de porc-épic (*nhim*), voire de chien, de gecko, de chauve-souris ou de pangolin... Attention toutefois à ne pas cautionner ainsi la consommation d'espèces en voie de disparition.

Les plats traditionnels

Plusieurs plats traditionnels ont fait la réputation de la cuisine vietnamienne et figurent le plus souvent à la carte de restaurants.

Le *cha gio* (appelé *nem* dans le nord du pays et « pâté impérial » en France) est une crêpe de riz farcie de petits vermicelles, de porc, de crabe, de crevette, de champignons parfumés et de légumes, roulée puis frite et servie chaude et croustillante. On la consomme avec des feuilles de menthe, enroulée dans une feuille de laitue et trempée dans le *nuoc cham*.

Le *cha lua*, petit pâté de porc enveloppé de feuilles de bananier avant cuisson, est servi avec de la baguette.

Spécialité de Hanoi, le *chao tom* est un bâtonnet de canne à sucre enrobé de pâte de crevette épicée et grillée.

Le *cuon diep* est à base de porc, de crevettes et de nouilles, aromatisé à la menthe et à la coriandre, et servi enveloppé dans une feuille de laitue.

Le *goi ga* ressemble à une salade au poulet. C'est un émincé de poulet mariné avec des oignons, du vinaigre, de la menthe et parfois des cacahuètes.

Le *ga xao sa ot*, poulet sauté cuisiné avec de l'ail, de l'oignon, de la citronnelle et des piments, est servi avec du *nuoc mam* et des cacahuètes grillées.

Spécialité de Hué, le *bun bo* est un plat de bœuf frit, accompagné de nouilles aromatisées à la coriandre, à l'oignon, à l'ail, au concombre, aux piments et à la sauce tomate.

Également connu sous le nom de « soupe saigonaise », le *hu tieu* mélange le poulet, le bœuf et le porc. Il est servi dans un bol de bouillon aux nouilles et au crabe, aromatisé de cacahuètes grillées, d'oignon et d'ail.

Le *mien ga*, soupe aux pâtes très appréciée dans le Sud, est garni de poulet parfumé à la coriandre, aux échalotes et assaisonné de *nuoc mam*.

Pour les Vietnamiens, on n'est pas cuisinier tant qu'on ne réussit pas le *can chua*, soupe de poisson ou de crevettes à la saveur à la fois douce et piquante, où se mêlent la tomate, l'ananas, la carambole, les germes de soja, l'oignon frit, les pousses de bambou, la coriandre, la cannelle, et, bien sûr, le *nuoc mam*.

Le *banh khoai*, ou « crêpe de Hué », ressemble à une omelette. La pâte à base d'œufs, de farine et d'amidon de riz est frite, puis fourrée de porc ou de crevettes, d'oignon, de germes de soja et de champignons.

Le *banh cuon*, ou « ravioli vietnamien », est fait à partir d'une farce au porc et aux champignons noirs hachés, enveloppée dans une fine crêpe de pâte de riz et cuite à la vapeur.

Le *cha ca* est un plat de filets de poisson marinés dans du *nuoc mam* et du safran, puis grillés. Il est servi accompagné de vermicelles de riz, d'herbes aromatiques et de cacahuètes. Le meilleur *cha ca* – et le plus cher – est aromatisé avec quelques gouttes de *ca cuong*, essence parfumée extraite d'un insecte.

Parmi les nombreux accompagnements traditionnels figurent, outre le classique riz blanc, l'*oc nhoi*, préparation à base d'escargots, de porc et d'oignon vert émincés, enveloppée dans des feuilles de gingembre et cuite à la vapeur dans des coquilles d'escargots, le *dua chua*, salade de pousses de soja marinées, le *com tay cam*, riz accompagné de champignons, de poulet et de porc émincés et parfumés au gingembre, ou encore le riz parfumé de Bac Ninh.

Les desserts les plus courants sont constitués de fruits frais, le plus souvent des ananas, des bananes jaunes et vertes, des oranges, des papayes et des pamplemousses. On trouve plus rarement des mangues, des mangoustans, fruit rond à la saveur mêlée de fraise, de pêche et de raisin, des ramboutans et des longanes, deux variétés de litchi. Le durion et le jacquier, à l'arôme et au goût très particuliers, sont également appréciés.

Nombre de friandises, de gâteaux et de fruits confits ne sont préparés et consommés qu'à l'occasion de la fête du Têt. C'est le cas des *banh chung*, gâteaux salés et poivrés à base de riz gluant farcis de dés de porc et de pois cassés. Les *banh deo*, gâteaux sucrés à base de farine de riz, sont fourrés de graines de sésame. Les fruits confits sont préparés à partir de patate douce, de graines et de racines de lotus, de kumquat, de corossol et de noix de coco. Le *banh com* est un gâteau de riz vert pilé ou de riz gluant teinté en vert, farci de pâte de haricot sucré. Enfin, le *ché* est un flan coloré à base de pâte de haricot blanc ou de patate douce, quelquefois de maïs, servi en dés sur de la glace pilée et arrosé de lait de coco.

A gauche, la cuisine de Hoi An se distingue par l'abondance des fruits de mer; ci-dessus, le pho, *soupe de nouilles à la viande et aux herbes, est le plat national du Vietnam.*

La soupe « pho »

Le plat le plus largement consommé dans toutes les villes du Vietnam est sans conteste le *pho*. Ce bouillon de viande aux nouilles de riz et à la viande est servi partout et à toute heure, dans de petits restaurants ou par des vendeurs ambulants. Un bol de *pho* constitue un repas complet – peu importe qu'il s'agisse du petit-déjeuner, du déjeuner ou du souper.

Curieusement, avant la libéralisation économique des années 1980, la consommation de *pho* était interdite. Alors que la disette sévissait dans les campagnes, sa préparation était considérée comme un gaspillage de viande. Les restaurateurs étaient poursuivis et leurs ustensiles confisqués.

La recette de base du *pho* est assez simple : dans une grande marmite d'eau, on fait bouillir des os de bœuf et de porc, additionnés de *nuoc mam*, de gingembre, de coriandre, d'oignons et de badiane, et on laisse cuire environ cinq heures – plus le *pho* a mijoté, meilleur il est.

Au moment de servir dans un grand bol, on ajoute au bouillon et aux nouilles de fines tranches de bœuf cru qui cuisent en quelques instants dans le *pho* brûlant, des rondelles d'oignon cru, de la menthe et du basilic hachés, et du poivre. Certains amateurs le parfument avec de petits piments en rondelles, du jus de citron, ou encore du vinaigre, tandis que d'autres y ajoutent de la moelle, des tendons bouillis ou un jaune d'œuf. Il existe aussi des *pho* au poulet, mais on ne les trouve que dans des restaurants spécialisés qui, inversement, ne préparent pas de *pho* au bœuf.

Avant que le *pho*, inventé dans la région de Hanoi, ne se répande dans le pays, les habitants du Sud préparaient une soupe similaire, le *mi*, à base de nouilles de blé et non de riz.

LES BOISSONS

Le thé, surtout le thé vert, est indiscutablement la boisson nationale, et il est le plus souvent gratuit dans les restaurants – ou servi pour un prix dérisoire. Il se boit sans sucre ni lait, produit rare au Vietnam. Léger et peu parfumé dans le Sud, il est beaucoup plus corsé et savoureux dans le Nord, où il se rapproche du thé vert de Chine.

Le Vietnam est réputé pour son café, particulièrement celui venu des plantations des Hauts Plateaux. A la différence du thé, les Vietnamiens l'aiment très fort mais le mélangent à une quantité presque égale de lait concentré sucré. Curieusement, le café soluble instantané est considéré comme supérieur au café fraîchement préparé.

La bière est un héritage de la colonisation, comme l'indique le nom d'une des plus populaires, la BGI (Brasseries et Glacières d'Indochine). Servies à la pression dans la plupart des bars, les bières vietnamiennes sont des blondes légères, dans l'ensemble plutôt agréables et rafraîchissantes.

Les eaux minérales locales, en plein essor depuis 1989, sont de bonne qualité et les usines d'embouteillage ont bénéficié de l'aide technique occidentale. Les plus grandes marques sont vendues en bouteilles de plastique. La plupart sont des eaux plates, à l'exception de l'eau de Vinh Hao, souvent servie avec de la glace, du jus de citron et du sucre.

Le Vietnam produit aussi des boissons gazeuses sucrées, des jus de fruits et un excellent lait de coco.

Parmi les boissons alcoolisées, la plus populaire est le vin de riz, à base de riz fermenté. Le « vin de serpent », paré de toutes les vertus médicinales, est un vin de riz dans lequel on fait macérer un serpent entier. Distillé, le vin de riz produit une eau-de-vie très alcoolisée et plutôt rude, le *chum*. Le meilleur est parfumé aux essences de fruits. Par ailleurs, le Vietnam produit, dans la région de Hanoi, une vodka locale.

LES INFLUENCES ÉTRANGÈRES

Si l'influence chinoise est manifeste dans la cuisine vietnamienne, notamment dans l'utilisation des baguettes, l'histoire mouvementée du pays lui a aussi valu d'intégrer progressivement certains mets étrangers qui font désormais partie de l'alimentation courante.

Ainsi, la baguette, les croissants, le jambon et les pâtés que l'on trouve sur les marchés sont un legs de la période coloniale, tout comme les plats et les vins proposés dans les restaurants français tenus par des Vietnamiens. Il en va de même des rares laitages, avec un fromage fondu pour tartines bien connu en France, et surtout les yaourts en pots de verre, servis glacés dans de nombreux cafés.

A son tour, la période américaine a légué aux Vietnamiens, outre une célèbre boisson gazeuse toujours vendue dans tout le pays, un goût prononcé pour les crèmes glacées. Plusieurs laiteries avaient alors été installées. La réunification avait mis un terme à leur activité, mais la fabrication a repris depuis 1994 avec le soutien de grandes marques américaines.

A gauche, les restaurants de rue sont très fréquentés; à droite, séchage du vermicelle de riz dans le delta du Mékong.

TOA CUNG CAP DU CAC LOAI SON
TOA PAINT (THAILAND) CO.,LTD.
SEIKO
ARISTON
EPSON
FIRSTVINA BANK
CUA HANG HOP TAC KINH DOANH
TUNG SHING VTEC

ITINÉRAIRES

Le Vietnam, qui s'étire, tel un long dragon, sur 1 650 km entre le golfe du Tonkin et le golfe de Thaïlande, est divisé en trois régions physiques distinctes : le Nord, ou Bac Bo, le Tonkin des colonisateurs français ; le Centre, ou Trung Bo, l'ancien Annam ; et le Sud, ou Nam Bo, ex-Cochinchine. Aussi le pays sera-t-il présenté dans ce cadre géographique, en suivant, du nord au sud, des itinéraires à thème, autour de trois grands pôles : Hanoi, la capitale du Vietnam réunifié ; Hué, l'ancienne cité impériale ; et Ho Chi Minh-Ville, l'ex-Saigon.

Au nord-ouest de Hanoi et des plaines du delta tonkinois, foyer agricole du Nord densément peuplé, s'élèvent, en direction de la frontière chinoise, des montagnes boisées, au climat plus frais, où vivent diverses minorités ethniques au riche patrimoine culturel.

Un cordon d'étroites plaines côtières, baignées par la mer de Chine méridionale, relie les immenses deltas du fleuve Rouge et du Mékong, les deux greniers à riz du pays. Au centre s'étend Hué, d'où la dynastie des Nguyen régna sur le Vietnam du début du XIXe siècle jusqu'en 1945. Plus au sud, aux portes de Danang, les sanctuaires en briques rouges de l'ancien royaume du Champa dominent la campagne. A l'ouest, la chaîne annamitique (Truong Son) s'élève graduellement jusqu'à Dalat avant de laisser place aux Hauts Plateaux, domaine des Ba-na, des Xo-dang, des Rha-de et des Gia-rai, les anciens « montagnards » de l'ethnographie française.

Avec son insouciance méridionale, Ho Chi Minh-Ville, capitale économique et cité la plus peuplée du Vietnam, semble à des années-lumière de Hué et de Hanoi. Après le rythme trépidant et les rues populeuses de l'ex-capitale du Sud-Vietnam, les plages de Vung Tau et de Nha Trang, au nord, et le vaste delta rizicole du Mékong, au sud, offrent au voyageur de véritables oasis de calme.

Presque toutes les régions du Vietnam sont aujourd'hui ouvertes aux touristes, mais les voies de communication sont souvent en mauvais état et les moyens de transport restent d'un confort limité. Aussi les liaisons peuvent-elles devenir problématiques pour les voyageurs individuels qui entendent s'écarter des grands axes.

Pages précédentes : au petit matin en baie de Halong ; mausolée de l'empereur Khai Dinh à Hué ; parade motocycliste des jeunes à Ho Chi Minh-Ville. A gauche, pavillon de la Stèle du mausolée de l'empereur Tu Duc, à Hué.

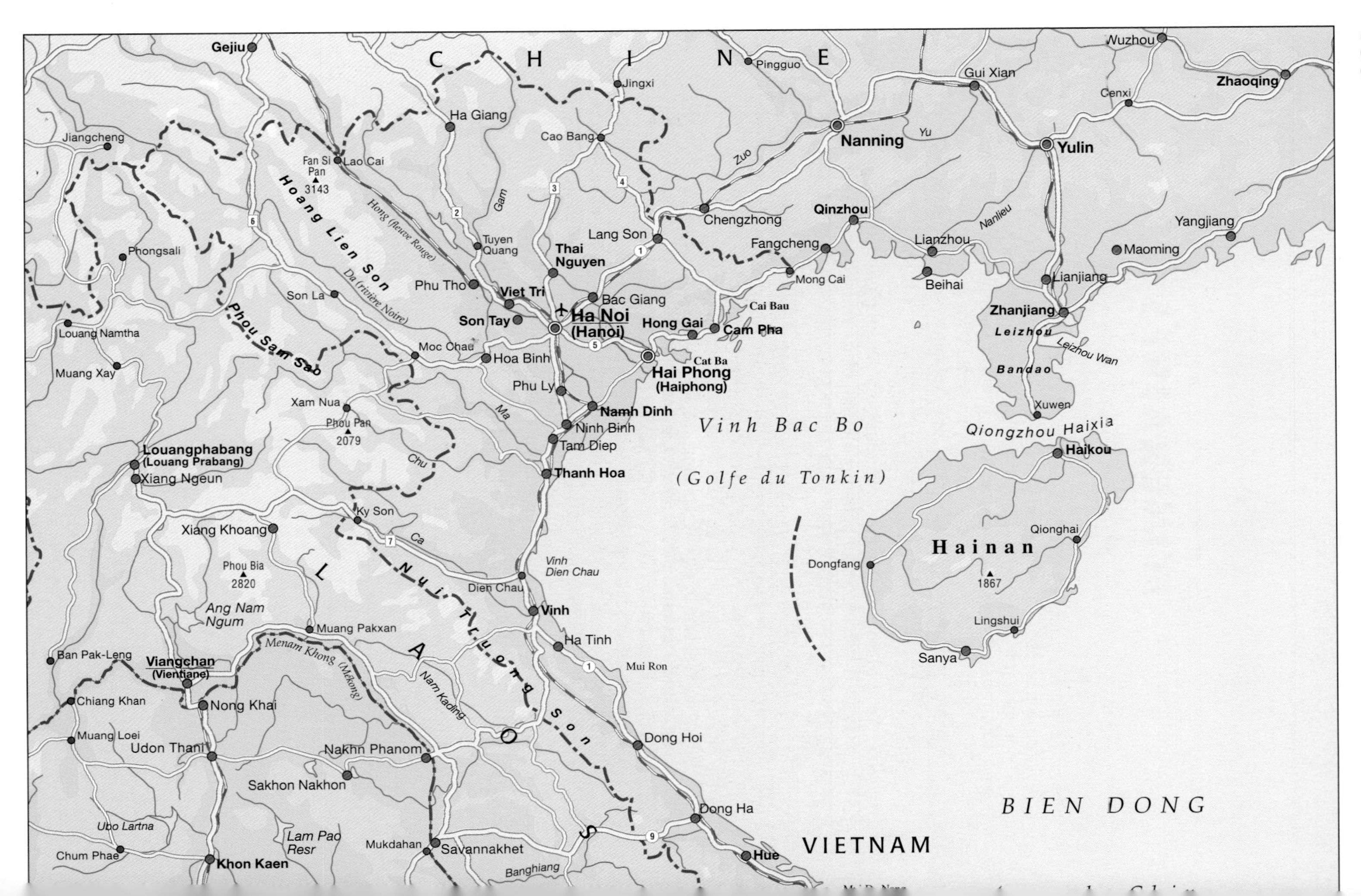
C H I N E
Gejiu
Pingguo
Jingxi
Wuzhou
Gui Xian
Zhaoqing
Cenxi
Nanning
Yu
Yulin
Jiangcheng
Ha Giang
Cao Bang
Zuo
Fan Si Pan
3143
Lao Cai
Hoang Lien Son
Hong (fleuve Rouge)
Gam
Tuyen Quang
Thai Nguyen
Lang Son
Chengzhong
Qinzhou
Fangcheng
Nanlieu
Lianzhou
Yangjiang
Maoming
Phongsali
Phu Tho
Viet Tri
Bac Giang
Mong Cai
Beihai
Lianjiang
Son La
Da (rivière Noire)
Cai Bau
Zhanjiang
Leizhou
Bandao
Leizhou Wan
Louang Namtha
Phou Sam Sao
Son Tay
Ha Noi
(Hanoi)
Hong Gai
Cam Pha
Moc Chau
Hoa Binh
Cat Ba
Hai Phong
(Haiphong)
Muang Xay
Phu Ly
Namh Dinh
Xam Nua
Ma
Ninh Binh
Xuwen
Phou Pan
2079
Tam Diep
Vinh Bac Bo
Qiongzhou Haixia
Haikou
Louangphabang
(Louang Prabang)
Xiang Ngeun
Chu
Thanh Hoa
(Golfe du Tonkin)
Ky Son
Xiang Khoang
Ca
Qionghai
Hainan
Phou Bia
2820
Vinh Dien Chau
Dongfang
1867
Dien Chau
L A O S
Nui Truong Son
Ang Nam Ngum
Vinh
Muang Pakxan
Lingshui
Ban Pak-Leng
Viangchan
(Vientiane)
Menam Khong (Mékong)
Ha Tinh
Sanya
Mui Ron
Chiang Khan
Nong Khai
Nam Kading
Dong Hoi
Muang Loei
Udon Thani
Nakhn Phanom
Sakhon Nakhon
BIEN DONG
Dong Ha
Ubo Lartna
Lam Pao Resr
Mukdahan
Savannakhet
VIETNAM
Chum Phae
Khon Kaen
Hue
Banghiang
1
2
3
4
5
6
7
9

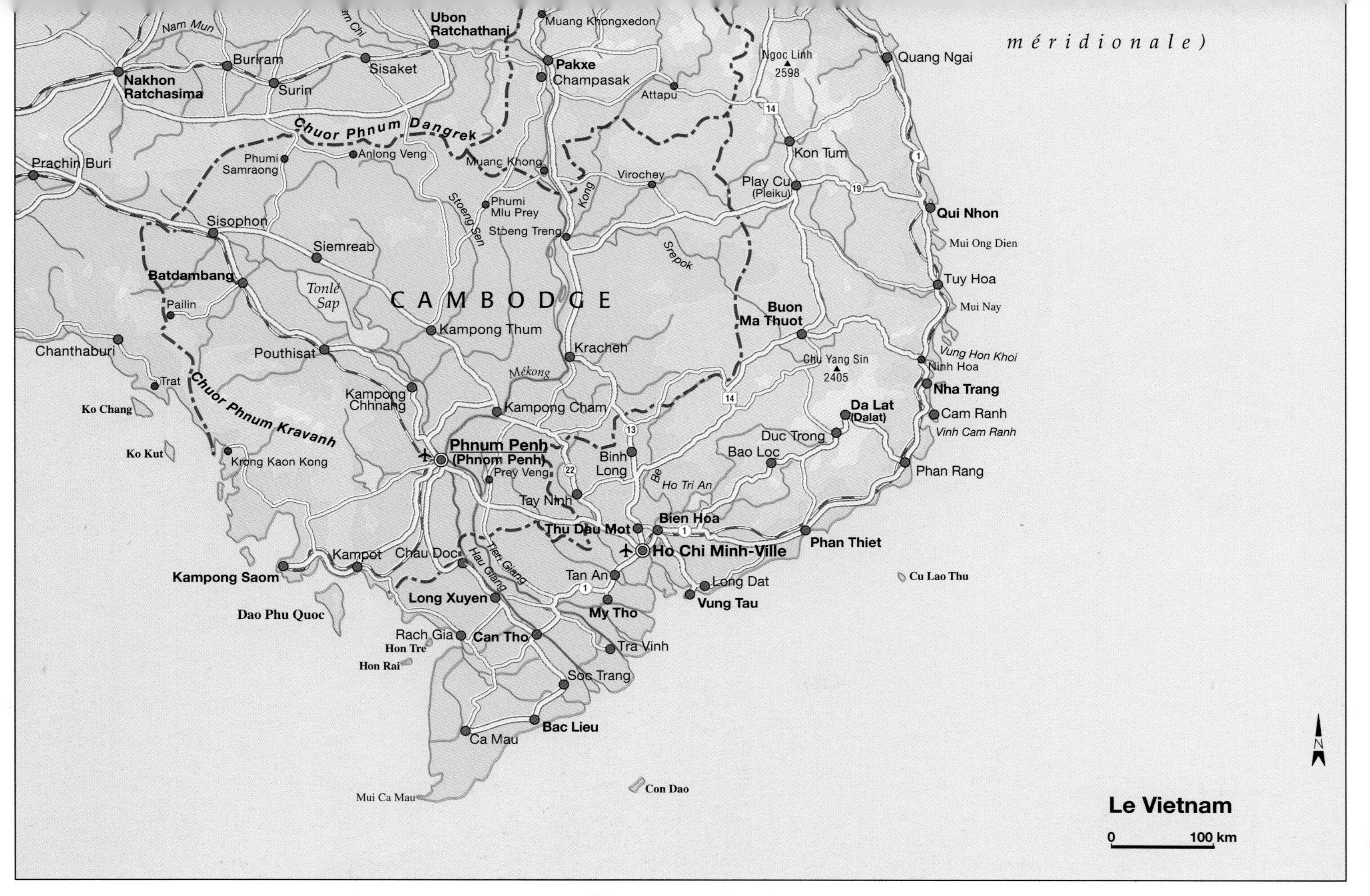
méridionale)
Le Vietnam
0 100 km
N
CAMBODGE
Ubon Ratchathani
Muang Khongxedon
Nam Mun
Buriram
Sisaket
Nakhon Ratchasima
Surin
Pakxe
Champasak
Attapu
Ngoc Linh 2598
Quang Ngai
Chuor Phnum Dangrek
Kon Tum
Prachin Buri
Phumi Samraong
Anlong Veng
Muang Khong
Virochey
Play Cu (Pleiku)
Qui Nhon
Phumi Mlu Prey
Stoeng Sen
Kong
Stoeng Treng
Sisophon
Siemreab
Srepok
Mui Ong Dien
Tuy Hoa
Batdambang
Tonlé Sap
Pailin
Mui Nay
Buon Ma Thuot
Kampong Thum
Kracheh
Chanthaburi
Pouthisat
Chu Yang Sin 2405
Vung Hon Khoi
Ninh Hoa
Mékong
Trat
Chuor Phnum Kravanh
Kampong Chhnang
Nha Trang
Ko Chang
Kampong Cham
Da Lat (Dalat)
Cam Ranh
Vinh Cam Ranh
Ko Kut
Krong Kaon Kong
Phnum Penh (Phnom Penh)
Prey Veng
Binh Long
Duc Trong
Bao Loc
Phan Rang
Be
Ho Tri An
Tay Ninh
Bien Hoa
Thu Dau Mot
Phan Thiet
Kampot
Chau Doc
Hau Giang
Tien Giang
Ho Chi Minh-Ville
Kampong Saom
Tan An
Cu Lao Thu
Long Dat
Long Xuyen
Vung Tau
Dao Phu Quoc
My Tho
Rach Gia
Can Tho
Hon Tre
Tra Vinh
Hon Rai
Soc Trang
Bac Lieu
Ca Mau
Con Dao
Mui Ca Mau
1
14
19
13
22

LE NORD

Ce voyage dans le nord du Vietnam commence à Hanoi, l'ancienne Thang Long fondée par l'empereur Ly Thai To en 1010. Avec son décor de cité coloniale, la capitale du Vietnam réunifié semble aujourd'hui sortir d'un long sommeil de cinquante ans.

Aux environs de Hanoi, les itinéraires décrits partent à la découverte des provinces du delta avec leur damier caractéristique de rizières inondées, leurs étangs couverts de lotus blancs et de jacinthes mauves, et, derrière des rideaux d'arbres et de bambous, leurs villages blottis autour de la maison communale, de la pagode et du temple.

Au sud de Hanoi s'étend la province de Ha Tay, riche de superbes pagodes et de sanctuaires rupestres – tels ceux qui sont accrochés au flanc de la montagne des Parfums.

A l'est de Hanoi, la route nationale 5 traverse les vergers de la province de Hai Hung et longe les marais salants du Thai Binh avant de conduire le voyageur jusqu'au port animé de Haiphong, puis vers l'extraordinaire paysage karstique de la baie de Halong, dans la province maritime de Quang Ninh, et l'archipel des Cat Ba en mer de Chine.

Le circuit du nord inclut la province de Ha Bac, qui recèle un grand nombre de pagodes et de sites historiques, et celle de Vinh Phu, berceau de l'ancienne culture des Hung Lac et du royaume de Van Lang. Au-delà s'étendent les provinces de Yen Bai, Bac Thai et Tuyen Quang. Au nord-ouest de la capitale, les hauts plateaux boisés des provinces de Son La et de Lai Chau furent le théâtre des plus violents affrontements de la guerre d'Indochine, à Dien Bien Phu en particulier. Enfin, les provinces de Lao Cai, Ha Giang, Cao Bang, situées au-delà du mont Fan Si Pan, point culminant du pays, et celle de Lang Son, sont des régions montagneuses, frontalières de la Chine. Elles abritent diverses minorités ethniques – notamment Thai, Nung, Hmong et Ha Nhi, qui ont conservé leur mode de vie traditionnel. Elles demeurent cependant relativement difficile d'accès pour les étrangers, en raison du litige territorial sino-vietnamien – en voie d'apaisement depuis 1993 –, des affrontements fréquents entre contrebandiers et forces de l'ordre, et d'un réseau routier dans l'ensemble très délabré.

Pages précédentes : anciens combattants viet-cong devenus gardiens de bicyclettes, à Hanoi. A gauche, coucher de soleil sur les jonques en baie de Halong.

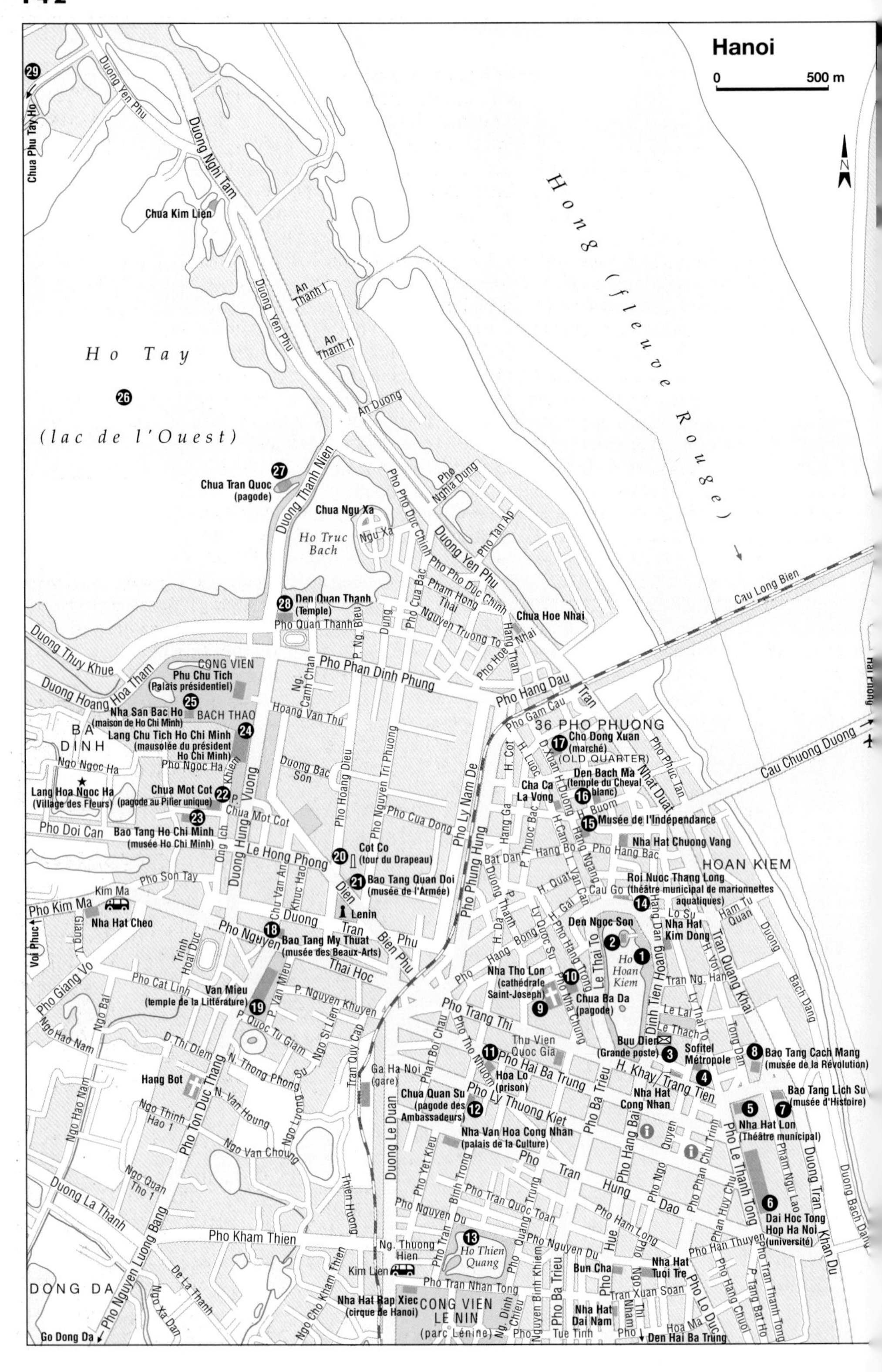
Hanoi
0 500 m
Hong (fleuve Rouge)
Ho Tay (lac de l'Ouest)
Chua Phu Tay Ho
Duong Yen Phu
Duong Nghi Tam
Chua Kim Lien
An Thanh I
An Thanh II
An Duong
Chua Tran Quoc (pagode)
Duong Thanh Nien
Chua Ngu Xa
Ho Truc Bach
Den Quan Thanh (Temple)
Pho Quan Thanh
Chua Hoe Nhai
Cau Long Bien
Cau Chuong Duong
Duong Thuy Khue
Duong Hoang Hoa Tham
Cong Vien Bach Thao
Phu Chu Tich (Palais présidentiel)
Nha San Bac Ho (maison de Ho Chi Minh)
Lang Chu Tich Ho Chi Minh (mausolée du président Ho Chi Minh)
Ba Dinh
Lang Hoa Ngoc Ha (Village des Fleurs)
Chua Mot Cot (pagode au Pilier unique)
Bao Tang Ho Chi Minh (musée Ho Chi Minh)
Pho Phan Dinh Phung
Pho Hang Dau
36 Pho Phuong (Old Quarter)
Cho Dong Xuan (marché)
Den Bach Ma (temple du Cheval blanc)
Cha Ca La Vong
Musée de l'Indépendance
Nha Hat Chuong Vang
Hoan Kiem
Roi Nuoc Thang Long (théâtre municipal de marionnettes aquatiques)
Den Ngoc Son
Nha Hat Kim Dong
Ho Hoan Kiem
Nha Tho Lon (cathédrale Saint-Joseph)
Chua Ba Da (pagode)
Buu Dien (Grande poste)
Sofitel Métropole
Bao Tang Cach Mang (musée de la Révolution)
Bao Tang Lich Su (musée d'Histoire)
Nha Hat Lon (Théâtre municipal)
Dai Hoc Tong Hop Ha Noi (université)
Cot Co (tour du Drapeau)
Bao Tang Quan Doi (musée de l'Armée)
Lenin
Pho Le Hong Phong
Pho Kim Ma
Nha Hat Cheo
Bao Tang My Thuat (musée des Beaux-Arts)
Van Mieu (temple de la Littérature)
Pho Nguyen Thai Hoc
Duong Dien Bien Phu
Pho Trang Thi
Thu Vien Quoc Gia
Hoa Lo (prison)
Chua Quan Su (pagode des Ambassadeurs)
Nha Hat Cong Nhan
Nha Van Hoa Cong Nhan (palais de la Culture)
Ga Ha Noi (gare)
Hang Bot
Pho Tran Hung Dao
Duong Le Duan
Pho Kham Thien
Ho Thien Quang
Kim Lien
Nha Hat Rap Xiec (cirque de Hanoi)
Cong Vien Le Nin (parc Lénine)
Bun Cha
Nha Hat Tuoi Tre
Nha Hat Dai Nam
Den Hai Ba Trung
Dong Da
Go Dong Da
Duong La Thanh
Pho Nguyen Luong Bang
Pho Ton Duc Thang
Duong Tran Khanh Du
Duong Bach Dang
Pho Le Thanh Tong
Pho Hai Ba Trung
Pho Ly Thuong Kiet
Pho Hue
Pho Ba Trieu
Pho Ly Nam De
Pho Phung Hung
Voi Phuc
Hai Phong

HANOI

Sise sur la rive droite du fleuve Rouge (Song Hong), Hanoi, la capitale du Vietnam unifié, signifie « en deçà » (*noi*) « du fleuve » (*ha*) en vietnamien. Elle fut ainsi baptisée par l'empereur Minh Mang en 1831. Mais son histoire remonte au néolithique, lorsque les tribus Viet s'installèrent dans la région de Bach Hac et de Viet Tri (dans l'actuelle province de Vinh Phu), au confluent du fleuve Rouge et du Song Lo, situé alors au sommet du triangle deltaïque du Nord-Vietnam. On a retrouvé des haches de pierre polie près de l'ancien hippodrome de Hanoi et divers vestiges de l'âge du bronze et du fer dans les districts voisins.

DE THANG LONG À HANOI

Au IIIe siècle av. J.-C., le roi Thuc Phan des Tay Au annexa les terres des Lac Viet et fonda le royaume d'Au Lac. Il prit le nom d'An Duong et établit sa capitale à Ke Chu, sur le site de la citadelle de Co Loa.

Au Ve siècle, les occupants chinois firent du site une préfecture qu'ils baptisèrent Tong Binh, puis, du VIIe au IXe siècle, y édifièrent plusieurs citadelles successives, dont celle de Dai La, autour desquelles la cité n'allait cesser de se développer.

Après s'être affranchis de la tutelle chinoise, les Ngo, les Dinh et les Le antérieurs, qui régnèrent du milieu du Xe au début du XIe siècle, établirent leur capitale à Hoa Lu, dans la province de Ha Nam Ninh. C'est Ly Thai To qui, au printemps de 1010, éleva la citadelle de Dai La au rang de capitale. Selon la légende, arrivé au débarcadère du fleuve Rouge, l'empereur vit un énorme dragon d'or surgir d'un lac et s'envoler au-dessus de la citadelle. Fort de cet heureux présage, il décida de transférer sa capitale de Hoa Lu à Dai La, qu'il rebaptisa Thang Long (le « Dragon ascendant »).

Sous l'égide des Ly, Thang Long devint une cité florissante. Lorsque Ly Thai To choisit d'en faire sa capitale, les géomanciens trouvèrent le site trop plat pour être à l'abri des influences néfastes du Nord. L'empereur fit alors construire des collines artificielles pour accueillir les génies protecteurs, et une digue, longue de près de 30 km et haute de 7 à 8 m, afin de protéger la ville basse des crues du fleuve à la saison des pluies. Entre le lac de l'Ouest et la citadelle s'étendait la Cité civile (Kinh Thanh), où résidaient les mandarins et le peuple. En son centre s'élevait la Cité impériale (Hoang Thanh), qui abritait la Cité interdite (Cam Thanh), demeure de la famille impériale, protégée par deux mille gardes.

La Cité impériale était cernée de hauts murs percés de portes aux quatre points cardinaux. Toutes, exceptée la porte de l'Ouest, ou porte de la Grande Félicité (Quang Phuc), sont encore en place. La porte de la Prospérité (Dai Hung), porte principale qui s'ouvrait au sud

Plan p. 142

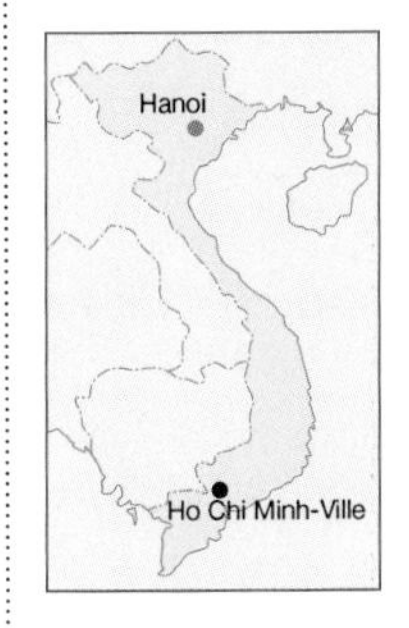

Coiffeur exerçant ses talents sur les rives du lac Hoan Kiem.

Tôt le matin, les habitants de Hanoi se retrouvent sur les bords du lac Hoan Kiem pour faire leur gymnastique avant de se rendre au travail. Les soirs de fête, ils se réunissent autour du lac : la musique coule à flots et les terrasses des cafés sont bondées, tandis que des vendeurs de jouets proposent leur marchandise aux enfants vêtus de leurs plus beaux habits.

et était réservée au souverain, s'élève près du marché Cua Nam ; la porte du Nord, ou de la Merveilleuse Vertu (Dieu Duc), donne sur le lac de l'Ouest, tandis que la porte Orientale, ou de Bon Augure (Tuong Phu), se trouve à proximité de la rue des Voiles (Hang Buom).

Dès 1010, la Cité interdite comptait huit palais et trois pavillons. En 1029 furent édifiés huit nouveaux palais, encore plus grandioses. La capitale s'embellit encore d'autres monuments en 1203. Le temple de la Littérature, la pagode au Pilier unique et la pagode Tran Quoc datent de cette époque.

En 1400, le régent Ho Qui Ly, qui renversa la dynastie Tran, établit sa capitale nommée Tay Kinh (la « Capitale de l'Ouest ») au Thanh Hoa. Ce n'est qu'en 1428 que les Le postérieurs revinrent à Thang Long.

Les Le commandèrent de nombreux palais et agrandirent considérablement la capitale. A la fin du XVIe siècle, les Mac firent élever une triple enceinte de terre autour de Thang Long mais bâtirent peu de nouveaux édifices. La ville amorça alors un lent déclin, qui s'accentua avec l'avènement de la dynastie Nguyen, au XIXe siècle. Les nouveaux souverains établirent leur capitale à Hué et Thang Long fut ramenée au rang de simple chef-lieu de province. S'inspirant des ouvrages de Vauban, l'empereur Gia Long (1802-1820) fit cependant construire une citadelle, dont ne subsiste que la tour du Drapeau.

La Cité impériale fut saccagée à deux reprises en moins de cinquante ans. Tout d'abord, en 1786, Le Chieu Thong ordonna la destruction du palais des Trinh. Puis, en 1820, l'empereur Minh Mang, furieux de voir que les Mandchous refusaient de reconnaître Hué comme nouvelle capitale, résolut de raser les symboles de l'empire que renfermait Thang Long. Il fit abattre les principaux palais, le temple des Ancêtres impériaux et le temple du Ciel.

Les magasins de la rue Trang Tien et l'ancien Opéra, en 1905.

En 1848, Tu Duc fit démanteler la plupart des monuments qui avaient survécu et fit transférer les trésors qu'ils contenaient à Hué.

Un des multiples noms de Hanoi au cours des siècles, Dong Kinh (la « Capitale de l'Est »), fut transformé en Tunquin par Alexandre de Rhodes lorsqu'il romanisa l'écriture vietnamienne au début du XVIIe siècle, puis francisé en Tonkin, terme qui désigna bientôt l'ensemble du Nord-Vietnam.

Le paysage urbain de Hanoi devait être complètement bouleversé après sa conquête par les Français, en 1882. Ces derniers entreprirent de la moderniser et tentèrent d'instaurer un équilibre harmonieux – que l'on ne retrouvait pas dans leurs rapports avec les Vietnamiens – entre progrès et tradition. Toutefois, le percement de nouvelles artères entraîna la démolition de nombreux monuments. Ainsi, la pagode Bao Thien fit place à la cathédrale, et la pagode Bao An à la grande poste. Dans le legs architectural français figurent le pont Paul-Doumer (pont Long Bien), la cathédrale, l'École française d'Extrême-Orient, l'université de Hanoi, plusieurs hôtels, l'Opéra et nombre de superbes villas.

Les monuments historiques de Hanoi ont malheureusement souffert des outrages du temps, de la guerre et de la pénurie de matériaux et de moyens. Hormis certains bâtiments utilisés par l'administration vietnamienne ou les missions étrangères, la plupart sont assez délabrés.

L'agglomération de Hanoi compte 3 057 000 habitants et s'étend sur 2 139 km^2. Le centre ville est divisé en quatre districts. Le Grand Hanoi comprend onze districts périphériques (*quan*).

HANOI AUJOURD'HUI

Hanoi est située au pied d'une ligne de montagnes qui culmine à 1 237 m, au mont Ba. Au nord de la ville

Plan p. 142

Dans la journée, le lac Hoan Kiem est le rendez-vous favori des couples d'amoureux.

Une pagode et son reflet dans les eaux tranquilles du lac Hoan Kiem.

s'étend la région montagneuse du Viet Bac. Le lac de l'Ouest (Ho Tay) marque la limite nord-ouest de Hanoi. Lorsque l'on vient du nord, trois ponts permettent de rentrer dans la capitale : le pont Long Bien, celui plus récent de Chuong Dong et enfin le pont Thang Long.

Le **pont Long Bien** (1 682 m) fut construit par les Français et inauguré par Paul Doumer, alors gouverneur général d'Indochine, en février 1902. Pendant la guerre du Vietnam, il fut fréquemment endommagé par les bombardements américains mais les autorités nord-vietnamiennes parvinrent à le maintenir en état grâce à de constantes réfections. Jusqu'en 1983, ce fut l'unique voie de communication entre Hanoi et le Nord. Désormais, le pont est réservé aux trains, aux cyclistes et aux piétons.

Le centre ville n'a guère changé depuis 1955 ; avec ses anciens temples et pagodes, ses avenues ombragées et ses lacs, Hanoi a conservé tout son charme. L'âme de Thang Long survit dans la vieille ville, la « Cité des 36 rues et guildes », édifiée au XVe siècle.

AU CŒUR DE LA VILLE

Le **lac de l'Épée restituée** (Ho Hoan Kiem) ❶, ou Petit Lac, se niche au cœur de la vieille ville. Selon la légende, un pêcheur nommé Le Loi (qui devait devenir en 1428 l'empereur Le Thai To) reçut du génie du lac, la Tortue d'or, une épée magique pour combattre les Ming. Après avoir libéré le pays au terme de dix ans de lutte, il se rendit un jour en barque sur le lac pour restituer l'arme. La Tortue d'or apparut à la surface et s'empara de l'épée qu'il brandissait au-dessus de l'eau.

Un petit stupa, la **tour de la Tortue** (Thap Rua), fut édifié au XVIIIe siècle sur l'île du même nom, au milieu du lac, pour commémorer cet événement. On prétend qu'une tortue géante vit toujours dans le lac et qu'on la voit parfois sortir de l'eau.

La Résidence des hôtes du pays.

Plan p. 142

Près de l'île, le **pont du Soleil levant** (The Huc), de couleur rouge vif, relie la berge au **temple de la montagne de Jade** (Ngoc Son) ❷ construit au XIXe siècle sur un autre îlot du lac Hoan Kiem. Ce sanctuaire est dédié au général Tran Hung Dao, qui remporta des victoires mémorables sur les Mongols au XIIIe siècle, ainsi qu'à trois saints : Van Xuong, qui se consacra au développement de la littérature ; La To, père de la médecine vietnamienne ; et Quan Vu, expert dans les arts martiaux. Sur un petit tertre, au bout du pont, se dressent un encrier géant et une colonne de pierre en forme de pinceau ornée de trois caractères chinois signifiant « calligraphiant sur l'azur », en hommage à Quan Vu. Cette île abrite également les ruines d'une ancienne maison communale (Tran Ba Dinh).

La **Grande poste** (Buu Dien) ❸ est située dans Dinh Tien Hoang, au sud-est du lac. A proximité, sur Pho Ly Thai To, s'élève le vaste bâtiment Arts déco de la Banque nationale. Au sud-est du parc, l'ancien palais du gouverneur, de style néo-Renaissance, édifié en 1918, est aujourd'hui la **Résidence des hôtes du pays**, qui héberge notamment les chefs d'État étrangers en visite officielle.

Plus au sud, entre Ly Thai To et Ngo Quyen, se dressent les façades blanches de l'**hôtel Sofitel Metropole** ❹. Le plus grand palace du Hanoi colonial n'était plus qu'un taudis dans les années 1980. Il a été entièrement restructuré par la chaîne hôtelière française dans les années 1990 pour redevenir l'établissement le plus luxueux de la ville.

En continuant Ly Thai To vers le sud, on atteint la colonnade du **Théâtre municipal** (Nha Hat Lon) ❺, plus connu sous le nom d'**Opéra**. Construit en 1911, il s'inspire de l'Opéra Garnier de Paris. Restauré avec l'aide de la France pour accueillir le sommet de la Francophonie en 1997, il a retrouvé tout son lustre. Dans sa grande salle de

Le Théâtre municipal, restauré, a retrouvé sa splendeur.

Certains antiquaires proposent des œuvres d'art religieux.

900 places se déroulent régulièrement des concerts classiques et des représentations de pièces de théâtre traditionnelles ou contemporaines.

Le Théâtre est également un haut lieu de l'indépendance du Vietnam. En 1945, quelques jours après la reddition des troupes japonaises, les cadres du Viet Minh se ruèrent à l'assaut de Hanoi. Le 19 août, du haut des balcons du théâtre, pavoisés à leurs couleurs, ils proclamèrent l'avènement d'une république populaire indépendante. Sur la place se massaient des dizaines de milliers de paysans armés de machettes et d'épieux de bambou, vite rejoints par autant de citadins. La plupart d'entre eux ignoraient jusqu'à l'existence du Viet-minh, mais leur ferveur patriotique était telle qu'ils obéirent sans discuter à l'ordre de s'emparer des principaux édifices encore aux mains des Japonais et de leurs collaborateurs vietnamiens.

Trang Tien relie le Théâtre à la rive sud du lac. C'était autrefois la rue commerçante du quartier français. Lorsque le régime interdit la libre entreprise, ce fut l'une des rares rues à conserver quelques commerces – des galeries d'art officiel, des librairies et un « grand magasin » – plus austères les uns que les autres. Au sud et à l'ouest, au long des avenues tranquilles et ombragées, les anciennes villas coloniales sont occupées par des ambassades.

Depuis le Théâtre, Pho Le Thanh Tong rejoint l'**université de Hanoi** ❻, aux bâtiments délabrés. Fondée dans les années 1920, l'université d'Indochine dispensait à l'origine un enseignement professionnel et agricole. Dans les années 1930, elle se développa avec la création de facultés de droit, de médecine, de sciences et d'une école des Beaux-Arts. Elle a compté parmi ses élèves le futur général Giap.

Derrière le Théâtre, au n° 1, Pham Ngu Lao, une coupole signale le **musée d'Histoire** ❼, ex-musée Louis-Finot, qui occupe les anciens

Les paysans viennent vendre leurs fleurs dans les rues de Hanoi.

locaux de l'École française d'Extrême-Orient. Ce musée possède une riche collection archéologique du paléolithique et du néolithique (vestiges de la dynastie Hung, tombes néolithiques, outils de l'âge du bronze, sans oublier les superbes tambours de bronze gravés de Ngoc Lu et de Mieu Mon appartenant à la culture de Dong Son). On peut également y admirer des sculptures cham, des stèles, des céramiques, une étrange statue de la déesse Quan Am aux mille yeux et aux mille bras, et un très beau bouddha dont le piédestal est décoré d'un entrelacs de pétales de lotus ornés de dragons. Dans une autre pièce sont exposés un trône, des vêtements et divers objets ayant appartenu aux treize souverains de la dynastie Nguyen.

Non loin de là, au n° 25, Tong Dan, le **musée de la Révolution** ❽ illustre les luttes pour l'indépendance du peuple vietnamien, du Ier millénaire av. J.-C. jusqu'en 1975. Parmi les objets exposés figurent les longs pieux qui furent utilisés pour éventrer les vaisseaux de la flotte mongole lors de la célèbre bataille navale de Bach Dang, dans la baie de Halong, au XIIIe siècle, ainsi qu'un gigantesque tambour de guerre en bronze remontant à 2400 av. J.-C.

Le sud-ouest du lac Hoan Kiem

A proximité du lac, au carrefour de Pho Nha Chung et Ly Quoc Su, se dresse la **cathédrale Saint-Joseph** (Nha Tho Lon) ❾, la plus vieille église de la ville. Cet édifice néogothique fut consacré lors de la Noël 1886. Le culte catholique y est à nouveau célébré depuis 1990, après plus de trente ans d'interdiction. Aux alentours, de multiples boutiques proposent des vêtements traditionnels, des objets artisanaux, des marionnettes aquatiques et des copies d'œuvres d'art occidentales.

De la cathédrale, une ruelle mène à la **pagode Ba Da** (Sainte Dame de Pierre) ❿. Au XVe siècle, lors de travaux de terrassement de Thang Long, on mit au jour une statue de femme, et ce temple fut construit sur le site pour l'abriter. Mais la statue, dotée de vertus magiques, disparut et fut remplacée par une réplique en bois. Cette pagode mérite une visite car, si sa façade est sans prétention, l'intérieur est richement décoré. Le maître-autel est orné de statues bouddhiques dorées.

Au n° 42, Ly Quoc Sua, s'élève la petite **pagode Ly Trieu Quoc Su** (aussi appelée Chua Khong, ou pagode de Confucius. Érigée au XIe siècle sous la dynastie Ly et restaurée en 1855, elle abrite sous les poutres sculptées de son toit de belles statues polychromes et un vieux bonze, qui, dit-on, n'aurait pas quitté le sanctuaire depuis soixante ans.

Plus au sud, à l'intersection de Quan Su et Tho Nhuom, se trouvait la sinistre **prison de Hoa Lo** ⓫, surnommée Hanoi Hilton par les prisonniers de guerre américains qui y furent incarcérés. Construite par les Français vers 1900, Hoa Lo vit

Plan p. 142

Salle d'étude du centre bouddhique de la pagode des Ambassadeurs.

De loin la première religion du Vietnam, le bouddhisme s'est implanté dans le pays au IIe siècle de notre ère. Au XVe siècle, l'envahisseur chinois tenta d'imposer le confucianisme, marquant le déclin du bouddhisme. Mais ce dernier retrouva son influence vers 1920 et, malgré les périodes de répression successives, il continue d'être largement pratiqué et étudié.

Copies de briquets Zippo : les « souvenirs » de la guerre du Vietnam se vendent bien...

séjourner entre ses murs, dans les années 1930, des milliers de prisonniers politiques. En 1994, la plupart des bâtiments furent démolis pour faire place à un immense centre d'affaires. Les vestiges de Hoa Lo – une partie de l'enceinte surmontée de barbelés électrifiés et quelques cellules – ont été aménagés en musée où sont exposés divers instruments de torture. En face se dresse le Tribunal populaire de Hanoi.

La **pagode des Ambassadeurs** (Quan Su) ⓬ se trouve au n° 73, Quan Su, au sud-ouest du lac Hoan Kiem. Au XVIIe siècle lui fut adjointe une maison d'accueil réservée aux ambassadeurs de pays bouddhistes. Elle a été reconstruite en 1936 puis en 1942. Ce sanctuaire, qui fut jadis un haut lieu du bouddhisme, attire toujours de nombreux fidèles, et c'est l'une des rares pagodes du Vietnam où l'on puisse apercevoir des moines. Les bâtiments qui entourent le sanctuaire abritent un centre de recherches bouddhiques. Ils renferment des salles d'étude pour les novices et une petite bibliothèque où sont conservés des manuscrits et des ouvrages en vietnamien et en chinois.

Quang Su se prolonge jusqu'à l'esplanade du **palais de la Culture** (Nha Van Hoa Cong Nhan), où se déroulent des rencontres sportives et des foires-expositions.

A 500 m au sud de la pagode Quan Su se trouve un charmant petit lac, le **lac Thien Quang** ⓭. En face, rue Pho Trang Nhan Tong, s'étend le **parc Lénine** (Cong Vien Le Nin), aménagé par des volontaires à l'emplacement d'un marais qui servait de dépotoir. Agréable, bien entretenu, il borde le vaste lac Bay Mau. On y trouve le cirque de Hanoi et un petit train très apprécié des enfants.

LE VIEUX QUARTIER

Au nord du lac Hoan Kiem, la plupart des rues conduisent à la « Cité des 36 rues et guildes », **36 Pho Phuong**. Ce quartier commerçant

Préparation de la soupe pho *dans les cuisines d'un restaurant de plein air.*

aux rues étroites remonte à plus de six siècles. Chaque rue est traditionnellement le siège d'une corporation, souvent originaire d'un village du delta, et porte le nom des marchandises qui y sont vendues (*hang* signifie « marchandise »). Ainsi, Hang Bo est la rue « des paniers », Hang But la rue « des brosses », et ainsi de suite. Bien que le petit commerce ait été interdit pendant plus de quarante ans, le quartier a retrouvé toute son animation depuis une dizaine d'années. Mais, si les commerçants s'y regroupent toujours par spécialités, le nom de la rue ne correspond plus vraiment à leur activité. les échoppes de bijoux d'argent et de stèles funéraires sont encore nombreuses dans Hang Bac (les « autels votifs et bannières religieuses »), mais les agences de voyages et les cafés y sont aussi légion. Hang Giay (la « chaussure ») s'est convertie aux tissus de soie brodée, tandis que Hang Dau (l'« huile de friture ») est devenue la rue des marchands de chaussures...

Chacune de ces rues s'organisait autour d'un *dinh* (« maison communale »). Les *dinh* constituaient l'édifice le plus important du village, dont ils occupaient le plus beau site. Ils étaient à la fois des temples consacrés au génie tutélaire de la communauté, des lieux de réunion où les notables discutaient de leurs affaires, ainsi que des salles des fêtes et de banquet. Comme la plupart des temples et des pagodes du quartier, ils furent fermés durant la période « dure » du communisme et transformés en écoles ou en logements. De même, les maisons « en tube » qui, derrière les vitrines étroites (à peine 3 m de large) des boutiques, se prolongent par d'interminables couloirs et abritaient autrefois une seule famille, ont souvent été redécoupées en petits appartements.

Si l'on examine attentivement les toits, on peut repérer les vestiges d'anciens temples. Ainsi, au n° 120, Hang Bong (la rue « du coton »), l'arche d'une pagode surmonte une échoppe de barbier et une boutique

Plan p. 142

Magasin de vélos dans le Vieux Quartier.

de bannières. Une allée latérale donne accès à une cour minuscule et à une salle encore fréquentée par quelques fidèles venus invoquer la chance. Au n° 90, Hang Dao, le *dinh* de Hoa Loc, désormais occupé par un magasins de jeans, était la maison communale des commerçants originaires du village de Hai Duong. Selon l'inscription relevée sur une stèle, ils s'étaient installés vers la fin de la dynastie Tang pour fonder le quartier artisanal de Thai Cuc, devenu la rue Hang Dao.

Le **théâtre municipal de marionnettes aquatiques de Thang Long** (Roi Nuoc Thang Long) ⓮ se situe à l'extrémité nord-est du lac, à l'angle de Dinh Tien Hoang. Des représentations de cet art typiquement nord-vietnamien ont lieu chaque soir. Maniés avec virtuosité par des marionnettistes immergés jusqu'aux hanches, les personnages de bois sculpté évoluent à la surface d'un plan d'eau. Le spectacle, rythmé par un orchestre traditionnel, consiste en une succession de saynètes évoquant aussi bien la vie quotidienne que les mythes religieux et les légendes populaires.

Une petite maison, au n° 48, Hang Ngang abrite le **musée de l'Indépendance** ⓯. C'est ici que Ho Chi Minh rédigea en 1945 la déclaration d'indépendance du Vietnam.

Le **temple du Cheval blanc** (Bach Ma) ⓰, au n° 3, Hang Buom (la rue « des voiles »), est dédié au génie Bach Ma, patron de la ville. Construit au IXe siècle, il fut restauré aux XVIIIe et XIXe siècles. Ce sanctuaire taoïste abrite la statue d'un cheval géant et un palanquin sculpté de phénix, de grues et de tortues.

Les alentours du **marché Dong Xuan** ⓱, à l'extrémité de la rue « de la soie », sont particulièrement pittoresques. L'ancien marché a été entièrement détruit par un incendie en 1994. Si le bâtiment de quatre étages qui l'a remplacé est déjà délabré, le marché a retrouvé son animation. On peut y dénicher des produits de

Le pont Long Bien (ancien pont Paul-Doumer) a résisté à tous les bombardements américains.

luxe authentiques et bon marché : vodka et caviar russes, vin français... Le marché aux plantes, aux épices et aux oiseaux offre beaucoup plus d'intérêt et propose une grande variété de plantes décoratives, des mainates, des perroquets, des singes, des pythons, des écureuils ainsi que de ravissants objets de terre cuite destinés à orner les jardins miniatures.

Devant le marché, les fleuristes proposent une grande variété de fleurs aux arômes pénétrants. Près de l'entrée principale, un médecin traditionnel expose sa pharmacopée, dont du vin de serpent et des lézards conservés dans l'alcool. Et malgré les apparences, l'élixir de gecko est excellent ! Le marché libre propose des articles de vannerie, de petits tapis, du vermicelle, de la soupe et du riz. Dans les rues adjacentes, des paysans assis sur le trottoir vendent les produits de leurs champs.

A quelques pas, à l'extrémité de Hang Chieu, la porte de brique à demi ruinée de **Quan Chuong** est le dernier vestige de l'ancienne enceinte du Vieux Quartier.

LES QUARTIERS OUEST

Le **musée des Beaux-Arts** (Bao Tang My Thuat) ⓲, au n° 66, Nguyen Thai Hoc, renferme une belle collection d'objets préhistoriques et d'art tribal, des tambours en bronze de Dong Son, des outils, des armes, des statues du Bouddha du XVIIe siècle. Une section est consacrée à l'artisanat populaire, deux autres présentent la peinture vietnamienne avant 1945 et de 1945 à 1954. La boutique du musée propose de bonnes reproductions d'objets d'art.

Non loin du musée, dans Pho Hang Bot, s'élève le **temple de la Littérature** (Van Mieu) ⓳, superbe ensemble architectural agrémenté d'un vaste jardin et cerné d'un haut mur de brique. Ce sanctuaire dédié au culte de Confucius fut bâti en 1070, sous le règne de Ly Thai Tong.

Plan p. 142

Statue de Quan Am, la déesse aux mille bras (musée des Beaux-Arts).

Vendue à tous les coins de rue, la soupe pho *est l'un des mets favoris des habitants de Hanoi.*

Ce complexe portait en fait une double appellation car il abritait également l'école des fils de l'État (Quoc Tu Giam), première université nationale fondée en 1076. Sous les Tran, en 1235, ce centre des hautes études fut rebaptisé Collège national (Quoc Hoc Vien). Il formait les futurs mandarins, qui y étudiaient la littérature, la philosophie et l'histoire ancienne de la Chine et du Vietnam. Il prit le nom de temple de la Littérature lorsque la capitale et le Collège national furent transférés à Hué par les Nguyen, au début du XIXe siècle.

Le Van Mieu est bâti sur un terrain de 3 ha. De nombreuses constructions furent ajoutées au cours des siècles par les souverains et par de riches mécènes. Il se divise en cinq cours fermées, percées de portes.

Au fronton de la porte principale, qui s'ouvre au sud, une inscription rappelait aux cavaliers qu'ils devaient descendre de leur monture, en témoignage de respect envers les divinités du sanctuaire.

Marchande de pain dans une rue de Hanoi.

Alors que le pain de froment est le grand absent des cuisines d'Extrême-Orient, le Vietnam a conservé, même au nord, la tradition du pain français, héritée de l'époque coloniale. Dans tout le pays, baguettes et bâtards croustillants et bien dorés, vendus dans la rue, font toujours partie des aliments de base.

Après avoir traversé les deux premières cours en suivant une large allée dallée, on parvient au **pavillon de la constellation Khue** (Khue Van Cac) qui présidait aux activités littéraires. Lors des concours de poésie, c'est du balcon du deuxième étage que les lettrés récitaient leurs poèmes. Après avoir franchi la **porte du Grand Mur** (Dai Thanh Mon), on parvient au **Puits de la lumière céleste** (Thien Quang Tinh). A l'est et à l'ouest de ce grand bassin carré se dressaient deux rangées de quatre-vingt-deux stèles (il y en avait cent dix-sept à l'origine) portées par des tortues de pierre. Elles sont aujourd'hui regroupées à l'abri des intempéries. Sur chacune figure la liste des lauréats – avec leur grade littéraire – de l'un des concours triennaux de doctorat organisés entre 1442 et 1779.

La **porte de la Grande Réussite** (Dai Thanh) s'ouvre sur la quatrième cour, qui mène au sanctuaire proprement dit. Pour y accéder, il faut d'abord traverser la **maison des Cérémonies** (Bai Duong). Ce grand bâtiment, de forme rectangulaire et de proportions harmonieuses, est un véritable joyau de l'architecture vietnamienne. Son toit de tuile aux coins recourbés est soutenu par des rangées de colonnes en bois poli. Les hauts fonctionnaires venaient y célébrer les sacrifices du printemps et de l'automne en l'honneur de Confucius. Au-delà de la porte Est, le **sanctuaire de la Grande Réussite**, récemment restauré, renferme les tablettes de Confucius et de ses principaux disciples. Le **temple Khai Thanh**, aujourd'hui en ruine, qui donne sur la rue Nguyen Thai Hoc, était dédié aux parents de Confucius. La cinquième cour, qui abritait le collège, a été incendiée en 1947.

En remontant vers le nord, on ne peut manquer d'apercevoir la haute silhouette (60 m) de la **tour du Drapeau** (Cot Co) ⓴ qui s'élève derrière le musée de l'Armée (Bao Tang Quan Doi), à l'angle de Dien Bien Phu et de Hoang Dieu. Cette tour hexagonale est l'un des symboles de Hanoi. C'est le seul vestige des fortifications construites en 1812 par les Nguyen. Elle se visite en même temps que le **musée de l'Armée** ㉑. Réorganisé au début des années 1990, ce musée évoque les grands batailles du Vietnam pour l'indépendance. Du matériel lourd, dont l'épave d'un bombardier B-52, est exposé à l'extérieur. A l'intérieur, de nombreux objets et documents témoignent des années de guerre. Parmi les plus remarquables figurent des dioramas géants des batailles de Dien Bien Phu et de Saigon ainsi que le char T 54 qui s'empara du Palais présidentiel de Saigon. Une salle est consacrée aux méthodes de la guérilla contre les Américains. En face, dans un petit square, se dresse une **statue de bronze de Lénine**, l'une des dernières encore en place dans le monde.

En remontant Dien Bien Phu, puis une petite rue, Chua Mot Cot, on atteint la **pagode au Pilier unique** (Chua Mot Cot) ㉒, construite en 1049. Érigé au milieu d'un bassin, ce pagodon carré en bois repose sur un unique pilier de pierre dont le sommet a la forme d'une fleur de lotus. Selon la légende, l'empereur Ly Thai To, qui n'avait pas d'héritier mâle, vit en songe la déesse Quan Am, assise sur une fleur de lotus et qui lui tendait un garçon. Peu de temps après, il épousa une jeune paysanne qui lui donna un fils. Le monarque aurait construit cette pagode pour exprimer sa gratitude à la divinité. Derrière la pagode pousse un banian planté par Nehru en 1958.

A côté s'élève la **pagode Dien Huu**, que dépare, hélas, la laide bâtisse du **musée Ho Chi Minh** (Bao Tang Ho Chi Minh) ㉓. Ce temple pompeux ne rend guère hommage à la simplicité prônée par Ho Chi Minh. On y trouve pêle-mêle des reliques du grand révolutionnaire, tel son stylo, et de nombreux objets plutôt inattendus : une table décorée d'une coupe de fruits artificiels géants, une tour métallique de style constructiviste, une copie de *Guernica*, un volcan de plâtre, une reconstitution de la maison natale de Ho Chi Minh, et, plus étrange encore, une statue du dirigeant en forme d'autel bouddhique. La musique d'ambiance est une compilation de chansons pop américaines, et la boutique du musée vend des T-shirts « *Good morning, Vietnam* »... Cependant, ce bric-à-brac recèle quelques documents intéressants, notamment sur la période française de la lutte anticolonialiste.

Depuis le musée, en remontant Hung Vuong vers le nord, on débouche sur la place Ba Dinh, où se trouvent l'Assemblée nationale et un mémorial à la guerre. En son centre se dresse l'imposant **mausolée du président Ho Chi Minh** (Lang Chu Tich Ho Chi Minh) ㉔, où, dans un sarcophage de verre, repose le corps embaumé du père de l'indépendance vietnamienne – en contradiction avec ses dernières volontés : il souhaitait être incinéré et que ses cendres soient répandues dans tout le pays. Le mausolée est fermé deux mois par

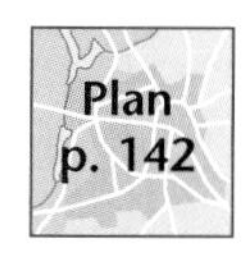
Plan p. 142

La résidence privée de Ho Chi Minh.

File d'attente de visiteurs devant le mausolée de Ho Chi Minh.

La visite du mausolée obéit à un rituel rigoureux : tenue correcte exigée, interdiction d'avoir la tête couverte ou les mains dans les poches, défense d'entrer avec un sac ou un appareil photo, silence complet... En revanche, les touristes étrangers sont dispensés de faire la queue. Pour s'assurer du respect du règlement, la visite se fait sous escorte militaire individuelle.

Villa de style « nouveau riche » sur les rives du lac Ho Tay.

Le Palais présidentiel, ancienne résidence du gouverneur général d'Indochine construite en 1906.

an, lorsque le corps est envoyé en Russie pour y être remis en état par les embaumeurs. Sa construction débuta en septembre 1973. Il fut achevé en août 1975 et inauguré un mois plus tard. Les matériaux utilisés (marbre, granit et bois précieux) viennent de tout le pays. C'est sur cette place historique de Ba Dinh que Ho Chi Minh proclama l'indépendance du pays, le 2 septembre 1945.

Dans l'ancien jardin botanique, la charmante **maison de Ho Chi Minh** (Nha San Bac Ho) ㉕ contraste avec la pompe du musée et du mausolée. Cette modeste habitation sur pilotis, au bord d'un étang, se compose d'un bureau et d'une chambre à coucher, jouxtés d'une salle de réunion en plein air. Malgré son confort spartiate – il n'y a ni cuisine, ni salle de bains, ni toilettes –, Ho Chi Minh passa le plus clair de son temps, de 1958 à sa mort, en 1969, dans cette humble demeure qu'il préférait au somptueux **Palais présidentiel** pourtant tout proche.

Autour du lac de l'Ouest

Le **lac de l'Ouest** (Ho Tay) ㉖, l'ancien lac des Brumes, est situé au nord de la capitale. Ce plan d'eau de 583 ha, le plus vaste de la capitale, est le vestige d'un ancien lit du fleuve Rouge. Ses rives étaient occupées par de nombreux palais, détruits lors des guerres féodales. Le lac est récemment devenu le quartier d'élection des résidents étrangers et des nouveaux riches. Villas, hôtels et restaurants, souvent d'un goût douteux, s'y sont multipliés.

Selon une légende, à l'emplacement du lac s'étendait autrefois une profonde forêt, repaire d'un cruel renard blanc à neuf queues qui semait la terreur dans le voisinage. Le roi-Dragon du fleuve inonda la forêt pour noyer le monstre et creusa ainsi le lac. Une autre légende attribue la formation du lac à un Bufflon d'or et à un bonze du XIe siècle, Khong Lo, qui avait rapporté de Chine une énorme cloche

de bronze. Lorsqu'il la sonna pour la première fois, le Bufflon d'or, croyant entendre l'appel de sa mère, accourut de Chine et, dans sa course frénétique, piétina un vaste terrain qui donna naissance au lac.

En 545, lors d'un soulèvement contre l'occupant chinois, Ly Bon fit construire une citadelle de bois et de bambou à l'embouchure de la To Lich ainsi que la pagode Khai Quoc (« Fondation du pays ») sur la rive du fleuve Rouge. Sous les Ly (1010-1225), cette pagode devint le plus grand centre bouddhique de la capitale. Elle fut transférée sur une minuscule presqu'île du lac de l'Ouest au XVIIe siècle et rebaptisée **pagode Tran Quoc** (« Défense du pays ») ㉗. Ce monument est l'un des plus anciens du Vietnam. A l'intérieur, une stèle datée de 1639 relate sa longue histoire.

Thanh Nien sépare le lac de l'Ouest du **lac Truc Bach** (« Soie blanche »), de dimensions plus réduites. Sur sa berge se dressait autrefois le palais d'Été élevé par un seigneur Trinh, et transformé par la suite en harem où celui-ci exilait ses concubines adultères ou disgraciées. Le lac devrait son nom à la superbe soie blanche que ces prisonnières devaient tisser pour les princesses. Le **temple Quan Thanh** ㉘, qui s'élève sur sa rive sud, fut construit sous les Ly. Ce sanctuaire richement décoré et consacré à Tran Vo, le génie gardien du Nord, abrite une énorme cloche et une statue de bronze, tout aussi monumentale, de la divinité. Selon la légende, Tran Vo aurait aidé An Duong, fondateur du royaume d'Au Lac, à vaincre les hordes de démons et de génies malfaisants qui l'empêchaient de construire la citadelle de Co Loa.

Au milieu du lac de l'Ouest, Yen Phu mène à l'extrémité d'une petite presqu'île, où s'élève la **pagode Tay Ho** ㉙. Ce lieu de pèlerinage est très fréquenté par les célibataires, en particulier les 1er et 15e jours du mois lunaire. A l'intérieur, la salle de

Plan p. 142

Une station de cyclo-pousse sur les rives du lac Ho Tay.

Plan p. 142

droite, au décor criard, plaît beaucoup aux enfants. Devant les autels s'accumulent des statuettes d'animaux fantastiques, des modèles réduits de bateaux et des montagnes de fruits et de paquets de biscuits apportés en offrande.

En dehors du centre

Au sud de la ville, le **temple des Deux Sœurs** (Den Hai Ba), dans Pho To Lao, est également appelé temple de Dhong Nhan, d'après le village qui s'élevait jadis sur le site. Ce sanctuaire construit en 1142 est dédié aux sœurs Trung, qui orchestrèrent en 40 apr. J.-C. la première révolte de l'histoire du Vietnam contre l'envahisseur chinois. Il renferme des objets ayant appartenu aux deux femmes, ainsi que deux étranges statues de pierre découvertes dans le fleuve Rouge censées les représenter, agenouillées, les bras levés. Elles sont sorties une fois l'an, en février, lors d'une procession qui commémore leur lutte héroïque. Plusieurs petits temples, dédiés aux bouddhistes qui construisirent le sanctuaire, s'élèvent de part et d'autre de la cour centrale.

Un peu plus au sud, dans Bach Mai, s'élèvent la **pagode Lien Phai** et le monastère Lien Phai Tu (ou Lieu Khai) au milieu d'un très beau jardin. Le temple, édifié sous la dynastie des Le, fut reconstruit par un seigneur Trinh en 1732 et régulièrement restauré depuis, notamment en 1884.

Le **temple des Éléphants agenouillés** (Voi Phuc) est situé dans le village de Thu Le, derrière le parc du même nom, au nord-ouest de la citadelle. Ce sanctuaire fut érigé au XIe siècle par Ly Thai To en l'honneur de son fils Linh Lang qui, lors d'une campagne contre les Song, aurait chargé les troupes chinoises avec un escadron d'éléphants. Ce modeste temple érigé au bord d'un lac renferme les statues du prince et de ses généraux. Son nom lui vient des éléphants de pierre agenouillés qui en gardent l'entrée.

Plus à l'ouest, dans le quartier de Dong Da et à proximité du n° 356, Tay Son, s'élève le **tertre de la Multitude** (Go Dong Da), formé, selon la légende, par les corps amoncelés de milliers de soldats chinois tués par l'armée du dynaste Tay Son, Quang Trung, au XVIIIe siècle. Il ne reste presque rien du temple qui avait été bâti sur le site.

Assez éloigné du centre, le **musée d'ethnographie du Vietnam** (Bao Tang Dan Toc Hoc Viet Nam), sur Nguyen Van Huyen, est le plus récent de Hanoi. Fruit d'une coopération avec le musée de l'Homme de Paris, il est consacré au monde rural et aux minorités ethniques du pays. Il rassemble plusieurs dizaines de milliers d'objets usuels, des instruments de musique, des costumes... Des projections vidéo permettent de découvrir diverses activités artisanales et cérémonies rituelles. Des expositions en plein air sont régulièrement organisées dans le parc du musée, qui accueille également des reconstitutions grandeur nature de villages typiques.

Échoppe d'épices, dans le Vieux Quartier.

Très parfumée, la cuisine vietnamienne utilise en abondance les herbes aromatiques et les épices. Elle fait une grande consommation de piments rouges, d'ail, de curry, de cacahuètes, de clous de girofle, de gingembre, de graines de sésame et de lotus... Le Vietnam est aussi l'un des rares pays au monde où pousse la badiane, ou anis étoilé.

LA CITADELLE DE CO LOA

Les vestiges de la citadelle de Co Loa sont situés dans le district de Dong Anh, à 16 km au nord-ouest de Hanoi. Des fouilles ont mis au jour un grand nombre de haches et de pointes de flèche en bronze. Co Loa, l'ancienne Loa Thanh (la « cité du Coquillage »), capitale du roi An Duong, fut édifiée en 257 av. J.-C. On peut encore voir les ruines de trois des neuf tours qui gardaient la triple enceinte en spirale de la citadelle. Près de l'entrée, à l'ombre d'un vieux banian, s'élève un sanctuaire dédié à la princesse My Chau, fille d'An Duong. Il renferme une grossière statue de pierre sans tête qui représenterait la princesse. Non loin de là, sur le site d'un ancien palais, se dresse un temple dédié au roi An Duong. Le 6 janvier, les gens s'y réunissent pour commémorer la lutte menée par le souverain contre les envahisseurs han.

Les Vietnamiens racontent encore les légendes qui se rapportent à la fondation de Co Loa. Thuc Phan, roi des Tay Au, aurait envahi et annexé le Van Lang après s'être vu refuser la main de la fille du souverain des Lac Viet. Il fonda le royaume d'Au Lac et prit le nom d'An Duong.

Craignant que ses puissants voisins chinois ne prennent ombrage de sa politique d'expansion territoriale, il commença sans plus tarder à renforcer les défenses de sa nouvelle capitale, Co Loa. Mais, pour une mystérieuse raison, les murailles s'effondraient sitôt édifiées. Une nuit, la Tortue d'or, Kim Quy, lui apparut en songe et lui révéla que des forces occultes s'opposaient à ses desseins. Avec son aide, le souverain parvint à vaincre les hordes démoniaques et acheva la construction de la citadelle.

L'empereur de Chine envoya alors le général Trieu Da assiéger Co Loa. La Tortue d'or apparut à nouveau au roi An Duong et lui remit une arbalète magique qui, le lendemain, décima les troupes chinoises. Trieu Da se résolut alors à entamer des pourparlers de paix et demanda la main de la princesse My Chau pour son fils Trong Thuy. Lors de leur lune de miel Trong Thuy pria sa jeune épouse de lui montrer l'arbalète de son père. Cette dernière, sans méfiance, s'exécuta et Trong Thuy déroba l'arme magique qu'il remplaça par une autre. An Duong entra dans une telle fureur qu'il fit décapiter la princesse. Son époux inconsolable se serait par la suite noyé. Au-delà de la légende, les découvertes archéologiques faites sur le site attestent qu'un siège prolongé s'y serait déroulé dans des temps reculés.

Co Loa représentait pour l'époque une véritable prouesse architecturale. Ses trois enceintes de terre avaient une hauteur moyenne de 4 à 5 m, atteignant, en certains endroits, 8 à 12 m. La muraille extérieure, de 8 km de pourtour, bordée de douves profondes, était renforcée de haies de bambous et d'épineux.

Des guetteurs étaient postés en permanence dans les tours édifiées aux huit points cardinaux de la citadelle. La nuit, les gongs que l'on frappait toutes les demi-heures les tenaient éveillés. Pour donner l'alerte, les soldats soufflaient dans des conques. La construction des enceintes en spirale avait un puissant effet d'écho : le moindre son était répercuté d'un bout à l'autre de la citadelle et portait même jusqu'aux villages voisins.

A droite, la statue sans tête de la princesse My Chau, entourée d'offrandes.

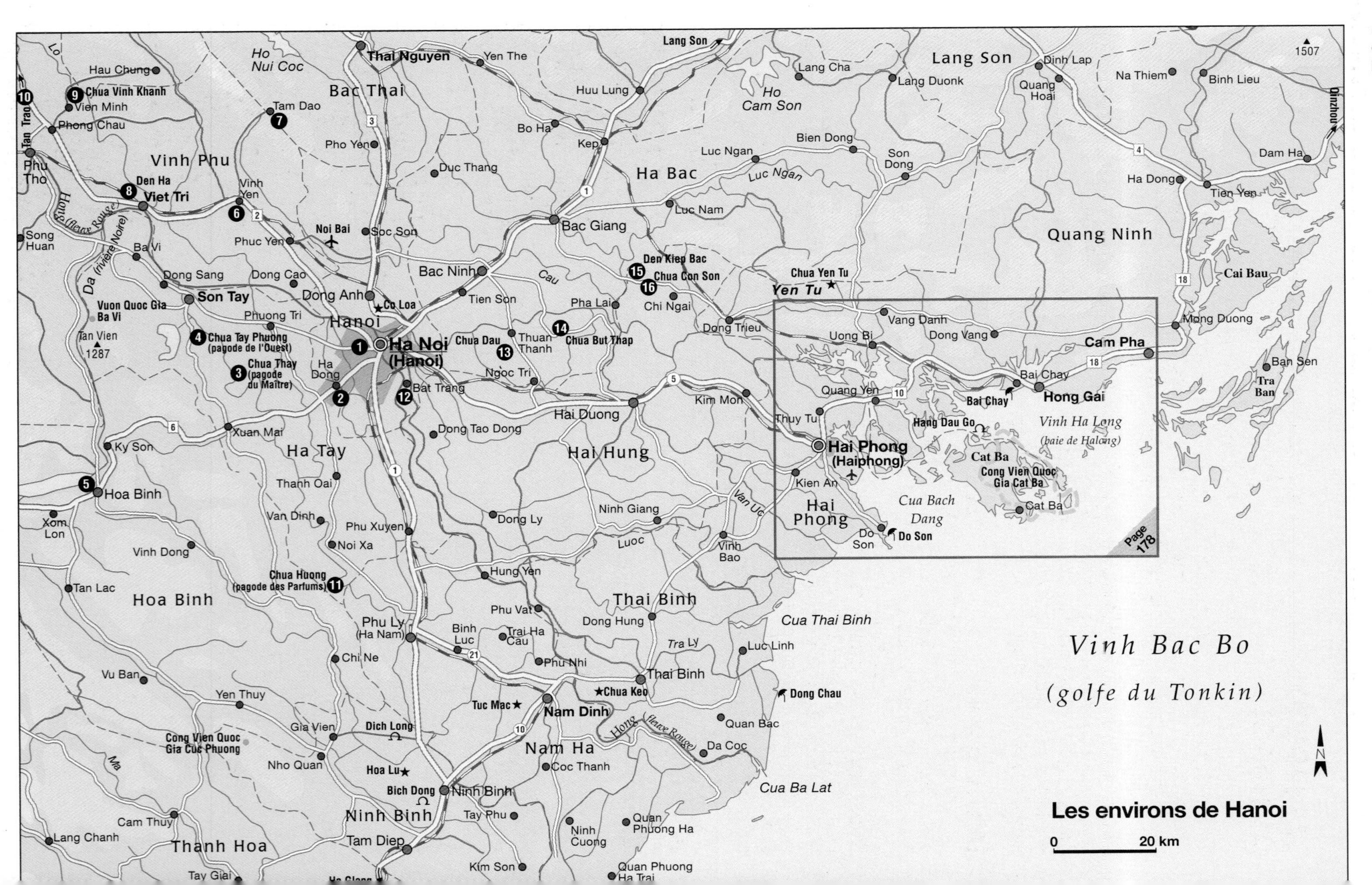
Les environs de Hanoi
0
20 km
Vinh Bac Bo
(golfe du Tonkin)
Vinh Ha Long
(baie de Halong)
Page 178
Quang Ninh
Lang Son
Bac Thai
Vinh Phu
Ha Bac
Hai Hung
Hai Phong
Thai Binh
Nam Ha
Ninh Binh
Ha Tay
Hoa Binh
Thanh Hoa
Hanoi
Ha Noi
(Hanoi)
Hai Phong
(Haiphong)
Hong Gai
Cam Pha
Bai Chay
Cat Ba
Cong Vien Quoc
Gia Cat Ba
Hang Dau Go
Do Son
Cua Bach
Dang
Cua Thai Binh
Cua Ba Lat
Dong Chau
Chua Yen Tu
Yen Tu
Den Kiep Bac
Chua Con Son
Chua But Thap
Chua Dau
Bat Trang
Co Loa
Noi Bai
Chua Tay Phuong
(pagode de l'Ouest)
Chua Thay
(pagode
du Maître)
Chua Huong
(pagode des Parfums)
Vuon Quoc Gia
Ba Vi
Tan Vien
1287
Den Ha
Viet Tri
Chua Vinh Khanh
Tan Trao
Tam Dao
Son Tay
Xuan Mai
Ha Dong
Bac Ninh
Bac Giang
Hai Duong
Phu Ly
(Ha Nam)
Nam Dinh
Chua Keo
Tuc Mac
Hoa Lu
Bich Dong
Dich Long
Cong Vien Quoc
Gia Cuc Phuong
Tam Diep
Ho
Nui Coc
Ho
Cam Son
Da (rivière Noire)
Hong (fleuve Rouge)
Qinzhou
1507
Thai Nguyen
Lang Son
Dinh Lap
Na Thiem
Binh Lieu
Dam Ha
Ha Dong
Tien Yen
Cai Bau
Mong Duong
Ban Sen
Tra
Ban
Uong Bi
Vang Danh
Dong Vang
Quang Yen
Thuy Tu
Kien An
Dong Trieu
Kim Mon
Luc Ngan
Luc Nam
Bien Dong
Son
Dong
Kep
Huu Lung
Yen The
Bo Ha
Pho Yen
Duc Thang
Soc Son
Phuc Yen
Vinh
Yen
Dong Anh
Dong Cao
Dong Sang
Phuong Tri
Ba Vi
Song
Huan
Phu
Tho
Phong Chau
Vien Minh
Hau Chung
Ky Son
Hoa Binh
Xom
Lon
Vinh Dong
Tan Lac
Vu Ban
Yen Thuy
Gia Vien
Nho Quan
Cam Thuy
Lang Chanh
Tay Giai
Thanh Oai
Van Dinh
Phu Xuyen
Noi Xa
Dong Ly
Hung Yen
Phu Vat
Binh
Luc
Trai Ha
Cau
Chi Ne
Phu Nhi
Dong Hung
Tra Ly
Thai Binh
Luc Linh
Quan Bac
Da Coc
Coc Thanh
Ninh Binh
Tay Phu
Ninh
Cuong
Quan
Phuong Ha
Quan Phuong
Ha Trai
Kim Son
Ninh Giang
Luoc
Vinh
Bao
Van Uc
Dong Tao Dong
Ngoc Tri
Thuan
Thanh
Tien Son
Pha Lai
Chi Ngai
Cau

LES ENVIRONS DE HANOI

Fertilisée par le fleuve Rouge, qui dépose ses alluvions sur la majeure partie du Nord, la région de **Hanoi** ❶ est avant tout agricole. Sa visite permet de découvrir la vie du Vietnam rural, plusieurs pagodes anciennes, des sites naturels remarquables et les productions artisanales traditionnelles de nombreux villages.

L'OUEST DE HANOI

En quittant Hanoi par le sud-ouest, la route nationale 6 court sur un vaste plateau. Il faut compter près d'une heure pour s'extraire des encombrements de la banlieue, puis la circulation diminue progressivement. La route à deux voies, pavée et en bon état, traverse les rizières, tandis que des collines et des falaises apparaissent à l'horizon.

Le premier village rencontré est **Ha Dong** ❷, où l'on tisse la soie. A l'ouest du village une route secondaire conduit aux pagodes de Thay et de Tay Phuong.

La **pagode du Maître** (Chua Thay) ❸, connue également sous le nom de **Thien Phuc** (la « Béatitude céleste »), se dresse au flanc du mont Sai, à Sai Son, à environ 40 km de Hanoi. Fondée en 1132 par le roi Ly Thai To, c'est l'une des plus anciennes du Vietnam. Elle est dédiée au bouddha Sakyamuni et à ses dix-huit *arhat* (disciples), à l'empereur Ly Than Tong (1054-1072), mais surtout au vénérable moine Tu Dao Han, le « maître » qui servit ce monarque. Tous sont représentés par de multiples statues, dont certaines remontent aux XIIe et XIIIe siècles. Le pont couvert à deux arches qui traverse le lac date de 1602.

Avant d'entrer dans les ordres et de devenir un grand botaniste et phytothérapeute, Tu Dao Hanh pratiquait la médecine traditionnelle dans son village natal. Il aimait beaucoup la danse et plus particulièrement les spectacles de marionnettes sur l'eau. Il enseigna cet art à ses disciples, utilisant comme scène la plate-forme sur pilotis dressée au centre du bassin situé devant la pagode. Des spectacles y sont encore donnés de nos jours, notamment pendant la fête du Têt, avec la participation de la troupe Phu Da de Hanoi. Des saynètes inspirées des légendes folkloriques, des tournois d'échecs, des récits de la vie de Dao Hanh et une procession d'ex-voto font également partie des festivités.

La pagode renferme une grande statue en bois de santal blanc de Tu Dao Hanh, que l'on peut manipuler comme une marionnette à l'aide de fils habilement disposés. Au sommet de la colline, on bénéficie d'un splendide panorama sur la pagode, le village et la campagne environnante. On peut explorer plusieurs grottes creusées dans les collines calcaires, dont celle de **Hang Cac Co** (l'« Espiègle »).

Non loin de là, dans le charmant village de **Thac Xa**, s'élève la pagode

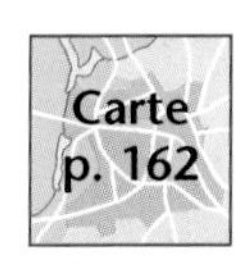

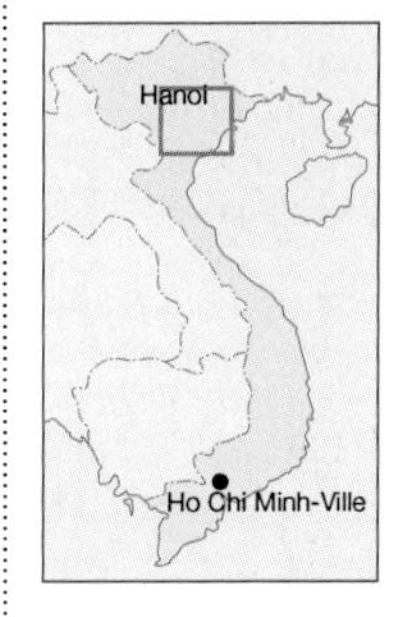

Pages précédentes : rizières en terrasses près de Hanoi. Ci-dessous, une écolière et son chevreau.

Comme toutes les plaines irriguées du Vietnam, la région de Hanoi, très agricole, est également très peuplée : ainsi, dans l'ensemble, l'immense delta du fleuve Rouge concentre les neuf dixièmes de la population du nord du pays.

La delta du fleuve Rouge est le grenier à riz du Nord-Vietnam.

de l'Ouest, ou **Tay Phuong ❹**. Elle est perchée au sommet de la colline de Cau Lau, haute de 50 m. Les parties les plus anciennes de l'édifice datent du VIIIe siècle, mais elle fut agrandie et remaniée aux XVIe et XVIIe siècles. Les soixante-treize statues en bois laqué qui constituent l'un des trésors de ce temple datent du XVIIe siècle. Ces bouddhas et bodhisattvas (sages qui ont renoncé à la délivrance totale des réincarnations pour aider les autres êtres à atteindre l'« Éveil »), taillés dans du bois de jacquier et représentés grandeur nature, illustrent différentes paraboles tirées des canons bouddhiques. Pour gagner le sanctuaire, il faut gravir un escalier de deux cent soixante-deux marches de latérite – et subir tout au long de l'ascension les assauts des vendeurs d'encens et d'éventails !

La pagode, aux murs de brique et à la charpente en bois de fer, est divisée en trois salles – le Bai Duong, ou salle des Prosternations, le Chinh Dien, ou Salle centrale et le Hau Cung, ou Salle postérieure – qui forment le Tam Bao (les « Trois Joyaux »). Les murs sont percés de fenêtres rondes et le toit de tuiles vernissées est orné d'une profusion de figurines représentant des fleurs et divers animaux protecteurs.

Proche de Thay et de Tay Phuong, le village de **So** se consacre à une très ancienne activité : la fabrication de nouilles à base de farine d'igname et de manioc.

La route nationale 6 continue jusqu'aux limites du delta du fleuve Rouge et des rizières, traversant la province de Ha Son Binh. Construite par les Français, cette route (ancienne route coloniale 6) fut alternativement bombardée par les troupes françaises et le Viet-minh pendant la guerre d'Indochine. De multiples fortifications françaises gardaient la route entre Hanoi et **Hoa Binh ❺**, mais les épaisses broussailles des bas-côtés constituaient un camouflage parfait pour les forces viet-minh. La guérilla attaquait régu-

Ce temple, près de Hanoi, a la réputation de porter chance en affaires.

lièrement les fortins et les convois, puis s'évanouissait dans les collines.

La portion située après la traversée du fleuve Rouge était particulièrement dangereuse. Le fleuve marquait la limite de la « ligne de Lattre », périmètre de défense censé isoler Hanoi et le delta du fleuve Rouge. En fait, 30 000 combattants viet-minh étaient infiltrés en permanence dans ce secteur. Une violente bataille, l'« Enfer de Hoa Binh », ou « Enfer de la route coloniale 6 », débuta en novembre 1951 dans la région et dura deux mois. L'année précédente, les Français avaient abandonné leurs positions entre le nord du fleuve Rouge et la frontière chinoise. Le 14 novembre, les parachutistes français s'emparèrent facilement de la ville de Hoa Binh, tenue par le Viet-minh. Hoa Binh était en effet le nœud stratégique des communications routières vers Hanoi *via* la route coloniale 6. C'était aussi, de fait, la capitale du peuple muong, allié aux Français, dont deux bataillons combattaient aux côtés des troupes françaises. Une victoire à Hoa Binh aurait constitué un encouragement psychologique pour les armées muong et thai, qui tenaient les montagnes du Nord-Ouest. A ses débuts, la presse occidentale qualifiait l'opération de « pistolet pointé au cœur de l'ennemi ».

L'infanterie viet-minh se lança à l'assaut des barbelés, se battant au corps à corps avec les troupes françaises, qui regroupaient autour de la Légion étrangère des unités muong, vietnamiennes, marocaines et algériennes. Certains des combats les plus sanglants se déroulèrent sur la rivière Noire (Song Da), près du lieu-dit le « rocher Notre-Dame ». Le Viet-minh n'était plus la troupe disparate et déguenillée d'antan : il était maintenant muni de chars, de mortiers, d'armes automatiques et d'obusiers. Le gros de l'équipement était de fabrication chinoise, mais une bonne partie était d'origine américaine et provenait de stocks

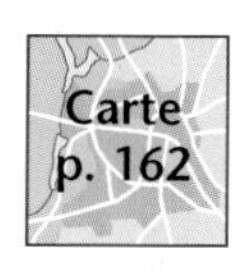
Carte p. 162

Pause-thé pour ces jeunes recrues d'une école militaire en manœuvres dans la campagne près de Hanoi.

d'armes tombés aux mains des forces communistes chinoises pendant la guerre de Corée et rétrocédés au Viet Minh. Fin février, les Français furent contraints d'évacuer le secteur de la rivière Noire et la route nationale 6. La guerre dura encore deux ans, mais, pour le Viet Minh, Hoa Binh fut une répétition générale de la bataille de Dien Bien Phu. Paradoxalement, Hoa Binh signifie « paix » en vietnamien.

Aujourd'hui, ce chef-lieu de la province est devenu une importante ville industrielle. A 3 km s'élève le plus grand barrage hydroélectrique d'Asie du Sud-Est. Sa construction dura dix ans, avec l'assistance technique et financière de l'ancienne Union soviétique, et sa mise en eau impliqua le déplacement de 50 000 membres des minorités ethniques de la vallée de la rivière Noire. Actuellement, cette installation emploie environ 35 000 personnes. L'électricité produite est transportée par une ligne à haute tension qui traverse tout le pays du nord au sud jusqu'au delta du Mékong.

La région de Hoa Binh est peuplée de plusieurs minorités ethniques (Muong, Hmong, Thai, Tay et Man). De nombreux vestiges mésolithiques de la culture dite « de Hoa Binh » (XIe au VIIIe millénaire avant notre ère) ont été découverts aux alentours de Song Da. Les boutiques et les marchés de Hoa Binh proposent de nombreux objets artisanaux fabriqués dans les tribus, mais les touristes étrangers ne s'y attardent guère, préférant l'ambiance rurale de la vallée de Mai Chau, à une soixantaine de kilomètres.

LE NORD DE HANOI

Seize kilomètres au nord de Hanoi, la route des monts Tam Dao quitte la route nationale 2 à hauteur de la ville industrielle de **Vinh Yen ❻**. En 1951, Vinh Yen n'était plus qu'un amas de ruines, et sa prise laissa croire un temps que l'armée fran-

Transport de nasses à crevettes en lames de bambou tressées.

çaise était sur le chemin de la victoire. Depuis 1945 en effet, les forêts des monts Tam Dao étaient le sanctuaire du Viet-minh, tandis que la route nationale 2 était tenue par les Français. Le général Vo Nguyen Giap, fort de quatre-vingt un bataillons bien armés, estima que le Viet-minh était prêt pour une contre-offensive foudroyante qui pouvait le conduire à Hanoi pour la fête du Têt. Le 13 janvier 1951, ses troupes attaquèrent les postes de garde installés autour de Vinh Yen. Après le bombardement le plus intense de toute la guerre d'Indochine, les forces françaises reconquirent la ville en quatre jours, tandis que l'armée viet-minh se retirait dans les montagnes. Six mille soldats viet-minh furent tués et quelque huit mille blessés. La plupart des victimes furent brûlées vives par les bombes au napalm.

La station climatique de **Tam Dao** ❼, située à 90 km au nord-ouest de Hanoi, fut fondée par les Français en 1907. Les habitants de Hanoi, soucieux d'échapper à la moiteur qui règne la plus grande partie de l'année dans la capitale, apprécient la fraîcheur de cette cité. En effet, Tam Dao est juché à 880 m d'altitude, sur un vaste plateau du massif de Tam Dao qui sépare les provinces de Vinh Phu et de Bac Thai. Ce nom de Tam Dao (les « Trois Îles ») lui vient de ses trois sommets, le **Thien Thi** (1 375 m), le **Thach Bin** (1 388 m) et le **Phu Ngia** (1 400 m), qui apparaissent de loin comme trois îles émergeant d'une mer de nuages. Ce cadre paisible au climat vivifiant (température moyenne de 10° C) se prête à de nombreuses randonnées pédestres.

Les forêts qui tapissent les montagnes abritent une faune et une flore particulièrement riches. Le cours sinueux de la **Suoi Bac** (la « rivière Argentée »), qui coule au pied du mont Thien Thi, est jalonné de bassins naturels où l'on peut se baigner.

Carte p. 162

A gauche, les Vietnamiens ont la passion du jeu dès leur plus jeune âge ; ci-dessous, un professeur de guitare.

Pour les Vietnamiens, Tam Dao rappelle aussi un triste souvenir de la lutte anticolonialiste. Après la mutinerie et le soulèvement désastreux de Thai Nguyen en août 1917, une centaine de soldats rebelles et de prisonniers politiques évadés se replièrent ici pour combattre jusqu'au dernier les troupes françaises. Voyant l'étau se refermer, leur chef, le sergent Trinh Van Can, se suicida.

Au sud-ouest de Tam Dao, sur le **mont Nghia Linh**, dans le district de Phong Chau, s'échelonnent trois sanctuaires érigés par les souverains Hung, entre le VIIe et le IIIe siècle avant notre ère. Au pied de la montagne, un portail flanqué de deux stèles de pierre dont les inscriptions célèbrent les origines du peuple vietnamien s'ouvrent sur deux cent vingt-cinq marches qui mènent au premier temple, le **Den Ha** ❽. Encore cent soixante-huit marches et l'on accède au temple du milieu, le **Den Hung**. Enfin, cent deux marches plus haut s'élève le temple supérieur, le **Den Tong**. Ce dernier sanctuaire est dédié au culte du Ciel, de la Terre, du génie du Riz, et de Than Giong, l'enfant héros qui, au IIIe siècle av. J.-C., aurait chassé les envahisseurs Han avec l'aide d'un génie ayant pris la forme d'un cheval de fer. C'est là que le dernier roi Hung aurait transmis son pouvoir, à la fin du IIIe siècle, au dynaste Thuc Phan, fondateur du royaume d'Au Lac. Le 10 mars, des fidèles viennent de tout le Vietnam célébrer la grande fête du temple.

Plus au nord, la **pagode de Vinh Khanh** ❾, dans le district de Lap Thach, est célèbre pour sa **tour Binh Son**, construite au XIIIe siècle, sous les Tran. Cet édifice en briques d'argile cuite, de 16 m de haut, compte onze étages richement décorés. Tout près se trouve la **ferme aux serpents de Vinh Son**, dans le district de Vinh Lac. Elle produit du vin de serpent (un alcool dans lequel on a laissé macérer des reptiles) et le Najatox, pommade à base de venin contre les douleurs musculaires et articulaires.

Fillettes de l'ethnie des Thai noirs en costume traditionnel.

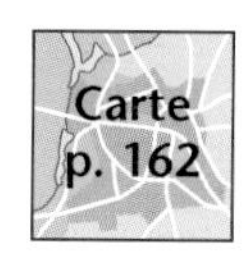

En 1945, alors que la défaite des Japonais par les Alliés était imminente, Ho Chi Minh descendit vers le sud et s'installa à **Tan Trao** ⑩, où il établit le quartier général du Parti communiste. Quelques jours après la reddition des Japonais, le 10 août 1945, il organisa depuis Tran Tao la marche du Viet-minh sur Hanoi pour s'emparer du pouvoir. Ho Chi Minh lui-même partit pour Hanoi le 26 août.

LE SUD DE HANOI

C'est dans le district de My Duc, à 65 km au sud de Hanoi, que s'élève la **montagne des Parfums** (Huong Tich Son), l'un des plus beaux sites du Vietnam. Au flanc de cette montagne calcaire sont en effet perchés les édifices de la **pagode des Parfums** (Chua Huong) ⑪, vaste ensemble de temples, de pagodes et de chapelles dont l'architecture s'intègre parfaitement à la nature luxuriante. On peut y accéder par la route, mais il est préférable de s'y rendre en bateau. La longue promenade en sampan permet de remonter les méandres de la **rivière de la Queue d'hirondelle** (Son Yen Vi), à travers de paisibles rizières que dominent des collines karstiques aux formes tourmentées et aux noms pittoresques : l'Éléphant agenouillé, la Nonne ou le Plateau de riz. Les barques à fond plat sont pilotées par de robustes batelières, ramant de manière assez inhabituelle : faisant face à la proue, elles poussent les avirons vers l'arrière, le plus souvent avec les pieds.

Après une navigation de 4 km, on débarque près de la **Pagode-qui-mène-au-Ciel** (Thien Chu Chua), datant du XVIIe siècle, devant laquelle s'élève un clocher à trois étages. De là, un sentier sinueux et escarpé gravit les falaises de la montagne des Parfums et longe de nombreuses pagodes et grottes telles celles de Tien Son et Hinh Bong, ainsi que la **pagode du Purgatoire** (Giai Oan Chua) où, dit-on, les

A gauche, sampans attendant, à Huong Son, les pèlerins pour la montagne des Parfums ; ci-dessous, pêche dans une rizière inondée.

âmes sont purifiées et les chagrins dissipés. Le sentier mène, au sommet de la montagne, à la **grotte des Parfums** (Huong Tich Chu). Cette immense cavité abrite le plus important sanctuaire du Huong Tich Son, dédié au Bouddha et à Quan Am, la déesse de la Miséricorde. Selon la tradition, c'est sur le Huong Tich Son que le bodhisattva Avalokiteshvara se serait métamorphosé en Quan Am.

L'entrée de la grotte est surmontée de très beaux idéogrammes qui la décrivent comme « la première grotte sous le ciel du Sud » et, au XVIIIe siècle, le seigneur Trinh Sam l'éleva au rang de plus important sanctuaire du royaume. Bien que, selon la légende, cette caverne ait été découverte il y a plus de deux mille ans, la construction de la pagode ne commença qu'en 1575. À l'intérieur, une stèle indique que la statue en bronze de Quan Am fut coulée en 1767, avant que les Tay Son ne la descellent et ne la fondent pour en faire des boulets de canon. Elle fut remplacée en 1793 par une sculpture de pierre.

Ce cadre superbe continue à exercer un grand attrait sur les bouddhistes vietnamiens, et des milliers de pèlerins y affluent de tout le Nord-Vietnam du 2e au 3e mois lunaire (mars et avril) pour la fête annuelle des Sept Semaines. Visiter le site à cette occasion est une expérience inoubliable. De leurs barques, les pèlerins se souhaitent la bienvenue en criant : « *A di da Phat !* » (« Loué soit le Bouddha Amitabha ! »). Mais on peut préférer la quiétude du site en dehors des périodes de grands pèlerinages.

L'est de Hanoi

Le village de **Bat Trang** ⓬, à 10 km au sud-est de Hanoi, se consacre à la céramique depuis plus de cinq siècles. Ses productions sont vendues dans les boutiques modernes de la rue principale. Le vieux quartier, près du fleuve, est un lacis de

Remontée en sampans de la rivière de la Queue d'hirondelle.

ruelles serrées entre des murs de brique tapissés d'amas noirâtres semblables à des bouses de vache. Il s'agit en fait des mottes de charbon mises à sécher avant d'alimenter les fours. L'accumulation séculaire des cendres dans les rues est telle qu'il faut maintenant descendre plusieurs marches pour pénétrer dans les habitations et les ateliers. A l'intérieur sont installés des fours à briques – autrefois, on ne cuisait que des briques à Bat Trang – et de grandes cuves d'argile blanche liquide. Les artisans produisent aujourd'hui des pièces de faïence, surtout des théières, de la vaisselle et de grandes urnes hautes de 3 m, à décor bleu sur fond blanc, destinées aux temples et aux pagodes. La maison communale du village, située en bordure du fleuve, est dédiée à Bach Ma (la « Maison Blanche »), l'esprit protecteur du roi Le Thanh Tong, et à cinq héros du village, dont Hau Chi Coa, qui introduisit la céramique. Une plaque commémorative, apposée sur un des murs de la cité, fut, au dire des villageois, offerte par l'empereur Gia Long au début du XIXe siècle, en hommage aux potiers de Bat Trang qui fournirent les briques utilisées pour la construction de la Cité impériale de Hué.

Le village de **Dong Ky**, à 15 km de Hanoi, fut longtemps le plus grand centre de fabrication de pétards, jusqu'à leur interdiction totale en 1995. La principale fête de l'année, le Festival des pétards, avait lieu en janvier, et c'était à qui produirait la plus forte explosion : certains pétards atteignaient 16 m de long… Ce festival était certainement une réminiscence d'anciens rites religieux où l'on implorait la venue du tonnerre, des éclairs et de la pluie. Privés de travail, les habitants de Dong Ky se sont tournés vers la fabrication de meubles.

Ceux-ci, ainsi qu'une multitude de bibelots en bois sculpté, sont vendus dans les boutiques de la rue principale. Les Vietnamiens fortunés sem-

Carte p. 162

Céramiques de Bat Trang.

L'atelier d'un potier à Bat Trang.

blent apprécier les modèles les plus ostentatoires : lourds canapés de bois noir et fauteuils géants sculptés d'une surabondance de dragons et de lions rugissants. Selon les vendeurs, les meilleurs clients sont les nouveaux riches du pays et les Vietnamiens expatriés. On peut également trouver des meubles plus dépouillés, décorés de belles incrustations de nacre.

A 7 km de Hanoi, **Le Mat**, dont la spécialité est l'élevage de serpents, est une étape originale. Le cobra et le serpent-buffle, dont le goût rappelle celui du poulet, servent à confectionner des soupes, des hors-d'œuvre et des plats. Sous les yeux des convives, le serpent est extrait de sa cage et vidé. Le sang, recueilli dans un verre d'alcool de riz, est réputé aphrodisiaque. Les amateurs pourront rapporter une bouteille de cet élixir, où flotte un cobra lové.

Le Mat est aussi le cadre d'une légende du XIe siècle, qui raconte qu'une des filles du roi Ly Thai Tong naviguait sur la rivière Duong lorsqu'un démon en forme de serpent fit chavirer son bateau. Un jeune homme du village plongea, tua le serpent et sauva la princesse. Le roi lui offrit une récompense que le jeune homme refusa, demandant en échange que les terres à l'ouest de Hanoi soient distribuées aux pauvres de Le Mat. Ceux-ci fondèrent treize villages et, chaque année en mars, leurs descendants se retrouvent à Le Mat pour une cérémonie d'action de grâces. A cette occasion, une grande marmite est portée sur un palanquin jusqu'à un étang. Là, une carpe fraîchement pêchée est plongée dans la marmite remplie d'eau claire, puis amenée en procession à la maison communale. La danse du serpent, exécutée par les jeunes du village, est d'origine plus récente et trouve son inspiration dans les arts martiaux.

La **pagode Dao** (Chua Dau) ⓭, située à 30 km de Hanoi, date du XIIIe siècle. Elle est un peu à l'écart

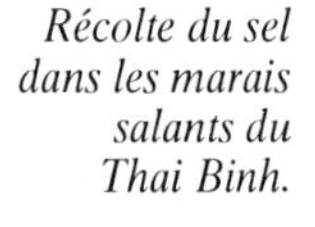

Récolte du sel dans les marais salants du Thai Binh.

des grands axes, mais la route qui y mène traverse une campagne fort belle et permet d'observer de plus près la vie traditionnelle des villages. Le sanctuaire renferme deux statues de bois laqué qui contiennent les restes momifiés de deux bonzes, les frères Vu Khac Minh et Vu Kach Truong, qui vécurent dans cette pagode il y a trois siècles. Tout proche et dans le même district de Tien Son, le village de **Lim** est chaque année, peu après les fêtes du Têt, le théâtre d'une grande manifestation populaire. Pendant trois jours, du 13 au 15 du 1er mois lunaire, tous les habitants de la région convergent vers Lim pour assister et participer à un concours de chants folkloriques, les *quan ho*, chantés alternativement par les jeunes hommes et les jeunes femmes.

La **pagode de But Thap** (Chua But Thap) ⓮, qui se dresse près du village de Dinh To dans la province de Ha Bac, est étonnante. Construite au XIIIe siècle, elle est d'inspiration nettement chinoise. Dans cet endroit tranquille au bord d'un canal s'élève également un rare stupa de pierre à quatre étages, **Bao Nghiem**. Il est orné de plusieurs statues de pierre dont l'une représente Quan Am, déesse de la Miséricorde, avec ses mille yeux et ses mille bras. Ses adorateurs croient que ces yeux et ces bras possèdent un pouvoir surnaturel : les yeux voient ceux qui sont dans le besoin et les bras leur viennent en aide.

Lors de la très ancienne fête de But Thap, le 23e jour du 3e mois lunaire, se déroulent des concours d'arts martiaux.

Vers l'est, en direction de Haiphong et de la côte, la route traverse les plaines de la province de Hai Hung, célèbre pour ses vergers, dont les fruits succulents, longanes et litchis en particulier, appréciés dans tout le pays, régalaient jadis la cour impériale.

Hai Duong, la capitale provinciale, possède la plus grande

Carte p. 162

Labour d'une rizière au crépuscule.

fabrique de céramiques du Nord-Vietnam, édifiée avec l'aide de la Chine. La spécialité gastronomique locale est le *banh cuon*, crêpe de riz fourrée de lamelles de porc.

Dans la commune de Hung Dao, à 60 km de Hanoi, le **temple de Kiep Bac** (Den Kiep Bac) ⓯ remonte au XIIIe siècle. Ce sanctuaire est dédié au général Tran Hung Dao, héros national qui vainquit les Mongols au XIIIe siècle et dont l'armée aurait campé dans la vallée voisine. Le temple renferme les statues de Tran Hung Dao, de ses deux filles, du général Pham Ngu Lao et des génies de l'Étoile polaire et de la Croix du Sud. La fête annuelle du sanctuaire, qui a lieu le 20e jour du 8e mois lunaire, rassemble de nombreux fidèles. Sur ce site magnifique s'étend également un vieux jardin dont les herbes médicinales étaient autrefois utilisées par les services sanitaires de l'armée.

A 10 km de là, la **pagode de Con Son** (Chua Con Son) ⓰ honore la mémoire de Nguyen Trai (1380-1442), grand poète, philosophe et stratège de génie qui aida Le Loi à libérer le pays de l'occupant Ming au début du XVe siècle. Cette belle pagode, au pied d'une colline, abrite les statues de Nguyen Trai, de son grand-père maternel et des trois patriarches bouddhistes qui fondèrent la secte Truc Lam. Un escalier de six cents marches grimpe jusqu'au sommet de la colline voisine, d'où l'on découvre un superbe point de vue sur les montagnes environnantes.

Ci-dessous, un ancien camion militaire. A droite, les rizières exigent un entretien constant et méticuleux.

Fertilisée par les crues du fleuve Rouge, bénéficiant d'hivers frais et d'étés chauds et bien arrosés, la région de Hanoi est propice à la culture du riz, du tabac et des fruits. L'élevage des volailles y est également important. Mais l'agriculture reste très peu mécanisée et tout se fait encore à la main (photo ci-contre).

DE HANOI À LA FRONTIÈRE CHINOISE

La route traverse la province de Ha Bac et la région stratégique de **Bac Ninh**, la ville principale, puis les rizières du delta du fleuve Rouge, avant de pénétrer dans la région montagneuse qui précède la frontière avec la Chine. Ce secteur fut le théâtre de la violente guerre-éclair sino-vietnamienne de février 1979.

Dans la province de Bac Ninh, les fêtes traditionnelles sont célébrées avec plus de faste que partout ailleurs au Vietnam. L'ancienne **citadelle de Luy Lau** ainsi que le temple et le **mausolée de Si Nhiep**, gouverneur de l'ancien Giao Chi, figurent parmi les principaux monuments. La **pagode de la relique du Bouddha** (Chua Phat Tich), située sur une colline dans le village de Phuong Hoang, fut construite au XIe siècle sous la dynastie Ly. Elle a été très endommagée par le temps et les guerres, mais la monumentale statue du Bouddha Amitabha, haute de 40 m et remontant au XIe siècle, est intacte.

Le village de **Dong Ho**, proche de Bach Ninh, est un haut lieu de la gravure sur bois. Ces estampes, réalisées selon des techniques ancestrales, servent à décorer les habitations lors des fêtes du Têt. Les membres d'une même famille participent à toutes les étapes de la fabrication : gravure des planches, préparation des couleurs végétales et minérales, impression, teinture et application du *diêp* (poudre de nacre).

HOA LƯ-02

HAIPHONG ET LA BAIE DE HALONG

En quittant Hanoi vers l'est, en descendant la vallée du fleuve Rouge, la route nationale 5 se dirige vers Haiphong et le littoral de la mer de Chine, ourlé de superbes plages de sable blanc. De là, on peut s'embarquer pour l'archipel des Cat Ba et surtout pour la baie de Halong, l'un des plus beaux sites naturels du monde, classé patrimoine mondial par l'Unesco en 1994.

La nationale 5 traverse l'une des régions les plus peuplées du pays. Lors de la guerre d'Indochine, elle était gardée sur toute sa longueur par une véritable ligne fortifiée où se succédaient plusieurs milliers de casemates et de fortins entourés de champs de mines et desservis par des pistes d'atterrissage. Ce luxe de précautions n'empêchait pas le Vietminh de circuler comme il l'entendait. Aujourd'hui, la route accueille une circulation intense et désordonnée, où se mêlent les camions lourdement chargés, les bicyclettes et les vélomoteurs disparaissant sous les cages à poules et les sacs de riz, et des troupeaux de cochons en route vers les marchés.

HAIPHONG

Situé au nord-est du delta du Bac Bo, à 120 km de Hanoi et à 20 km de la pleine mer, **Haiphong** ❶ occupe la rive droite de la **Cam**, artère fluviale très animée. Seize cours d'eau traversent cette ville, dont le plus célèbre est le **Bach Dang**, fleuve immortalisé par la victoire retentissante, en 938, de Ngo Quyen sur l'imposante escadre chinoise des Han du Sud. La flotte des Song fut également écrasée en ce lieu en 981, tout comme celle des Yuan, en 1288.

Les Français se virent accorder la concession de Haiphong en 1872 par le roi d'Annam et firent rapidement de ce gros bourg le deuxième port du Vietnam après Saigon, ainsi qu'un grand centre industriel, grâce aux houillères du Tonkin, dont le charbon faisait tourner les usines de la colonie et en constituait le principal produit d'exportation. C'est encore par Haiphong que transite une grande partie des échanges commerciaux du pays.

La ville fut occupée par les Japonais pendant la Seconde Guerre mondiale, puis ravagée par les bombardements français et américains lors des guerres d'Indochine et du Vietnam. En 1946, prenant prétexte d'un incident mineur qui s'était produit lors d'un contrôle douanier – ou de l'arrestation de contrebandiers, ce point demeure obscur –, le haut-commissaire Thierry d'Argenlieu ordonna le bombardement des quartiers populaires, faisant au moins 6 000 victimes civiles. En 1972, le président Nixon ordonna le minage du port et son blocus pour tenter d'enrayer les livraisons d'armes en provenance d'Union soviétique.

La proclamation de la paix en 1975 ne signifia pas la fin des

Carte p. 178

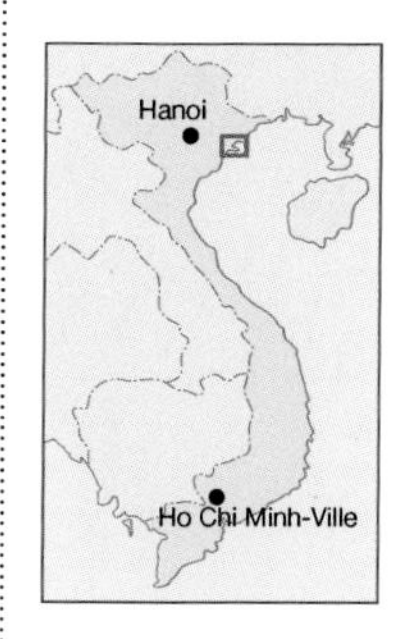

A gauche, déchargement de riz du delta du Mékong à Haiphong; ci-dessous, pause entre deux courses.

Haiphong a deux visages: d'un côté, l'immense port, plaque tournante de la contrebande avec la Chine voisine et des trafics en tous genres; de l'autre, une ville paisible et verdoyante aux allures de sous-préfecture. Aux alentours de l'avenue Dien Bien Phu, l'ancien quartier français a conservé de belles demeures, son théâtre et son hôtel du Commerce.

troubles à Haiphong. Pendant près de dix ans, le port vit partir clandestinement des dizaines de milliers de *boat people*, rejoints en 1979 dans leur exode par les membres de la minorité chinoise fuyant les campagnes gouvernementales contre « l'opportunisme commercial ».

Depuis la fin de la guerre, des milliers d'habitations ont été reconstruites. La zone industrielle a connu un grand développement depuis le départ des Français, et les faubourgs de Haiphong abritent désormais de nombreuses usines de machines-outils, verreries, briqueteries, cimenteries et fours à chaux. L'activité industrielle ne cesse de croître pour répondre aux besoins de la région, en pleine reconstruction. Au début des années 1990, le gouvernement espérait accélérer ce développement grâce aux investissements étrangers, qui, cependant, sont restés relativement faibles.

Troisième ville du pays avec plus d'un million d'habitants, ce port industriel a la réputation de n'offrir qu'un intérêt touristique limité. Pourtant, Haiphong n'est pas dénué d'attraits. Malgré les destructions et une circulation envahissante, la ville conserve le charme désuet d'un port colonial, avec ses villas, ses larges avenues ombragées, ses jardins publics bien tenus et son **théâtre municipal**. Tôt le matin, au moment où les pêcheurs reviennent de mer, se tient sur les quais un pittoresque marché aux poissons. On trouve des produits artisanaux très bon marché (objets en laiton, en fer forgé, en bois, en écaille de tortue et en corne, articles en nacre ou laqués) dans les magasins situés entre Dien Bien Phu et le théâtre et sur le marché Sat.

Haiphong abrite également quelques vénérables sanctuaires, dont le plus ancien est la **pagode Du Hang**, fondée au Xe siècle mais restaurée à maintes reprises depuis. Elle est située dans le sud de la ville, au n° 121, Chua Hang. On atteint la salle principale en traversant un clo-

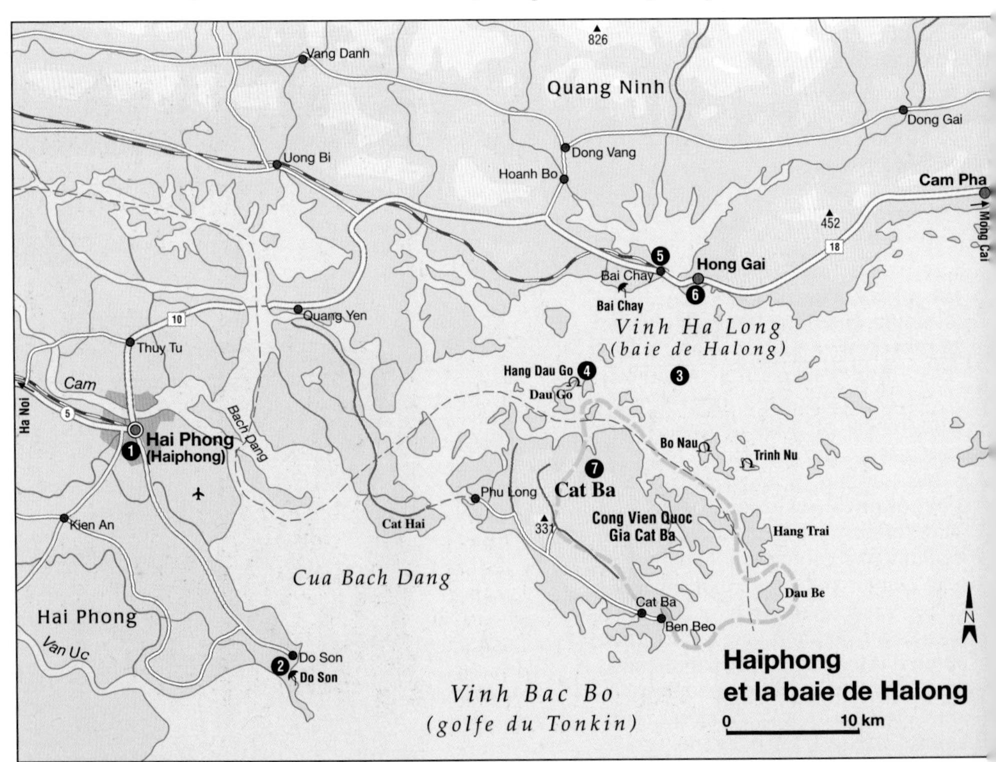

cher à trois étages, puis une cour couverte. Derrière l'autel se dresse une statue du Bouddha enfant protégé par neuf dragons. Cette pagode est souvent confondue – même par les habitants de Haiphong et les chauffeurs de taxi – avec le *dinh* de **Hang Kenh**, qui se trouve au n° 53, Nguyen Cong Tru. Cet édifice date de 1781. Il est orné de cinq cents sculptures sur bois qui dépeignent diverses scènes de la vie quotidienne et présente une superbe charpente sculptée de dragons, soutenue par trente-deux piliers de bois de fer.

Le **temple Nghe** (1919), dans Ngo Nghe, est dédié à Le Chan, amazone émérite qui combattit les Chinois aux côtés des sœurs Trung. On peut également visiter la manufacture de tapis Hang Kenh, fondée dans les années 1920, ainsi que le **Musée municipal**, dont les collections sont notamment consacrées à la préhistoire de la région et à l'histoire de la ville.

A une vingtaine de kilomètres au sud-est de Haiphong, à l'extrémité d'une péninsule, la station balnéaire de **Do Son** ❷ a été fondée en 1886. Autrefois réservée aux Français et aux hauts fonctionnaires vietnamiens de l'administration coloniale, elle est aujourd'hui très fréquentée par la riche bourgeoisie de Hanoi. Sa belle plage de sable fin qui s'étire au pied de collines couvertes de pins est léchée par les eaux transparentes du golfe du Tonkin. Chaque année, lors du 10ᵉ jour du 8ᵉ mois lunaire, de populaires combats de buffles attirent à Do Son des milliers de spectateurs. A l'extrémité de la péninsule de Do Son se trouve l'unique casino officiel du Vietnam, réservé aux étrangers.

LA BAIE DE HALONG

Baignée par la mer Bleue (Luc Hai), la **baie de Halong** (Vinh Ha Long) ❸ forme l'un des paysages les plus somptueux d'Asie. Cette « huitième merveille du monde » couvre une superficie de 1550 km² où

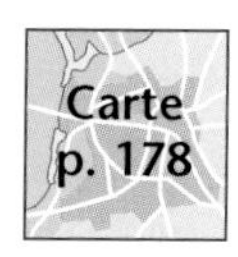
Carte p. 178

L'ORIGINE DE LA BAIE DE HALONG

Au-delà des légendes, la baie de Halong, dans la province de Quang Ninh, frontalière de la Chine, est, en termes de géologie, un parfait exemple de formation karstique – le terme « karst » désignant les phénomènes de corrosion du calcaire, en particulier le creusement de grottes et de gorges. Ce type de formation n'est pas rare au Vietnam, et la région de Hoa Lu, surnommée la « baie de Halong terrestre », a la même origine : un vaste plateau calcaire lentement taraudé par les eaux. Dans le cas de la baie de Halong, tout laisse à penser que le plateau a d'abord été entaillé par les affluents du fleuve Rouge et travaillé par les eaux souterraines, puis immergé dans le golfe du Tonkin à la suite d'un affaissement généralisé ou d'une montée du niveau de la mer. L'érosion marine et éolienne (des vagues hautes de 30 m peuvent se former lors des typhons) a ensuite accéléré le processus de fragmentation des roches, créant ainsi une multitude d'îles et d'îlots traversés de part en part de multiples grottes et tunnels qui ne sont que le reliquat de réseaux de galeries beaucoup plus vastes. S'il est impossible de découvrir la baie dans sa totalité compte tenu de son étendue, une excursion en bateau rapide d'une durée minimale de cinq à six heures permet d'en avoir un bon aperçu et de visiter quelques-unes des plus belles îles.

Le centre de Haiphong.

Yuccas en baie de Halong.

s'égrènent près de trois mille îles, îlots et récifs karstiques truffés de cavernes, qui surgissent de la mer telles d'étranges sculptures. Certains culminent à 400 m, et la plupart sont frangés de vastes plages désertes de sable blanc. Les sampans et les jonques qui glissent silencieusement sur les eaux transparentes renforcent cette impression d'irréalité. Seule une quinzaine d'îles sont habitées en permanence, les autres ne sont animées que par des colonies de singes ou d'oiseaux.

Ha Long signifie le « Dragon descendant » en vietnamien. La légende veut qu'un grand dragon et sa progéniture aient un jour, à la demande de l'Empereur de Jade, quitté leur antre dans les montagnes pour arrêter des envahisseurs venus par la mer. Les dragons imaginèrent de détruire les navires ennemis en les bombardant avec des blocs de jade, qui devinrent autant d'îlots. Selon une autre version, le dragon plongea dans l'océan, creusant avec sa queue de profondes crevasses dans le sol. L'eau submergea ensuite ces crevasses, créant ainsi une multitude d'îles. Le dragon fut tellement charmé par le résultat qu'il décida de s'y installer définitivement avec ses descendants. Les habitants de la région sont encore persuadés qu'un monstre marin noir, long de 30 m, vit au fond de la baie. En revanche, il est certain que les eaux regorgent de langoustes, de crabes, d'ormeaux, de crevettes et de calmars.

Comme la baie elle-même, chaque îlot, chaque grotte et chaque rocher a son nom – le Coq combattant, la Tortue, la Femme assoupie, le Poisson de pierre – et sa légende. Ainsi, la **grotte de la Vierge** (Trinh Nu) évoque la triste histoire d'une jeune fille dont les parents étaient si pauvres qu'ils devaient se contenter de louer un bateau. Comme ils ne pouvaient en payer le loyer, le propriétaire exigea la main de leur fille en remboursement de la dette. La jeune fille refusa ce mariage forcé

Jonques de pêche en baie de Halong.

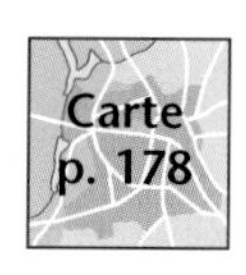

malgré les menaces et les coups. Elle fut alors abandonnée dans une grotte où elle mourut de faim. Après sa mort, un rocher évoquant la silhouette d'un femme apparut à l'emplacement de sa tombe.

Une promenade en bateau autour de la baie (depuis Hong Gai ou Bay Chay) inclut généralement une visite des grottes du Pélican (Bo Nau) et de la Vierge, ainsi que du tunnel de Hang Hanh.

La **grotte de Dau Go** (grotte « des Bouts de bois ») ❹, baptisée grotte des Merveilles par les Français, est la plus spectaculaire de toutes. Ses trois salles renferment d'innombrables stalactites et stalagmites qui épousent la forme d'animaux ou d'êtres humains, telles les concrétions du Bouddha, du phénix qui danse ou du lion couché. Le nom vietnamien de la grotte remonte au XIIIe siècle : au fil des âges, la baie de Halong fut le théâtre de nombreuses batailles contre les envahisseurs chinois. C'est dans la troisième salle que le général Tran Hung Dao aurait caché les pieux effilés garnis de pointes en fer qui, plantés ensuite dans le lit du Bach Dang, servirent à éperonner et à couler les bâtiments de la flotte mongole de Kubilaï Khan.

Le **tunnel de la Douane** (Hang Hanh, ou Can Pha), long de 2 km et qui ressemble à une rivière souterraine, n'est accessible qu'en barque et à marée basse, tout comme le lagon bleu lumineux de Dau Bao, que l'on atteint après avoir traversé trois galeries successives. En face de la grotte du Pélican, la **grotte de la Surprise** (Bo Han) mérite bien son nom : un dédale de salles et de galeries conduit au « jardin du Roi », merveilleuse parcelle de jungle dissimulée au cœur de l'îlot.

L'île de **Tuan Chau** était autrefois le lieu de villégiature favori de l'élite coloniale. Par la suite, Ho Chi Minh y a souvent séjourné, et si les villas des colons désormais abandonnées disparaissent lentement sous la

Le départ des pêcheurs à l'aube.

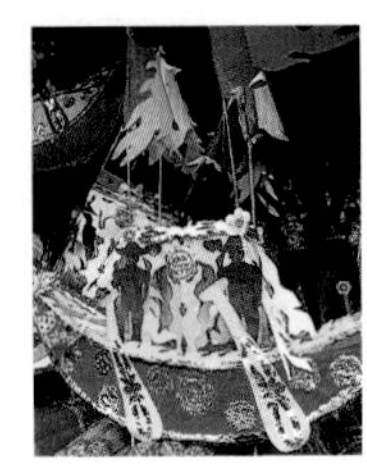

Ex-voto d'un temple de pêcheurs en baie de Halong.

Prière avant la pêche devant l'autel d'un îlot.

végétation luxuriante, sa maison a été transformée en mémorial.

La ville de **Halong** est une création administrative qui date seulement de 1994. Elle regroupe les deux villes de Bai Chay et de Hon Gai et les villages environnants. **Bai Chay** ❺ est devenu un véritable « piège à touristes » sans charme et sans intérêt, où alternent des boutiques de pacotille et de petits hôtels tout juste construits et souvent déjà délabrés, tandis que les plages de galets et l'eau polluée n'incitent guère à la baignade. La construction d'une station d'épuration financée par la Banque mondiale est cependant en projet.

Le week-end, la ville est bondée de touristes vietnamiens et chinois qui semblent surtout attirés par les multiples karaokés. Hors saison, Bai Chay est quasiment déserté. Malgré tout, les nombreux restaurants de plein air du front de mer proposent de délicieux plats de poissons et de fruits de mer.

Sur l'autre rive d'un bras de mer que les bacs traversent en quelques minutes, la ville de **Hong Gai** ❻ (dont le nom signifie précisément « mine de charbon ») est nettement plus intéressante malgré son aspect industriel et son urbanisme déprimant. C'est de son port qu'est exporté, essentiellement vers le Japon, l'anthracite extrait des mines à ciel ouvert de la province de Quang Ninh (ces mines représentent 90 % des ressources charbonnières du Vietnam). A l'époque coloniale, des milliers de paysans étaient employés dans ces mines, mais les conditions de travail étaient si dures qu'elles provoquèrent plusieurs révoltes contre les propriétaires français.

Hong Gai offre un beau point de vue sur la baie. Au pied de la colline de **Nui Bai Tho**, à proximité de l'embarcadère des ferries pour Haiphong et Cat Ba, un petit village de pêcheurs abrite quelques restaurants de plein air et un marché pittoresque où les pêcheurs proposent

des dizaines d'espèces de poissons d'eaux côtières et d'eaux profondes, ainsi que des crustacés, des algues et des coraux.

De là, un sentier mène à la **pagode de Long Tien**. Tout au long du chemin, des inscriptions gravées il y a plusieurs siècles sur les rochers célèbrent la beauté de la baie de Halong. La pagode, peinte de couleurs vives et gardée par des statues de farouches guerriers en armure, aurait été édifiée il y a 500 ans. Elle est dédiée au fameux général Tran Hung Dao, qui repoussa les Mongols en 1284. A proximité, un petit musée (visite sur rendez-vous uniquement) abrite une collection d'ossements, de fossiles, de bijoux et d'ornements découverts lors de fouilles effectuées sur les îles voisines.

L'archipel des Cat Ba

De Haiphong, on peut gagner en bateau l'archipel des Cat Ba. Dans le golfe du Tonkin, au sud-ouest de la baie de Halong, il comprend trois cent soixante-six îles et îlots, couvrant une superficie totale de 20 000 ha. Ces îles sont dotées de superbes plages et de grottes qui se prêtent à l'exploration.

A 20 km au large de Haiphong s'étend la plus grande (188 km^2), **Cat Ba ❼**, dont le nom signifie l'« Abîme de sable ». On l'atteint après une traversée de trois heures (trois départs quotidiens). Surtout peuplée de pêcheurs, cette île offre des paysages magnifiques : collines boisées s'élevant abruptement audessus de la mer, mangroves, marais d'eau douce, lacs et cascades. L'occupation du site est très ancienne : on a découvert des ossements humains et des outils datant du néolithique dans plusieurs grottes, en particulier celle de Cai Beo.

Si Cat Ba, encore inconnue des touristes dans les années 1990, est devenue une destination très prisée, sa population est néanmoins tombée à moins de 15 000 habitants, à peine

Carte p. 178

Les voiles orange des Cat Ba

La meilleure manière de découvrir l'archipel des Cat Ba consiste à caboter de port en port et d'île en île, à bord d'une embarcation traditionnelle. Les plus grandes sont les jonques. Leur coque est en bois, et les deux mâts portent des voiles orange en ailes de papillon. Malheureusement, remplacés par des bateaux de pêche à coque métallique et à moteur, ces beaux voiliers se font de plus en plus rares.

Les barques ovales sont en bambou tressé et enduit de goudron. Elles se manœuvrent à la rame, mais sont aujourd'hui souvent équipées d'un moteur hors-bord. Malgré leur aspect frêle, les pêcheurs n'hésitent pas à les utiliser pour s'aventurer au large.

Les petites barques rondes à rames sont construites de manière analogue, en joncs tressés sur une armature de bambou : ainsi, en une dizaine de jours, chacun peut se fabriquer une embarcation qui ne lui coûte rien, capable de résister un ou deux ans aux caprices de la mer. Dans le port de Cat Ba, ces barques font fonction de taxis. C'est l'occasion de découvrir de près une vraie ville flottante, grouillante de vie. Assez grands pour accueillir toute une famille, les bateaux sont aménagés en véritables maisons, télévision comprise. La vie quotidienne s'y déroule sous les regards de tous, des repas pris sur le pont au linge qui sèche accroché aux mâts.

Cuisine de poissons de la baie de Halong.

Dans les Cat Ba, les bois de cerfs sont recherchés pour leurs vertus médicinales.

Ci-contre, lavage du riz à bord d'un sampan ; ci-dessous, hôtel en baie de Halong.

la moitié de ce qu'elle était vers 1980. En effet, les ports de Cat Ba, particulièrement discrets, constituaient autant de bases de départ idéales pour les *boat people* du Nord-Vietnam à la fin des années 1970. La plupart des bateaux de pêche des Cat Ba ont ainsi quitté l'archipel à cette époque pour n'y plus revenir. D'autre part, la majorité des îliens étaient d'origine chinoise. Lorsque les persécutions organisées par le gouvernement contre la minorité chinoise débutèrent en 1979, peu avant le conflit sino-vietnamien, ils s'empressèrent de quitter le pays. Aujourd'hui, la plupart de ceux qui sont restés à Cat Ba ont des parents installés aux États-Unis, au Canada ou en Australie. C'est grâce à l'argent envoyé par ces émigrés qu'ont été édifiés les nombreux petits hôtels du bourg de Cat Ba, la plus grosse agglomération et le principal port de l'île.

En 1986, un parc national de 570 ha a été aménagé dans une réserve naturelle de 14 000 ha au sud-est de l'île. Il abrite au moins vingt espèces d'oiseaux (dont des calaos et des faucons), vingt-huit spécimens de mammifères (chèvres et chats sauvages, sangliers, porcs-épics, hérissons, loutres, écureuils, daims, gibbons, etc.) et plusieurs variétés de reptiles. Parmi les espèces les plus originales, le singe à tête blanche (*Poliocephalus*) semble voler lorsqu'il bondit d'arbre en arbre. Malheureusement, il est difficile d'observer les animaux qui, victimes du braconnage, sont devenus particulièrement craintifs.

L'entrée principale du parc naturel se situe à **Trung Trang**, à 18 km du village de Cat Ba. Elle est desservie par des autobus réguliers au départ de Cat Ba. La piste sinueuse traverse des vergers de litchis entourant des fermes abandonnées avant d'atteindre une région de collines hérissées de roches calcaires.

Du bâtiment d'accueil (possibilité de visionner un film d'initiation à la faune et à la flore), un chemin permet d'effectuer le tour du parc. Le sentier est facile, mais il faut compter une dizaine d'heures de marche pour accomplir le trajet aller-retour. Sur tout le parcours, des enfants vendent des boissons fraîches et proposent leurs services comme guides – ce qui n'est pas à dédaigner. On traverse un vestige de forêt primaire avant d'atteindre le **lac Ech** (« aux Grenouilles »), puis le village de **Viet Hai**, d'où l'on peut gagner la mer avant de retourner à l'accueil. Certaines excursions guidées, organisées en petits groupes, permettent de repartir directement de Viet Hai en bateau et de découvrir de nombreux îlots, voire de profiter de leurs plages pour une baignade, avant le retour à Cat Ba.

Lors de la traversée de l'île à pied, il est également possible de visiter au passage plusieurs cavernes, comme la **grotte de Hung Song**, qui abrite deux petits autels, et la belle grotte à concrétions de **Thien Long** (ou de Trung Tran), à 100 m de la route principale, découverte en 1988.

Toute la région de la baie de Halong vit de plus en plus de la manne touristique, et les hôtels s'y sont rapidement multipliés, financés par les Vietnamiens expatriés. S'il devient plus facile de trouver un hébergement à prix correct dans la région, attention toutefois aux rabatteurs qui se disputent les touristes et « gonflent » les prix en accord avec les hôteliers.

Kunming
Lahadi
Pingbian
Kunming
Thanh Th
Yuan
Dulong
2419
Ha Giang
Ha Giang
Ma Li Chai
Jinping
Ngu dai son
3120
Ban Pa Thang
Xiaohekou
Tchoung Sao
Nam Ric
Nam Cum
Bac Ha
Yizu Zizhixian
Phong Tho
Giang Mung Pho
Muong Te
Hekou Yaozu Zizhixian
Lao Cai
Ban Thuy
Bac Qu
Nam Khap
Ban Tang
Lang Cay
Da (rivière Noire)
A Pa Chai
Muong Boum
Cam Duong
Fan Si Pan
3143
Sa Pa
Yen Binh Xa
Ta Fou San
Sinh Ho
Ban Ko La
Pho Lu
Vinh Tuy
Nam Na
Ban Nam Che
Ban Nam Muong
Nam Bon
Muong Bo
Chay
Bac Ba
Phu Den Din
Muong Nhe
Ban Cheng Nuo
Lao Cai
Hong (fleuve Rouge)
Pho Rang
Bao Ha
Sop Pong
Lai Chau
Lai Chau
Pac Tha
Hoang Lien Son
Van Ban
Ham Yen
Muang Hat Hin
Ban Po Bai
Nam Bai
Nui Con Voi
Lang Na
Muong Tong
Muang Va
2913
Lang Than
Ou
Ban Nam Nen
Quynh Nhai
Ban Kung
Tu Le
Yen Bai
Phongsali
Ban Na Pheo
Poun Loung
Boun Nua
Sen Soi
Luan Chau
Ban Pa Houne
Yen Bai
Bo Kong
Tuan Giao
Pha Din
Phu Luong
2985
Nghia Lo
Van An
Sop Nhom
Ban Na Tong
Ban Veng
Ba Khe
Ban Khana
Lao Phou Van
Tho
Dien Bien Phu
Ban Vay
Son La
Ban Naluang
Ban Cong Deng
Pak Pe
Xom Tang
Phu Yen
Pak Ban
Deo Tay Chang
Bac Yen
Ma
Muang Khoua
Muang Mai
Phou Sam Sao
Son La
Song Ma
Co Noi
Sop Kai
Taxoum
Ban Beng
1235
Da (rivière Noire)
Sam Phou
Chieng Pan
Muong Leo
Moc Chau
Sao Phai
Muong Het
Ban Loup
Thao Nguyen
Suoi
Sala Mok
Pa Luong
Sop Long
1880
Muang Ngoy
Muang Peu
Muang Hom
Mai Ch
Ban Nambak
Ban Tat Loi
Ban Keng Long
1418
Lang K
Ban Se
Ban Xay
Muong Lat
Muang Xon
Ban Poung
Xam Nua
Luong
Ban Namnga
1422
Suong
Phou Loi
2263
Muang Yong
Xiangmen
Muang Peun
Ban Na Mang
Phou Pan
Muang Ven
2079
Ban Sop Tiek
Pakxeng
LAOS
Ban Na Chang
Bat Lat-Han
Ban Pak-Ou
Ban Na Pho
Houamany
Ban Houali
Menam Khong
Ban Houa Keng
Ban Kha
Ban Ko Kieng
Ban Houay Tieng
Ban Sieou
Ban Sopche
Ban Thamnou
(Mékong)
Louangphabang
(Louang Prabang)
Khan
Muang Na
Xiang Ngeun
Poungthak
2452
Ban Pak Mene
Muong Hin
Ban Songhak
Plateau de Xieng Khouang
Ban Ban
Ban Chuong La
Ban Sen Done Mong
Muang Souy
Ban Naxa
Ban Niang
Houaylom
Ban Chieng
Ban Len
Muong Lam
2097
Phou Khoun
Ban Sen Kom
Ngum
Ban Nampit
Phonsavan
Ky Son
Ban Pho Feui
Muang Pang
Ban Thuang
Xiang Khoang
Nghe An
Ban Nammadao
Ban Natham
Phu Xai Lai Leng
Tuong Duong
Ban Na
Canh Trap
Ban Palan Noy
Ban Ko Oi
Muang Kasi
Ban San Tong
Phou Xao
2590
Muang Mok
2711
Nui Truong Son
Ban Thieng
2455
Longtiang
Ca
Khe Bo
Lik
Ban Phatang
Muang Phoun
Ban Dong
Ban Muangngat
Con
Phou Bia
2820
Muang Thathom
1559
Ban Vang An
Anh S
Muang Vangviang
Muang Mok
Ngiap
Ban Houaykap Lang
Ban Thasi
Muang Fuang
Ban Houay Pamon
Ban Keo Song Lay
Ban Don
Xiangmi
Ban Hatkham
Ban Sop

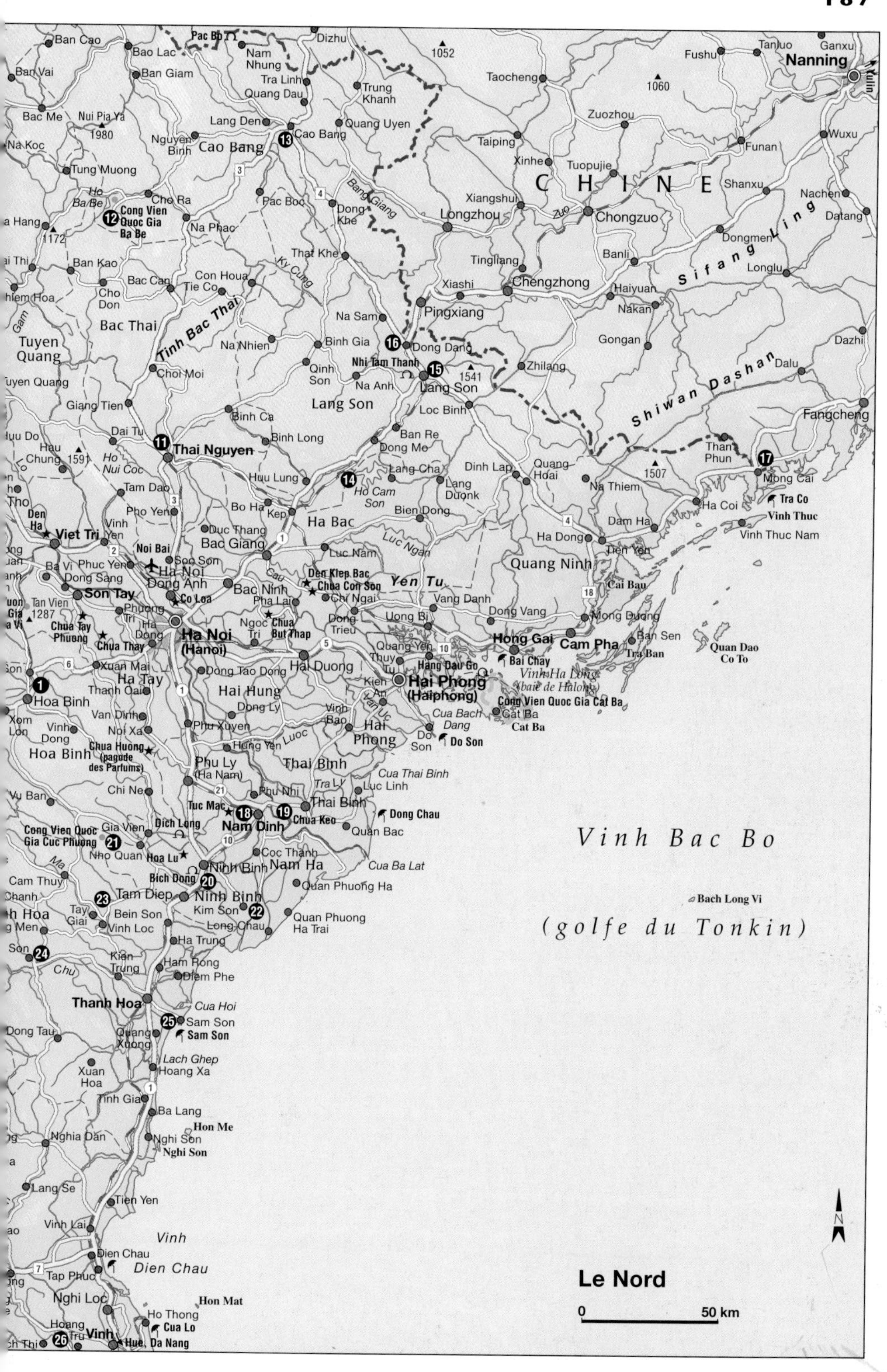
Le Nord
0
50 km
N
CHINE
Vinh Bac Bo
(golfe du Tonkin)
Nanning
Fushu
Tanluo
Ganxu
Taocheng
1060
1052
Dizhu
Pac Bo
Nam
Nhung
Tra Linh
Quang Dau
Trung
Khanh
Ban Cao
Bao Lac
Ban Vai
Ban Giam
Bac Me
Nui Pia Ya
1980
Lang Den
Quang Uyen
Cao Bang
Nguyen
Binh
Cao Bang
Na Koc
Tung Muong
Zuozhou
Taiping
Wuxu
Funan
Xinhe
Tuopujie
Shanxu
Nachen
Datang
Xiangshui
Longzhou
Zuo
Chongzuo
Bang Giang
Pac Bo
Dong
Khe
Ho
Ba Be
Cho Ra
Cong Vien
Quoc Gia
Ba Be
Na Phac
1172
Dongmen
Sifang Ling
Banli
Longlu
Tingliang
That Khe
Ky Cung
Ban Kao
Bac Can
Con Houa
Tie Co
Cho
Don
Bac Thai
Tinh Bac Thai
Xiashi
Chengzhong
Haiyuan
Nakan
Pingxiang
Na Sam
Binh Gia
Dong Dang
Na Nhien
Gongan
Dazhi
Tuyen
Quang
Choi Moi
Nhi Tam Thanh
Qinh
Son
Na Anh
Lang Son
1541
Zhilang
Shiwan Dashan
Dalu
Tuyen Quang
Giang Tien
Lang Son
Loc Binh
Binh Ca
Fangcheng
Dai Tu
Hau
Chung
1591
Ho
Nui Coc
Thai Nguyen
Binh Long
Ban Re
Dong Me
Than
Phun
Lang Cha
Dinh Lap
Quang
Hoai
1507
Mong Cai
Na Thiem
Tam Dao
Huu Lung
Ho Cam
Son
Lang
Duonk
Tra Co
Vinh Thuc
Ha Coi
Vinh Thuc Nam
Den
Ha
Viet Tri
Vinh
Yen
Pho Yen
Bo Ha
Kep
Bien Dong
Duc Thang
Bac Giang
Ha Bac
Luc Ngan
Dam Ha
Ha Dong
Tien Yen
Noi Bai
Phuc Yen
Ba Vi
Dong Sang
Soc Son
Ha Noi
Dong Anh
Co Loa
Luc Nam
Cau
Den Kiep Bac
Chua Con Son
Chi Ngai
Yen Tu
Quang Ninh
Cai Bau
Son Tay
Tan Vien
1287
Chua Tay
Phuong
Chua Thay
Phuong
Tri
Ha
Dong
Bac Ninh
Pha Lai
Ngoc
Tri
Chua
But Thap
Vang Danh
Dong Vang
Uong Bi
Dong
Trieu
Mong Duong
Ha Noi
(Hanoi)
Hai Duong
Quang Yen
Thuy
Tu
Hang Dau Go
Hong Gai
Cam Pha
Ban Sen
Tra Ban
Quan Dao
Co To
Bai Chay
Xuan Mai
Ha Tay
Dong Tao Dong
Kien
An
Hai Phong
(Haiphong)
Vinh Ha Long
(baie de Halong)
Hoa Binh
Thanh Oai
Hai Hung
Cong Vien Quoc Gia Cat Ba
Cat Ba
Cat Ba
Van Dinh
Dong Ly
Vinh
Bao
Cua Bach
Dang
Xom
Lon
Vinh
Dong
Noi Xa
Phu Xuyen
Hai
Phong
Do
Son
Do Son
Hoa Binh
Chua Huong
(pagode
des Parfums)
Hung Yen
Luoc
Phu Ly
(Ha Nam)
Thai Binh
Cua Thai Binh
Luc Linh
Chi Ne
Vu Ban
Phu Nhi
Tra Ly
Thai Binh
Dong Chau
Tuc Mac
Nam Dinh
Chua Keo
Quan Bac
Cong Vien Quoc
Gia Cuc Phuong
Gia Vien
Dich Long
Nho Quan
Hoa Lu
Coc Thanh
Nam Ha
Cua Ba Lat
Ma
Cam Thuy
Bich Dong
Ninh Binh
Quan Phuong Ha
Bach Long Vi
Tam Diep
Ninh Binh
Tay
Giai
Bein Son
Vinh Loc
Kim Son
Long Chau
Quan Phuong
Ha Trai
Ha Trung
Kien
Trung
Chu
Ham Rong
Diem Phe
Thanh Hoa
Cua Hoi
Sam Son
Sam Son
Dong Tau
Quang
Xuong
Lach Ghep
Hoang Xa
Xuan
Hoa
Tinh Gia
Ba Lang
Hon Me
Nghia Dan
Nghi Son
Nghi Son
Lang Se
Tien Yen
Vinh Lai
Vinh
Dien Chau
Dien Chau
Tap Phuc
Nghi Loc
Hon Mat
Ho Thong
Cua Lo
Hoang
Tru
Vinh
Hue, Da Nang

LES MONTAGNES DU NORD-OUEST

A l'ouest et au nord-ouest de Hanoi, la plaine du delta du fleuve Rouge fait rapidement place à des montagnes escarpées. Cette région frontalière de la Chine et du Laos, au climat rude et à l'histoire agitée, est peuplée de plusieurs groupes ethniques (Muong, Hmong, Thai, Tay, Man et bien d'autres). Ces territoires ont été âprement disputés depuis des millénaires, et l'on s'y souvient encore des héros et des batailles d'autrefois, tandis que le nom d'une vallée perdue dans la montagne, Dien Bien Phu, est plus récemment passé à la postérité.

A L'OUEST DE HANOI

A l'ouest de Hanoi et de **Hoa Binh ❶**, le district de Moc Chau occupe une vallée montagnarde aux paysages superbes. La région est un important foyer de peuplement thai et muong. Toute la vallée est sillonnée de canaux d'irrigation qui fertilisent les rizières et les champs de manioc et apportent l'eau jusqu'aux habitations, qui sont nombreuses à posséder un étang piscicole. Mais la principale richesse de la vallée provient de l'or. Depuis plus d'un siècle, les hommes pompent la boue des ruisseaux environnants afin de recueillir les paillettes d'or charriées par les eaux depuis les montagnes, activité qui leur assure des revenus supérieurs à ceux des citadins.

Les Muong sont parmi les plus anciens habitants du pays, et leur installation est peut-être même antérieure à celle des Viet. Par comparaison, les Thai, arrivés de Chine du sud il y a quelque 2 000 ans, sont presque des nouveaux venus. Les ancêtres des Thai blancs de Moc Chau sont probablement venus du Laos voisin à une époque encore plus récente : par les sentiers de la montagne, la province laotienne de Sam Neua est à moins de 30 km de marche. Cette hypothèse est confortée par les nombreuses similitudes existant entre le laotien et les dialectes thai blancs. Par exemple, *ban* signifie « village » et *muang* « district » dans les deux langues.

Les Muong et les Thai blancs parlent chacun leur langue, mais les deux cultures se sont progressivement mélangées et les mariages mixtes ne sont pas rares. Ainsi, les deux peuples vivent dans les mêmes maisons sur pilotis, aux planchers de bambou curieusement élastiques. Avec leurs volets de bois et leurs toits de chaume ou de tuile débordants, elles évoquent une carapace de tortue. A l'intérieur, on trouve une immense pièce unique. Un autel des ancêtres dressé devant une maison signale l'appartenance de ses habitants au peuple muong.

Outre l'agriculture, les Thai noirs, les Thai blancs et les Muong sont réputés pour leurs tissus et leurs broderies. Entre les pilotis des habitations sont installés un ou deux métiers et quelquefois un étal, qui

Carte p. 186

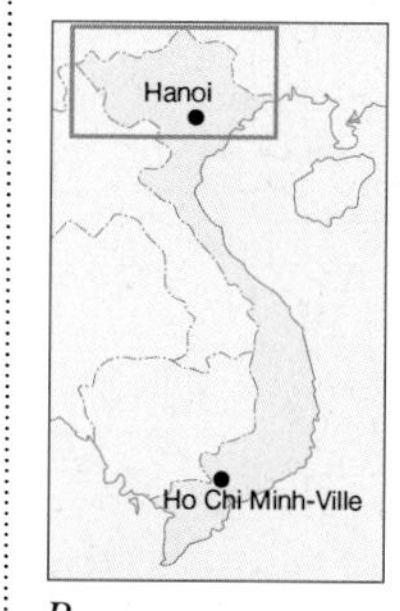

Pages précédentes : jeunes filles de l'ethnie des Thai noirs. A gauche, fermier hmong ; ci-dessous, chemin près d'un village thai noir.

Les Thai noirs appartiennent à la grande famille de langue thaïe, qui regroupe les Thai blancs et les Thai noirs du Nord-Ouest, et les Nung et les Tay (ou Tho) du Nord-Est. Installés depuis le IIe millénaire av. J.-C., ces agriculteurs ont aménagé d'immenses rizières en terrasses, irriguées par une multitude de canaux.

présente leur production de châles et de foulards.

Les habitants du district de Moc Chau ne portent plus leurs vêtements traditionnels qu'à l'occasion de manifestations folkloriques organisées pour les touristes. Les femmes des deux ethnies revêtent de courtes vestes très ajustées aux couleurs vives, fermées par une rangée d'agrafes ou de minuscules boutons d'argent. Leur longues jupes sombres, dont la coupe évoque les sarongs indonésiens, sont souvent décorées de fines bandelettes de tissus, et leurs ourlets sont quelquefois brodés. Les bandes de tissus venant souligner la taille sont typiques de la région de Moc Chau. Leurs danses sont accompagnées par des musiciens jouant de la flûte de roseau, du claquoir, du tambourin et des cymbales. La soirée s'achève par une dégustation d'alcool de manioc, servi dans un grand bol où chacun boit à l'aide de longues pailles de roseau.

A 150 km environ de Hanoi, soit à près de quatre heures de route, la ville de **Moc Chau** ❷ est la porte d'entrée de la vallée de Mai Chau. A l'approche de cette ville-marché, les vaches noir et blanc se font de plus en plus nombreuses sur la route ; la région est en effet devenue un centre de production laitière, avec l'aide de l'Australie.

Moc Chau est une étape importante sur la route de Dien Bien Phu et des montagnes du Nord-Ouest. Au-delà, les pistes, peu fréquentées, sont en très mauvais état et à la saison des pluies, de mai à septembre, les glissements de terrain sont fréquents et peuvent bloquer les voyageurs pendant plusieurs semaines. En janvier et février, les routes sont plus praticables, mais la température peut tomber à -3° C. En toute saison, il est impératif de circuler en véhicule tout terrain et la présence d'un guide peut se révéler précieuse. Les habitants de Moc Chau font d'excellents guides, mais la plupart

Rizières inondées au nord-ouest de Hanoi.

ne parlent que vietnamien, et un interprète est nécessaire.

Au fur et à mesure que l'on se dirige vers l'ouest par la route nationale 6, les cultures changent, les rizières font place aux plantations de thé, de coton et d'arbres fruitiers, en particulier de mûriers dont les feuilles servent à nourrir les vers à soie. On atteint enfin la province montagneuse et densément boisée de Son La, frontalière du Laos. Ce grand centre d'élevage est surtout peuplé de groupes thai, mnong, tay, muong, kho-mu, man, xinh-mun et hoa). Sur une centaine de kilomètres, de Moc Chau à Son La, et dans tout le nord-ouest du pays, le paysage est identique. Quand la montagne n'est pas totalement déboisée, la jeunesse de la végétation trahit une déforestation récente. Ce pillage à grande échelle de la forêt se poursuit malgré les interdictions. De tout temps, les habitants de la région ont utilisé le bois pour construire leurs maisons et se chauffer, tandis que les Hmong et bien d'autres pratiquent la culture sur brûlis. Mais l'exploitation industrielle intensive de la forêt a considérablement aggravé la situation.

Le long de la route, on croise souvent des Thai noirs, dont les femmes se reconnaissent à leurs turbans brodés aux couleurs vives.

A 308 km de Hanoi, **Son La ❸**, la capitale provinciale, est située sur la rive sud de la Nam La, à 600 m d'altitude. Cette ville sans charme accueille un important marché où se rendent de nombreux Mong, Muong, Xinh Mun et Thai noirs et blancs, vêtus de leurs costumes traditionnels. De nombreux nationalistes vietnamiens furent incarcérés dans la **prison** (Bao Tang Son La), construite en 1908 par les Français sur la colline de Khau Ca, au centre de la ville. Une grande partie des bâtiments fut détruite durant la guerre d'Indochine, mais on peut encore visiter les sinistres cachots du sous-sol, ainsi qu'un petit musée.

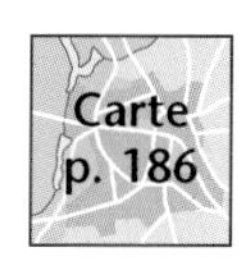
Carte p. 186

A gauche, champ de tabac; ci-dessous, sépulture d'une jeune Hmong.

Autour de Son La s'étend un paysage verdoyant de vergers et de rizières. A 6 km de la ville, le village thai noir de **Ban Mong** est connu pour ses sources chaudes. Les grottes de **Tam Ta Toong** ne présentent guère d'intérêt.

DIEN BIEN PHU

Il faut compter trois heures pour parcourir les 75 km qui séparent Son La de la petite ville de Tuan Giao. De là, la route nationale 42 mène, après 80 km, à **Dien Bien Phu ❹**, site de la bataille qui devait marquer la fin de la présence française en Indochine. On peut également se rendre de Hanoi à Dien Bien Phu par avion : l'ancien aéroport militaire de Muong Thanh n'est qu'à une heure de vol de la capitale. Par la route, il faut compter deux jours pour accomplir le même trajet, avec étape à Son La.

L'ancien champ de bataille, une profonde cuvette de 18 km de long sur 3 km de large, débouche sur la vaste vallée de Muong Thanh, dominée à l'est par le Phu Xam Xan (1 897 m) et séparée du Laos, à l'ouest, par de hautes montagnes. Au début de l'année 1954, le général Navarre envoya douze bataillons du corps expéditionnaire français occuper la vallée de Muong Thanh afin d'empêcher le Viet-minh de s'infiltrer au Laos. Le général Vo Nguyen Giap, en brillant stratège, encercla les onze mille soldats français avec des troupes cinq fois plus nombreuses. Pilonnées par l'artillerie postée sur les falaises surplombant leur camp retranché, soumises à de constants assauts, les forces françaises, commandées par le général de Castries, capitulèrent le 7 mai. Au final, le bilan de l'opération fut terrible, avec quelque 3 000 morts, 4 000 blessés et 10 000 prisonniers.

Le **musée de l'Armée** abrite de nombreux documents d'époque, une maquette de la bataille et une collection d'armes. Pour visiter le

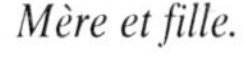
Mère et fille.

champ de bataille proprement dit, il est nécessaire d'être accompagné d'un guide (s'adresser au bureau du musée). La visite inclut le QG du général de Castries, reconstitué à l'identique, et la colline A1 (colline Éliane), où l'on peut voir les vestiges du dernier bunker tenu par les Français avant l'assaut final. A proximité se dresse un modeste mémorial aux soldats français tués pendant les combats.

Il est également possible de compléter la visite par une excursion jusqu'au QG du général Giap, installé près du village de Muong Phang, à plus de 25 km à vol d'oiseau du champ de bataille (accessible par minibus et moto-taxi). C'est depuis cette cachette en partie souterraine que Giap dirigea par radio l'ensemble des opérations.

La ville de Dien Bien Phu, qui n'était à l'époque de la bataille qu'un petit hameau perdu, s'étend sur la rive est de la Nam Rom. Au milieu des alignements de baraques de bois, les immeubles en béton se multiplient, financés non par les revenus du tourisme, mais par ceux de la contrebande. En effet, on ne compte guère plus de 600 touristes, en majorité français, à se rendre chaque année à Dien Bien Phu, malgré les deux vols directs hebdomadaires depuis Hanoi.

En 1993, la ville est devenue la nouvelle capitale provinciale à la place de Lai Chau, ce qui a encore accéléré son expansion.

AU NORD DE DIEN BIEN PHU

Depuis Dien Bien Phu, la route nationale 12 rejoint directement la capitale historique thai de **Lai Chau ❺**, à 100 km au nord. A la saison des pluies, cette piste est quelquefois impraticable et il devient alors nécessaire de rebrousser chemin jusqu'à Tuan Giao pour emprunter la route nationale 6A.

Lai Chau, l'ancienne capitale régionale, s'étend dans une profonde

Carte p. 186

Visite du général Giap lors du 40e anniversaire de la bataille de Dien Bien Phu.

vallée creusée par le fleuve Noir. Elle est aujourd'hui réduite à une poignée de baraquements recouverts de tôle. La ville a en effet été totalement détruite par deux inondations dramatiques successives, en 1991 et surtout en 1996, qui firent des centaines de victimes. Ses 10 000 habitants ont alors préféré s'installer plus haut dans les montagnes. Seul le marché, fréquenté par les groupes ethniques avoisinants, reste encore actif, mais plus pour longtemps, car le site devrait disparaître sous les eaux d'un lac de barrage.

Cet engloutissement programmé mettra fin à une longue histoire. La ville fut fondée par un peuple de la minorité thai, les Lu, venus de Chine du Sud vers le IVe ou le IIIe siècle av. J.-C. Pendant trois siècles, ils vécurent dans la vallée de Dien Bien Phu, avant de quitter progressivement la région pour s'installer au Laos. Plus tard, vers le XIe siècle, les Thai blancs et noirs vinrent à leur tour occuper les lieux.

Durant la guerre d'Indochine, les Français transformèrent Lai Chau en place forte – une des plus puissantes du Nord-Ouest. De son aéroport partaient des bataillons de parachutistes envoyés pour combattre le Viet-minh dans les montagnes environnantes. La ville, objet d'âpres combats, fut évacuée une première fois en novembre 1950, reprise, puis définitivement abandonnée en décembre 1953. Après le cessez-le-feu de juillet 1954, certaines tribus continuèrent à mener une guérilla contre le Viet-minh jusqu'à la fin des années 1950. Si l'aérodrome a disparu sans laisser de traces, on peut encore voir, au sommet d'une petite colline, quelques vestiges de la base.

Plus près de nous, la figure du dernier « chef » de Lai Chau, Deo Van Long, est restée dans les mémoires. Après la conférence de Genève, il réussit à négocier son départ pour la France, où il vécut confortablement des immenses profits qu'il avait tirés du trafic de l'opium.

Anciens combattants sur le champ de bataille de Dien Bien Phu.

Carte p. 186

La **province de Lai Chau** possède une frontière commune avec le Laos et la Chine. Les Thai, les Hmong, les Xinh-mun et les Ha Nhi sont les principales minorités ethniques représentées dans cette province, la moins densément peuplée de tout le pays : environ 30 hab./km², contre 1 000 hab./km² dans le delta du fleuve Rouge. La forêt, qui couvre 75 % de ce territoire, abrite des essences précieuses et des animaux rares, tigres, ours et bisons notamment. Mais il est à craindre que l'exploitation forestière intensive ne fasse là aussi des ravages.

Depuis Lai Chau, en se dirigeant vers le nord par la route nationale 6, puis en prenant vers l'est, peu avant la ville frontière de Nam Cum, la route 4D, on atteint Sa Pa après un parcours de 200 km. Les montagnes deviennent de plus en plus hautes et les forêts de plus en plus épaisses : on pénètre ici dans la chaîne des monts Hoang Lien. Sur la route, les bourgs de Phong To et de Tam Duong permettent de se ravitailler en carburant. Chaque lundi, le marché de **Phong Tho** réunit les nombreuses tribus des environs. Au-delà, la piste, simplement revêtue d'un mélange de latérite, de boue et de gravier, est perpétuellement en travaux, nécessités par de multiples glissements de terrain. Ici, tout se fait à la main : sous un soleil de plomb, les hommes, par petits groupes, cassent des cailloux à coups de masse. Certains, vêtus de pyjamas rayés, sont probablement des bagnards. Les femmes traînent de lourds couffins remplis de gravier, avec lequel elle comblent les nids-de-poule et les ornières.

SA PA ET LES MONTAGNARDS

Après la traversée d'une région quasi inhabitée, l'approche de **Sa Pa** ❻ est signalée par un hameau de huttes de la tribu Dao, installées en bordure de route peu avant le village de Binh Lu. A la différence des

LA DÉFAITE DE DIEN BIEN PHU

Le choix du site de Dien Bien Phu ne peut que laisser perplexe : contrairement aux usages militaires qui veulent qu'un camp retranché soit installé sur une hauteur, les forces françaises occupaient une profonde cuvette cernée de hautes montagnes culminant jusqu'à 1 000 m, recouvertes de végétation dense. Dien Bien Phu, ainsi exposé de toute part au feu de l'artillerie viet-minh, se révélera un piège mortel. Mais l'état-major français était convaincu que le Viet-minh ne disposait pas d'une véritable artillerie… Contre l'avis de ses conseillers, le général Giap décida dans un premier temps de ne rien tenter, préférant organiser tranquillement une attaque décisive. Le 13 mars 1954 à 17 h 30, il estima être prêt et lança ses troupes pour un premier assaut afin de mettre l'aérodrome hors service. Puis s'installa une fausse trêve, mise à profit pour creuser un réseau de boyaux qui permit au Viet-minh de prendre position à proximité immédiate du camp. Le 30 mars, une nouvelle offensive obligea les Français, totalement encerclés et isolés, à se réfugier dans une étroite bande de terrain. Après quelques semaines de guerre des tranchées, la bataille finale fut déclenchée le 1er mai. Le 7 mai, l'ultime assaut aboutit à la chute du QG français à 17 h 30, mettant fin à la colonisation de l'Indochine, dont la France se retira officiellement le 21 juillet.

Jeunes gens près de Lai Chau.

autres tribus rencontrées jusque-là, les Dao ne sont ni indifférents aux touristes ni intimidés par leurs appareils photo ; au contraire, les femmes n'hésitent pas à ôter leurs bijoux et leurs ornements pour tenter de les vendre aux visiteurs. Leur costume diffère légèrement de celui des femmes Dao de Sa Pa : leurs cheveux, coupés très court, sont dissimulés sous un turban noir retenu par une coiffe de métal ornée d'une petite couronne.

La station climatique de Sa Pa, perchée à 1500 m d'altitude dans le nord-ouest de la province, constitue une étape agréable. Elle fut fondée par les Français en 1922, sur un plateau célèbre pour ses vergers de pêchers et ses bois précieux. Au pied des plus hautes montagnes du pays, le site est magnifique.

L'hiver, et particulièrement en janvier et février, Sa Pa est une ville glaciale, battue par les vents et les tempêtes de neige. L'été, la ville est envahie par les Vietnamiens et les Chinois venus y chercher un peu de fraîcheur. Toute l'année, en fin de semaine, des groupes se rendent à Sa Pa pour assister au grand marché du week-end. Beaucoup de touristes semblent attirés par ce que certaines agences de voyages de Hanoi appellent de manière assez racoleuse le « marché de l'Amour nocturne ». En fait, si les montagnards se rendent à Sa Pa dès le vendredi soir, c'est avant tout pour commercer, et si les adolescents en âge de se marier s'y rencontrent effectivement, c'est à l'écart des curieux et de leurs appareils photo. Le « grand marché » proprement dit se tient le dimanche matin dans un vaste bâtiment à étages, sur la grand-place et les escaliers avoisinants.

De son passé, Sa Pa a conservé quelques belles villas coloniales, plus ou moins délabrées, mais la tendance est plutôt à la multiplication des bars à karaoké et des immeubles tape-à-l'œil. La ville ne s'est d'ailleurs pas encore remise de l'ex-

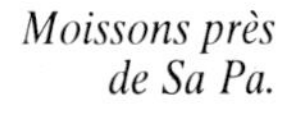

Moissons près de Sa Pa.

pédition punitive chinoise de 1979, dont témoignent les restes calcinés et jamais reconstruits de l'église et d'une partie des vieux quartiers du centre.

Bombardée et incendiée, l'église reste néanmoins ouverte au culte. La petite communauté catholique de Sa Pa se réunit tous les jours pour célébrer les matines et les vêpres à sa façon : privés de prêtre par le gouvernement, qui ne tolère que quelques rares visites de leur évêque, les fidèles récitent la messe de mémoire.

Depuis Sa Pa, les possibilités de randonnées pédestres sont multiples et permettent de visiter des villages montagnards des Hmong et des Thai blancs, comme Tan Van, ou encore d'aller admirer les chutes de Bac et de Cat Ca et le pont May, situés à proximité. Il est également possible de louer sur place une petite carriole. Mais la plus belle excursion est sans conteste l'ascension du plus haut sommet du pays, le **Fan Si Pan** ❼ (3143 m). Réservée aux personnes en bonne condition physique, cette véritable expédition avec guide et porteur demande de quatre à cinq jours de marche. Une fois dépassés les derniers villages et les plantations de thé et de cannelle, le sentier s'enfonce dans la forêt vierge où abondent les singes et les oiseaux.

LES COSTUMES TRADITIONNELS

Les Hmong portent des vêtements d'un bleu indigo très foncé, presque noir. Les femmes, coiffées d'un turban, sont vêtues d'une jupe, d'une veste et de guêtres et se parent de grandes boucles d'oreilles en argent. Les hommes sont habillés d'une veste longue sur une chemise et un pantalon très amples et arborent des colliers d'argent et de bronze. Les bébés portent des bonnets à pompons. Les quelques motifs brodés, très discrets, sont identiques à ceux des vêtements des Hmong de Thaïlande et du Laos.

Carte p. 186

Cascades de la province de Cao Bang.

Les costumes des Dao, tout comme leurs traditions et leur architecture, varient aussi considérablement selon les régions. Ici, les hommes s'habillent comme les Hmong, mais on les reconnaît aux broderies exubérantes et colorées de leurs vêtements. On retrouve des broderies identiques chez les Dao de Thaïlande et du Laos, de même que les pantalons larges et courts des femmes. Mais ici, elles portent également une veste courte devant et à longs pans derrière. Certaines de ces « queues-de-pie », entièrement recouvertes de broderies, sont de véritables œuvres d'art. Chez les Dao, hommes et femmes complètent leur costume par un sac orné de glands qu'on porte à l'épaule.

Ces vêtements, accessoires et bijoux, dont certains sont de véritables antiquités, sont en vente en fin de semaine sur le marché de Sa Pa – où le marchandage est de rigueur. Mais des femmes hmong et dao quadrillent la ville en permanence pour tenter de vendre, avec beaucoup d'insistance, leurs vêtements et leurs bijoux.

LA FRONTIÈRE CHINOISE

La ville-frontière de **Lao Cai** ❽, à 35 km de Sa Pa, n'offre guère d'intérêt, mais le trajet dévoile de beaux points de vue. La route se termine en cul-de-sac au poste frontière. Aux beaux jours de l'Indochine, les riches colons faisaient le voyage en chaise à porteurs. Sauf dans les périodes où la tension monte entre les deux pays, il est possible de passer en Chine à pied en empruntant, de jour, le pont de chemin de fer de Lao Cai. De l'autre côté se trouve la gare de Hekou, d'où partent des trains pour Kunming, la capitale du Yunnan chinois. Il faut être en possession d'un visa chinois et d'un visa vietnamien à double entrée précisant Lao Cai comme point de passage, mais de toute façon les policiers vietnamiens exigent systémati-

La rue principale de Sa Pa.

quement quelques dollars, faute de quoi on risque de se voir refuser le passage malgré la validité des visas.

Lao Cai a été rasée par les troupes chinoises lors de la guerre de 1979. La ville actuelle, sans âme, ressemble aux villes chinoises du communisme, avec ses grands immeubles cubiques de béton gris et ses larges rues poussiéreuses dépourvues de toute verdure. Mais Lao Cai avait déjà beaucoup souffert au début de 1951, lorsque le général Giap, soucieux de tester l'efficacité de son artillerie, avait ordonné le bombardement massif de la ville. Quelques jours plus tard, Lao Cai était tombé aux mains des Viet-minh, cinq fois supérieurs en nombre aux Français.

La bourgade de **Bac Ha** ❾, à 27 km à l'est de Lao Cai, est plus paisible et chaleureuse que Sa Pa. Les chevaux chargés de marchandises qui défilent dans ses rues lui confèrent une agréable ambiance de ville-frontière d'autrefois. Bac Ha est un grand centre de distillerie, où l'on produit du vin de riz et de manioc et un alcool de grain particulièrement puissant.

Le marché du dimanche rassemble les montagnards descendus des villages des environs : Hmong, Dao, Giay, Laichi, Lolo, Nhang, Nung, Phulao, Thai, Thulao, Chinois et Vietnamiens, tous les peuples de la région semblent s'y donner rendez-vous. Plusieurs autres marchés tout aussi pittoresques se tiennent dans le pays, en particulier le marché du dimanche de Lung Phin, à 12 km au nord de Bac Ha, et le marché aux bestiaux du samedi à Can Cau, 6 km plus loin.

Dans la campagne environnante s'étendent d'immenses vergers de pruniers. C'est le résultat d'un programme australo-nippon visant à proposer une alternative économique à la culture du pavot à opium. Les récoltes sont exportées vers les deux pays à l'origine de cette initiative.

Carte p. 186

Jeune Thai sur la véranda d'une maison sur pilotis.

Le climat froid des régions du Nord incite à manger chaud.

Retour à Hanoi

Lao Cai et Hanoi sont séparés par 240 km de mauvaise route, et mieux vaut prendre le train que se lancer dans ce trajet long et surtout très pénible. Deux trains relativement confortables relient chaque jour Lao Cai (départ à 9 h 40 et 18 h) à Hanoi (arrivée à 20 h 20 et 4 h 25) en un peu plus de dix heures. La ligne longe en permanence le fleuve Rouge.

Centre ferroviaire important, **Yen Bai** ❿ est aussi célèbre pour ses rubis. Cependant, seuls les passionnés d'histoire feront étape dans cette ville qui a été le théâtre de nombreux combats durant la guerre d'Indochine, et qui est surtout connue pour l'épisode de l'« insurrection de Yen Bai », le 10 février 1930.

Quoi qu'en dise l'histoire officielle, cette insurrection qui visait à soulever les troupes indigènes contre les Français fut en réalité organisée par un autre groupe nationaliste, le Parti nationaliste du Vietnam (Viêt Nam Quoc Dan Dang, VNQDD), dont la doctrine s'inspirait de celle du Guomindang de Sun Yat-sen. Le plan adopté prévoyait une révolte générale, mais, en fait, seule la garnison de Yen Bai se mutina et assassina ses officiers. La rébellion fut matée en vingt-quatre heures. Ce fut la première fois qu'une ville vietnamienne subit un bombardement aérien au napalm. Des centaines de mutins et douze dirigeants du VNQDD furent guillotinés. L'année suivante, de violentes émeutes et des grèves éclatèrent un peu partout, provoquées par la famine et la hausse des impôts. Le mécontentement était tel que deux « soviets » ruraux virent le jour à Nghe-Tinh, dans la province d'Annam. La répression fut si féroce (plus de 3 000 morts) que le VNQDD et le Parti communiste furent décimés, tout au moins dans le nord du pays, et mirent plus de dix ans à se reconstituer.

Dong Da, à la frontière chinoise, centre d'échanges commerciaux sino-vietnamiens.

AU NORD DE HANOI

A 80 km au nord de Hanoi par la route nationale 3, **Thai Nguyen** ⓫ est une grande ville industrielle assez triste. Elle possède la première aciérie du Sud-Est asiatique, construite avec l'aide de la Chine dans les années 1950, et produit également du ciment et des machines.

Thai Nguyen fut le cadre d'un des premiers épisodes violents de la lutte pour l'indépendance. En 1917, un étudiant nationaliste, Luong Ngoc Quyen, arrêté à Hong Kong sur ordre des autorités françaises et extradé, y fut emprisonné et torturé. Révoltée, la garnison indigène se mutina et s'empara de la ville. Les rebelles, regroupés sous la bannière de la Ligue pour la restauration du Vietnam, furent rejoints par les paysans et les mineurs. Les troupes françaises envoyées de Hanoi matèrent la révolte en quelques jours et Luong Ngoc Quyen fut tué. Les survivants se replièrent dans les monts Tam Dao, où ils furent presque tous capturés et exécutés en 1918. Durant la guerre d'Indochine, Thai Nguyen, tout comme Yen Bai, était d'une importance stratégique primordiale pour le Viet-minh qui y avait installé un des ses principaux dépôts d'armes et de munitions.

Thai Nguyen mérite un arrêt pour son intéressant **musée des Minorités ethniques**. La plupart des habitants et des ouvriers de la ville appartiennent d'ailleurs à ces minorités.

Au nord de Thai Nguyen, dans la province de Cao Bang, à 17 km de Cho Ra et non loin de la frontière du Bac Thai, le **parc national du lac Ba Be** (Cong Vien Quoc Gia Ba Be) ⓬ est sans conteste l'un des plus beaux sites du Vietnam. Ce lac, situé à 145 m au-dessus du niveau de la mer, est cerné de montagnes qui culminent à près de 2 186 m. Le **Ba Be** (les « Trois Baies ») est en réalité constitué d'un chapelet de trois lacs, large de 1 km et long de 9 km, et d'une profondeur moyenne de

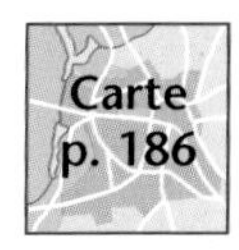
Carte p. 186

LES HMONG ET LES DAO DU VIETNAM

La majorité des groupes ethniques du Nord sont d'origine hmong et dao. Les Hmong (longtemps appelés Méo) sont plus de 550 000. Ces « nouveaux venus » dans le pays ont émigré de Chine de la fin du XVIIIe siècle au milieu du XIXe siècle. Ils se divisent en cinq groupes, parlant chacun leur dialecte. Ils occupent surtout de hauts plateaux inhospitaliers où ils pratiquent traditionnellement la riziculture en terrasses et les cultures sur brûlis (maïs, chanvre et coton notamment). Ils sont également cueilleurs de plantes médicinales et récoltent du miel, ainsi que la résine qui sert de base à la fabrication de la laque.

Les Hmong ont longtemps tiré l'essentiel de leurs revenus de la culture du pavot à opium. Depuis une dizaine d'années cependant, ils abandonnent progressivement le pavot pour se consacrer à l'exploitation d'arbres fruitiers (pêchers, pommiers et pruniers).

Venus de Chine au XIIIe siècle, les Dao, au nombre de 500 000 environ, sont connus sous les noms de Mien ou de Yao en Chine, au Laos et en Thaïlande. Cultivateurs comme les Hmong, ce sont aussi des éleveurs et d'habiles artisans, spécialistes en particulier du travail de l'argent et du cuir et de la fabrication du papier.

Villageois se rendant au marché.

30 m. On peut faire de la voile sur ce beau plan d'eau, se promener dans les forêts environnantes, explorer les grottes creusées dans les falaises calcaires, ou remonter le cours de la Nam Nang jusqu'aux cascades de Dau Dang. On peut également visiter l'un des villages man du district.

Le parc national abrite plus de trois cents espèces animales, dont des tigres, des ours, des macaques et des faisans. On y a récemment repéré quelques colonies de singes à nez retroussé, alors que l'on croyait l'espèce éteinte.

Il est possible de séjourner dans le parc, mais on risque de se heurter à la rapacité de l'administration locale. Depuis 1995, il n'est plus nécessaire de disposer d'un permis spécial pour visiter la région, mais les autorités de la province continuent à l'exiger et ne le délivrent que contre une substantielle gratification. Elles obligent également les touristes à séjourner uniquement dans les hôtels « officiels » du parc et du village de Cho Ra, à 18 km du lac. Confronté à une baisse préoccupante de la fréquentation touristique, le gouvernement central semble désireux d'y remettre de l'ordre.

La limite sud du parc empiète sur la province de Bac Thai, haut lieu de la lutte anticoloniale. Cette région accidentée était impénétrable pour les troupes françaises. Elle jouit d'un climat à la fois tropical et subtropical, avec des températures moyennes oscillant entre 14° C et 28° C. Un tel climat est particulièrement propice aux bambous et aux superbes palmiers à éventail (arbres du voyageur) qui recouvrent la plus grande partie de son territoire.

On atteint la province de Cao Bang, plus au nord, par la route nationale 4, qui se fraie difficilement un chemin entre les ravins et les montagnes. Surnommée « la rue sans joie » ou « la route sanglante » par les soldats français, cette route,

Mineur au travail dans la province de Quang Ninh.

théoriquement protégée par une ligne fortifiée, était constamment harcelée par le Viet-minh.

Depuis 1943, le Viet-minh était équipé et financé par les États-Unis. En échange, il transmettait des renseignements sur les Japonais et récupérait les pilotes alliés abattus. Au début de 1945, il contrôlait une grande partie des quatre provinces du Nord. Cette année-là, Giap décida d'organiser des troupes régulières, dont l'effectif se limitait alors à trente-quatre hommes équipés de trente et un fusils.

En 1949, après la victoire des forces communistes en Chine, le Viet-minh bénéficia du soutien total du nouveau gouvernement de Pékin : livraisons d'armes lourdes, présence d'instructeurs et surtout possibilité d'installer des camps d'entraînement en territoire chinois. En septembre et octobre 1950, Giap, qui s'était jusque-là contenté de coups de main contre des fortins isolés, décida de s'engager plus avant dans la guérilla et d'attaquer les importantes garnisons de Dong Khe et de Cao Bang. Les défenseurs de Cao Bang se résignèrent alors à évacuer la ville pour se replier sur Lang Son, mais tombèrent dans une embuscade sur la route 4. Ce désastre obligea les Français à abandonner également Lang Son. La chute de Lao Cai, quelques mois plus tard, permit au Viet-minh de prendre le contrôle de la totalité de la frontière chinoise, s'assurant ainsi de solides bases arrière. On estime aujourd'hui qu'après la déroute de Cao Bang, la guerre d'Indochine était d'ores et déjà perdue.

La province de Cao Bang partage 314 km de frontière avec la Chine et n'est accessible aux étrangers que depuis une dizaine d'années. Les forêts couvraient 90 % de son territoire, mais la déforestation a là aussi fait des ravages. Le climat y est frais et, en hiver, la neige recouvre les plus hauts sommets. Cette vaste région (8 500 km^2), peuplée par quelque

Carte p. 186

Paysannes partant aux champs, dans la province de Bac Thai.

500 000 personnes, est plutôt pauvre et tire l'essentiel de ses ressources des trente centrales hydroélectriques installées sur ses rivières.

La petite ville tranquille de **Cao Bang** ⓭ est la capitale provinciale. Bombardée par les Chinois en 1979, elle n'offre guère d'intérêt, si ce n'est son marché qui réunit, tôt le matin, les agriculteurs tay, hmong, nung, dao et lolo, tous vêtus de leurs costumes traditionnels.

Les Nung sont les plus nombreux. Ce peuple évalué à 700 000 personnes s'est fixé dans les deux provinces de Lang So et de Cao Bang. Établis dans les vallées, mais aussi sur les hauts plateaux comme celui de Dog May, à 1 000 m d'altitude, ils sont essentiellement riziculteurs et cultivent également le maïs et l'arachide. Tisserands habiles, ils sont également réputés pour leurs meubles et leurs paniers en bambou tressé. Les femmes portent des jupes longues bleu indigo et des fichus. Les Nung partagent leur langue et leur culture avec les Tay (ou Tho) et ont beaucoup emprunté en 2 000 ans à la civilisation vietnamienne. Ainsi, leur culte des ancêtres a des origines confucéennes, et ils ont intégré de nombreux rites bouddhistes.

Faire une offrande de faux billets au temple est censé porter bonheur.

Au-delà des différentes religions pratiquées, le culte des ancêtres est observé dans toutes les familles. Il est associé à l'hommage rendu au génie gardien du foyer et se manifeste en particulier lors de la fête du Têt par des offrandes de plateaux de friandises et d'objets en papier, surtout des faux billets censés attirer les bonnes grâces des dieux.

En 1941, alors que le Vietnam était simultanément occupé par les Japonais et administré par le régime de Vichy, Vo Nguyen Giap et d'autres cadres du Parti décidèrent d'utiliser la région comme base de la guérilla et de leurs services de renseignements. Assez habilement, ils laissèrent de côté leur discours sur la lutte des classes pour mettre l'accent sur la résistance à l'agression étrangère et le « salut national ».

Encouragé par Ho Chi Minh, le Viet-minh s'efforça de recruter des membres de groupes ethniques, pourtant peu disposés au départ à combattre pour l'indépendance du Vietnam. A leurs yeux, les Vietnamiens (*kinh*) n'étaient qu'une minorité parmi d'autres, qu'ils combattaient depuis des siècles. Les agents viet-minh réussirent à gagner leur soutien en leur expliquant qu'il fallait s'unir pour chasser les Français et qu'ils obtiendraient leur autonomie après la victoire.

Les cadres révolutionnaires d'origine tay et nung ont accédé à des postes élevés dans la hiérarchie du Parti. Ainsi, le dirigeant tay Chu Van Tan devint ministre de la Défense du gouvernement Ho Chi minh en août 1945. Une région autonome tay et nung fut effectivement créée à la fin des années 1950, mais ce statut d'autonomie fut aboli en 1980.

A deux heures de route (54 km) au nord de Cao Bang, la **grotte de Pac Bo** est un lieu de mémoire pour tous les admirateurs de Ho Chi Minh. C'est là, à proximité du village nung de Truong Hao et à 1 km de la frontière chinoise, que celui qui se faisait alors appeler Nguyen Ai Quoc (« Nguyen le patriote ») s'installa clandestinement dans une grotte en 1941, après trente années passées à l'étranger. Il n'y séjourna que quelques mois, avant de repartir pour la Chine en août 1942. Il ne revint au Vietnam qu'en 1945, cette fois sous le nom de Ho Chi Minh, « l'Oncle à la volonté éclairée ».

Un mémorial, un petit musée (très endommagé par les troupes chinoises en 1979), des boutiques de souvenirs, ainsi que quelques poèmes où le héros national a chanté les paysages environnants, comme la montagne Cac Ma (Karl Marx) et le ruisseau Le Nin (Lénine), rappellent cet épisode.

Également très proches de la frontière chinoise, dans le district de Trung Khanh, les spectaculaires **cascades de Ban Doc**, hautes de 34 m, sont très fréquentées par les touristes vietnamiens et chinois. A proximité s'ouvre la grotte de Nguom Ngao. Les pittoresques chutes d'An Giac, sur le fleuve Quy Xuan, plongent d'une hauteur de 30 m. Autre site réputé, le **lac Thang Hen**, l'un des sept lacs naturels de la région, dans le district de Quang Hoa, est entouré de montagnes calcaires et de forêts où abondent les orchidées sauvages.

Lorsque la zone frontalière est ouverte aux étrangers (les périodes d'autorisation et d'interdiction se succèdent de manière assez arbitraire), on peut également se rendre au marché aux buffles de **Tra Linh** (à 37 km au nord de Cao Bang) et au marché aux canards de **Trung Khanh** (à 60 km au nord-est de Cao Bang). Ces deux marchés très animés et hauts en couleur se tiennent tous les cinq jours (les dates varient en fonction du calendrier lunaire).

Vers le Nord-Est

Le **lac Cam Son** (Ho Cam Son) ⓮, à 80 km au nord-est de Hanoi, s'étend sur 2 600 ha. Niché au cœur des montagnes du district de Luc Ngan, il constitue une étape agréable. En effet, on peut louer un bungalow sur l'un de ses îlots.

En quittant la province de Ha Bac pour celle de Lang Son, la route

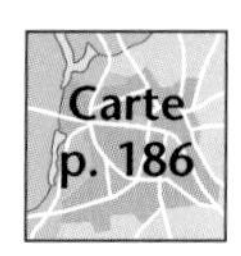
Carte p. 186

La coutume du laquage des dents remonte à l'ère proto-vietnamienne.

L'astrologie vietnamienne

Comme dans toute l'Asie du Sud-Est, le calendrier vietnamien est basé sur les cycles lunaires. Ainsi, la date du Nouvel An lunaire varie chaque année, entre la dernière semaine de janvier et la 3e semaine de février du calendrier occidental. Chaque année du cycle lunaire, établi sur douze ans, est symbolisée par un animal : dans l'ordre, le rat, le buffle, le tigre, le lapin, le dragon, le serpent, le cheval, la chèvre, le singe, le coq, le chien et le porc. Ainsi, 2000 et 2012 sont des années du Dragon. A chaque animal correspondent des traits de personnalité : le rat est charmant, actif et méticuleux ; le buffle patient et travailleur ; le tigre diplomate, mais indécis et volage ; le lapin ambitieux et ouvert ; le dragon fort et sincère ; le serpent sage, tranquille et déterminé ; le cheval sympathique et généreux, mais têtu ; la chèvre calme, débonnaire et serviable ; le singe capricieux et imaginatif ; le coq actif, élégant et réfléchi ; le chien éveillé et le porc, enfin, honnête, impulsif et brave. Le calendrier vietnamien se répète tous les soixante ans, durée qui a la même valeur symbolique que notre siècle. Au cycle zodiacal de douze ans (*ky*) se superpose un cycle de dix ascendants célestes (*can*) : chaque année est désignée par son signe *can* et son signe *ky*. Ainsi, l'an 2000 fut pour les Vietnamiens l'année Canh Thin (métal-dragon).

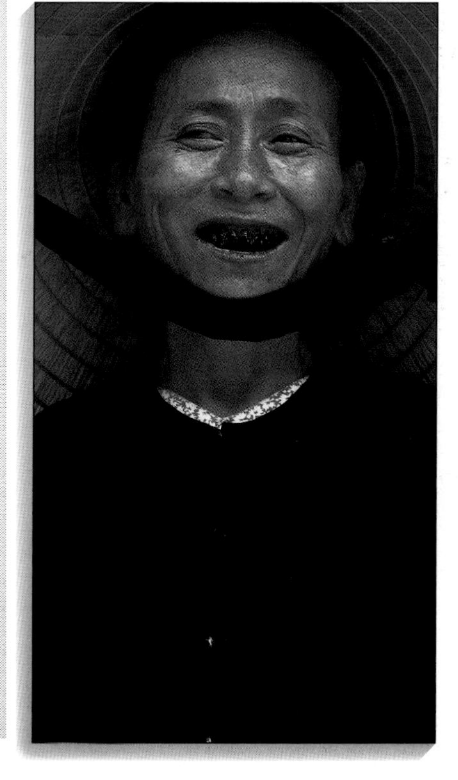

Jeunes enfants hmong de la région de Sa Pa.

nationale 1 grimpe dans les montagnes, découvrant des paysages d'une rare beauté. Frontalière du Guangxi chinois, cette province montagneuse est peuplée d'un grand nombre de groupes ethniques, dont les Tay, les Nung, les Hmong, les Man, les Hoa et les Nghia.

Autrefois densément boisée, la province abritait une faune particulièrement riche qui comprenait des tigres, des panthères, des ours, des daims, des pangolins, des chamois, des varans. Aujourd'hui, il ne reste que quelques vestiges de cette immense forêt, les principales ressources extractives de la région étant le bois et le charbon. Parmi les produits spécifiques du pays figurent des oreilles-de-Judas (hirnéoles), des champignons de souche parfumés, de l'anis étoilé (badiane) et du tabac à l'arôme délicat.

La province est traversée par la rivière Ky Cung, qui présente la particularité de couler du sud vers le nord, c'est-à-dire vers le territoire chinois, où elle se jette dans la mer de Chine, alors que toutes les autres rivières des alentours coulent du nord au sud vers le golfe du Tonkin.

C'est dans les gorges de Chi Lang, à 20 km au sud-ouest de Lang Son, la capitale provinciale, que les Vietnamiens affrontèrent les envahisseurs chinois tout au long des siècles. En 1076, ils mirent en déroute trois cent mille soldats des Song du Nord. Ils renouvelèrent cet exploit en 1427 face à une armée ming de cent mille hommes. L'entrée nord de ce défilé se nomme **Quy Quan Mon** (la « porte des Envahisseurs barbares ») tandis que la sortie méridionale s'appelle **Ngo The**, ou le « sentier du Serment ». Sur le territoire de la commune de Chi Lang, un gigantesque monument a été élevé à la gloire de ces deux victoires vietnamiennes.

Lang Son (la « hauteur de la Fidélité ») ⓯, la capitale provinciale, se trouve à 152 km au nord-est de Hanoi. Elle fut en partie détruite par l'armée chinoise, forte de 85 000

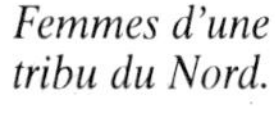

Femmes d'une tribu du Nord.

hommes, qui envahit brièvement le Vietnam en février 1979 et la prit pour cible. Durant les deux semaines d'occupation chinoise, 80% des immeubles furent rasés. La reconstruction a pu être entreprise grâce aux capitaux de la contrebande, aussi discrète qu'essentielle à l'économie locale. On pourra visiter le pittoresque **marché de Ky Lua**, dans le centre ville, où la plupart des marchandises proviennent de Chine, et le marché agricole de **Dong Kinh**, tout proche, lieu de rencontre de nombreux groupes ethniques. A 500 m du centre ville, la **grotte des Trois Purs** (Tham Thanh Dong) est en fait composée de trois cavernes principales, Nhat Thanh, Tam Thanh et Nhi Thanh. Elle abrite un beau sanctuaire bouddhique dédié à Amitabha et un puits sacré. En 1979, les Chinois y installèrent un dépôt de munitions qui explosa accidentellement, provoquant un éboulement dans le fond de la grotte. Le sanctuaire est essentiellement fréquenté par des femmes, qui implorent des dieux la fécondité. Dans un recoin de la grotte, l'eau qui coule d'une stalactite est censée guérir de tous les maux. Une grande fête religieuse se déroule le 15e jour du 1er mois lunaire, attirant des milliers de fidèles venus de Cao Bang et même de Hanoi.

Face à l'entrée de la grotte, la **montagne de la Femme qui attend** (To Thi, ou Vongh Phu, « celle qui attend son époux ») est un autre lieu d'excursion très fréquenté. Ce piton rocheux juché au sommet d'une montagne calcaire doit sa forme à une femme qui aurait attendu son époux si longtemps qu'elle se serait changée en pierre. Aux alentours, on peut apercevoir les ruines d'anciennes fortifications destinées à prévenir les invasions chinoises.

A 2 km au sud de la ville, la **pagode des Fées** (Chua Tien) est également érigée à l'intérieur d'une grotte. Le sanctuaire mélange curieusement les dieux et les rites bouddhistes et taoïstes. Comme la

Carte p. 186

Thai noirs au travail dans une rizière.

Carte p. 186

grotte des Trois Purs, la pagode des Fées est réputée guérir les maladies et favoriser la fécondité.

La région de Lang Son est parfois fermée aux touristes en raison des affrontements entre les forces de l'ordre et les bandes armées qui se livrent à un fructueux trafic de produits de contrebande avec la Chine.

Dans les montagnes à l'ouest de Lang Son se cache la vallée d'altitude de Bac Son, habitée par le peuple tay (ou tho). En 1940, les guerriers tay de la région s'allièrent pour un temps aux Japonais et combattirent contre l'armée française. Le jour où les Japonais conclurent un accord avec le régime de Vichy, la guérilla tay continua le combat, cette fois sous la direction de cadres du Parti communiste. A la fin de 1940, les Tay fomentèrent un soulèvement général à Bac Son et dans huit provinces du Sud. La rébellion fut rapidement écrasée et une centaines de meneurs exécutés. Mais la vallée de Bac Son devint alors un sanctuaire et une base arrière pour les forces communistes.

Dong Dang ⓰, à 18 km au nord-ouest de Lang Son, est situé sur la frontière chinoise. Ce village avait été anéanti lors de l'offensive chinoise de 1979. Le poste frontière, par où les Japonais envahirent le Vietnam en 1940, portait autrefois le nom de « la porte de Chine ». Il a été rebaptisé « la porte de l'Amitié », même si les patrouilles des deux pays y échangeaient régulièrement des coups de feu jusqu'en 1992. Il est possible de pénétrer en Chine depuis Dong Dang, mais les formalités administratives, assez complexes (et payantes), doivent être accomplies à l'avance à Lang Son, voire à Hanoi.

Ci-contre, femmes hmong sur le marché de Sa Pa; ci-dessous, la foule lors d'une fête religieuse.

Malgré l'athéisme officiel du régime, la pratique religieuse est très largement répandue au Vietnam, y compris dans les rangs des dirigeants communistes. Depuis 1989, il n'y a plus d'entraves à la liberté de culte, et les multiples fêtes traditionnelles sont toujours très suivies. Chaque pagode a sa fête annuelle, qui rassemble des fidèles de toute la région.

La côte du Nord-Est

Au sud-est de Lang Song, sur la route nationale 4, la ville-frontière de **Mong Cai** ⓱ vit du commerce (et de la contrebande) avec la Chine. Détruite par les Chinois en 1979, elle fut rebâtie à partir de 1991, date de la réouverture de la frontière. Les étrangers peuvent y pénétrer en Chine depuis Mong Cai, mais les formalités y sont encore plus complexes qu'à Dong Dang.

A quelques kilomètres à l'est, une île séparée du continent par un étroit bras de mer abrite la station balnéaire de **Tra Co**, dont la plage est réputée être la plus belle de tout le Nord. C'est certainement la plus vaste (17 km de long), mais les touristes occidentaux n'apprécient guère son sable noir et ses bancs de vase. Les seuls étrangers à fréquenter les hôtels de Tra Co durant l'été viennent de la Chine voisine. A l'extrémité de l'île, le village de Mui Ngoc est un repaire de contrebandiers.

A 8 km au large de Tra Co, la grande île de Vinh Thuc est de fait interdite aux étrangers, toute la région restant sous tension depuis le conflit sino-vietnamien : malgré le discours pacifiste officiel, de nouveaux affrontements ne sont pas inconcevables.

TRADITIONS ETHNIQUES

Au Vietnam, les cinquante-quatre groupes ethniques recensés représentent environ 10 % de la population totale du pays, soit plus de sept millions de personnes. Schématiquement, ces peuples se divisent en deux groupes bien distincts. Ceux des hauts plateaux du Nord – Thai, Yao, Hmong, Tai et Nung en majorité – sont des « nouveaux venus », arrivés de Chine au cours des cinq cents dernières années. Dans ces régions accidentées et isolées, ils ont, pour la plupart, conservé leur mode de vie traditionnel malgré quelques concessions à la modernité. Ils habitent des maisons sur pilotis, continuent à porter au quotidien des vêtements très colorés et ont su préserver leurs coutumes et leur culture.
Dans les hauts plateaux du Centre, au contraire, les Bahnar, les Ra De (ou E De), les Jarai et les Sedang sont installés depuis la nuit des temps. L'arrivée de nombreux Vietnamiens, attirés par les profits retirés de la culture du café, en pleine expansion, est récente.
Beaucoup de peuples se sont adaptés aux influences extérieures, vivant dans des maisons de brique et de ciment bâties sur le sol et portant des vêtements de confection. Radiocassettes et machines à coudre ont fait leur apparition. Les costumes traditionnels ne sont plus portés qu'à l'occasion des fêtes et des cérémonies. D'autres groupes ethniques, soucieux de préserver leur mode de vie traditionnel, ont préféré se retirer dans des forêts inaccessibles où ils vivent de l'agriculture sur brûlis.

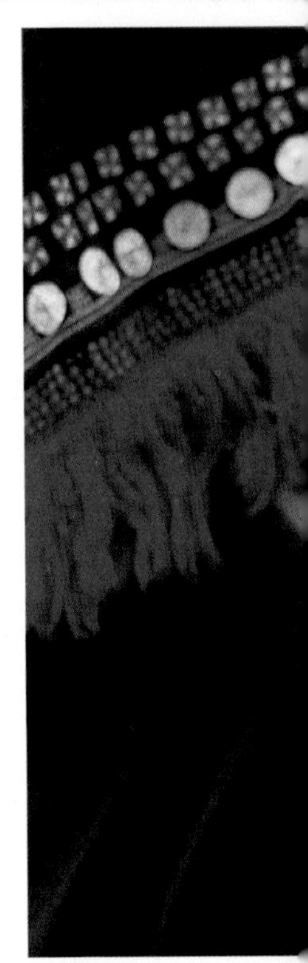

▶ *Les femmes thai du Nord-Ouest portent toutes un foulard (*khan pieu*). Offrir un* khan pieu *à une jeune fille est une déclaration d'amour.*

▲ *Cette femme thai de la région montagneuse de Son La porte en permanence le costume traditionnel, même lors des travaux comme le battage du riz.*

▲ *Ces femmes hmong, en route pour le marché de Sa Pa, portent les vêtements qu'elles ont elles-mêmes tissés.*

▶ *Les bijoux d'argent et les ornements portés par les femmes hmong et yao ne sont pas simplement décoratifs ; ils sont censés prévenir et guérir les maladies.*

▶ *Très apprécié des touristes, l'art de la broderie a pris un nouvel essor depuis quelques années.*

ARTISANAT TEXTILE

Les montagnards du Nord-Ouest ont su préserver leur tradition textile. Les Thai de la vallée de Mai Chau, dans la province de Hoa Binh, tissent de longues écharpes de coton qu'ils trempent ensuite dans des teintures végétales aux coloris éclatants. Dans la région de Sa Pa, les femmes hmong emportent leurs ouvrages de broderie dans les champs (ci-dessus), où elles mettent à profit la moindre pause pour ornementer des sacs d'épaule et des bonnets, qu'elles vendront ensuite sur le marché. Malheureusement, de grandes quantités de broderies mécaniques, produites dans les ateliers de la région de Hanoi, sont amenées au marché de Sa Pa, où les vendeurs tentent de les faire passer pour de l'artisanat authentique.

▶ *Le marché de Sa Pa permet aux Hmong d'échanger leur production artisanale contre des objets manufacturés, par exemple des parapluies.*

▼ *Traditionnellement, les enfants des montagnes vivaient demi-nus. Ils portent aujourd'hui des vêtements importés.*

▶ *Exemple d'adaptation aux changements, cette femme de l'ethnie E De porte de façon traditionnelle des vêtements modernes.*

LA CÔTE DU TONKIN

La route nationale 1 (l'ancienne route Mandarine), qui relie Hanoi à Ho Chi Minh-Ville, longe sur plus de 2180 km la côte orientale du Vietnam, de Dong Dang, sur la frontière chinoise, à la ravissante petite ville de Ha Tien, sur le golfe de Thaïlande. Au sud de Hanoi, la route pique droit vers la côte du **golfe du Tonkin** (Vinh Bac Bo).

La province de Nam Ha, la plus méridionale du Tonkin, révèle de remarquables paysages : montagnes karstiques en pain de sucre, plaines plantées de rizières verdoyantes et frangées de longues bandes sablonneuses. La région est également le berceau du catholicisme vietnamien. Les missionnaires français, espagnols et portugais vinrent y prêcher dès 1533.

Nam Dinh ⓲, la capitale provinciale, se trouve à 90 km au sud-est de Hanoi, sur la route nationale 21. Les Français y mirent sur pied une industrie textile qui demeure la plus importante du pays. Au début du XIXe siècle, Nam Dinh était entouré de remparts, démantelés par les Français en 1882. Il en reste une tour de garde. La ville fut très endommagée en 1947, lorsqu'elle fut assiégée par le Viet-minh, et par les bombardements américains dans les années 1960. Au bord de la rivière Nam Dinh, la vieille ville, très commerçante, rappelle la « Cité des 36 rues et guildes » de Hanoi. La pagode Vong Cung, restaurée après la guerre, est le siège des bouddhistes de la région.

Dans le village de **Tuc Mac**, à 3 km au nord de Nam Dinh, se dressent les ruines des palais et des temples de **Thang Van** (la « Cité dorée »). Ils furent élevés au XIIIe siècle par les dynastes Tran – vainqueurs à trois reprises des armées mongoles. Tran Bich San, le fondateur de la dynastie, était né dans les environs. Parmi ces vestiges figurent le **temple dynastique des Tran** (Den Thien Truong) et le Den Co Trach, consacré au général Tran Hung Dao. La très belle **pagode Pho Minh** et le stupa de treize étages du même nom, édifié en 1305, qui renferme la dépouille du roi Tran Nhan Tong, sont les seuls édifices intacts de ce site.

A l'est de Nam Dinh, en direction de Thai Binh et de Haiphong, la **pagode Keo** ⓳ est l'une des plus belles du pays. Bâtie en 1608 à l'emplacement d'une petite pagode remontant au XIe siècle, elle a été maintes fois reconstruite, tout en conservant son aspect général d'origine : à l'intérieur d'une enceinte de 28 ha se dressent seize édifices distincts. Elle est dédiée au Bouddha, à ses disciples et à un célèbre moine de la fin du XIe siècle, Minh Kong, qui parvint à l'état de bouddha. Elle est construite entièrement en bois, sans aucun clou, tout comme son clocher à trois étages qui abrite plusieurs cloches de bronze datant des XVIIe et XVIIIe siècles. De grandes fêtes s'y déroulent, en particulier le 4e jour du 1er mois lunaire, au

Carte p. 186

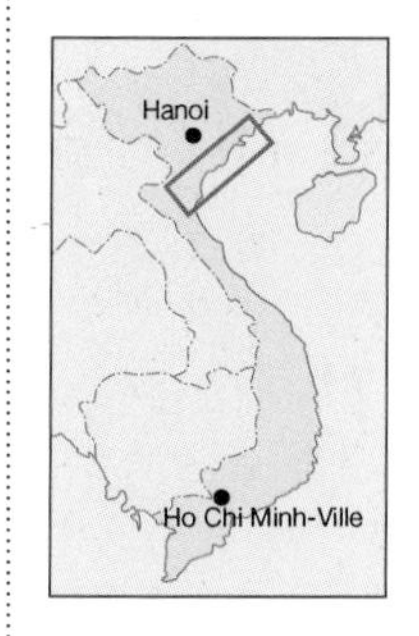

Pages précédentes : dans l'express de la Réunification. A gauche, tressage d'un panier de bambou ; ci-dessous, église près de Nam Dinh.

A quelques détails de décoration près, les églises catholiques du Vietnam sont la copie conforme de celles bâties en France à la même époque. Dans le Nord, de nombreuses églises endommagées par les bombes n'ont pas été reconstruites, le gouvernement ayant décidé qu'elles seraient laissées en l'état pour témoigner de la barbarie américaine.

moment de la fête du Têt, et surtout du 10e au 16e jour du 9e mois lunaire, durant lesquels se disputent des courses traditionnelles de bateaux à rames.

D'autres fêtes tout aussi anciennes sont célébrées pour la nouvelle année dans le district de Tam Lien, dans la province de Nam Ha. A **Cua**, des concours de lutte et d'arts martiaux ont lieu chaque année le 4e jour du 1er mois lunaire, en mémoire d'un enfant du village qui, au Xe siècle, aida le roi Dinh Tien à réprimer la rébellion de douze de ses vassaux. Le festival de lutte de **Liem Tuc** s'ouvre dès le lendemain et dure cinq jours. Ses origines sont racontées dans une très ancienne légende : un jeune homme du village, d'une force extraordinaire, remarquablement habile à manier l'épée et expert dans les arts martiaux, se porta volontaire pour combattre les envahisseurs étrangers. Il trouva une mort glorieuse sur le champ de bataille, mais auparavant, il était tombé amoureux d'une femme soldat. Lorsque celle-ci vint se recueillir sur sa tombe, elle mourut de chagrin. Les villageois bâtirent alors deux temples pour honorer la mémoire des amants tragiques, qui s'étaient entre-temps métamorphosés en un Thanh Ong (« dieu-homme ») et une Tien Ba (« déesse-femme »).

La fête commence par une procession, où l'on promène en palanquin la statue du Thanh Ong du temple au terrain de lutte. Puis les pères du village affrontent, au nom de leurs fils nouveau-nés, les champions des alentours.

A l'est de Nam Dinh, la petite province de Thai Binh est la plus densément peuplée de tout le delta du fleuve Rouge, avec plus de 1 200 hab./km^{2}. La majeure partie de ses côtes est aménagée en marais salants. A l'époque coloniale, l'administration française avait le monopole de la production et de la vente du sel. Toute production et commer-

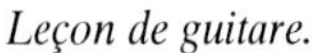

Leçon de guitare.

cialisation privées étaient sévèrement punies. Le sel, vendu à des prix exorbitants, constituait un véritable impôt pour les paysans et les pêcheurs, ce qui fut à l'origine de multiples émeutes. Outre le sel, la région produit du riz, du jute, des mûres, du sucre de canne et des arachides. L'artisanat textile est très développé, en particulier le tissage de la soie, la fabrication de tapis, la broderie et la vannerie.

Sur la route nationale 1, à 100 km au sud de Hanoi et 30 km de Nam Dinh, **Ninh Binh** ⓴ semble vivre dans un nuage de poussière permanent, provoqué en partie par une circulation intense et surtout par la présence d'une immense carrière de pierre toute proche. C'est néanmoins une étape commode aux nombreux hôtels, d'où l'on peut rayonner pour découvrir les célèbres sites des environs: Hoa Lu, Tam Coc, Kenh Ga, Cuc Phuong et Phat Diem. Le marché sur l'eau est assez pittoresque.

En 1951, le Viet-minh s'empara du fort qui s'élevait sur un énorme rocher de l'autre côté de la rivière. Une partie de la garnison française, soit quatre-vingts hommes, tenta de trouver refuge dans l'église de la ville, mais il n'y eut que dix-neuf survivants. L'église a été par la suite détruite par un bombardement américain; ses ruines se dressent encore face à la gare de chemin de fer.

Lors de la guerre d'Indochine, Ninh Binh, carrefour stratégique entre la route nationale 1 et la rivière Song, était un des verrous de la « ligne de Lattre ». Ce chapelet de fortifications avait été établi en 1950 pour tenter, vainement d'ailleurs, de protéger Hanoi, Haiphong et le delta du fleuve Rouge des incursions du Viet Minh.

Le site pittoresque de **Hoa Lu**, à 13 km au nord de Ninh Binh et à 80 km au sud de Hanoi, fut la capitale d'un petit royaume féodal qui ne s'étendait que sur 300 ha. Il fut successivement dirigé par les dynas-

Carte p. 186

Maison de pêcheur sur pilotis.

ties des Dinh (968-981), des Le antérieurs (981-1010) et des Ly (1009-1225). Il ne reste que de rares vestiges de cette citadelle de 3 km², érigée sur la rive du Hoang Long. On discerne encore le tracé des remparts de terre et des fondations des palais et des temples. Des archéologues ont récemment mis au jour une grande colonne de pierre, datée de 988, gravée de sutras bouddhiques.

Après le transfert de la capitale à Thang Long, en 1010, deux sanctuaires furent construits dans l'enceinte de la citadelle. Le premier est dédié à l'empereur Dinh Tien Hoang (968-979) et le second à Le Hoan (981-1010), fondateur de la dynastie des Le antérieurs. Le **temple de Dinh Tien Hoang**, édifié au XIe siècle, a été reconstruit en 1696. Des animaux mythiques en gardent l'entrée. Au centre de la cour qui s'ouvre devant le bâtiment principal se dresse le Lit du Dragon, un autel autrefois réservé aux sacrifices. C'est sur cette dalle de pierre que, lors des fêtes, les fidèles déposent des cadeaux et des offrandes de nourriture. L'éphémère dynastie des Dinh consolida l'indépendance nationale, acquise quelques décennies plus tôt par Ngo Quyen, qui chassa les Chinois après un millénaire d'occupation. Sur les piliers du temple figurent les caractères Dai Co Viet (la « Grande Nation des Viet »), nom donné au nouvel empire par Dinh Tien Hoang en 967. Une statue du monarque en bronze doré trône sur l'autel central du temple. On peut voir des sculptures de ce monarque et de ses trois fils dans des pièces situées à l'arrière de ce temple.

Le **temple de Le Hoan** est une réplique en plus petit du sanctuaire de Dinh Tien Hoang. Il renferme les statues du roi Le Dai Hanh (nom de règne de Le Hoan), de la reine Duong Van Nga et des princes Le Long Dinh et Le Long Viet. A gauche de l'entrée se dresse un petit sanctuaire dédié à Confucius.

Le site de l'ancienne capitale, Hoa Lu.

Ceux qui auront le courage de gravir les deux cents marches conduisant au sommet de la colline la plus proche du temple y découvriront un lieu de pèlerinage consacré à Confucius et un magnifique point de vue sur l'ensemble du site de Hoa Lu.

A proximité de Hoa Lu, la **pagode de Jade** (Chua Bich), construite en 1448, renferme de très belles statues de bronze et de marbre, ainsi qu'une énorme cloche de bronze et un rocher en forme de tête qu'il faut toucher si l'on veut vivre vieux.

De Ninh Binh, on peut se rendre au hameau de Van Lam, à 9 km au sud, et, là, louer une barque pour aller visiter la très belle **grotte de Jade** (Bich Dong) et ses trois célèbres pagodes. Ce sanctuaire a été aménagé par deux moines dans les grottes d'une falaise abrupte. Le site fut successivement agrandi au XVe, puis au XVIIIe siècle. La pagode Ha est creusée au pied du rocher, la pagode Trung à mi-hauteur et la pagode Thuong au sommet.

C'est également de Van Lam que partent les barques à destination des superbes **grottes de Tam Coc** – immenses cavernes hérissées de stalactites et de stalagmites. La promenade sur la rivière Ngo Dong, qui dure de deux à trois heures, commence par la traversée des rizières inondées de la vallée d'où jaillissent d'énormes pitons rocheux, à travers un paysage exceptionnel qui vaut à la région le surnom de « baie de Halong terrestre ». Bientôt, la rivière s'enfonce dans la première des trois galeries très basses, creusées à travers la montagne et mesurant respectivement 127 m, 60 m et 50 m de long. Une vaste cavité proche a abrité un hôpital militaire viet-cong pendant la guerre contre les Américains. D'autres grottes auraient servi de prisons à des pilotes américains capturés.

Entre chaque tunnel s'étend un vaste lac d'eau limpide et profonde encerclé de hautes falaises calcaires. Il n'est pas rare d'y apercevoir des

Carte p. 186

Paysage près de Hoa Lu.

hérons et des martins-pêcheurs. Au bord du dernier lac, des chèvres sauvages ont élu domicile sur une étroite bande de terre où se dressent les vestiges d'une petite pagode. En remontant un ruisseau affluent, on atteint le **temple de Den Thai Vi**, où un roi du XIIIe siècle, Tran Nhan Tong, se retira après son abdication.

Le retour se fait par le même itinéraire jusqu'à **Van Lam**. Ses habitants vivent en partie du tourisme – ils ont formé une coopérative pour organiser les promenades sur la rivière – et surtout de la broderie. C'est d'ici que proviennent la plupart des tissus brodés vendus dans les boutiques du « vieux quartier » de Hanoi. Il ne faut donc pas s'étonner d'être assailli par les vendeurs à l'embarcadère, ni de se voir proposer par la rameuse (en cours de promenade et avec beaucoup d'insistance) une nappe, un chemisier ou un T-shirt brodé.

Moins fréquenté par les touristes, le village de pêcheurs de **Kenh Ga** est accroché à de hautes falaises. Nombre de ses habitants vivent en permanence à bord de leurs embarcations, quittant le port le matin pour y revenir au soir après une journée de pêche. Kenh Ga n'est accessible que par voie d'eau, et la promenade est plus agréable à bord d'une silencieuse barque à rames. Pour s'y rendre, il faut d'abord emprunter la route nationale 1 à partir de Ninh Binh en direction du nord. Après avoir parcouru 11 km, on arrive à un embranchement où l'on emprunte une route secondaire qui se dirige vers l'ouest. Onze kilomètres plus loin, on atteint un petit port fluvial assez sinistre, mais où l'on peut assez facilement trouver un batelier disposé à se rendre à Kenh Ga. La navigation commence sur un canal avant de se poursuivre sur la rivière Hoang Lon, où se succèdent de lents convois de sampans lourdement chargés.

A Kenh Ga, l'espace est très limité et, très tôt, les enfants apprennent à circuler en barque. Les maisons sont très simples, tous les matériaux devant être acheminés par bateau. Les villageois sont ravis de recevoir la visite d'étrangers et de leur faire visiter l'église catholique qui fait leur fierté. L'intérieur est assez beau, avec ses piliers et sa charpente de bois sculpté. Chaque samedi soir, une véritable flottille converge vers l'église, transportant les femmes de la région vêtues de leurs plus beaux atours.

Intérieur d'une maison paysanne.

La maison vietnamienne est souvent très simple. Les matériaux traditionnels – bois, bambou, paille de riz – sont de moins en moins utilisés et font place à la brique, au ciment et aux tuiles mécaniques. Comme les Vietnamiens vivent surtout dehors, l'ameublement est plutôt spartiate : nattes ou hamacs pour dormir et coffres pour les rangements.

Le parc national de Cuc Phuong

Le **parc national de Cuc Phuong** ㉑ (Cong Vien Quoc Gia Cuc Phuong), à une centaine de kilomètres au sud-ouest de Hanoi, est l'une des dernières forêts tropicales primaires de la planète. Ce parc de 25 000 ha, créé en 1962, abrite plus de soixante espèces de mammifères, trente spécimens de reptiles, cent quarante espèces d'oiseaux, mille huit cents espèces d'insectes et près de deux mille espèces végétales dont certaines n'existent nulle part ailleurs.

Carte p. 186

Parmi les espèces animales les plus remarquables figurent le tigre, le léopard, le sanglier, la civette, l'écureuil volant et un primate en voie de disparition, le *Delacour langur*. Parmi les espèces végétales, l'arbre *Kim Giao* (*Podocarpus*) ne pousse qu'ici. Ses fleurs et ses racines sont utilisées en médecine traditionnelle, tandis que son bois, qui a, dit-on, la vertu de changer de couleur au contact d'une substance toxique, servait à faire des baguettes utilisées à la cour pour détecter les mets empoisonnés.

Comme dans les autres réserves naturelles du pays, il est très difficile d'observer les animaux, qui redoutent les braconniers. Mais l'équipe du parc semble ici sincèrement attachée à sa mission, comme en témoigne le centre de recherches sur le daim tacheté installé près de l'entrée principale.

En revanche, rien n'empêche de découvrir la diversité des insectes et de la flore. Certains grands arbres, comme les *Parashorea stellata* et les *Terminalia myriocarpa*, peuvent atteindre 50 m de hauteur, et leur âge est estimé à plus de mille ans. Près de cinq cents espèces de plantes médicinales, pour la plupart locales, ont également été découvertes ici.

Le parc renferme de nombreuses grottes, facilement accessibles pour certaines, principalement localisées dans une étroite vallée entre deux montagnes, où règne un microclimat très différent de celui des alentours. Trois tombes préhistoriques retrouvées dans ces grottes ont été fouillées en 1966, livrant des ossements humains, des outils de pierre très rudimentaires, des dents d'animaux et des coquillages.

On y trouve également des sources chaudes à 37° C et aux propriétés curatives, dans lesquelles il fait bon se relaxer.

Une journée est largement suffisante pour parcourir les 7 km du sentier de découverte, mais il est possible de séjourner sur place, en

Le buffle est indispensable pour cultiver les rizières.

Sentier du parc de Cuc Phuong.

logeant dans des maisons sur pilotis de style muong, et de visiter le parc de manière plus approfondie en compagnie d'un guide.

A 30 km au sud-est de Ninh Binh, on pénètre dans le **diocèse de Phat Diem**. L'empreinte du catholicisme, très présent dans la région depuis le début du XVIIe siècle sous l'impulsion du père jésuite Alexandre de Rhodes, est évidente. On compte encore ici 30 % de catholiques, soit 120 000 fidèles, et cinq séminaires toujours en activité. De la route, on aperçoit des cimetières catholiques aux tombes blanches caractéristiques, une dizaine d'églises bien entretenues et, au loin, plusieurs autres clochers. La plupart de ces églises, bâties en granit, sont de style néogothique, avec une touche de décor vietnamien.

L'une des plus remarquables est celle de **Phuoc Nia**, à 20 km de Ninh Binh. Elle reflète dans un étang sa façade aux portails néogothiques encadrés de deux tours de quatre étages. Derrière se dresse le clocher, coiffé d'un toit retroussé, voisin d'une pagode. A côté de l'église s'élèvent deux chapelles et, contre le mur de clôture nord-ouest, les bâtiments d'une école catholique.

Pendant la guerre d'Indochine, les catholiques de la région se retrouvèrent pris en tenaille entre le Viet-minh, qui tenait l'ouest de la route, et les Français, qui tenaient l'est. Dans l'ensemble, les catholiques étaient des paysans pauvres, plutôt anticolonialistes, et nombre d'entre eux militaient dans des mouvements nationalistes. Mais, à la fin des années 1940, les communistes avaient écrasé, y compris dans le sang, tous les partis nationalistes rivaux. Les catholiques, tout comme les autres chrétiens du pays et le clergé bouddhiste, étaient devenus anticommunistes et choisirent alors de rejoindre le camp français pour combattre le Viet-minh.

A **Kim Son** ㉒, il ne faut pas manquer de visiter l'imposante **cathé-**

Randonnée entre les pitons rocheux.

drale de Phat Diem, d'un curieux style sino-vietnamien. Achevée en 1891 par le père Six (Tran Luc), un prêtre vietnamien, elle fut le siège du premier évêché du pays. Elle demeure un haut lieu de pèlerinage pour tous les catholiques du Tonkin ; six martyrs vietnamiens, canonisés en 1988 par Jean-Paul II, y sont honorés.

Les pierres et les colonnes de bois de fer utilisées pour la construction ont été transportées depuis les provinces du Nord, à des centaines de kilomètres de là. L'extérieur est coiffé de coupoles aux toits retroussés. A l'intérieur, la nef, longue de 80 m, large de 24 m et haute de 16 m, est recouverte d'une charpente en carène de navire renversée. Le décor est étonnant, qui allie un grand retable doré de style rococo et des arcatures aux sculptures dignes d'un temple bouddhique. L'ensemble évoque bien plus la pagode ou le palais que l'intérieur d'une église catholique.

L'ascension du clocher permet de découvrir l'énorme gros bourdon, qui fut hissé là par des rampes en terre, et de contempler l'ensemble de la cité religieuse qui s'étend autour de la cathédrale : l'immeuble de l'évêché, une autre église à étage aux arcades néoromanes, ainsi qu'une petite chapelle de pierre. La vue est belle, aussi, sur les gargouilles, les voûtes de l'abside et sur la ville.

Devant la cathédrale, un vaste étang entoure un îlot boisé, but d'un petit pèlerinage. Au centre se dresse une statue de Jésus triomphant, sculptée dans une pierre d'un blanc éclatant.

En dehors des offices (à 17 h en semaine, à 5 h, 10 h et 16 h le dimanche) la cathédrale est généralement fermée, mais les touristes sont de plus en plus nombreux à se rendre à Phat Diem et il est devenu assez facile de visiter, sur demande, au moins le clocher.

Outre la cathédrale, Kim Son a également conservé un beau pont

Carte p. 186

La douceur du climat est propice à la culture des arbres fruitiers.

couvert en bois, construit au XIXe siècle, qui enjambe la rivière Day.

L'ANNAM ET LA PROVINCE DE THANH HOA

La belle contrée de **Thanh Hoa** est la première des sept provinces côtières qui s'échelonnent du bassin du fleuve Rouge au delta du Mékong, entre la mer de Chine méridionale et les hauts plateaux de la cordillère annamitique.

De Thanh Hoa à l'ancienne zone démilitarisée (DMZ), la route nationale 1 traverse successivement les provinces de Thanh Hoa, Nghe An, Ha Tinh et Quanh Binh. Plus l'on s'éloigne de Thanh Hoa, plus la route devient mauvaise. L'entretien des routes est en effet à la charge des gouvernements provinciaux, et leur état reflète la prospérité ou la pauvreté de la région traversée.

Ici, le sol sablonneux n'a jamais été propice à l'agriculture. Les paysans ne peuvent espérer qu'une récolte de riz par an, au lieu de deux, voire trois, dans les terres fertiles du pays. Ils vivent surtout de la culture du manioc et des arachides. Grâce à un programme d'aide internationale, ils se sont cependant diversifiés avec succès, depuis les années 1980, dans l'apiculture.

La province de Thanh Hoa, berceau de la culture de Dong Son, est un grand foyer de peuplement muong, ethnie montagnarde qui parle toujours un vietnamien archaïque.

En 208 av. J.-C., le général chinois Trieu Da envahit le Tonkin, contraignant les Viet à émigrer au sud du bassin du fleuve Rouge. Ces premiers migrants s'établirent dans les régions de Phu Ly et de Dong Son, non loin de l'actuelle Thanh Hoa, capitale éponyme de la province.

Au début du XXe siècle, les archéologues de l'École française d'Extrême-Orient découvrirent nombre d'objets de l'âge du bronze dans la vallée du Ma, notamment

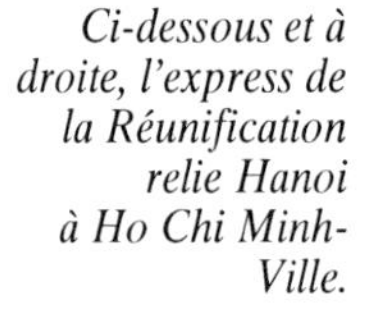

Ci-dessous et à droite, l'express de la Réunification relie Hanoi à Ho Chi Minh-Ville.

dans le village de **Dong Son**, sur la rive gauche du fleuve. Parmi les découvertes figuraient des tambours, des instruments de musique, des statues, des bijoux ainsi que divers outils et objets utilitaires. Les premiers tambours de bronze ont été découverts à **Phu Ly**, en 1902, tandis que d'autres furent acquis auprès du monastère de Lon Doi Son et du village de Ngoc Lu, dans la province de Nam Ha.

Ces tambours sont ornés de motifs représentant des animaux stylisés et des scènes de la vie quotidienne. Sur le tambour de Ngoc Lu, de 63 cm de haut et 79 cm de diamètre, figure un soleil dont les nombreux rayons sont coupés par seize cercles concentriques à l'intérieur desquels évoluent des daims, des oiseaux aquatiques et des personnages, musiciens et guerriers.

A titre d'exemple, on pourra visiter le **temple de l'Esprit du tambour** (Mieu Than Dong Co), dans le village de Dan Ne, sur le mont Tham Thai. Ce sanctuaire renferme un tambour de bronze de 2 m de diamètre et de 1 m de haut qui, selon la croyance populaire, aurait appartenu à l'un des rois Hung. La surface de l'instrument est décorée de neuf cercles concentriques gravés de caractères anciens.

La citadelle des Ho, dans le village de **Tay Giai** ㉓ (district de Quang Hoa), au nord-ouest de Thanh Hoa, fut édifiée en 1397 par Ho Qui Li, fondateur de la dynastie Ho. Le souverain donna à la citadelle le nom de Tay Kinh, ou capitale de l'Ouest. A la différence des forteresses de Hoa Lu et de Co Loa, dont les murs étaient en adobe, on utilisa la pierre pour élever les massives murailles de Tay Kinh, hautes de 5 m et épaisses de 3 m. Ces blocs, dont certains pèsent 16 t et mesurent 6 m de long, attestent une grande maîtrise de l'extraction et de la taille de la pierre.

A 50 km à l'ouest de Thanh Hoa, **Lam Son** ㉔, où vit une importante

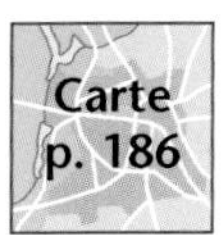
Carte p. 186

communauté muong, est le village natal de Le Loi (1385-1433), fondateur de la dynastie des Le postérieurs. Ce fut à partir de Lam Son que ce chef charismatique lança le grand soulèvement contre les Ming, en 1418, qui se solda, en 1428, par le départ des Chinois. Le temple du village abrite la statue en bronze de ce héros, fondue en 1533. Nguyen Trai, écrivain et conseiller de Le Loi, rédigea l'épitaphe de la grande stèle consacrée à la vie et à l'œuvre de ce remarquable meneur d'hommes. Autour du temple, un bois sacré abrite d'autres sépultures de dynastes Le, dont les stèles funéraires retracent les hauts faits. On peut également voir à Lam Son les ruines de l'ancienne citadelle de Lam Kinh.

Le **mausolée de Dame Trieu** (Den Ba Trieu), dans le village de Phu Dien, au pied du Tung Son, abrite le corps de Trieu Thi Trinh, héroïne nationale qui, au côté de son frère Trieu Quoc Dat, mena une insurrection contre la domination chinoise, en 247. La légende raconte qu'elle chevauchait un éléphant, vêtue d'une armure d'or. Le soulèvement échoua, mais la glorieuse rebelle préféra se suicider plutôt que de se livrer. Un temple fut élevé à sa mémoire, dans lequel, le 24e jour du 2e mois lunaire, est donnée une grande fête en son honneur. Des fouilles récentes ont permis de retrouver à proximité un sabre en bronze de l'époque Dong.

A 16 km au sud-est de Thanh Hoa, la plage de sable blanc de la station balnéaire de **Sam Son** ㉕ s'étend sur 3 km, de la rive du lac Hoi jusqu'au mont Truong Le.

Une grotte creusée dans une colline, près de l'embouchure de l'Y Bich, abrite un sanctuaire consacré à An Tiem, père supposé de la culture de la pastèque. An Tiem aurait en effet transformé ce fruit sauvage en un produit comestible et planté les premières graines aux abords du temple. Une plage du district de Nga Son, où ses descendants vivent encore, porte son nom.

Sur un marché aux volailles.

Carte p. 186

Le **temple du génie Doc Cuoc**, à mi-pente du mont Truong Le, est consacré à un dieu unijambiste qui se serait divisé en deux et aurait le pouvoir de protéger et de sauver les nageurs et les navigateurs en détresse. Il est également censé assurer aux pêcheurs locaux de bonnes prises. A l'autre extrémité de cette chaîne de montagnes s'élève le **temple de la Fée** (Co Tien), d'où l'on a un beau point de vue sur la côte.

A 50 km au sud-est de Thanh Hoa s'étend la **réserve de chasse de Khoa Truong**. C'est une région marécageuse de 5 km^2, où nidifient des oiseaux aquatiques et migrateurs qui deviennent une proie facile pour les chasseurs entre octobre et février.

De nombreux villages muong sont disséminés sur les hauts plateaux de la province de Thanh Hoa. Si les Vietnamiens, ou Kinh, habitants des plaines, furent contraints, sous la domination chinoise, d'abandonner leur graphie pour adopter l'écriture des vainqueurs, les Muong ont conservé un système graphique connu sous le nom de *khoa dau van*, qui présente des similarités avec les écritures indienne, thai, laotienne et arabe. Il possède un alphabet de trente signes consonantiques de base.

Les canneliers poussent en abondance dans cette région de hauts plateaux. Les villageois récoltent dans les forêts l'écorce de ces arbres, ingrédient qui entre dans la composition de nombreuses préparations de la pharmacopée traditionnelle chinoise et vietnamienne.

Le **pont Ham Rong** (la « mâchoire du Dragon »), long de 160 m et jeté sur le fleuve Ma entre les monts Ngoc et Rong, fut édifié en 1904. Très endommagé pendant la guerre d'Indochine, il fut reconstruit en 1964, avant que des tonnes de roquettes américaines (on compta plus de cent bombardements successifs) ne détruisent à nouveau cet ouvrage qui jouait un rôle essentiel dans le ravitaillement du Sud. Il fut relevé pour la troisième fois en 1973.

Le transport des récoltes se fait par bateau.

Carte p. 186

LES PROVINCES DE NGHE AN ET DE HA TINH

Au sud de Thanh Hoa s'étendent les provinces de Nghe An et de Ha Tinh, berceau de célèbres révolutionnaires et écrivains tels le poète épique Nguyen Du (1765-1820), auteur du *Kim Van Kieu*, Phan Boi Chau (1867-1940) et Nguyen Ai Quoc, le futur Ho Chi Minh (1890-1969). Des fouilles archéologiques menées dans cette province ont mis en évidence l'existence de civilisations de l'âge de pierre et de l'âge du bronze.

Ces deux provinces sont parmi les plus vastes et les plus peuplées du pays. Leur façade maritime s'étend sur 230 km et la forêt couvre les trois quarts de leur territoire. Cette région est l'une des plus pauvres du Vietnam, affectée de surcroît d'un climat très dur marqué par les typhons, les inondations en hiver et la sécheresse en été. On y cultive le thé, le riz, les pamplemousses et la canne à sucre.

A droite, arbre millénaire à Coc Phuong; ci-dessous, un fier pêcheur !

Qu'il s'agisse de la mer ou des innombrables étangs, lacs et rivières du pays, l'eau est omniprésente au Vietnam, et on y pêche plus de mille espèces de poissons de mer et d'eau douce. Plus consommé que la viande, le poisson est un des aliments favoris des Vietnamiens. Dans les deltas, la plupart des fermiers sont aussi pêcheurs ou pisciculteurs.

Plus d'une centaine de cours d'eau les arrosent, le principal étant le Lam Dong, qui prend sa source dans la chaîne annamitique à l'ouest. Cet axe fluvial est emprunté par toute une flottille de sampans et de trains de flottage, transportant du bambou et du bois de construction.

Vinh, la capitale provinciale, n'offre pas un grand intérêt touristique. En revanche, le hameau de pêcheurs de Cua Lo, à 20 km de là, est doté d'une belle plage de sable blanc frangée de pins maritimes. Tôt le matin, on peut y voir les pêcheurs tirer leurs filets remplis de poissons argentés. A voir également, dans le district de Dien Chau (à 30 km au nord de Vinh), le temple de Cuong, juché sur le mont Mo Da, près de la route nationale 1, et consacré au roi An Duong Vuong, fondateur du royaume d'Au Lac.

En 1959, les habitants de **Hoang Tru** ㉖, modeste hameau à 11 km au nord-ouest de Vinh, ont bâti une réplique de la maison où Ho Chi Minh naquit en 1890 et où il vécut jusqu'à l'âge de cinq ans avant que sa famille ne déménage pour Hué. C'est une petite habitation de trois pièces, aux murs de bambou et au toit de chaume.

En 1901, toute la famille revint s'installer à 3 km de Hoang Tru, dans le village de **Kim Lien** (ou Lang Sen), où son père et son grand-père furent instituteurs, avant de repartir à nouveau pour Hué. On peut y visiter sa maison de torchis au toit de palme, presque identique à celle de Hoang Tru et également reconstruite en 1959. Dans un petit musée voisin sont rassemblés ses objets personnels – dont plusieurs chemises – ainsi que des photographies et ses poèmes exaltant les vertus de la lutte révolutionnaire.

Par la suite, Ho Chi Minh partit très jeune pour l'étranger, exerçant les métiers les plus variés avant d'adhérer au Parti communiste en 1920 et d'entamer sa carrière de dirigeant révolutionnaire. Il ne revint qu'une seule fois dans les villages de son enfance, en 1961.

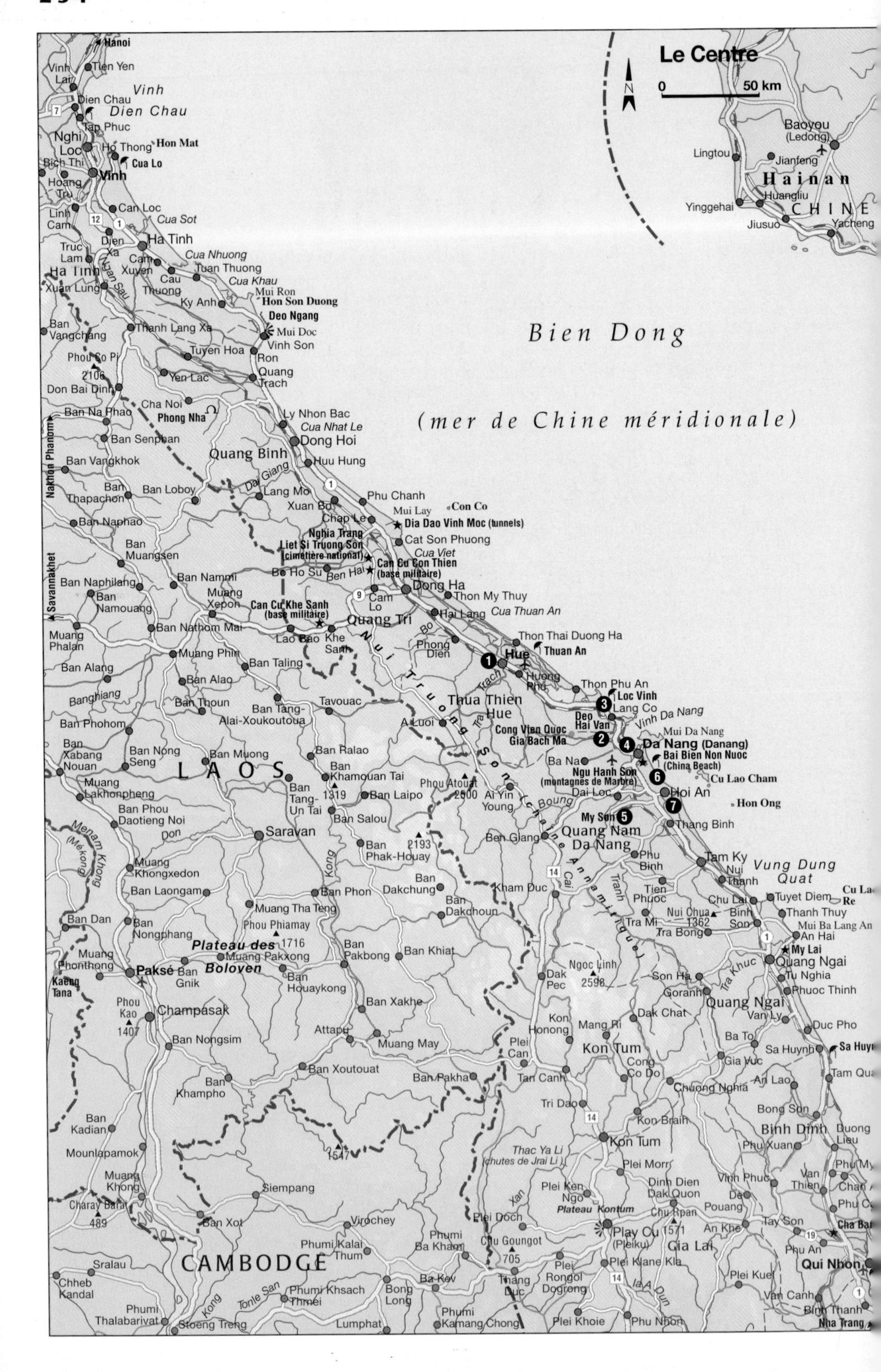
Le Centre
0
50 km
N
Bien Dong
(mer de Chine méridionale)
Hanoi
Vinh Lai
Tien Yen
Vinh Dien Chau
Dien Chau
Tap Phuc
Nghi Loc
Ho Thong
Hon Mat
Bich Thi
Cua Lo
Vinh
Hoang Tru
Can Loc
Cua Sot
Linh Cam
Ha Tinh
Truc Lam
Dien Xa
Cam Xuyen
Cua Nhuong
Tuan Thuong
Cua Khau
Cau Thuong
Ngan Sau
Xuan Lung
Ky Anh
Mui Ron
Hon Son Duong
Deo Ngang
Mui Doc
Ban Vangchang
Thanh Lang Xa
Vinh Son
Tuyen Hoa
Ron
Phou Co Pi
2106
Quang Trach
Yen Lac
Don Bai Dinh
Cha Noi
Phong Nha
Ban Na Phao
Ly Nhon Bac
Cua Nhat Le
Dong Hoi
Ban Senphan
Nakhon Phanom
Quang Binh
Ban Vangkhok
Huu Hung
Dai Giang
Ban Thapachon
Ban Loboy
Lang Mo
Phu Chanh
Mui Lay
Con Co
Xuan Bo
Chap Le
Dia Dao Vinh Moc (tunnels)
Ban Naphao
Nghia Trang
Liet Si Truong Son
(cimetière national)
Cat Son Phuong
Ban Muangsen
Cua Viet
Can Cu Con Thien
(base militaire)
Savannakhet
Ban Naphilang
Ban Nammi
Bo Ho Su
Ben Hai
Dong Ha
Ban Namouang
Muang Xepon
Cam Lo
Thon My Thuy
Can Cu Khe Sanh
(base militaire)
Quang Tri
Hai Lang
Cua Thuan An
Muang Phalan
Ban Nathom Mai
Lao Bao
Khe Sanh
Thon Thai Duong Ha
Thuan An
Muang Phin
Phong Dien
Hue
Ban Alang
Ban Taling
Huong Phu
Ban Alao
Thon Phu An
Banghiang
Ban Thoun
Ban Tang-Alai-Xoukoutoua
Tavouac
Thua Thien Hue
Loc Vinh
Lang Co
Ban Phohom
A Luoi
Deo Hai Van
Vinh Da Nang
Cong Vien Quoc Gia Bach Ma
Mui Da Nang
Ban Xabang Nouan
Ban Nong Seng
Ban Muong
Ban Ralao
Da Nang (Danang)
Bai Bien Non Nuoc
(China Beach)
LAOS
Ban Khamouan Tai
Phou Atouat
2500
Ba Na
Ngu Hanh Son
(montagnes de Marbre)
Cu Lao Cham
Muang Lakhonpheng
Ban Tang-Un Tai
1319
Ban Laipo
Ai Yin Young
Dai Loc
Hoi An
Hon Ong
Ban Phou Daotieng Noi
Don
Ban Salou
My Son
Thang Binh
Menam Khong (Mekong)
Saravan
2193
Ben Giang
Quang Nam Da Nang
Ban Phak-Houay
Phu Binh
Tam Ky
Nui Thanh
Vung Dung Quat
Muang Khongxedon
Kong
Ban Dakchung
Kham Duc
Tien Phuoc
Cu Lao Re
Ban Laongam
Ban Phon
Chu Lai
Tuyet Diem
Muang Tha Teng
Ban Dakchoun
Nui Chua
1362
Binh Son
Thanh Thuy
Ban Dan
Ban Nongphang
Phou Phiamay
1716
Tra Mi
Tra Bong
Mui Ba Lang An
An Hai
Plateau des Boloven
Muang Pakxong
Ban Pakbong
Ban Khiat
My Lai
Quang Ngai
Muang Phonthong
Paksé
Ban Gnik
Ban Houaykong
Dak Pec
Ngoc Linh
2598
Son Ha
Tra Khuc
Tu Nghia
Phuoc Thinh
Kaeng Tana
Phou Kao
1407
Champasak
Ban Xakhe
Goranh
Quang Ngai
Kon Honong
Dak Chat
Van Ly
Duc Pho
Ban Nongsim
Attapu
Muang May
Mang Ri
Ba To
Plei Can
Kon Tum
Sa Huynh
Ban Xoutouat
Cong Co Do
Gia Vuc
Tam Quan
Ban Khampho
Ban Pakha
Tan Canh
Chuong Nghia
An Lao
Tri Dao
Bong Son
Ban Kadian
Kon Braih
Binh Dinh
Duong Lieu
1547
Kon Tum
Mounlapamok
Thac Ya Li
(chutes de Jrai Li)
Phu Xuan
Plei Morr
Muang Khong
Siempang
Dinh Dien
Dak Quon
Vinh Phuc
Van Thien
Plei Ken Ngo
Xan
De Pouang
Charay Barat
489
Plateau Kontum
Chu Rpan
Ban Xot
Virochey
Plei Doch
1571
An Khe
Tay Son
Cha Ban
Phumi Kalai Thum
Phumi Ba Kham
Chu Goungot
705
Play Cu (Pleiku)
Gia Lai
Phu An
CAMBODGE
Plei Klane Kla
Qui Nhon
Sralau
Ba Kev
Plei Rongol Dogrong
Plei Kuel
Chheb Kandal
Tonle San
Phumi Khsach Thmei
Bong Long
Thang Duc
Ia A Dun
Van Canh
Phumi Thalabarivat
Kong
Binh Thanh
Stoeng Treng
Lumphat
Phumi Kamang Chong
Plei Khoie
Phu Nhon
Nha Trang
Baoyou (Ledong)
Lingtou
Jianfeng
Hainan
Yinggehai
Huangliu
CHINE
Jiusuo
Yacheng

LE CENTRE

Étroitement enserré entre les montagnes de la cordillère Annamitique et la mer de Chine, le centre du Vietnam, ancienne province d'Annam, fut longtemps coupé en deux par la tristement célèbre ligne de démarcation du 17e parallèle, la DMZ, ce no man's land qui sépara le Nord du Sud de 1956 à 1975. La région, encore très marquée par les ravages des combats, possède quelques-uns des plus beaux sites du pays, en particulier Hué et Hoi An.

Au nord du 17e parallèle s'étendent la fertile province de Thanh Hoa, berceau de la culture de Dong Son, et les longues plaines côtières du Nghe An, du Ha Tinh et du Quang Binh, densément peuplées.

Sur les rives de la rivière des Parfums, avec sa majestueuse citadelle, sa cité impériale et ses imposants mausolées d'inspiration chinoise, Hué, ville chère au cœur des poètes et des lettrés vietnamiens, semble drapée dans ses souvenirs.

En direction de Danang vers le sud, la route franchit le célèbre site du col des Nuages, avant de traverser la province de Quang Nam Danang, sur laquelle rayonna jadis l'ancien royaume du Champa. Les étonnantes tours de briques rouges et les sites sacrés des Cham, édifiés entre les VIIIe et XIIe siècles, se dressent comme autant de témoins silencieux de ce brillant royaume que le Vietnam absorba définitivement au XVe siècle. A Danang, le musée d'Art cham rassemble une collection exceptionnelle de sculptures cham. Sur la côte s'étendent quelques-unes des plus belles plages du pays, comme China Beach ou Cua Dai.

Proche des montagnes de Marbre aux multiples grottes-pagodes, la paisible bourgade de Hoi An, dans la province de Quang Nam, possède un charme unique. Cette cité bâtie au XVe siècle à l'embouchure de la Thu Bon fut, en effet, aux XVIIe-XVIIIe siècles, le plus grand port et centre de négoce du pays, avant l'envasement de son estuaire qui précipita son déclin. Ses belles maisons communales, ses magnifiques pagodes et lieux de culte célèbrent le souvenir des Chinois, des Japonais et des Occidentaux qui s'établirent au fil des siècles dans la région. Patiemment restauré grâce à l'aide internationale, Hoi An est en passe de devenir l'une des destinations touristiques majeures du pays.

Pages précédentes : descendants de la famille impériale des Nguyen, à Hué.

HUÉ

Capitale impériale de 1802 à 1945, cité chère au cœur des lettrés vietnamiens, **Hué** ❶ est située à 12 km de la mer de Chine méridionale, dans la province de Thua Thien Hué, étroite bande de terre de 80 km de large enserrée entre la côte et la frontière avec le Laos.

Siège d'une commanderie chinoise sous les Han, Hué fut conquise au IIIe siècle par le Champa. La région passa sous contrôle vietnamien au XIVe siècle et, en 1471, les Le en confièrent l'administration aux seigneurs Nguyen. En avril 1601, Nguyen Hoang (1524-1613) fit édifier la pagode Thien Mu, et, en 1687, un de ses successeurs construisit la citadelle de Phu Xuan, dont il fit sa capitale. Au début du XVIIIe siècle, à l'issue d'âpres luttes, les Nguyen l'emportèrent sur les Trinh et, sous l'égide de Vo Vuong (1739-1763), Phu Xuan devint le siège d'un royaume indépendant.

Après avoir maté la rébellion des Tay Son avec l'aide des Français, le dixième seigneur Nguyen se proclama empereur sous le nom de Gia Long et, en 1802, fit de Phu Xuan sa capitale. En 1833, à l'achèvement des travaux pharaoniques entrepris, Phu Xuan prit le nom de Hué. Capitale plus artistique et culturelle que politique dans la mesure où les Français détenaient le véritable pouvoir, Hué allait rayonner pendant cent quarante-trois ans sur le Vietnam.

En 1858, les Français prirent le port de Danang et affermirent peu à peu leur contrôle sur la région de Hué. En 1885, ils s'emparèrent de la cité, incendièrent la bibliothèque impériale et pillèrent les palais. En 1945, Hué fut occupé par les Japonais.

Lors de l'offensive du Têt, en janvier-février 1968, la Cité impériale subit des dégâts considérables. Des monuments historiques et des pièces d'une valeur inestimable furent totalement détruits. Hué a cependant gardé de beaux vestiges.

Chargée d'histoire, foyer intellectuel traditionnel du pays, la ville demeure l'un des hauts lieux culturels du Vietnam. Le charme de cette ancienne capitale ne réside pas seulement dans la beauté de ses monuments, mais tient aussi à la poésie de son site, baigné par la rivière des Parfums (Song Huong).

Cette paisible cité abrite aujourd'hui quelque 270 000 habitants, et, selon la tradition, les plus belles jeunes filles du pays.

La Cité impériale

Construite sur le modèle de la Cité impériale de Pékin, la **citadelle** (Dai Noi) Ⓐ se présente comme un vaste carré fortifié par une enceinte de 10 km de pourtour, épaisse de 20 m et haute de 7 m, percée de dix grandes portes surmontées de tours de guet. Cette première enceinte, bâtie par les Français en 1809, abrite la **Ville-Capitale** (Kinh Thanh), qui regroupait les administrations et les

Cartes p. 234, 241

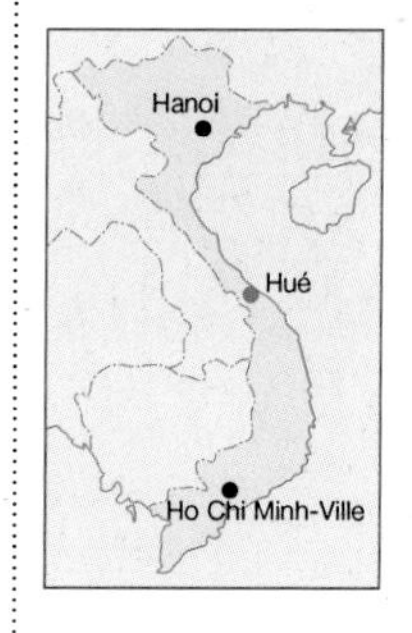

A gauche, la pagode Thien Mu ; ci-dessous, pavillon de la pagode Thien Mu.

La pagode Thien Mu s'élève sur une colline sacrée en forme de tête de dragon. Selon les géomanciens, bâtir un édifice en un tel lieu, où convergent les forces telluriques baptisées « Veines du dragon » et le souffle bénéfique du Dragon bleu, qui lutte contre l'énergie agressive du Tigre blanc, est gage de prospérité et de longévité.

Actrice costumée lors d'une fête traditionnelle.

logements des hauts dignitaires de la cour. Une seconde enceinte protège les palais et temples officiels de la **Cité impériale** (Hoang Thanh), au centre de laquelle s'élevait la **Cité pourpre interdite** (Cam Thanh), résidence du souverain et de sa famille. La Cité impériale et la Cité pourpre ont été très gravement endommagées en 1968.

En pénétrant dans la citadelle par le sud, on remarque tout d'abord, non loin de la porte Quang Duc, la tour du Drapeau, ou Chevalier du Roi, haute de 17 m. De part et d'autre de ce bastion de brique sont installés neuf canons symbolisant les seigneurs Nguyen, gardiens tutélaires de la cité; d'un côté, cinq canons représentent les cinq éléments (le métal, l'eau, le bois, le feu et la terre), tandis que les quatre autres symbolisent les saisons. Chacun d'entre eux pèse 12 t.

L'enceinte Jaune de la Cité impériale est percée de quatre portes richement décorées: Hoah Binh, Hien Nhan, Chuong Duc et Ngo Mon, la principale, réservée au souverain. Cette **porte du Midi**, construite en granit en 1834, sous le règne de Minh Mang, fut restaurée en 1921. Elle est surmontée du **belvédère des Cinq Phénix** (Lau Ngu Phung), dont le toit central est couvert de tuiles vernissées jaunes (couleur impériale), tandis que les toits latéraux sont ornés de tuiles vertes. C'est de ce pavillon que le souverain présidait les cérémonies officielles.

Passé la porte du Midi, le pont de la Voie céleste enjambe les Eaux dorées pour mener à l'**esplanade des Grandes Salutations** puis au **palais de la Paix suprême** (Dien Thai Hoa). C'est dans cette salle du trône que les empereurs recevaient les ambassadeurs étrangers, les princes et hauts dignitaires lors des audiences et grandes cérémonies rituelles. Ce palais, construit en 1804 sous le règne de Gia Long, fut rénové par Minh Mang en 1834, puis par Khai Dinh en 1924. Il est le seul

La porte sud de la Cité impériale.

Plan
p. 241

de la cité à avoir échappé aux bombardements de 1968. On prêtera une attention particulière à son beau plafond soutenu par quatre-vingts colonnes sculptées, laquées de rouge et rehaussées d'incrustations d'or.

L'empereur venait se reposer ou se préparer avant les cérémonies dans le **palais de la Longévité** (Truong Sanh), lire les classiques dans le palais Van ou dans le jardin Co Ha.

La Cité impériale abrite plusieurs temples dédiés aux différents seigneurs Nguyen, plus ou moins endommagés par la guerre et les intempéries. Le **Trieu Mieu** consacre la mémoire de Nguyen Kim, l'ancêtre de tous les Nguyen ; le **Thai Mieu** est dédié à Nguyen Hoang et à ses successeurs, tandis que le **Hung Mieu** est consacré à Nguyen Phuc Lan, père de Gia Long. Le **temple dynastique des Nguyen** (The Mieu), mieux conservé que les précédents, renferme les tablettes funéraires de sept dynastes ; en 1959, on y ajouta celles de trois souverains (Ham Nghi, Thanh Thai et Duy Tan) qui tentèrent de s'opposer à la colonisation française.

Face au The Mieu s'élève le **pavillon de la Splendeur** (Hien Lam Cac), devant lequel sont alignées neuf urnes dynastiques (Cuu Dinh) fondues en 1835 et symbolisant chacune un seigneur Nguyen. Elles sont décorées de motifs représentant le soleil, la lune, des dragons, des paysages, des événements historiques ainsi que des scènes de la vie quotidienne. Des centaines d'artisans travaillèrent à la fonte de ces urnes, hautes de près de 2 m, qui pèsent entre 1 900 et 2 500 kg.

La Cité pourpre interdite (Tu Cam Thanh) est protégée par un mur de brique de 4 m de haut et de 4 m d'épaisseur, percé de sept portes affectées chacune à un service particulier. Hélas, il ne reste presque plus rien de cette partie de la citadelle, détruite durant l'offensive du Têt et transformée depuis en potagers.

Urnes dynastiques devant le pavillon de la Splendeur.

« Stand » de fleurs au marché de Hué.

Jardin paysager du mausolée de Tu Duc.

Au sud de l'enceinte Pourpre s'ouvre la **porte de la Grande Résidence** (Dai Cung Mon), autrefois réservée au souverain. Elle donne sur la **cour d'Honneur** (Dai Trieu Nghi), flanquée des pavillons de l'Ouest (ou pavillon des Banquets) et de l'Est. Au fond se dressent les ruines du vaste **palais des Lois du Ciel** (Can Chanh), où l'empereur recevait les dignitaires et réglait les affaires du royaume. Il n'en subsiste que deux grands chaudrons de bronze symbolisant le pouvoir de vie et de mort du souverain sur ses sujets. Derrière, on peut encore voir les fondations du **palais de la Perfection céleste** (Can Thanh), où résidait le souverain. Il ne reste rien du **palais Kien Than**, construit par Khai Dinh (1916-1925) au début du XXe siècle. La **bibliothèque impériale** a été partiellement restaurée. La Cité interdite abritait également un théâtre (encore en assez bon état), des cuisines et les logements des concubines, des gardes et des serviteurs.

AUTOUR DE LA CITADELLE

Sur la rive gauche, le quartier commerçant de Hué s'étend au pied des murs de l'ancienne citadelle et entre les **ponts Tran Tien** Ⓑ et **Gia Hoi**, qui enjambent la rivière des Parfums. Ces deux ponts ont donné leur nom aux quartiers voisins.

Près de la porte est de la citadelle, le **musée impérial de Hué** Ⓒ, ex-musée Khai Dinh, au 3, Le Truc, est installé dans un ancien temple édifié en 1845, sous le règne de Thieu Tri. Il abrite des trésors ayant appartenu à la famille impériale et à l'aristocratie. Bien que de nombreux objets aient disparu pendant la guerre, on peut encore y admirer de belles porcelaines bleues, de somptueux costumes, un palanquin richement orné ainsi que divers instruments de musique.

De l'autre côté de la rue, le **musée provincial de Hué** (Bao Tang Thuan Thien-Hue), ouvert en 1975, renferme l'une des plus intéressantes

Plan p. 241

collections du pays sur la guerre du Vietnam, en particulier sur l'offensive du Têt de 1968. Un petit musée tout proche est consacré à l'histoire naturelle.

C'est dans le quartier sino-vietnamien de Gia Hoi, sur le flanc oriental de la citadelle, que se tient le **marché central** (Cho Dong Ba) **D**, très animé, qui offre un vaste choix de produits locaux (épices en particulier) et de délicieux plats cuisinés.

Sur la rive droite du fleuve, le district de **Vy Da** fut longtemps le lieu de rencontre et de refuge des artistes, des poètes et des érudits. L'ancien quartier colonial de **Phu Cam**, à population majoritairement catholique, est empreint d'une atmosphère totalement différente. C'est là que se trouvent les principaux hôtels de Hué, la cathédrale et les anciens bâtiments de l'administration coloniale.

De l'embarcadère du **pavillon des Édits** (Phu Van Lau), situé au sud de la citadelle, on peut louer un bateau pour remonter la rivière des Parfums jusqu'au **temple de la Littérature** (Van Mieu), consacré à Confucius, et au **temple des Arts martiaux** (Vo Mieu), dédié au dieu de la Guerre.

La **pagode de la Vieille Dame céleste** (Thien Mu) **E** est juchée sur une colline qui domine la rivière des Parfums, à 4 km au sud-ouest de Hué. Elle fut édifiée en 1601 par le seigneur Nguyen Hoang. En 1710, Nguyen Phuc Chu fit agrandir les bâtiments et fondre une énorme cloche que l'on peut voir dans un pavillon, à gauche de la tour. Haute de 2 m et pesant 2 t, on peut l'entendre résonner à plus de 15 km. Il rédigea également l'histoire de cette pagode. Ce texte fut gravé sur une stèle de 2,50 m de haut portée par une tortue de marbre, symbole de longévité, et placée dans un second pavillon érigé à côté de la pagode.

Au cours des décennies suivantes, la pagode souffrit des affrontements entre les Trinh et les Nguyen. En

Tour octogonale de la pagode Thien Mu.

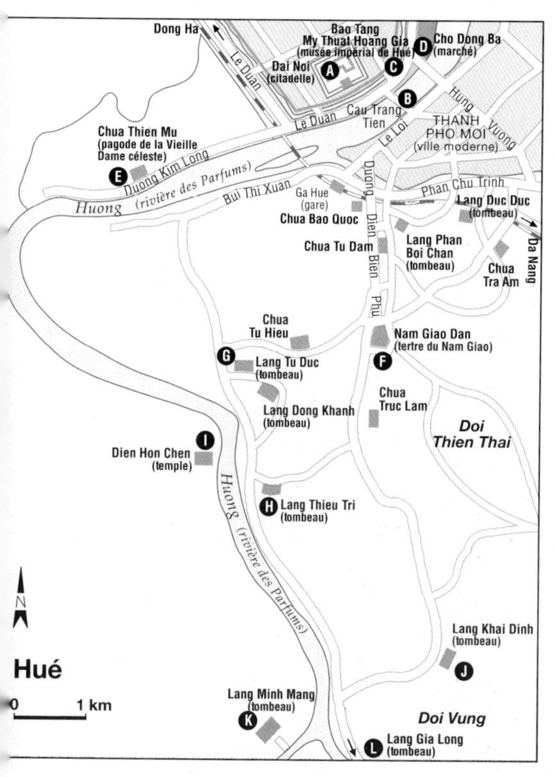

L'empereur Minh Mang.

1815, Nguyen Anh fit entièrement restaurer le sanctuaire. Mais c'est à l'empereur Thieu Tri (1841-1847) que l'on doit la renommée de la pagode. Il supervisa la construction d'une **tour octogonale** (Thap Phuoc Duyen) de 21 m de haut, dont chacun des sept étages symbolisait une réincarnation du Bouddha. Le temple principal, Dai Hung, s'élève dans un beau jardin d'ornement et abrite un Bouddha Souriant en bronze doré et trois autres statues : A Di Da (Amitabha), le bouddha du passé, Thich Ca (Sakyamuni), le bouddha historique, et Di Lac (Maitreya), le bouddha des temps à venir.

À l'arrière du Dai Hung s'élèvent deux sanctuaires, consacrés l'un à Quan Vo, le dieu de la Guerre, l'autre à la déesse Quan Am.

LES MAUSOLÉES IMPÉRIAUX

A la différence de leurs prédécesseurs, les Nguyen ne se firent pas inhumer dans le village natal du fondateur de la dynastie (Gia Mieu, dans la province de Thanh Hoa), mais près de leur capitale. Les tombes impériales des Nguyen sont érigées parmi les collines qui s'élèvent au sud de la ville, de part et d'autre de la rivière des Parfums. Cette dynastie compta treize empereurs, mais seuls ceux qui régnèrent jusqu'à leur mort reposent dans cette vallée des tombeaux (Gia Long, Minh Mang, Thieu Tri, Tu Duc, Kien Phuc, Dong Khanh et Khai Dinh).

Sur la route des tombeaux, à 2 km du centre ville, le **tertre du Nam Giao** (la « terrasse du Sacrifice au Ciel et à la Terre ») **F** s'élève dans un parc planté de conifères. Cette esplanade, qui fut aménagée par Gia Long en 1802, est formée de trois terrasses superposées, deux de forme carrée symbolisant la Terre, la dernière, circulaire, représentant le Ciel. Sous le règne des Nguyen, ce tertre était le lieu le plus sacré de l'empire. En effet, c'est là que le

La rivière des Parfums, vue de la pagode Thien Mu.

souverain, « fils » et mandataire de la divinité céleste, venait rendre un culte au Ciel et à la Terre. Après avoir passé une nuit de jeûne dans le palais de l'Abstinence, il quittait la Cité interdite par la porte sud et venait prier devant l'autel dressé au centre du tertre. On sacrifiait un buffle, dont on offrait un peu de sang à la Terre, au Seigneur d'En-Haut. Hélas, cet autel a fait place à un hideux monument aux morts.

Toutes les nécropoles des Nguyen réunissent au moins quatre éléments architecturaux essentiels empruntés aux tombeaux des empereurs Ming. Chacune possède une grande cour d'Honneur (*bia dinh*), pavée de brique, où l'on sacrifiait au défunt. Une voie des Esprits, jalonnée de gardiens de pierre (éléphants, chevaux sellés, créatures fabuleuses, soldats, dignitaires civils et militaires), mène à un pavillon de la Stèle qui renferme une haute stèle de marbre ou de pierre relatant les mérites et hauts faits du monarque défunt et généralement rédigée par son successeur. Seul Tu Duc établit lui-même sa biographie. Chaque complexe abrite également un temple où l'on honorait l'âme du défunt (*tam dien*) et de l'impératrice et dans lequel étaient conservés, sur un autel, leur tablette funéraire et des objets précieux leur ayant appartenu. Les veuves des souverains devaient faire brûler chaque jour, jusqu'à leur mort, de l'encens et du bois d'aloès devant l'autel. Enfin, le tombeau (*bao thanh*), abritant la dépouille de l'empereur, est toujours entouré de hauts murs et fermé par de lourdes portes de bronze. Dans certains cas, le corps du monarque ainsi que ses trésors sont en réalité enterrés dans un endroit secret, à l'abri des profanateurs de sépulture.

De part et d'autre de ces monuments s'élèvent des pavillons annexes réservés aux épouses et concubines du défunt, aux serviteurs et aux gardiens de la tombe impériale. La plupart de ces nécropoles

Plan p. 241

LE RÈGNE DES NGUYEN

La dynastie des Nguyen régna de 1802 à 1945. Depuis le début du XVIe siècle, alors qu'elle dirigeait le nord du pays, elle était alliée à la dynastie régnante des Le. Au milieu du XVIe siècle, les Trinh usurpèrent le pouvoir, chassant les Nguyen vers le sud. La rivalité croissante entre les Nguyen et les Trinh provoqua une guerre qui se poursuivit pendant une cinquantaine d'années, avant que les deux familles ne décident de se partager l'empire. Les Nguyen s'approprièrent le Sud, colonisant les territoires des royaumes cham et cambodgien en y installant des Chinois qui fuyaient les troubles provoqués par l'effondrement de la dynastie Ming. En 1771, la révolte de Tay Son fit vaciller le pouvoir des Nguyen. Un jeune prince, le futur empereur Gia Long, fondateur de la dynastie, mena la reconquête. Il régna sur l'ensemble du pays à partir de 1802. Les Nguyen s'opposèrent aux influences étrangères. Prenant prétexte de l'emprisonnement d'un missionnaire, les Français envahirent le Vietnam en 1858. Ils s'emparèrent de tout le pays entre 1883 et 1885. Les empereurs Nguyen continuèrent à régner sur l'Annam et le Tonkin, mais avec des pouvoirs de plus en plus réduits. Le dernier empereur, Bao Dai, né en 1913, abdiqua en 1945. Il tenta de remonter sur le trône en 1949, mais fut déposé en 1954. Il se réfugia alors à Paris, où il décéda en 1997.

L'un des gardiens de la pagode Thien Mu.

furent édifiées du vivant de leur destinataire, aussi trouve-t-on au centre de certains complexes funéraires, tels ceux de Gia Long et de Thieu Tri, des pavillons d'où le souverain pouvait diriger les travaux. On ne pourra qu'admirer l'élégante simplicité architecturale de ces temples, pavillons et kiosques qui s'intègrent harmonieusement dans des jardins paysagers à la chinoise, dotés de collines artificielles, de cours d'eau, d'étangs couverts de lotus et bordés d'arbres vénérables.

Le **mausolée de Tu Duc** G est situé à 7 km au sud-ouest de Hué, sur la rive droite de la rivière des Parfums. De 1864 à 1867, trois mille hommes travaillèrent à l'édification de cet ensemble funéraire qui évoque un palais miniature. Tu Duc, fils de Thieu Tri, eut le règne le plus long des Nguyen (1848-1883), mais aussi le plus contesté, car il avait éliminé son frère aîné pour accéder au trône.

Passé l'imposante porte d'entrée (Vu Khiem Mon), une allée dallée conduit au bord du lac Luu Khiem, dans lequel se mirent deux pavillons d'agrément où le souverain venait se reposer ou composer des poèmes. Du lac, l'allée mène au pied d'un escalier monumental au sommet duquel s'ouvre le palais de la Modestie (Hoa Khiem Cung). Cet édifice servit de pavillon de repos avant d'être transformé en temple du Culte. Derrière ce sanctuaire s'élève le théâtre impérial (Minh Khiem), où Tu Duc assistait à des représentations de *tuong*.

En reprenant l'allée qui longe le lac, on débouche sur la cour d'Honneur. Au bout de la voie des Esprits, gardée par les traditionnelles statues d'éléphants, de chevaux, de mandarins civils et militaires, s'élève le pavillon de la Stèle, qui abrite un bloc de pierre de 20 t sur lequel Tu Duc inscrivit lui-même les faits marquants de son règne. Derrière se dressent deux fûts de pierre symbolisant la puissance du souverain. L'empereur est enterré dans une pinède avoisinante, en un lieu tenu secret.

Un descendant de Bao Dai, dernier empereur du Vietnam.

La **tombe de Thieu Tri** **H**, troisième empereur de la dynastie des Nguyen (1841-1847), se trouve sur la colline Thuan Dao, à proximité des tombeaux de Tu Duc et de Dong Khanh. Achevé en 1848, ce mausolée est similaire à celui de Minh Mang, son père, mais de proportions plus réduites.

Sur la rive opposée de la rivière des Parfums, face aux tombeaux de Thieu Tri et de Tu Duc, s'élève le **rocher de la Coupe de jade** (Hon Chen) **I**, au flanc duquel ont été érigés plusieurs sanctuaires. Le plus important est le **Dien Hon Chen**, ou Ngoc Tran Dien, consacré à Poh Nagar, divinité protectrice de l'ancien royaume du Champa, adoptée par les Vietnamiens sous le nom de Tien Ya Na. Le 15e jour du 7e mois lunaire, les fidèles viennent célébrer dans ce temple une grande fête en l'honneur de la déesse.

Le **tombeau de Khai Dinh** **J**, avant-dernier souverain Nguyen, qui régna de 1916 à 1925, est situé à 10 km au sud de Hué, dans le village de Chau Chu. Il diffère totalement des autres ensembles funéraires de Hué par son architecture, mélange de styles occidental et oriental. L'effet d'ensemble se rapproche d'un château baroque oriental. Les palais et les temples sont en béton armé. Les travaux, commencés en 1920, s'achevèrent en 1931.

La nécropole est installée sur une colline en terrasses. Un imposant escalier de pierre gardé par quatre dragons mène à une première cour flanquée de deux temples. De là, une seconde volée de marches donne accès à la cour d'Honneur, ornée des traditionnelles statues d'animaux, de soldats et de mandarins. Au centre se dresse un pavillon de la Stèle octogonal. L'apologie du défunt fut composée par Bao Dai, fils adoptif de Khai Dinh.

Quarante-sept autres marches permettent d'accéder au temple du Culte, le Thieu Dinh. La décoration intérieure ne manquera pas de sur-

Plan p. 241

Gardien de tombe.

Entrée monumentale du mausolée de Khai Dinh.

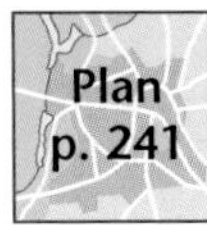

prendre le visiteur : le sol est dallé de tuiles de couleur, des fresques très colorées représentant les « Quatre Saisons » ou les « Huit Fées » taoïstes alternent avec une décoration plus géométrique, constituée de tessons de porcelaine et de verre incrustés dans le ciment. Le plafond de la salle de culte est orné d'un immense « dragon dans les nuages ». Une statue grandeur nature (1,40 m) de Khai Dinh, en bronze doré, fondue en France en 1922, est abritée par un lourd dais de béton.

Le **mausolée de Minh Mang** Ⓚ (1820-1841), quatrième fils de Gia Long et second empereur de la dynastie des Nguyen, se trouve sur la rive gauche de la rivière des Parfums, à 12 km au sud de Hué. On peut s'y rendre en bateau depuis le débarcadère situé rue Le Loi.

Planifiée du vivant du monarque, la construction du mausolée débuta un an avant sa mort et fut achevée par son successeur, Thieu Tri, en 1843. Son architecture solennelle, rehaussée d'élégantes sculptures réalisées par de nombreux artisans anonymes, s'intègre parfaitement au cadre naturel. La beauté du site est encore plus éclatante à la mi-mars, lorsque les lacs Trung Minh et Tan Nguyet se couvrent de lotus en fleur.

Le **mausolée de Gia Long** Ⓛ s'élève à 16 km de Hué, sur la rive gauche de la rivière des Parfums. Il est conseillé de se rendre dans ce lieu solitaire en bateau depuis Hué, car aucune route directe ne dessert cette nécropole. Le fondateur de la dynastie des Nguyen entreprit la construction de ce tombeau en 1814 et les travaux s'achevèrent en 1820, un an après sa mort. Bien que l'ensemble des bâtiments, bombardés, soit en mauvais état, la beauté du site mérite amplement une visite.

A droite de ce mausolée, sur une autre colline, se dresse le grand **temple de l'Éclatante Perfection** (Minh Thanh), qui abrite les autels et les tablettes funéraires de Gia Long et de sa première épouse.

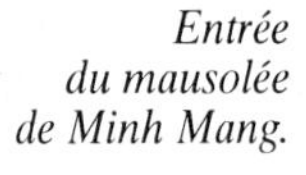
Entrée du mausolée de Minh Mang.

LES VESTIGES DE LA DMZ

La zone démilitarisée (DMZ), définie par la conférence de Genève en 1954, marquait la limite entre le Nord et le Sud-Vietnam. Cette bande de terrain large de 8 à 10 km, établie de part et d'autre du fleuve Ben Hai, coupait le Vietnam en deux à la hauteur du 17e parallèle, 100 km au nord de Hué. Dans l'esprit des négociateurs, la DMZ était une frontière provisoire, en attendant les élections qui devaient se tenir en 1956. Mais cette consultation n'eut jamais lieu, et la DMZ divisa le pays jusqu'en 1976. Pour tenter d'empêcher les infiltrations du Nord vers le Sud, les Américains la renforcèrent avec la « ligne Mc Namara » barrière électronique théoriquement infranchissable. La DMZ fut le secteur le plus âprement disputé pendant la guerre du Vietnam et vit se dérouler des combats particulièrement violents, dont on peut encore voir les traces. Au sud de la rivière Ben Hai, la route nationale 9, qui mène au Laos, passe à proximité d'anciennes bases américaines comme Con Thien et Khe Sanh. Au nord de la DMZ, à Vinh Moc, les villageois s'étaient réfugiés dans des tunnels pour échapper aux bombardements incessants. De 1966 à 1971, 300 personnes vécurent dans ce réseau de galeries de 2,8 km de long, où naquirent 70 enfants. Ce réseau parfaitement conservé se visite en totalité ; un musée y a été aménagé.

L'URGENCE DE LA RESTAURATION

Malgré sa longue et riche histoire, le Vietnam a conservé assez peu de monuments anciens. Ceux qui ont survécu aux invasions, aux guerres, aux typhons et à la dureté du climat ont souvent souffert de la négligence des hommes. L'entretien des monuments historiques est une forme de luxe pour un pays dont les priorités étaient hier de repousser les envahisseurs successifs et sont aujourd'hui la lutte contre la pauvreté.

Cependant, depuis 1990, le Vietnam s'intéresse à la préservation des sites historiques. L'enrichissement du pays grâce au tourisme n'est pas étranger à cette préoccupation : le gouvernement a mesuré l'importance de la source de revenus que constituent, dans les pays voisins, la Grande Muraille ou les temples d'Angkor. Le nationalisme est aussi un des moteurs de cette nouvelle politique culturelle, visant à renforcer l'orgueil national.

Mais les touristes n'affluent guère pour voir des édifices délabrés et des ruines envahies par la végétation, ce qui est le cas de nombreux sites dans tout le pays. La citadelle et les tombeaux impériaux de Hué, notamment, figurent sur la liste des monuments en danger. Lors de l'offensive du Têt, en 1968, plus des deux tiers des édifices ont été détruits et pendant des décennies rien n'a été fait pour consolider les ruines. Depuis 1993, les vestiges sont inscrits au patrimoine de l'humanité.

En contrepartie, le gouvernement s'est engagé à investir un million de dollars chaque année pour restaurer le site de Hué, déclaré « trésor national ». Plusieurs pays, réunis sous l'égide de l'Unesco, ont également entrepris de financer certains travaux de restauration. Ainsi, la France a pris en charge le traitement des bâtiments subsistants contre les termites – un des pires ennemis de l'architecture ancienne au Vietnam, qui fait largement appel au bois. A ce jour, les pavillons de la Lecture et des Banquets et les palais de la Reine-Mère, de la Longévité et de la Longue Sécurité ont pu être restaurés grâce aux fonds réunis par la communauté internationale. Les travaux ont été en grande partie accomplis par des artisans locaux – notamment tailleurs de pierre, sculpteurs sur bois, potiers – sous la direction d'experts venus du monde entier.

Cependant, la tâche à accomplir reste considérable et s'apparente à une course contre la montre. Dans la citadelle, la pierre des colonnes et des statues s'effrite, les charpentes sont rongées par les insectes et les infiltrations. Les dégâts provoqués par les combats sont immenses : les murs sont criblés de balles, et plusieurs bâtiments ont été littéralement pulvérisés. La majeure partie de la Cité pourpre est devenue un vaste terrain vague où alternent jardins potagers et bidonvilles. Laissées totalement à l'abandon pendant plus de vingt-cinq ans, les ruines ont été de plus largement pillées par des visiteurs sans scrupules.

Hué n'est pas la seule ville du pays où des restaurations urgentes sont indispensables. Il en va de même pour le port de Hoi An, les tours cham, les monuments de My Son et des centaines de pagodes.

Gardiens de pierre ... un mausolée impérial.

LA CITADELLE DE HUÉ

La construction de la citadelle de Hué fut décidée par les empereurs Nguyen au début du XIXe siècle, et son site déterminé par les géomanciens. Si ses fortifications s'inspirent des principes techniques conçus par Vauban, son organisation intérieure reste fidèle aux traditions de l'architecture chinoise et reflète la hiérarchie très stricte de cette monarchie confucéenne. Trois enceintes concentriques renferment la Ville-Capitale (Kinh Thanh), la Cité impériale (Hoang Thanh) et la Cité pourpre interdite (Cam Thanh). Protégée par un fossé large de 30 à 40 m et profond de 4 m, la première enceinte, aux remparts hauts de 7 m et larges de 20 m, dont le périmètre atteint 10,8 km, est renforcée par dix-neuf bastions. Elle est percée de dix portes fortifiées, desservies chacune par un pont jeté sur les douves. La superficie ainsi délimitée est de 73 ha.

La Ville-Capitale est séparée de la Cité impériale par un deuxième fossé et une deuxième enceinte, et la Cité interdite est elle-même protégée par un troisième fossé. Après l'abdication du dernier empereur, Bao Dai, en 1945, la Cité interdite fut laissée à l'abandon, puis dévastée par les combats de l'offensive du Têt, en 1968.

▶ Décidée par Gia Long, la construction de la citadelle remonte à 1804. Ses murailles, à l'origine en terre battue, furent peu à peu recouvertes de brique.

▲ Quarante-deux des soixante-sept édifices que comptait la Cité interdite ont totalement disparu lors des bombardements américains de 1968.

◀ La tour de Confucius, qui domine la pagode de Thien Mu, fut construite en 1661 avec des briques récupérées sur des temples cham.

▼ La porte du Midi était réservée à l'empereur. Les courtisans, comme les visiteurs, devaient emprunter les portes latérales.

Les mausolées des empereurs Nguyen

Chaque mausolée reflète la personnalité du monarque qui y repose. Ainsi, Ming Mang, qui régna de 1820 à 1841, fasciné par les principes confucéens d'organisation administrative, se fit construire un tombeau de style chinois.
Tu Duc, qui régna de 1848 à 1883, était un lettré et un poète dont le tombeau s'intègre harmonieusement à la nature. Mais tous s'étendent sur des centaines d'hectares et possèdent cinq aménagements communs : le pavillon de la Stèle, le temple de l'empereur et de l'impératrice, la cour d'Honneur ornée de statues des mandarins, un étang ombragé où s'épanouissent nénuphars et lotus, et la sépulture du défunt – en réalité enseveli dans un lieu tenu secret.

▶ *Le temple impérial, dédié à Confucius, et les ombrelles de cérémonie, révèlent l'influence chinoise sur la dynastie Nguyen.*

Bâti en ciment armé, e mausolée de Khai)inh qui règna de 1916 1925, allie la tradition etnamienne à influence française.

▶ *Le dragon impérial* (long nhan) *symbolise le pouvoir sur la terre et les eaux, et représente l'empereur. Il a cinq griffes* (long ngu chim)*, alors que les autres dragons n'en ont que quatre.*

DANANG ET HOI AN

A mi-chemin (800 km) de Hanoi et de Ho Chi Minh-Ville, la **province de Quang Nam Danang** s'étend entre la mer de Chine à l'est et le Laos à l'ouest, dont elle est séparée par la chaîne des Truong Son. Réputée pour les bois précieux de ses forêts, la cannelle de Tra Mi, le tabac de Cam Le, le safran de Tam Ky, le *nuoc mam* de Nam O, la soie de Hoa Vang, et les nids d'hirondelles récoltés sur les îles ancrées au large de ses côtes, elle fut jadis au cœur d'un royaume disparu, le Champa.

Lorsque l'on franchit le **col des Nuages** (Hai Van, 496 m) ❷, dominé par la montagne du Cheval blanc (Bach Ma, 1 444 m), on découvre un magnifique panorama côtier, en particulier au nord, sur la péninsule de **Lang Co** ❸, l'une des plus belles du Vietnam. Mais le col, qui marque la frontière climatique entre le Nord et le Sud, est très souvent plongé dans un épais brouillard – d'où son nom. Passé le col, le climat se fait plus chaud et moins humide.

Danang ❹, la capitale provinciale, est sise sur la rive ouest de la Han, à 100 km au sud-est de Hué. Doublée d'un port international, elle est aussi la quatrième ville du pays, avec 380 000 habitants. Aux XVIIe et XVIIIe siècles, elle vit accoster les premiers colons espagnols puis français avant d'être le théâtre d'affrontements sanglants entre les colonisateurs. Les Français la baptisèrent Tourane, par déformation de son nom chinois de Cua Han et, à la fin du XIXe siècle, en firent le premier port et centre commercial de l'Annam, supplantant Hoi An, à 30 km de là. C'est aussi dans la baie de Danang que débarquèrent, le 8 mars 1965, les 3 500 premiers marines américains. En 1975, les troupes communistes s'emparèrent de la ville pratiquement sans combattre, les soldats sud-vietnamiens préférant se dépouiller de leurs uniformes et s'enfuir. Les images de l'évacuation de Danang par deux Boeing 747 américains firent le tour du monde. La panique était telle que certains fuyards tentèrent de s'accrocher aux ailes et aux trains d'atterrissage des avions et s'abîmèrent en mer de Chine.

La ville, malgré son importance économique, n'offre guère d'intérêt, mais réserve quelques promenades agréables, dont les marchés de Cho Han, de Cho Con et du quartier de Hai Chau. Parmi les curiosités figurent la pagode de Phat Giac, construite dans les années 1930, le temple caodaïste, l'inévitable musée Ho Chi Minh et la galerie de peinture de l'artiste contemporain Tuy Duy. Beaucoup plus intéressant, le **musée de la Sculpture cham** fut construit en 1915 pour abriter les trouvailles des archéologues de l'École française d'Extrême-Orient. Ce dépôt lapidaire fut transformé en musée en 1936. Rénové et agrandi, il renferme actuellement plus de trois cents chefs-d'œuvre de la sculpture cham entre le IVe et le XIVe siècle.

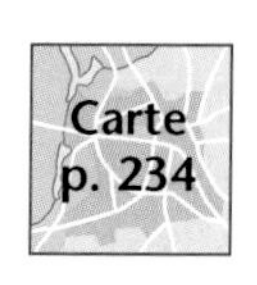

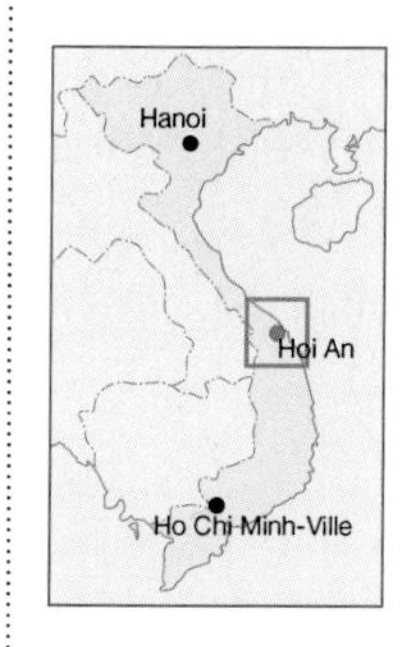

Pages précédentes : canal à Hoi An. A gauche, cueillette de palourdes près de Danang ; ci-dessous, le chef de gare du col des Nuages.

Le col des Nuages est le passage obligé de la nationale 1 et de la principale voie ferrée du pays, qui relie Hanoi à Ho Chi Minh-Ville. La ligne franchit le col par de nombreux ouvrages d'art, où les viaducs et les tunnels se succèdent. Sur cette section sinueuse et accidentée, le panorama sur la mer de Chine est splendide.

Certains bus de Danang datent de l'époque coloniale.

LES VESTIGES DU ROYAUME DU CHAMPA

L'ancien royaume du Champa (IIe-XVe siècle) s'étendait de Phong Na, au nord de Hué, à Vung Tau (l'ancien cap Saint-Jacques) et comptait cinq provinces : O Ri, Amaravati, Vijaya, Kauthara (Nha Trang) et Panduranga (Phan Rang).

Le Quang Nam Danang, ancienne province d'Amaravati, fut pendant plusieurs siècles le centre de la civilisation cham. Ainsi, **Simhapura** (la « cité du Lion »), l'actuelle **Tra Kieu**, à 40 km au sud-ouest de Danang, fut la capitale du Champa du IVe au VIIIe siècle. De cette cité royale ne subsistent que les remparts et quelques stèles. Une partie des sculptures retrouvées sur le site se trouve dans l'église catholique du village (Dia So), et l'autre au musée cham de Danang.

Au milieu du VIIIe siècle, le centre du pouvoir fut transféré à Po Nagar (l'actuelle Nha Trang), dans la province de Panduranga. Puis, à la fin du VIIIe siècle, Indravarman II établit sa capitale à Indrapura (la « cité du Génie du Tonnerre »), l'actuelle **Dong Duong**, à 60 km de Danang. Au cœur de cette cité, qui rayonna de 875 à 982, s'élevait le grand monastère mahayaniste de Lakshmindra-Lokeshvara, dont il ne reste que les fondations. Ce site abrite les vestiges de monuments bouddhiques et hindouistes gravés d'inscriptions relatant les hauts faits de neuf rois cham. On y a également découvert un très beau bouddha en bronze du IIe siècle, qui se trouve maintenant au musée de Ho Chi Minh-Ville.

A 70 km au sud-ouest de Danang, la vallée de **My Son** ❺, principal site archéologique de la région, fut, du IVe au XIIIe siècle, le centre religieux et intellectuel du Champa. Dès la fin du IVe siècle, les Cham y élevèrent des tours (*kalan*) et des temples consacrés aux rois et aux divinités brahmaniques, parmi lesquelles Shiva occupait une place

La saison des pluies.

prépondérante en tant que fondateur et gardien du Champa et de ses dynastes.

Les archéologues ont exhumé, au début du XXe siècle, de nombreux temples, tours et monastères richement ornés et témoignant d'une forte influence indienne et indonésienne. Hélas, ces monuments de grande valeur furent partiellement ou totalement détruits par les bombardements américains. On peut encore voir les soubassements en pierre de taille du grand temple de Bhradeshvara, dit « B 1 » (chaque groupe de temples est identifié par une lettre de A à L)), édifié au IVe siècle et reconstruit aux VIIe et XIe siècles. Face à l'entrée du temple s'ouvre une ancienne salle de méditation où sont exposées quelques statues. A gauche du temple de Bhradeshvara s'élève une bibliothèque du Xe siècle (B 5) où l'on entreposait les objets rituels. Les murs intérieurs ont résisté au temps et aux bombes, ce qui permet d'admirer un beau relief de terre cuite représentant des éléphants sous un arbre. On remarquera le toit pyramidal du temple B 3, typique des tours cham, qui rappelle les shikharas hindous.

Le temple principal du groupe C, qui date du VIIIe siècle, abritait une statue de Shiva, qui se trouve désormais au musée de Danang.

A l'est de ces deux premiers ensembles s'élevait un troisième groupe de temples (A) dont ne subsistent plus que les fondations ; on peut admirer un autel en pierre, reconstitué au centre du temple A 1, ainsi que des fragments épars témoignant du remarquable travail de briquetage des artistes cham. Leurs techniques de maçonnerie restent encore assez mystérieuses : on sait que les briques étaient peu cuites afin d'être sculptées après assemblage, mais on ignore la nature du liant employé (une des hypothèses les plus sérieuses envisage une forme de collage utilisant la résine

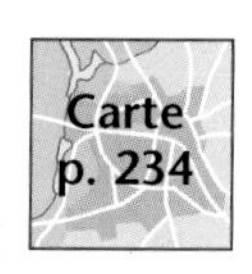
Carte p. 234

GRANDEUR ET DÉCADENCE DU CHAMPA

Les Cham sont originaires de Malaisie et de Polynésie. Ils s'installèrent dans le centre et sur les côtes sud du Vietnam, avant de fonder le royaume du Champa en 192, profitant de l'affaiblissement de la mainmise chinoise lié au déclin des Han. Ce peuple de pêcheurs, de marins et de pirates fut longtemps divisé en plusieurs clans rivaux, dont les deux principaux étaient les Dua et les Cau. Leur unification fut accomplie vers 400 par le roi Bhadravarman Ier. En relations commerciales étroites avec les Indes, les Cham adoptèrent l'hindouisme (avant de se convertir au bouddhisme, au VIIIe siècle) et le sanskrit ; leur art et leur architecture sont fortement marqués par la culture indienne.

Les Chinois, attirés par ses réserves d'or, s'emparèrent du Champa en 446. Mais au VIe siècle, les Cham reprirent leur indépendance, inaugurant l'âge d'or du Champa. Un siècle plus tard, ils s'attaquèrent à la Chine et au Cambodge. En 1145, les Khmers conquirent le Champa mais, en 1147, un nouveau roi cham les chassa, et ses successeurs firent le siège d'Angkor. Au XIIIe siècle, les Cham étaient simultanément en guerre avec les Khmers, les Viet et les Mongols. En 1471, les Cham furent vaincus par le roi viet Le Thanh Ton. D'abord divisé en quatre régions, le Champa fut définitivement rayé de la carte au XVIIe siècle.

Sculpture cham du musée de Danang.

My Son comptait plus de soixante-dix temples. Les trois quarts ont été détruits par les bombardements américains.

Un des chefs-d'œuvre du musée de la Sculpture cham.

de l'arbre *cau day*). Ce mystère pose de sérieux problèmes aux restaurateurs des édifices cham.

L'accès à ces différents sites est assez difficile. Les horaires des cars sont incompatibles avec une visite exhaustive des lieux, aussi est-il préférable de louer une voiture. Pour gagner My Son, on peut sc rendre en voiture jusqu'à **Kim Lam**, mais il faut ensuite faire une marche de 5 km. Là n'est cependant pas la principale difficulté : des bombes et des mines jonchent encore ces sites et la campagne environnante. Il est donc impératif de ne pas s'écarter des sentiers tracés.

Les montagnes de Marbre

A 8 km au sud de Danang se dressent cinq collines calcaires connues sous le nom de **montagnes de Marbre**, ou **montagnes des Cinq Éléments** (Ngu Hanh Son) : Kim Son, le métal; Tuy Son, l'eau; Moc Son, le bois; Hoa Son, le feu et Tho Son, la terre.

Ces collines – d'anciennes îles que l'ensablement de la côte a rattachées au continent – sont criblées de grottes aménagées en sanctuaires hindous par les Cham et qui abritent de nos jours des divinités bouddhiques et taoïstes. On peut notamment visiter, sur le **Tuy Son**, la **pagode Linh Ung**, entretenue par quelques moines qui vivent dans les bâtiments situés à droite du sanctuaire. La spectaculaire **grotte de Huyen Khong**, haute de 30 m, est gardée par quatre mandarins de pierre. Elle renferme des autels dédiés à Sakyamuni et à Confucius. Enfin, la **pagode Tam Thai** est dédiée au bouddha Sakyamuni.

On extrait de ces collines en pain de sucre un marbre blanc, orangé ou bleu-vert, dans lequel des artisans cisèlent de délicates statues de divinités taoïstes ou bouddhiques, ainsi que des bijoux pour touristes.

Au pied des montagnes de Marbre s'étendent d'immenses plages de sable fin, ombragées de

pins et de filaos, dont la plus connue est **China Beach** (Bai Bien Non Nuoc) ❻, près du village de Non Nuoc. Pendant la guerre du Vietnam, la plage était un lieu de détente et de repos pour les soldats américains. En 1992, on y organisa la première compétition de surf du pays.

HOI AN

La charmante cité de **Hoi An** ❼ s'élève sur les rives de la **Thu Bon**, à 5 km de la côte et à 30 km au sud-est de Danang. C'est au XVe siècle que cet ancien port champa prit son essor sous le nom de Faifo, avant de devenir, sous l'égide des seigneurs Nguyen, l'un des plus grands ports commerciaux d'Asie du Sud-Est et le lieu privilégié d'échanges entre l'Est et l'Ouest. Au début du XVIe siècle, en effet, débarquèrent les premiers commerçants occidentaux – Portugais, Britanniques, Hollandais et Français –, bientôt suivis de missionnaires catholiques, dont le célèbre Alexandre de Rhodes, inventeur du *quoc ngu*. A la même époque s'établirent à Hoi An des commerçants chinois et japonais. C'est ainsi que, vers 1650, s'organisèrent le quartier japonais et, au début du XVIIIe siècle, le quartier cantonais, avec leurs échoppes et leurs temples.

A la fin du XVIIIe siècle, les guerres entre les Trinh et les Nguyen et la révolte des Tay Son endommagèrent gravement la ville. Enfin, la Thu Bon, qui reliait Hoi An à la mer, s'ensabla progressivement et l'on dut construire à l'embouchure du Han un nouveau port, Danang, qui devait définitivement éclipser Hoi An dès les années 1850. Hoi An sombra alors dans une léthargie qui se révéla plus tard une chance : tandis que Danang, devenu une gigantesque base aéronavale américaine à partir de 1965, fut durement touché par les combats, Hoi An souffrit peu des événements.

La ville, qui compte près de 75 000 habitants, vivait modestement de la

Carte p. 234

Sur la plage de China Beach, les foules de marines américains en repos ne sont plus qu'un lointain souvenir.

Gravure ancienne du port de Faifo, aujourd'hui Hoi An.

pêche jusqu'en 1995. Aujourd'hui, plus de 80 % des habitants du centre-ville tirent leurs revenus directement du tourisme.

Au début des années 1980, l'Unesco lança un vaste programme de restauration de la vieille ville et des monuments de Hoi An. Ce programme était d'autant plus urgent que la ville était ravagée chaque année par des inondations qui affaiblissaient chaque fois un peu plus les structures de bois des maisons. Ainsi, en 1998, une inondation particulièrement violente faillit emporter le Pont japonais. Hoi An est aujourd'hui sauvé et remit en valeur, mais, en contrepartie, l'affluence touristique croissante lui a fait perdre le calme qui faisait une partie de son charme.

PROMENADE DANS LE VIEUX HOI AN

L'Unesco a recensé à Hoi An 844 bâtiments d'intérêt historique. Leur architecture, remarquablement bien préservée, atteste la richesse passée de ce port. Le quartier historique est situé dans la partie sud de la ville, en bordure de la rive gauche de la rivière Thu Bon. Il est maintenant interdit aux voitures.

Perpendiculaire à la rivière, la rue Lc Loi, tracéc il y a quatre sièclcs, est la plus ancienne de la ville. Le quartier japonais fut bâti cinquante ans plus tard, et il fallut attendre encore un demi-siècle pour voir s'élever le quartier chinois.

C'est en se promenant dans les rues Bac Dong, Nguyen Thai Hoc, Tran Phu et Phan Chu Trinh, autour de **Cho Hoi An** Ⓐ, le marché central, que l'on s'imprégnera le mieux de l'atmosphère particulière de cet ancien port cosmopolite qui semble si peu appartenir à notre époque.

On peut découvrir aux alentours plusieurs temples claniques et une vingtaine de vieilles demeures. La plupart de ces bâtiments ont été édifiés par les membres de la commu-

Porte sculptée à Hoi An.

nauté chinoise entre 1845 et 1885. Les temples claniques (*hoi quan*) sont à la fois des temples et des maisons communales et comportent un ou plusieurs sanctuaires, des salles de réunion et de banquets et des logements pour les hôtes.

Au n° 176 de Tran Phu, à l'angle du marché, s'élève le **temple clanique des Chinois du Guangdong** (Mieu Quan Cong) **B**. Édifié en 1786, il est dédié à Quang Cong (Guan Gong), général des Trois Royaumes déifié. De hauts piliers de granit soutiennent l'ensemble de la structure, sauf dans la salle de culte où la pierre fait place au bois de jacquier. L'entrée principale est surmontée de scènes sculptées avec une grande vigueur. A côté, une ancienne pagode abrite le **Musée historique et culturel de Hoi An C**, qui recèle des documents et quelques objets domestiques et de marine intéressants.

Le **temple clanique des Chinois du Fujian** (Chua Phuoc Kien) **D** est situé au n° 35 de Tran Phu. Édifié en 1792, il est consacré à Thien Hau, déesse protectrice des pêcheurs et des marins. Il abrite des statues de la déesse et de ses deux assistantes : Thuan Phong Nhi, à l'ouïe extrêmement fine, et Thien Ly Nhan, dont le regard porte au loin. Y sont également révérés les six chefs de clan (ou Grands Ancêtres) qui quittèrent le Fujian au XVIIe siècle pour s'établir à Hoi An. On y découvre aussi une rare maquette de bateau datant du début du XVIIIe siècle.

Le **Chua Ba**, temple qui rassemble toutes les congrégations chinoises de Hoi An, fut fondé en 1773. Ce complexe, qui comprend une salle de réunion, des chapelles et des pavillons annexes, a longtemps abrité une manufacture de tapis et de stores en bambou.

L'un des monuments les plus remarquables des vieux quartiers (situés dans le sud de la ville, au bord de la Thu Bon) est le **Pont japonais** (Cau Nhat Ban) **E**, qui relie les quartiers de Cam Pho et de Minh Huong.

Plan p. 260

Portail du temple clanique des Chinois du Fujian à Hoi An.

A droite, pêche dans les rouleaux de China Beach.

Au milieu de ce pont couvert de 20 m de long et en dos-d'âne, coiffé de tuiles jaunes et vertes, se dresse une pagode bâtie en 1793 et dédiée à deux personnages légendaires, Dac De et Tran Vu. Aux extrémités de l'ouvrage, des statues (deux singes côté chinois et deux chiens côté japonais) rappellent ses datcs dc construction, de 1593 (année du Singe) à 1595 (année du Chien).

L'architecture domestique de Hoi An est l'une des plus belles du pays. On peut admirer de jolies maisons de notables dans la rue Nguyen Thai Hoc, dont la **maison Tan Ky** **F**, au 101, est la mieux conservée. Vieille de deux siècles, elle offre un exemple frappant de l'intégration des influences sino-japonaises au style local. Le toit du salon, dit « en forme de crabe », est typiquement japonais, tandis que l'influence chinoise se manifeste dans les colonnes en bois de jacquier, gravées de poèmes calligraphiés en incrustations de nacre.

Hoi An
0 200 m
Hoi Quan Trieu Chau (temple classique)
Bao Tang Van Hoa va Lich Su Hoi An (Musée historique et culturel de Hoi An)
Mieu Quan Cong
Cho Hoi An (marché)
Phuoc Kien
Gieng Ba Le (puit)
77 Tran Phu
Nha Tho Ho Tran
Nha Tho Ho Truong
Nha Co Tan Ky (maison Tan Ky)
Hoi Quan Quang Dong (temple classique)
Cau Nhat Ban/Lai Vien Kieu (Pont japonais)
Ban Dao An Hoi
Thu Bon
Cau Cam Nam
Cam Nam
Da Nang
My Son
Phan Boi Chau
Nguyen Duy Hieu
Hoang Dieu
Nguyen Hue
Tran Phu
Nguyen Thai Hoc
Bach Dang
Tran Hung Dao
Le Loi
Phan Chu Trinh
Nhi Trung
Phan Dinh Phung

Au XVIIe siècle, Hoi An comportait deux quartiers distincts séparés par un ruisseau enjambé par le Pont japonais : à l'est, le quartier chinois, à l'ouest, le quartier japonais. A la fin du XVIIIe siècle, un gigantesque incendie, succédant à une épidémie de peste, ravagea la ville. Seul le quartier chinois fut alors reconstruit.

La **maison-chapelle de la famille Tran**, au n° 21 de Le Loi, a été construite en 1802 par un mandarin au service de l'empereur Gia Long. Cette demeure se compose d'un étonnant lieu de culte dédié aux ancêtres du clan, qui ressemble à un petit musée privé, et d'une maison d'habitation, toujours occupéc par la même famille.

On peut également visiter la **maison Phung Hung**, au n° 4 de Nguyen Thi Minh Khai, la plus haute de la ville, qui remonte à 1760, ou la maison de la famille Diep Dong Nguyen, bâtie par un apothicaire chinois.

Toutes ces maisons observent le même plan d'ensemble. Elles sont construites sur deux niveaux, tout en longueur, entre deux ruelles. Les poutres, faîtages et chevrons, en bois précieux, sont sculptés de fins motifs décoratifs. Sur la façade s'ouvrait traditionnellement une boutique, à l'arrière de laquelle étaient entreposées les marchandises, tandis que les pièces d'habitation du rez-de-chaussée (salons, salle à manger et communs) donnaient sur une cour intérieure. Les chambres, situées à l'étage, ouvraient sur une véranda.

Dans un tout autre style, la **maison Tran Duong**, au n° 25 de Phan Boi Chau, datant de 1887, est un intéressant témoignage de l'architecture et de l'ameublement coloniaux. Elle est occupée par la même famille depuis sa construction et se visite sur demande auprès de ses habitants.

Hoi An ne compte que deux pagodes, situées à l'extérieur de la ville. La **pagode Phuc Thanh** est la plus ancienne. Fondée en 1454 par un moine chinois, elle renferme une statue du bouddha A Di Da (Amitabha), assis sous un grand dais et flanqué de deux statues de Thich Ca (Sakyamuni), ainsi que d'anciens objets rituels d'une grande beauté.

Le Tombeau japonais est isolé dans les rizières, à 4 km du centre ville. Cette sépulture d'un commerçant japonais du XVIe siècle, qui a conservé son épitaphe, est devenue un but de promenade pour les touristes japonais en visite à Hoi An.

LE SUD

En descendant vers le sud, la route nationale 1 rejoint la pittoresque station balnéaire de Nha Trang avant de traverser la province maritime de Thuan Hai jusqu'au port de Phan Thiet, grand centre de la production de *nuoc mam*. A l'ouest s'étendent les Hauts Plateaux et les provinces de Gia Lai, de Kon Tum, de Dac Lac et de Lam Dong, où vivent de nombreuses ethnies. C'est au cœur de cette région montagneuse que se niche la célèbre station climatique de Dalat, fondée à la fin du XIXe siècle par les Français.

Le 2 juillet 1976, l'Assemblée nationale vietnamienne décida de rebaptiser Thanh Pho Ho Chi Minh l'ex-capitale du Sud-Vietnam, afin d'honorer la mémoire du père de l'Indépendance. Mais, pour nombre de ses habitants, Ho Chi Minh-Ville reste Saigon. Les rues de cette cité industrieuse et dynamique voient passer un flot ininterrompu de cyclo-pousse, de vélos et de motocyclettes tandis que Cholon, le quartier chinois de la ville, réputé pour l'esprit d'entreprise de ses habitants, vit le jour comme la nuit, apparemment sans interruption. Rrien ne semble pouvoir endiguer l'afflux de ruraux, jeunes et vieux, qui accourent vers la métropole méridionale en espérant, sinon y faire fortune, du moins y gagner décemment leur vie.

Depuis Ho Chi Minh-Ville, cap sur la province du Dong Nai et sa capitale, Bien Hoa, avant de gagner la zone économique spéciale de Vung Tau-Con Dao (l'île de Poulo-Condore). Centre de l'industrie pétrolière vietnamienne, Vung Tau est actuellement le huitième port du pays. En raison de sa relative proximité (125 km) et de son climat agréable, cette péninsule (l'ancien Cap Saint-Jacques des Français) est aussi l'un des lieux de villégiature favoris des Saigonais.

Vaste mosaïque de rizières et de vergers aux tons changeants, le delta du Mékong s'étend, au sud de Ho Chi Minh-Ville, de la frontière cambodgienne à la pointe de Ca Mau à l'extrême sud du pays. Des centaines de canaux quadrillent cette région prospère, peuplée de Khmers et de Cham, et une flottille d'embarcations les plus diverses – bacs, petits vapeurs, canots à moteur et sampans – relie les villes-marchés du delta les unes aux autres, et chacune d'elles à Ho Chi Minh-Ville.

Pages précédentes : sur un marché traditionnel, des Vietnamiennes expatriées de retour au pays. A gauche, canal du delta du Mékong en période d'inondations provoquées par la mousson.

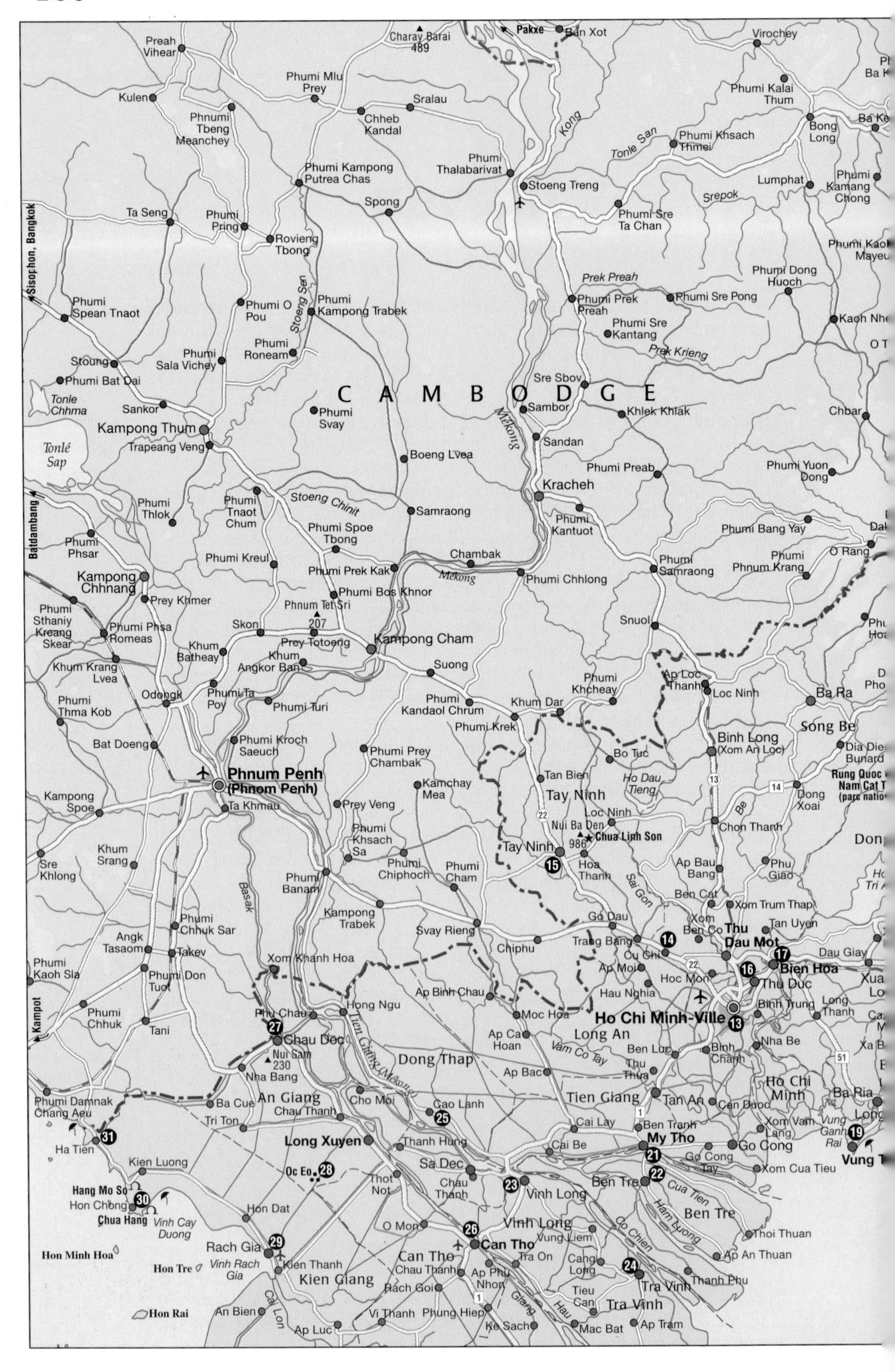
CAMBODGE
Preah Vihear
Charay Barai 489
Pakxe
Ban Xot
Virochey
Phumi Mlu Prey
Kulen
Sralau
Phumi Kalai Thum
Phnumi Tbeng Meanchey
Chheb Kandal
Kong
Bong Long
Tonle San
Phumi Khsach Thmei
Phumi Thalabarivat
Phumi Kampong Putrea Chas
Stoeng Treng
Lumphat
Phumi Kamang Chong
Spong
Srepok
Ta Seng
Phumi Pring
Phumi Sre Ta Chan
Rovieng Tbong
Sisophon, Bangkok
Stoeng Sen
Prek Preah
Phumi Dong Huoch
Phumi Spean Tnaot
Phumi O Pou
Phumi Kampong Trabek
Phumi Prek Preah
Phumi Sre Pong
Kaoh Nhek
Phumi Sre Kantang
Phumi Roneam
Phumi Sala Vichey
Stoung
Prek Krieng
Phumi Bat Dai
Sre Sbov
Tonle Chhma
Sankor
Phumi Svay
Sambor
Khlek Khlak
Chbar
Kampong Thum
Mékong
Sandan
Tonlé Sap
Trapeang Veng
Boeng Lvea
Phumi Preab
Phumi Yuon Dong
Kracheh
Phumi Thlok
Phumi Tnaot Chum
Stoeng Chinit
Samraong
Phumi Kantuot
Phumi Bang Yay
Phumi Spoe Tbong
Batdambang
Phumi Phsar
Chambak
Phumi Samraong
Phumi Phnum Krang
O Rang
Phumi Kreul
Phumi Prek Kak
Mékong
Phumi Chhlong
Kampong Chhnang
Phumi Bos Khnor
Prey Khmer
Phnum Tet Sri 207
Snuol
Phumi Sthaniy Kreang Skear
Phumi Phsa Romeas
Skon
Kampong Cham
Khum Batheay
Prey Totoeng
Khum Angkor Ban
Suong
Khum Krang Lvea
Ap Loc Thanh
Phumi Khcheay
Loc Ninh
Ba Ra
Odongk
Phumi Ta Poy
Phumi Kandaol Chrum
Khum Dar
Phumi Thma Kob
Phumi Turi
Phumi Krek
Song Be
Bat Doeng
Phumi Kroch Saeuch
Phumi Prey Chambak
Bo Tuc
Binh Long (Xom An Loc)
Phnum Penh (Phnom Penh)
Kamchay Mea
Tan Bien
Ho Dau Tieng
Tay Ninh
Kampong Spoe
Ta Khmau
Prey Veng
Loc Ninh
Dong Xoai
Be
Nui Ba Den 986
Chua Linh Son
Chon Thanh
Phumi Khsach Sa
Khum Srang
Tay Ninh
Sre Khlong
Basak
Phumi Chiphoch
Phumi Cham
Hoa Thanh
Ap Bau Bang
Phu Giao
Phumi Banam
Sai Gon
Ben Cat
Xom Trum Thap
Kampong Trabek
Go Dau
Xom Ben Co
Thu Dau Mot
Tan Uyen
Phumi Chhuk Sar
Svay Rieng
Trang Bang
Angk Tasaom
Takev
Chiphu
Cu Chi
Dau Giay
Phumi Kaoh Sla
Xom Khanh Hoa
Ap Moi
Bien Hoa
Phumi Don Tuot
Hoc Mon
Thu Duc
Kampot
Ap Binh Chau
Hau Nghia
Phumi Chhuk
Hong Ngu
Binh Trung
Long Thanh
Tani
Phu Chau
Moc Hoa
Ho Chi Minh-Ville
Chau Doc
Tien Giang (Mékong)
Ap Ca Hoan
Long An
Nui Sam 230
Ben Luc
Nha Be
Dong Thap
Vam Co Tay
Binh Chanh
Nha Bang
Thu Thua
Ap Bac
Ho Chi Minh
Ba Ria
Phumi Damnak Chang Aeu
Ba Cue
An Giang
Cho Moi
Cao Lanh
Tien Giang
Tan An
Can Duoc
Chau Thanh
Tri Ton
Cai Lay
Ben Tranh
Xom Vam Lang
Vung Ganh Rai
My Tho
Ha Tien
Long Xuyen
Thanh Hung
Cai Be
Go Cong
Vung Tau
Kien Luong
Sa Dec
Go Cong Tay
Xom Cua Tieu
Oc Eo
Thot Not
Chau Thanh
Vinh Long
Ben Tre
Cua Tien
Hang Mo So
Hon Chong
Chua Hang
Vinh Cay Duong
Hon Dat
Ben Tre
Ham Luong
O Mon
Vinh Long
Thoi Thuan
Rach Gia
Co Chien
Vung Liem
Hon Minh Hoa
Can Tho
Ap An Thuan
Hon Tre
Vinh Rach Gia
Kien Thanh
Can Tho
Tra On
Cang Long
Kien Giang
Chau Thanh
Ap Phu Nhon
Thanh Phu
Tra Vinh
Rach Goi
Tieu Can
Tra Vinh
Hon Rai
An Bien
Vi Thanh
Phung Hiep
Hau Giang
Cai Lon
Ap Luc
Ke Sach
Mac Bat
Ap Tram

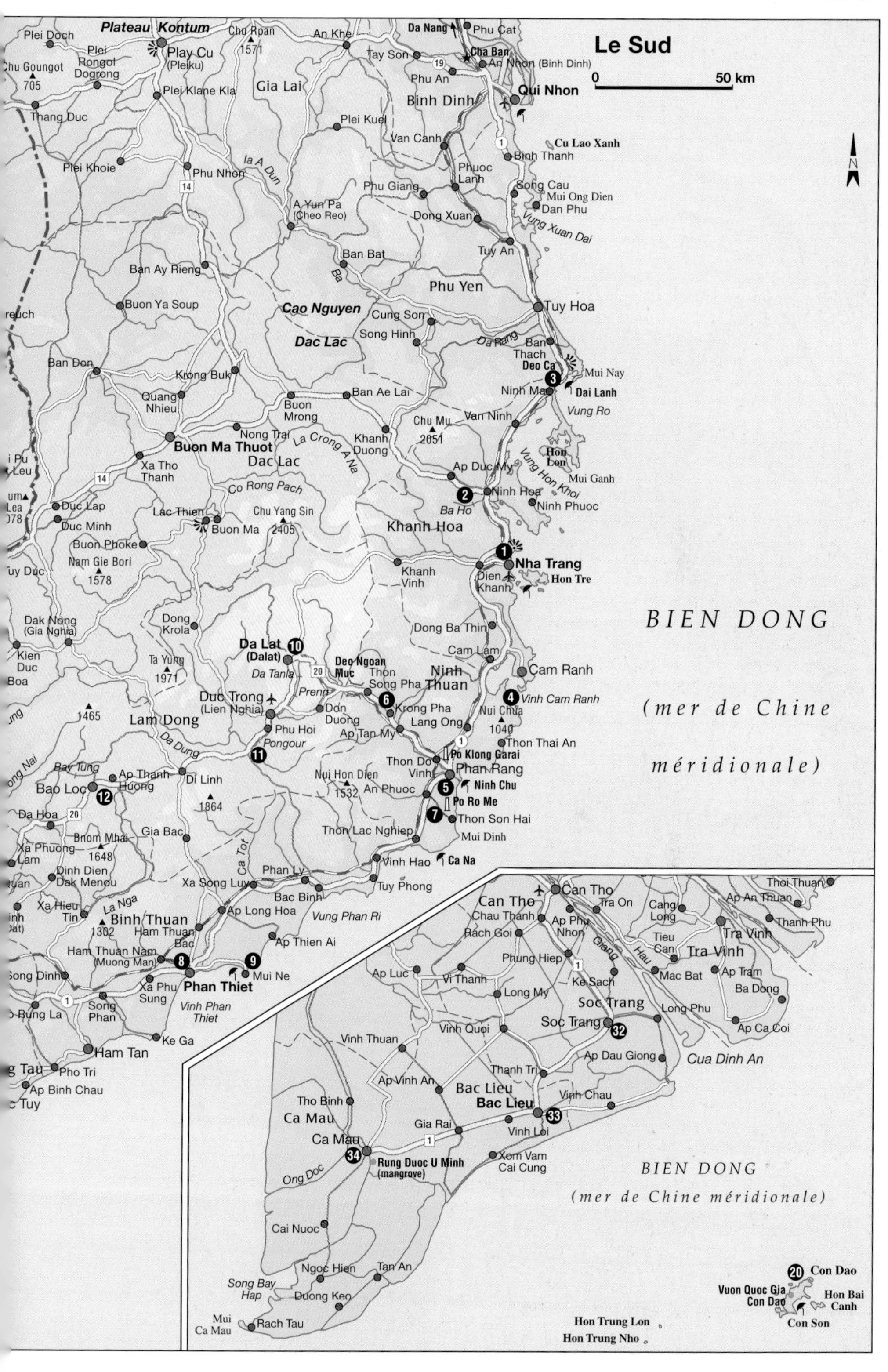
Le Sud
0
50 km
N
BIEN DONG
(mer de Chine méridionale)
Plateau Kontum
Play Cu
(Pleiku)
Gia Lai
Binh Dinh
Qui Nhon
Phu Yen
Tuy Hoa
Cao Nguyen
Dac Lac
Buon Ma Thuot
Khanh Hoa
Nha Trang
Da Lat
(Dalat)
Lam Dong
Ninh Thuan
Phan Rang
Cam Ranh
Binh Thuan
Phan Thiet
Can Tho
Soc Trang
Tra Vinh
Bac Lieu
Ca Mau
Con Dao
Hon Trung Lon
Hon Trung Nho

NHA TRANG ET SES ENVIRONS

Nha Trang ❶, la plus pittoresque des stations balnéaires vietnamiennes, est le lieu idéal où faire une halte prolongée. Ce port de pêche de 250 000 habitants est la capitale du Phu Khanh, qui regroupe les anciennes provinces de Phu Yen et de Khanh Hoa, aux paysages d'une grande variété. Au nord s'étendent des forêts riches en bois de rose et de santal, d'aloès, d'ébène et d'amarante. Outre de magnifiques plages désertes, cette province recèle de nombreuses sources thermales. Les plus connues sont celles de Phu Sen, Triem Duc, Truong Son et Ninh Hoa. A l'intérieur des terres s'étendent d'immenses plantations de canne à sucre. La mélasse, résidu de la cristallisation du sucre, mélangée à du sable et de la chaux, fournit un mortier excellent et bon marché, utilisé dans la construction.

Proche de la gare, la **cathédrale de Nha Trang** (Nha Tho Nha Trang) Ⓐ, bâtie dans les années 1930, dresse sa curieuse flèche néogothique revisitée Arts déco. Le site de la **pagode de Long Son** Ⓑ est signalé de loin par un bouddha assis posté sur une colline à l'ouest de la ville. La pagode (à hauteur du n° 15 de 23 Thang 10), fut érigée dans la seconde partie du XIXe siècle et plusieurs fois reconstruite. Des mosaïques en verre et en céramique, représentant des dragons, ornent l'entrée principale ainsi que les toits du sanctuaire. Ces mêmes animaux mythiques s'enroulent autour des piliers de la salle du culte. La statue qui la surplombe, haute de 19 m, a été élevée en 1963 pour commémorer la lutte des bouddhistes contre les persécutions de Ngo Dinh Diem. Le plus célèbre d'entre eux est Thich Quanc Duc, bonze de la pagode de Van Gia, qui s'immola en plein centre de Saigon en 1963. Au pied de la statue sont disposés les portraits de moines et de nonnes qui donnèrent pareillement leur vie.

L'**institut Pasteur** Ⓒ, installé sur le front de mer, au n° 8 de Tran Phu, fut fondé en 1895 par le docteur Alexandre Yersin, microbiologiste et médecin militaire français d'origine suisse, né en 1863, qui avait été l'assistant de Louis Pasteur à Paris. Arrivé au Vietnam en 1891, il fut l'un de ceux qui découvrirent le plateau de Dalat et recommandèrent de transformer ce petit village en une station climatique. En 1894, il identifia le bacille de la peste bubonique et inventa un vaccin pour lutter contre ce fléau. Dans sa plantation de Suoi Dau, à une quinzaine de kilomètres au sud-ouest de Nha Trang, il acclimata des hévéas du Brésil, qui allaient devenir l'une des principales richesses du pays, et des arbres à quinine, pour lutter contre le paludisme. C'est là que ce grand homme de science fut enterré en 1943. Il est aujourd'hui vénéré comme un saint par les Vietnamiens au point qu'aucune rue Yersin n'a été débaptisée après l'indépendance.

Cartes p. 266 et 271

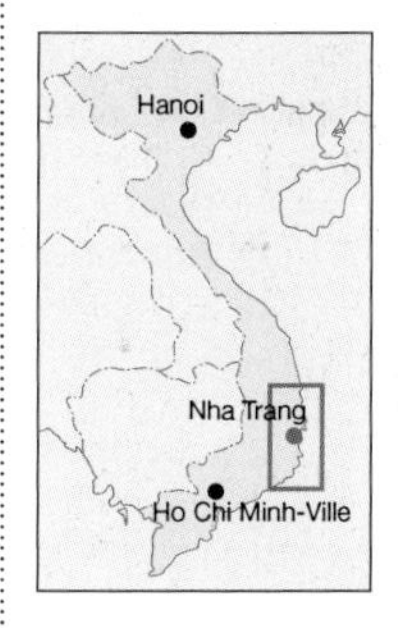

Pages précédentes : voyage en famille dans l'express de la Réunification. A gauche, la plage de Nha Trang.

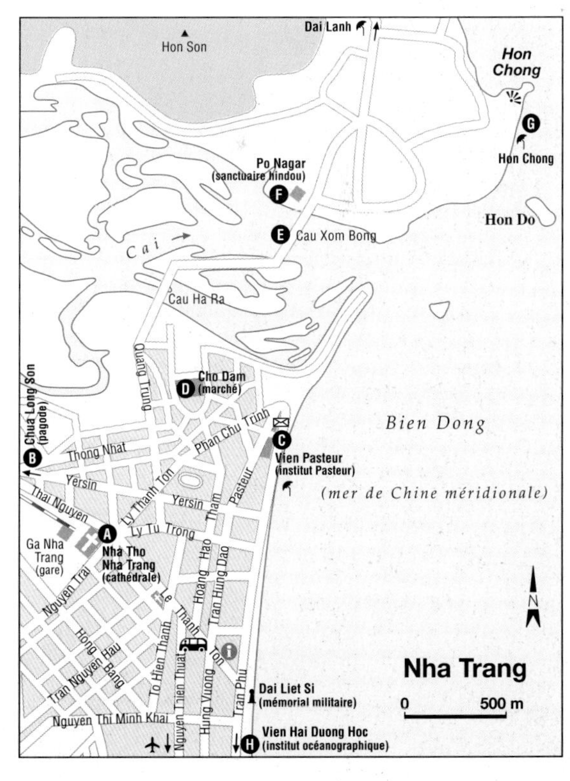

Le billard est très populaire.

L'institut fabrique encore des vaccins et poursuit ses recherches, malgré un budget extrêmement réduit et un équipement qui pourrait figurer en bonne place au musée Yersin.

Sur la gauche de l'institut, le **musée Yersin** a été agrandi et réorganisé avec le soutien de l'Institut Pasteur de Paris. Il permet de découvrir toutes les étapes de la vie du docteur Yersin, depuis son enfance, en Suisse, jusqu'à son installation à Nha Trang. Dans son bureau sont conservés certains de ses objets personnels ainsi que ses instruments de laboratoire et une passionnante collection de clichés pris par lui-même. La plupart de ses livres, des plus scientifiques aux plus récréatifs, se trouvent toujours dans sa bibliothèque.

Le **marché de Nha Trang** (Cho Dam) **D**, construit en 1972, est fort pittoresque. On y vend aussi bien des fruits et légumes que des ustensiles fabriqués avec des pièces détachées d'avion.

Le soir, on peut contempler la flottille de pêche qui rentre au port depuis le **pont Xom Bong** **E**, qui enjambe le **Song Cai**. Le Song Cai, grossi par plusieurs cours d'eau venus de l'ouest de la province, se jette dans la mer à la hauteur de Nha Trang. Le plus long fleuve du Phu Khanh est le **Song Da Rang** (300 km) ; il alimente d'innombrables canaux qui irriguent de vastes rizières, champs de maïs, de haricots et de tabac.

De l'autre côté du pont Xom Bong, à 2 km du centre ville, s'élèvent, sur le mont San, les imposantes tours du célèbre **sanctuaire hindou de Po Nagar** (Nha Trang Huu Duc) **F**. Il ne subsiste que quatre des huit temples en brique qui furent édifiés sur cette colline par les Cham entre le VIIe et le XIIe siècle. Ces temples sont devenus des lieux de culte bouddhiste, où viennent encore se recueillir de nombreux pèlerins vietnamiens et chinois. Le **temple principal** (tour nord, ou

L'estuaire du Song Cai, avec à l'arrière-plan le mont Hon Son.

Thap Chinh), haut de 23 m, date du XIe siècle. Il abrite une statue en pierre noire de Bhagavati, forme féminine de Shiva, ici dotée de dix bras. Les Cham la révéraient sous le nom de Po Ino Nagar, l'Auguste Mère du Royaume, avant que les bouddhistes vietnamiens ne lui prêtent les traits de la princesse Thien Ya Na. A gauche de ce bel édifice au toit pyramidal se dresse la **tour centrale** (Thap Nam), du XIIe siècle, plus trapue et au décor plus sobre. Le sanctuaire renferme un lingam, représentation phallique du dieu Shiva, dieu de la destruction. La **tour méridionale** (Mieu Dong Nam), également consacrée à Shiva ainsi qu'à son épouse Shakti, abrite elle aussi un lingam. La **tour nord-est** (Thap Tay Bac), qui se distingue par une riche ornementation, est dédiée à Ganesh, premier fils de Shiva et de Parvati. De la tour occidentale, construite dans la première moitié du IXe siècle, ne subsistent que des ruines. Le petit musée d'art cham, à droite de la tour nord, ne renferme que quelques sculptures et des photographies des années 1930.

Du sommet de la colline Son, proche du mont San, on découvre la baie de sable blanc de Nha Trang, frangée de cocotiers, et ses eaux translucides. Les **rochers de Hon Chong** Ⓖ surplombent les eaux cristallines de la baie. Au nord-ouest de ces falaises granitiques aux formes tourmentées, on aperçoit le **mont Tien Co**, ou mont de la Fée, ainsi baptisé car ses trois sommets évoquent une fée allongée sur le dos.

Le port de Cau Da

L'**institut océanographique** Ⓗ de Cau Da, à 3 km au sud de Nha Trang, fut fondé en 1927 par le biologiste Armand Krempf. Il abrite aujourd'hui une infinie variété d'espèces animales et végétales marines. De magnifiques poissons de mer de Chine méridionale évoluent dans ses grands aquariums. Le département le

Plan p. 271

Bateaux de pêche dans le port de Nha Trang.

plus intéressant présente les espèces rares de l'océan Pacifique. Derrière le bâtiment principal, une grande salle renferme des centaines d'oiseaux et de poissons naturalisés, ainsi que des algues et des coraux.

Le village de pêcheurs de **Cau Da** fabrique de nombreux objets souvenirs en corail et en écaille de tortue. C'est également un grand centre producteur de *nuoc mam*. Il faut 5 t de *ca nuc* (sorte de sardines), que l'on laisse mariner dans 2 t de sel, pour faire 70 000 l de *nuoc mam*. Cau Da mérite également le détour pour ses fruits de mer et crustacés (langoustes en particulier).

Au nord de Cau Da, on aperçoit les **cinq villas** que Bao Dai se fit construire dans les années 1920. Juchées sur trois collines, à l'ombre de grands arbres, elles jouissent d'une vue splendide sur la baie et le port de Nha Trang. De 1955 à 1975, elles accueillirent les membres du gouvernement sud-vietnamien en villégiature, puis les dirigeants communistes après la réunification du pays. Les villas ont été transformées en hôtel (Bao Dai Hotel) et les touristes peuvent désormais y louer une chambre spacieuse pour une somme relativement modeste.

Environ quatre-vingt-dix petites îles idylliques, facilement accessibles, sont ancrées au large. On peut louer un bateau pour les visiter, explorer leurs récifs coralliens en plongée sous-marine ou pêcher en haute mer. Sur l'**île de Mieu**, à 20 mn de bateau, le grand **aquarium de Tri Nguyen** renferme de nombreux poissons exotiques, des raies, des petits requins et des tortues marines. L'**île des Singes** (Hon Lao) abrite plusieurs centaines de ces animaux, utilisés par l'institut Pasteur pour ses recherches, tandis que l'**île des Bambous** (Hon Tre) est la plus vaste et la plus montagneuse de l'archipel.

Ces îlots, surtout celui de **Hon Yen** (interdit aux touristes), sont criblés de grottes où nichent les salanganes, ou hirondelles de mer,

Plage près de Nha Trang.

dont les autochtones viennent récolter les précieux nids comestibles au printemps et en automne. La couleur de ces nids varie du gris au blanc ; les nids orangés ou rouges sont les plus rares et les plus appréciés. Consommés en cuisine, les nids d'hirondelles sont également utilisés comme médicament en médecine traditionnelle et sont réputés être un puissant aphrodisiaque.

Le nord de Nha Trang

A une trentaine de kilomètres au nord de Nha Trang, près du village de Phu Huu, le ruisseau et les **cascades de Ba Ho** ❷ se cachent dans un parc luxuriant. Les chutes se déversent dans trois lacs successifs au milieu d'un chaos rocheux envahi de végétation. A proximité s'étendent de très belles plages sur le littoral de la mer de Chine, en particulier celle de **Doc Let**. Au nord-est, on aperçoit le cap Varella (Dai Lanh), tandis qu'à l'ouest se dessine la célèbre montagne de la Mère à l'Enfant (2 022 m). Du cap Varella, la route descend abruptement vers les bourgades de Tu Bong et de Van Gia.

Plus au nord, la route nationale 1 traverse la plaine de Ninh Hoa, franchit les cols de Ru Tuong et de Ru Ri, puis entreprend l'ascension du mont Dai Lan (12 km) jusqu'au **col de Deo Ca** ❸. C'est à cet endroit que, en 1471, le roi Le Thanh Ton et ses troupes érigèrent une stèle marquant la frontière entre le Dai Viet et le royaume du Champa. Plus tard, ce même col délimita les provinces de Phu Yen et de Khanh Hoa. La route redescend ensuite jusqu'au littoral en direction de Tuy Hoa.

Le sud de Nha Trang

La route littorale qui quitte Nha Trang vers le sud rejoint après 30 km la **baie de Cam Ranh** (Vinh Cam Ranh) ❹, vaste port naturel de 22 km de long et de 4 km de large dont les eaux profondes furent utilisées

Cartes p. 266 et 271

La plupart des petits trajets s'effectuent en voiture à cheval ou à vélo.

Bas-relief d'un temple cham près de Nha Trang.

par la flotte de guerre américaine jusqu'en 1975 puis par les navires soviétiques. Depuis l'effondrement de l'URSS, la présence russe se fait de plus en plus discrète. Cependant, cette base navale demeure une région sensible et il est interdit de photographier la baie.

Avant guerre, le sable de Cam Ranh, très recherché pour la fabrication de lentilles optiques et de cristal de haute qualité, était exporté massivement vers le Japon, l'Europe et les États-Unis. Tout autour de la baie s'étendent plus de 300 ha de marais salants qui produisent quelque 500 000 t de sel par an. D'immenses plantations de canne à sucre couvrent aussi une grand partie de la province.

Peu après avoir dépassé la baie de Cam Ranh, la route entre dans la province de Thuan Hai, qui regroupe les trois anciennes provinces de Ninh Thuan, Binh Thuan et Binh Thy. Seuls 10 % des terres de cette région montagneuse et boisée sont cultivables, aussi demeure-t-elle l'une des plus pauvres du pays. Les noix de cajou, le raisin et la seiche sont les principales productions de la province.

La route qui longe le littoral traverse un paysage sablonneux, désertique et monotone avant de gagner **Phan Rang ❺**. Cette ancienne principauté cham baignée par la Chai s'élève dans une plaine aride ponctuée de cactus et de poincianas.

De cette agglomération sans grand intérêt, la nationale 20 part vers l'ouest en direction de Dalat. Il faut faire 7 km sur cette belle route pour atteindre, à proximité de la gare de l'ancien chemin de fer à crémaillère de Dalat, les quatre **tours cham de Po Klong Garai**, bâties sous le règne de Jaya Simhavarman III (XIIIe siècle) au sommet d'une colline granitique, le mont du Bétel (Chok Hala). L'entrée de la tour principale (*kalan*) est surmontée d'une représentation de Shiva Nataraja (roi de la danse), doté de six

Temple cham de Phan Rang.

L'express de la Réunification

L'express de la Réunification, qui relie trois fois par jour Ho Chi Minh-Ville à Hanoi, ne mérite guère son nom : il met entre trente-quatre et quarante-quatre heures pour parcourir les 1 730 km qui séparent les deux villes, à 50 km/h de moyenne dans le meilleur des cas. Mais le progrès est net : il n'y a pas si longtemps, il lui fallait de quarante-huit à cinquante-quatre heures ! La voie et les ouvrages d'art, endommagés par les bombardements et le sabotage, ont été réparés depuis, mais comme la ligne est à voie unique, les stationnements en gare pour croiser les trains venant en sens inverse sont interminables, surtout lorsque l'un des trains a du retard.

Si les antiques locomotives à vapeur ont été remplacées par des machines diesel, les voitures accusent leur âge : sur quatre mille, six cents remontent à l'époque coloniale. Et, même en première classe (ou classe « molle »), le confort reste sommaire, d'autant plus que le train est toujours bondé. Mais le pittoresque de ces trains compense leur inconfort et le prix élevé du billet. Un voyage à si faible allure permet de découvrir la diversité des paysages, de lier connaissance avec des Vietnamiens et d'emmagasiner images, expériences et anecdotes, particulièrement si l'on s'aventure en deuxième ou troisième classe.

bras. A l'intérieur, une statue du taureau Nandi, monture emblématique de la divinité, reçoit les offrandes des paysans désireux de s'assurer une bonne récolte. Une pyramide de bois abrite un mukhalingam, emblème phallique de Shiva sur lequel est peint un visage humain.

Un peu plus avant sur la route de Dalat, on aperçoit les ruines des deux **tours cham de Krong Pha** ❻. Toute cette région est encore peuplée par de nombreux Cham, qui portent toujours leur costume traditionnel – jupe et turban pour les hommes –, mais se sont souvent convertis à l'islam, qu'ils pratiquent quelquefois dans leurs anciens sanctuaires. On peut également découvrir, comme dans le village de Tai Son, des cimetières cham, où sur chaque tombe se dresse un menhir orné d'un visage d'ancêtre.

A 10 km au sud de Phan Rang se dresse, sur une éminence, la **tour cham de Po Ro Me** ❼. Elle porte en fait le nom du dernier souverain du Champa, Po Ro Me, qui régna de 1629 à 1651 et mourut dans les geôles vietnamiennes. Haute de 50 m et bâtie au XVIe ou au XVIIe siècle, elle témoigne de la décadence de l'architecture cham, avec sa décoration très simplifiée et sa maçonnerie de brique de piètre qualité.

On pourra faire halte sur la belle plage déserte de **Ca Na**, à 30 km au sud de Phan Rang, avant de reprendre la route pour **Vinh Hao**, dont l'eau minérale est commercialisée dans tout le pays depuis 1948. Modeste village de pêcheurs et de paludiers, Ca Na fut une des villégiatures préférées des souverains cham, qui venaient y chasser le tigre, le rhinocéros et l'éléphant.

Le **temple de Pho Hai** (VIIe siècle), situé en bord de mer 7 km avant Phan Thiet, est le plus méridional de tous les sanctuaires cham. Ses trois tours sont très proches de l'architecture khmère de la même époque.

Phan Thiet ❽, capitale de la province de Thuan Hai, compte 150 000 habitants, dont la plupart descendent des Cham qui contrôlèrent la région jusqu'en 1692. La pêche est la principale source de revenus de la ville, comme de tout le littoral, et il serait dommage de manquer le spectacle du retour des bateaux. Beaucoup de pêcheurs utilisent toujours des *thung chai*, embarcations traditionnelles en bambou tressé enduit de goudron. De forme circulaire et d'un diamètre d'environ 2 m, elles se manœuvrent debout, à l'aide d'une pagaie. Phan Thiet est également réputé pour fabriquer le meilleur *nuoc mam* du pays, et une odeur désagréable plane de temps à autre sur la ville.

Les chasseurs d'images ne manqueront pas d'aller admirer les spectaculaires **dunes de Mui Ne** ❾, à 22 km à l'est de la ville, où le sable prend une surprenante couleur rose saumon. Ce petit village de pêcheurs possède des plages paradisiaques de sable blanc ombragées de cocotiers, et l'on peut découvrir en bateau plusieurs petites îles à proximité.

Carte p. 266

La côte de la province de Phu Khanh est ourlée de de magnifiques plages.

Si les plages du centre du pays semblent absolument idylliques avec leur fin sable blanc, leurs eaux limpides et les cocotiers qui les bordent sur des kilomètres, il est préférable d'éviter les zones qui s'étendent devant les villages de pêcheurs, souvent utilisées comme dépôts d'ordures, et de se méfier des courants parfois violents.

Cartes p. 266 et 281

DALAT ET SES ENVIRONS

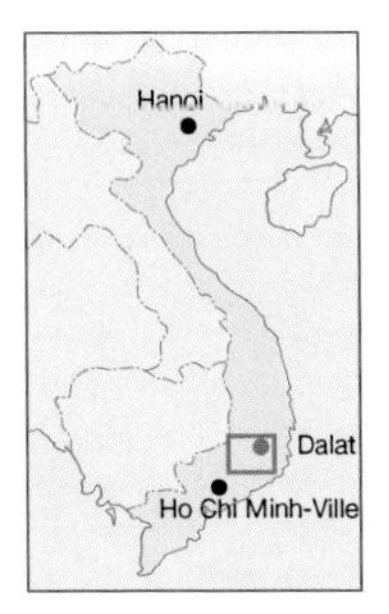

Fraîche, paisible et verdoyante, **Dalat** ⑩, « la ville de l'Éternel Printemps », est la plus célèbre station climatique du Vietnam. Elle est située dans la provincc dc Lam Dong, à 300 km au nord de Ho Chi Minh-Ville par la route nationale 1, puis la nationale 20. On peut également rallier Dalat depuis les provinces côtières de Phu Khanh et de Thuan Hai. La route secondaire 11, qui relie Nha Trang à Dalat, traverse d'anciens sites cham.

Baignée par le **Cam Ly**, Dalat est installé sur le plateau de Lam Vien (300 km²), dans un écrin de montagnes, de lacs et de forêts de pins et de chênes. Son nom est composé de deux mots : *da*, qui signifie rivière ou source, en référence au Cam Ly, et *lat*, qui désigne une ethnie de la région. L'économie de cette cité, qui compte 150 000 habitants, repose essentiellement sur l'horticulture et le tourisme.

A la fin du XIXe siècle, le gouverneur français de Cochinchine dépêcha une mission, conduite par le microbiologiste et médecin militaire Alexandre Yersin, pour explorer la région de Dalat. Après avoir pris connaissance du rapport de cette commission d'enquête, le président Paul Doumer décida d'établir à Dalat un centre d'études météorologiques et agronomiques. Dans les années 1920, l'air frais du plateau de Lam Vien (17° C en moyenne) et la paisible beauté de ses paysages attirèrent de nombreux colons français, qui firent de Dalat une station climatique à la mode.

Cette petite ville assoupie, épargnée par la guerre, tire son charme désuet de ses hôtels « rétro » et de ses villas coloniales aux jardins fleuris de roses, de géraniums, de coquelicots, d'hibiscus et de glaïeuls. Évoquant plus une station thermale européenne qu'une ville asiatique, Dalat est un lieu de repos idéal pour qui veut échapper au bruit et à la chaleur de Ho Chi Minh-Ville ou des villes côtières.

Après l'abandon du chemin de fer, la gare de Dalat a servi de dépôt de camions.

Monument du style colonial, la gare de Dalat fut, à partir de 1928, le terminus du train à crémaillère reliant Dalat à Thap Cham. La ligne fut fermée en 1964, victime des sabotages du Viet-cong et de la vétusté du matériel. Cependant, la section Dalat-Trai Mat (15 km aller-retour) est rouverte à la circulation de trains touristiques.

PROMENADE DANS DALAT

Le **marché** (Cho Da Lat) Ⓐ qui se tient le matin au centre de Dalat, au bout de la rue Nguyen Thi Minh Khai, est le lieu de rencontre des divers groupes ethniques de la région. C'est également là que l'on découvre l'extraordinaire diversité de fleurs, de fruits et de légumes que produit le Lam Dong. Les fraises (et la confiture de fraises) de Dalat sont célèbres dans tout le pays. Les avocats, les artichauts, les tomates, les champignons poussent fort bien dans la région. Les fleurs, tout aussi réputées pour leur beauté et leur variété, sont expédiées dans tout le Vietnam. On trouve également sur ce marché divers objets artisanaux (boîtes en rotin, fleurs séchées, paniers en bambou, toques en fourrure et vêtements) et une curiosité, le *kim mao cau tich,* ou *cu ly*, une fougère de la région utilisée comme hémostatique en médecine traditionnelle.

Le **lac Xuan Hoang** Ⓑ, en plein centre ville, faisait autrefois partie d'un terrain de golf (rouvert en 1996). C'est un endroit paisible, entouré de basses collines, de villas et de pinèdes. Sur ses rives, une promenade de 5 km que l'on peut parcourir en calèche est bordée de terrasses de cafés et de restaurants. A l'extrémité nord-est de ce lac s'étendent les **jardins d'Orchidées** Ⓒ, dessinés en 1966 (entrée rue Phu Don Thien Vuong).

L'ancien quartier français, entre Phan Dinh Phu et le marché, n'a rien perdu de son charme.

Près de l'hôtel Dalat Palace, construit en 1922 et totalement rénové, dans la rue Tran Phu, au sud du marché, s'élève la **cathédrale** (Nha Tho Con Ga) Ⓓ, édifiée en 1931 et dont les vitraux furent exécutés par Louis Balmet, maître verrier à Grenoble. Le site est malheureusement défiguré depuis 1997 par la présence d'une tour de télécommunications qui évoque la tour Eiffel en réduction.

L'**église Évangélique**, grande bâtisse rose située au nord du marché, au n° 72 de Nguyen Van Troi, fut construite en 1940. Depuis 1975, les protestants vietnamiens font l'objet de persécutions et le gouvernement a considérablement réduit les activités de cette congrégation, qui recrute la plupart de ses fidèles parmi les peuple des Hauts Plateaux. A proximité, un autre grand bâtiment également rose abrite le couvent du Domaine de Marie. Il ne reste qu'une dizaine de religieuses sur les trente-cinq présentes avant 1975. Elles dirigent une école et vendent leurs productions artisanales.

La **pagode de Linh Son** Ⓔ, au n° 120 de Nguyen Van Troi, fut édifiée en 1938 aux frais d'un entrepreneur en bâtiment, Vo Dinh Hung, alors l'homme le plus riche de la ville. Une quinzaine de moines

Le climat frais de Dalat est particulièrement propice aux cultures maraîchères.

Le marché de Dalat.

entretiennent ce sanctuaire et s'occupent d'une petite plantation de thé et de café, située derrière le bâtiment.

Le **musée des Minorités ethniques** de Dalat abrite une riche collection de costumes, de bijoux, d'instruments de musique et autres objets traditionnels. La section archéologique recèle une statue de la déesse hindoue Uma, des poteries cham des XIIe-XIVe siècles, un xylophone en pierre et des outils vieux de 1500 ans.

EXCURSIONS DANS LES ENVIRONS

La **résidence d'été de Bao Dai** (Biet Dien Quoc Truong) Ⓕ, dernier souverain de la dynastie des Nguyen, se dresse au milieu d'un beau parc, non loin de l'institut Pasteur (à 2 km au sud de la ville). Commencée en 1933, sa construction fut achevée cinq ans plus tard. Si la façade du bâtiment, plus ou moins inspirée par l'esthétique de Le Corbusier, n'a guère de caractère, en revanche, les appartements, qui ont conservé leur mobilier d'origine, ne manquent pas d'intérêt. Après avoir servi de résidence officielle aux dirigeants successifs du pays, le palais a été partiellement transformé en hôtel (Hôtel Dinh III).

Non loin de là, au n° 2 de Thien My, s'élève la **pagode Lam Ty Ni**, fondée en 1961. Les beaux parterres de fleurs, les jardins paysagers ainsi que la plupart des meubles et ornementations en bois sculpté de ce sanctuaire sont l'œuvre du vénérable Vien Thuc, le moine qui garde la pagode depuis trente-cinq ans. Ce curieux personnage, grand voyageur parlant plusieurs langues, vivant de sa peinture et de ses poèmes zen qu'il vend aux touristes, est une véritable célébrité locale, vénéré par les uns et très décrié par d'autres.

On ne saurait séjourner à Dalat sans se rafraîchir dans l'une des innombrables cascades qui agrémentent ses environs. Ainsi, à 3 km à l'ouest de la ville, les **chutes de**

Statue du Bouddha dans les jardins de la pagode de Linh Son.

Cam Ly, qui tombent d'une hauteur de 15 m au milieu d'un parc, constituent un agréable but de promenade. Le site a été remis en valeur en 1998.

La **résidence du gouverneur général** se situe à 2 km à l'est de Dalat, sur Tran Hung Dao. Tout comme la résidence de Bao Dai, elle a été transformée en hôtel (hôtel Dinh II).

A proximité, sur Khe Sanh, **la pagode chinoise** (Thien Vuong, ou Dao) a été édifiée en 1958. A l'intérieur se trouvent les statues en bois de santal doré du Bouddha, de la déesse de la Miséricorde et d'un disciple. Hautes de 4 m et pesant 1 500 kg, elles ont été amenées de Hong Kong. Sur la colline se dresse une statue géante du Bouddha.

Le **centre de méditation de la Forêt de Bambous** (Thien Vien Truc Lam), à 5 km au sud du centre-ville, date seulement de 1993. Ce monastère bouddhique, installé sur une colline dominant un lac, héberge une centaine de moines et de nonnes.

Le **lac des Soupirs** (Ho Than Tho) G, à 5 km au nord-est de Dalat, est un plan d'eau naturel agrandi par les Français. Il tire son nom de l'histoire édifiante de Hang Tung et de Mai Nuong, deux jeunes gens qui se rencontrèrent dans cette forêt au XVIIIe siècle, s'aimèrent ct décidèrent de se marier. Les armées chinoises menaçant alors d'envahir le pays, Hang décida de rallier les troupes de Quang Trung et Mai, pensant que son fiancé servirait mieux son pays en étant libre de toute entrave amoureuse, se jeta dans ce lac. Malgré son nom romantique, le lac des Soupirs, mal entretenu et entouré de nombreuses de boutiques de souvenirs, n'offre guère d'intérêt, pas plus que la **vallée de l'Amour** (Thung Lung Tinh Yeu), à 5 km au nord de Dalat, où l'empereur Bao Dai aimait autrefois chasser. On peut faire du pédalo ou du bateau sur le lac Da Thien, aménagé en 1972, mais ce site jadis bucolique, aujourd'hui envahi par les cars de touristes, a été transformé en village de l'Ouest américain, chevaux et pseudo-cow-boys compris...

On peut facilement visiter les villages mnong, ma, chill ou co-ho des environs. Au pied du mont Lang Bian, le village de Lat, à 12 km au nord de Dalat, est composé de plusieurs hameaux peuplés de Ma. La plupart de ses habitants sont catholiques, les autres sont protestants, ce qui explique la présence d'une église et d'un temple au centre du village.

Ces montagnards tirent un maigre revenu de la culture sur brûlis du riz, du maïs, du potiron, de la courge, du tabac mais aussi du coton qu'ils font parfois pousser à flanc de colline. Certains travaillent également dans les plantations de thé et de café de la région. Les femmes ma sont d'expertes tisserandes et teignent leurs vêtements avec des extraits d'écorces naturelles. Les hommes chassent à l'aide de pièges rudimentaires et pêchent au javelot. Ils enduisent la pointe de leur arme d'une substance végétale toxique qui paralyse immédiatement le poisson mais ne présente aucun danger pour l'homme.

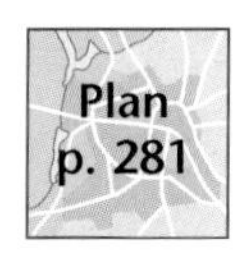
Plan
p. 281

Bao Dai, dernier empereur du Vietnam.

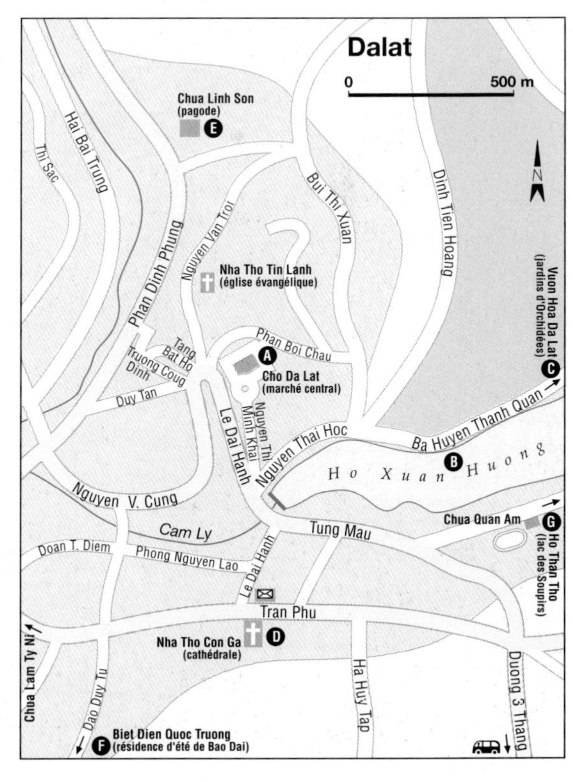

LES HAUTS PLATEAUX

Les Hauts Plateaux centraux, qui ne sont officiellement ouverts aux touristes que depuis 1993, s'étendent sur les trois provinces de Dac Lac, de Gia Lai et de Kon Tum. Cette région relativement sauvage est le territoire de nombreux groupes ethniques qui ont résisté à toutes les tentatives d'acculturation menées par les colonisateurs français. C'est encore une zone particulièrement sensible en raison de la lutte qui oppose certaines ethnies au programme de « vietnamisation » lancé par le gouvernement. Ce dernier n'exerce d'ailleurs qu'un contrôle limité sur ces vallées reculées, mais les autorités locales se sont rattrapées en imposant leur monopole sur les hôtels et l'organisation des excursions, faisant payer le prix fort aux visiteurs. Difficile d'y échapper, dans la mesure où ces mêmes autorités délivrent les indispensables permis de visite…

Pourtant, malgré ces inconvénients, les Hauts Plateaux restent l'une des régions les plus authentiques du Vietnam. Longtemps inaccessibles en raison d'un réseau routier particulièrement délabré et de l'absence de transports en commun, ils sont maintenant dotés d'excellentes routes principales bitumées, et les liaisons par bus et minibus avec les principales villes du centre et du sud du pays se sont multipliées.

La capitale provinciale du Gia Lai, **Pleiku**, est perchée à 785 m d'altitude, sur un vaste plateau fertile peuplé de Gia-rai et de Rha-de. Le beau lac volcanique de T'nung, niché dans la forêt, à 10 km de cette ville-marché, mérite le détour. Il existe des liaisons aériennes hebdomadaires entre Pleiku, Hanoi et Ho Chi Minh-Ville.

Kon Tum, seconde ville de la région, s'élève sur la rive d'un lac, à 525 m d'altitude. Les 35 000 habitants de ce gros bourg commerçant sont pour la plupart des Ba-na, des

Le marché aux herbes et aux légumes de Dalat.

Carte p. 267

Xo-dang et des Gia-rai. On pourra voir dans la région des vestiges cham (dont une tour du XIIIe siècle à Ya Liao) et apprécier les vertus curatives des sources chaudes de Dac To, Cong Rai, Dac Ro, Cong Phu et Rang Ria. S'il est facile d'organiser des parties de chasse ou des croisières sur les cours d'eau de la région, il est plus délicat d'obtenir une autorisation de la police locale pour visiter les villages tribaux des environs.

Avec ses 70 000 habitants, **Buon Ma Thuot** (ou Ban Me Thuot), la capitale provinciale du Dac Lac, constitue la plus importante agglomération des Hauts Plateaux. Un aéroport la relie à Hanoi et à Ho Chi Minh-Ville. On peut également rallier Buon Ma Thuot depuis la côte en empruntant la nationale 26 à Ninh Hoa (à 21 km au nord de Nha Trang).

Le **Musée provincial**, à l'angle de Nguyen Du et de Thong Nhat, présente la vie des ethnies locales à travers des instruments de musique, des costumes traditionnels, des métiers à tisser ainsi que du matériel de pêche et de chasse. Une section est également consacrée à la faune et à la flore locales.

Au bord du **lac Dac Lac**, à 50 km au sud de la capitale provinciale, s'élève une des anciennes résidences d'été de Bao Dai. Les marécages et les collines environnantes sont peuplés d'innombrables cigognes et grues qui se rassemblent sur le lac au moment des grandes migrations. Ce plan d'eau devient aussi le théâtre d'une joyeuse animation lors des courses de bateaux et d'éléphants organisées pour la fête du Printemps.

Buon Tu, à 13 km à l'est de Buon Ma Thuot, abrite une communauté rha-de. La société rha-de, de type matriarcal, se compose de familles élargies qui vivent dans de longues maisons sur pilotis. Un des deux escaliers qui desservent ces maisons est réservé aux femmes et aux hôtes de marque, et la propriété est déte-

Les bananes abondent sur le marché.

Carte
p. 266

Ci-dessus, la cascade d'Ankroët. A droite, pendant le marché ; ci-dessous, masque de parade de la fête du Têt.

nue par la femme la plus âgée de la famille. Les Rha-de organisent parfois des danses traditionnelles accompagnées de gongs à l'intention des visiteurs étrangers. En revenant du village, on pourra s'arrêter près des **chutes de Dray Sap**, oasis de fraîcheur au cœur d'une forêt tropicale.

Le village de **Buon Don**, à 45 km au nord-est de Buon Ma Thuot, dans le district d'E Sap, est essentiellement peuplé de Mnong, autre tribu de type matriarcal. Les Mnong sont réputés pour leurs talents de chasseurs et de dompteurs d'éléphants sauvages qu'ils vendaient autrefois aux Indiens, aux Birmans et aux Cambodgiens. Certains villageois prétendent avoir capturé jusqu'à trois cents pachydermes. Il faut deux à trois ans pour domestiquer un éléphant, et ce village en abrite une cinquantaine, nourris à grand renfort de canne à sucre et de fourrage. Chaque année, au printemps, se déroulent des courses d'éléphants. Le chef et les anciens invitent généralement les visiteurs à les rejoindre autour d'une grande jarre en céramique, contenant de l'alcool de riz que l'on boit à l'aide de longues pailles en bambou.

De Dalat à Ho Chi Minh-Ville

Toute cette région possède de nombreuses chutes d'eau, qui sont devenues autant d'attractions touristiques (payantes). A 5 km au sud de la ville par la nationale 20, les **cascades de Da Tanla** se déversent dans un bassin cerné de hauts rochers tapissés d'une végétation luxuriante.

Les **cascades de Prenn** (Thien Sa), qui se jettent au milieu des pins de la vallée des Mille Fleurs, à 13 km au sud de Dalat, dissimulent l'entrée d'une grotte dans laquelle on peut pénétrer en empruntant un petit pont.

A 18 km au nord-ouest de Dalat au bout d'une piste défoncée, les cascades et les abords du **lac du Courant d'or** (Ankroët) sont un agréable lieu de pique-nique encore peu fréquenté. Enfin, les cascades de **Lien Khuong** (à 30 km au sud de Dalat), de **Gougah** (à 38 km) et surtout de **Pongour** ⓫ (à 50 km), hautes de 30 m et dont le grondement s'entend à plusieurs kilomètres à la ronde, méritent également un détour.

Plus au sud, la nationale 20 traverse de belles pinèdes puis des plantations d'ananas. La **magnanerie de Bao Loc** ⓬, à 100 km au sud-ouest de Dalat, l'une des plus grandes du monde, mérite une visite (mais il faut être muni d'une autorisation officielle). On y élève une espèce de ver à soie hybride, adaptée au climat frais des Hauts Plateaux. Les vers à soie se nourrissent de feuilles de mûrier que l'on cultive ici sur plus de 10 000 ha. Ils tissent ensuite leurs cocons qui produisent quelque 37 t de soie par an.

Ce climat se prête également à la culture du thé. Il est possible de visiter l'une des plantations de la région en se renseignant auprès des autorités de Dalat.

Les fêtes du Têt célèbrent à la fois le début de la nouvelle année lunaire, le début du printemps et le jour où les âmes des morts reviennent sur terre. Les multiples rituels célébrés à cette occasion varient selon les régions. Dans le sud du pays, on honore une créature mythique, Dia, en portant des masques lunaires.

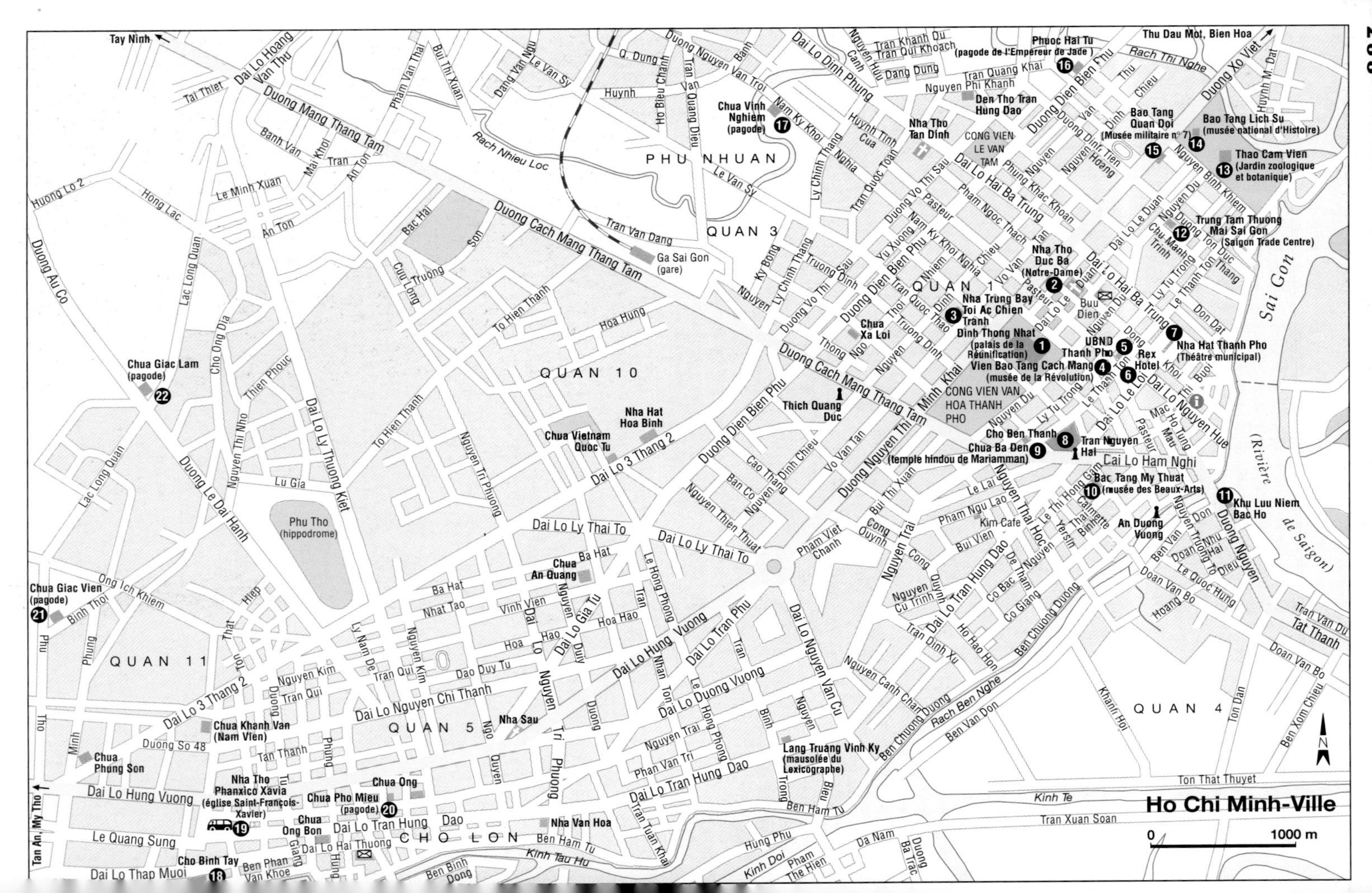

Ho Chi Minh-Ville
0
1000 m
N
Sai Gon
(Rivière de Saigon)
QUAN 1
QUAN 3
QUAN 4
QUAN 5
QUAN 10
QUAN 11
PHU NHUAN
CHO LON
1 Dinh Thong Nhat (palais de la Réunification)
2 Nha Tho Duc Ba (Notre-Dame)
3 Nha Trung Bay Toi Ac Chien Tranh
4 Vien Bao Tang Cach Mang (musée de la Révolution)
5 UBND Thanh Pho
6 Rex Hotel
7 Nha Hat Thanh Pho (Théâtre municipal)
8 Cho Ben Thanh
9 Chua Ba Den (temple hindou de Mariamman)
10 Bac Tang My Thuat (musée des Beaux-Arts)
11 Khu Luu Niem Bac Ho
12 Trung Tam Thuong Mai Sai Gon (Saigon Trade Centre)
13 Thao Cam Vien (Jardin zoologique et botanique)
14 Bao Tang Lich Su (musée national d'Histoire)
15 Bao Tang Quan Doi (Musée militaire n° 7)
16 Phuoc Hai Tu (pagode de l'Empereur de Jade)
17 Chua Vinh Nghiem (pagode)
18 Cho Binh Tay
19 Nha Tho Phanxico Xavia (église Saint-François-Xavier)
20 Chua Pho Mieu (pagode)
21 Chua Giac Vien (pagode)
22 Chua Giac Lam (pagode)
Den Tho Tran Hung Dao
Nha Tho Tan Dinh
Chua Xa Loi
Thich Quang Duc
Tran Nguyen Hai
An Duong Vuong
Lang Truang Vinh Ky (mausolée du Lexicographe)
Nha Hat Hoa Binh
Chua Vietnam Quoc Tu
Chua An Quang
Nha Sau
Nha Van Hoa
Chua Ong
Chua Ong Bon
Chua Khanh Van (Nam Vien)
Chua Phung Son
Phu Tho (hippodrome)
Ga Sai Gon (gare)
Cong Vien Van Hoa Thanh Pho
Cong Vien Le Van Tam
Buu Dien
Kim Cafe
Thu Dau Mot, Bien Hoa
Tay Ninh
Tan An, My Tho
Dai Lo Le Loi
Dai Lo Nguyen Hue
Dai Lo Hai Ba Trung
Duong Dien Bien Phu
Duong Cach Mang Thang Tam
Duong Mang Thang Tam
Duong Nguyen Thi Minh Khai
Dai Lo Tran Hung Dao
Dai Lo Nguyen Van Cu
Dai Lo Ly Thai To
Dai Lo Hung Vuong
Dai Lo Ly Thuong Kiet
Dai Lo Nguyen Chi Thanh
Dai Lo Duong Vuong
Dai Lo Tran Phu
Dai Lo Hoang Van Thu
Dai Lo Dinh Phung
Dai Lo 3 Thang 2
Duong Le Dai Hanh
Duong Au Co
Le Quang Sung
Dai Lo Thap Muoi
Duong Xo Viet
Rach Thi Nghe
Rach Nhieu Loc
Rach Ben Nghe
Kinh Te
Kinh Tau Hu
Ben Chuong Duong
Ben Van Don
Ben Ham Tu
Ton Duc Thang
Nguyen Binh Khiem
Dai Lo Le Duan
Pasteur
Dong Khoi
Cai Lo Ham Nghi
Ton That Thuyet
Tran Xuan Soan
Khanh Hoi
Doan Van Bo
Hoang Dieu
Le Quoc Hung
Ben Xom Chieu
Nguyen Thai Hoc
Cong Quynh
Nguyen Trai
Nguyen Dinh Chieu
Vo Van Tan
Tran Quoc Thao
Nam Ky Khoi Nghia
Ly Chinh Thang
Tran Quang Dieu
Le Van Sy
Tran Van Dang
To Hien Thanh
Nguyen Tri Phuong
Nguyen Kim
Ly Nam De
Tran Qui
Lac Long Quan
Cho Ong Dia
Nguyen Thi Nho
Hong Lac
Huong Lo 2
Ong Ich Khiem
Binh Thoi
Duong So 48

HO CHI MIN-VILLE

Au début du XVIIe siècle, le site de **Ho Chi Minh-Ville** (Thanh Pho Ho Chi Minh) n'était encore qu'un petit comptoir commercial khmer au sein d'une région couverte de forêts, de lacs et de marécages. Devenu un grand centre de négoce régional grâce à l'afflux de commerçants chinois, ce port fut conquis au XVIIIe siècle par les Vietnamiens qui lui donnèrent le nom de Saigon. Selon certains, ce terme viendrait de *sai con*, transcription vietnamienne de *prei kor*, terme khmer qui signifie la « forêt de kapokiers » ou de *prei nokor*, la « forêt du royaume », en référence à la résidence du vice-roi du Cambodge, alors établie dans le faubourg actuel de Cholon.

Au XIXe siècle, la Cochinchine et Saigon continuèrent à prospérer malgré les luttes incessantes entre Khmers et Vietnamiens et entre les partisans de la dynastie Nguyen de Hué et les rebelles Tay Son de Binh Dinh.

En 1859, des vaisseaux de guerre français et espagnols mouillèrent à Saigon. Les Français débarquèrent des troupes et des armes et se lancèrent à la conquête du pays. Saigon fut prise la même année et devint peu après la capitale de la colonie française de Cochinchine. Bientôt commencèrent les travaux de modernisation de la ville : les Français drainèrent ou comblèrent les anciens canaux, asséchèrent les marécages, planifièrent de nouveaux quartiers et percèrent de larges avenues plantées d'arbres. Saigon se développa rapidement et prit les allures d'une petite ville provinciale française, desservie par deux tramways à vapeur.

En 1954, après la partition du pays, Saigon devint la capitale de la république du Sud-Vietnam. Elle fut conquise par les troupes communistes le 30 avril 1975 et rebaptisée Thanh Pho Ho Chi Minh (Ho Chi Minh-Ville) le 2 juillet 1976, mais la majorité de ses habitants (4 millions officiellement, mais entre 6 et 7 millions en réalité) continuent à l'appeler Saigon.

Plus grande ville et premier port fluvial du pays, située à 80 km de la côte, la capitale économique du Vietnam s'étend sur 2030 km², au confluent de la Rivière de Saigon et du canal Kinh Te. Elle comprend dix-sept arrondissements urbains numérotés (*quan*) et cinq arrondissements ruraux (*huyen*).

A toute heure du jour, une profusions de vélos, de motocyclettes Honda, de cyclo-pousse – les taxis à pédales vietnamiens – et de vieilles voitures emplit les rues de Ho Chi Minh-Ville. Le son strident des avertisseurs se mêle au vacarme des moteurs à deux temps. Traverser une rue est une véritable aventure car les feux de signalisation sont rares et les véhicules ne s'arrêtent guère pour laisser passer les piétons. Ho Chi Minh-Ville est un maelström, mais nul ne sait où se dirige ce tourbillon. Partout où l'on va, on

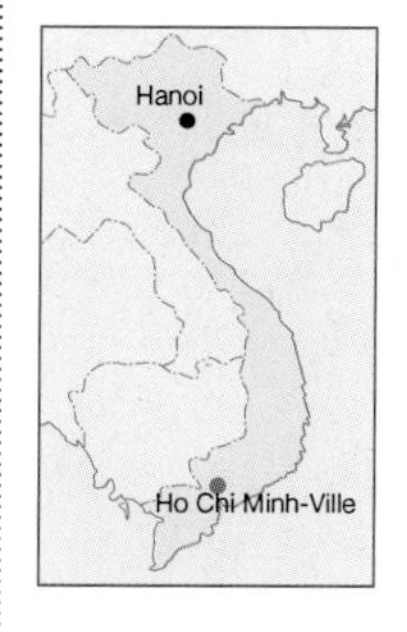

Pages précédentes : les Vietnamiens vivent beaucoup dans la rue. Ci-dessous, l'estuaire de la Rivière de Saigon.

Ho Chi Minh-Ville est aujourd'hui le premier port, non seulement du pays, mais aussi de la péninsule indochinoise. Soixante pour cent du commerce du Vietnam transitent par ses docks. Il est relié par des lignes régulières aux principaux ports du delta du Mékong, My Tho et Can Tho. Un hydrofoil fait également la navette (en 1 h 15) avec Vung Tau.

voit des gens assis sur le trottoir, proposant des marchandises ou leurs services. Les plus nombreux sont les réparateurs de bicyclettes, les vendeurs de bidons d'essence et les minuscules restaurants de plein air qui débitent des bols de soupe.

Au milieu de la foule, les jeunes Saigonais qui, téléphone portable à l'oreille, négocient des contrats en pleine rue sont de plus en plus nombreux. Après une éclipse de plus de dix ans, les hommes d'affaires ont réinvesti la place. La plupart sont issus de la communauté chinoise de Cholon.

Les Viet Kieu, Vietnamiens expatriés, aujourd'hui installés en France, en Australie et aux États-Unis, financent largement l'expansion économique. Ainsi, leurs familles restées au pays ont la chance d'habiter des maisons modernes et confortables ; elles sont souvent propriétaires d'une boutique ou d'un restaurant. Ce flot d'argent modifie considérablement le visage de la ville, dont les vieilles maisons et les ruelles boueuses font rapidement place à de luxueuses galeries commerciales et à des voies rapides. Partout, restaurants, bars, cafés et karaokés prolifèrent, très fréquentés par une population qui aime sortir jusque tard dans la nuit. L'inévitable revers de la médaille réside dans le retour de la petite délinquance, de la drogue, de l'alcoolisme et de la prostitution. De même, les salons de massage et les clubs privés refleurissent, et le racolage dans la rue a fait sa réapparition.

Le souvenir du Petit Paris

La présence française demeure dans l'esprit des Vietnamiens de l'ancienne génération, mais également dans les longues avenues du 1er arrondissement, plantées de tamariniers et jalonnées de villas désuètes, de monuments et de jardins coloniaux, qui valaient à Saigon l'appellation de « Petit Paris de l'Ex-

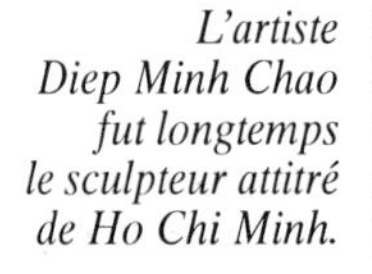

L'artiste Diep Minh Chao fut longtemps le sculpteur attitré de Ho Chi Minh.

trême-Orient ». Mais l'époque coloniale est de plus en plus lointaine pour les nouvelles générations, avant tout soucieuses de faire de l'argent, et l'anglais remplace le français comme langue internationale.

Si l'on rencontre encore quelques anciens combattants nostalgiques de l'ancien Sud indépendant, la majorité des habitants préfèrent oublier les trente-cinq années de guerre incessante, de 1940 à 1975, et profiter de la société de consommation. S'ils apprécient les récentes mesures de libéralisation économique, ils n'ont guère de sympathie pour le régime communiste et préfèrent ignorer purement et simplement le gouvernement, en espérant que celui-ci en fasse de même avec eux, plus soucieux de ménager leur puissance économique que de leur imposer son idéologie. Il n'y a plus guère, aujourd'hui, que les musées et les bâtiments officiels à témoigner de la persistance de la propagande communiste.

Le centre-ville

Plan p. 288

En remontant la rue Nam Ky Khoi Nghia vers le nord, on débouche sur les jardins du **palais de la Réunification** (Dinh Thong Nhat) ❶, symbole de l'ancien régime. Là s'élevait autrefois le palais Norodom, édifié en 1868, où résidait le gouverneur de Cochinchine puis le gouverneur-général de l'Indochine. Après les accords de Genève, qui mirent fin à la colonisation française, ce palais devint la résidence du président Ngo Dinh Diem.

En 1963, l'édifice fut bombardé par un pilote sud-vietnamien, et un nouveau palais, baptisé « palais de l'Indépendance », dessiné par l'architecte Ngo Viet Thu, fut achevé en 1966. Il fut endommagé par un autre pilote rebelle en avril 1975. Peu après, le 30 avril 1975 à 12 h 15, les chars des forces communistes défoncèrent les grilles de fer forgé du palais, contraignant à la reddition le général Minh, nommé à la prési-

La salle à manger d'un hôtel colonial rénové.

Les enseignes occidentales se multiplient.

dence sud-vietnamienne quarante-trois heures plus tôt.

Depuis cet événement, qui mit fin à trente ans de guerre et scella la réunification du Vietnam, le palais est resté en l'état et se visite comme un musée. Signe d'ouverture, certains salons sont loués pour des réceptions organisées par des compagnies étrangères.

Le sous-sol est une véritable casemate protégée des bombes, où se trouvaient les bureaux de l'état-major avec la salle des cartes et le central des télécommunications, et l'abri personnel du président. Le rez-de-chaussée regroupe la salle des banquets, décorée d'une grande toile offerte par l'architecte au président Nguyen Van Thieu lors de l'inauguration du bâtiment en 1967, un salon d'apparat, où le gouvernement sud-vietnamien signa sa reddition, et la salle du Conseil des ministres.

Au 1er étage se trouvent la salle de réception du président Tran Van Huong, celle du président Nguyen Van Thieu, ainsi que les appartements privés de ce dernier. Les salles de réception de l'épouse du président occupent le 2e étage. Le 3e étage, d'où l'on domine le boulevard Le Duan, abrite une salle de projection et une plate-forme pour hélicoptères.

Derrière le palais, le **parc de Cong Vien Van Hoa** et ses manèges attire des centaines d'enfants.

Au nord-est du palais de la Réunification, en suivant Nam Ky Khoi Nghia, puis Nuyen Du, on débouche sur la place de la Commune-de-Paris et la **cathédrale Notre-Dame** (Nha Tho Duc Ba) ❷. Cet édifice en briques rouges, de style néoroman, fut consacré en 1880. A l'est de la place se dresse la **Poste centrale** (Buu Dien) datant de 1891 et charpentée de fer par Gustave Eiffel. A l'intersection de Xo Viet et de Nam Khy Khoi Nghia, le lycée Le Quy Don, ex-lycée Chasseloup-Laubat, eut comme élève Marguerite Duras.

Face à la statue de la Vierge, l'ex-rue Catinat, rebaptisée Tu Do en

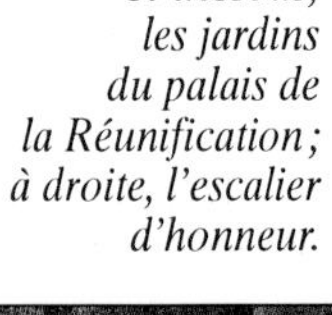

Ci-dessous, les jardins du palais de la Réunification; à droite, l'escalier d'honneur.

1954, puis Dong Khoi en 1975, est toujours restée très commerçante et animée. Des bars et des boutiques de pacotille y côtoient des galeries d'art, des boutiques d'antiquités et des magasins de luxe où l'on trouve les montres, les parfums et les vêtements des plus grandes marques.

Sur Le Duan, le nouveau consulat des États-Unis a remplacé les vestiges d'un pan d'histoire : l'ancienne ambassade américaine, attaquée par le Viet-cong en 1968 lors de l'offensive du Têt, puis évacuée d'urgence par hélicoptère en 1975 alors même que les troupes communistes marchaient sur Saigon.

Au n° 28, Vo Van Tan, le **musée des Crimes de guerre d'agression au Vietnam** (Nha Trung Bay Toi Ac Chien Tranh) ❸ occupe les anciens locaux des services d'information américains. Son nom initial était « musée des Crimes de guerre américains », ce qui traduisait mieux sa vocation. Y sont exposées des centaines de photos dénonçant les atrocités commises par les troupes américaines : séquelles de l'emploi massif du napalm, des bombes au phosphore et des défoliants, massacres de civils (comme celui de My Lai qui fit plus de cinq cents morts, en 1968), tortures, exécutions sommaires. A l'extérieur sont regroupées des armes lourdes américaines, hélicoptère, char, bulldozer blindé, bombes, lance-flames, et, plus surprenant, une guillotine. Installée par les Français à la prison centrale de Saigon, elle servit notamment à décapiter les opposants au régime de Ngo Dinh Diem jusqu'en 1963.

Le **musée de la Révolution** (Vien Bao Tang Cach Mang) ❹, au n° 65 de Ly Tu Trong, derrière le palais de la Réunification, occupe l'ancien palais de Gia Long, superbe édifice blanc de style néoclassique bâti en 1886. Ouvert en 1978, le musée retrace l'histoire de la lutte nationaliste depuis la colonisation. Des portraits de martyrs de la révolution ornent les murs des anciennes salles

Plan p. 288

A gauche, la cathédrale Notre-Dame ; ci-dessous, boutique d'horlogerie sur Dong Khoi.

Les marchés proposent tous les produits imaginables.

de bal abondamment décorées. Un réseau de souterrains servant d'issue de secours relie le musée aux sous-sol de l'ancien palais présidentiel. Lors du coup d'État de novembre 1963 organisé par la CIA, le président Ngo Dinh Diem et son frère Ngo Dinh Nhu s'y cachèrent avant de s'enfuir pour se réfugier dans l'église Cha Tam de Cholon, où ils furent capturés.

Le **tribunal du Peuple** (Toa An Nhan Dan), sur Nam Ky Khoi Nghia, est un bel exemple d'architecture coloniale.

Au bout de Nguyen Hué (ex-boulevard Charner) trône, tel un gros gâteau kitsch aux délicats tons jaune et blanc, l'**hôtel de ville** (UBND Thanh Pho) ❺. Son architecture et sa décoration intérieure quelque peu chargée, dues à Ruffier, firent l'objet de controverses passionnées lors de sa construction, qui dura de 1901 à 1908. Ce bâtiment aux jardins soigneusement entretenus est aujourd'hui le siège du Comité populaire de Ho Chi Minh-Ville (UBND). Il est interdit au public.

Devant l'hôtel de ville, à l'intersection de Le Loi et de Nguyen Hué, une statue de Ho Chi Minh protégeant un enfant se dresse sur une place fleurie. Sur un côté, le **Rex Hotel** ❻ fut la résidence des officiers américains durant la guerre. La place est très fréquentée le soir par les Saigonais de tous âges, les marchands de souvenirs... et les pickpockets. A l'angle de Le Loi, une autre place ornée d'une fontaine est le rendez-vous nocturne favori des couples d'amoureux et des motards. Vers le sud-est, Nguyen Hué est une large avenue bordée d'hôtels et de restaurants chics et d'enseignes de luxe. Tout ce quartier est très animé jusque tard dans la nuit.

A l'extrémité nord-est de Le Loi, on débouche sur la place Lam Son et son **Théâtre municipal** (Nha Hat Thanh Pho) ❼, construit en 1899. Devenu après 1954 le siège fortifié de l'Assemblée nationale sud-viet-

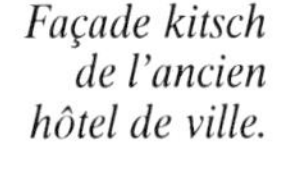

Façade kitsch de l'ancien hôtel de ville.

namienne, cet édifice, entièrement restauré, a retrouvé depuis sa vocation première et accueille des spectacles différents chaque semaine. On peut ainsi y voir des pièces du répertoire traditionnel vietnamien, des gymnastes et des acrobates, ou y écouter de la musique classique.

Sur une grande place formée par l'intersection des boulevards Ham Nghi, Le Loi et Tran Hung Dao est édifié le **marché de Ben Thanh ❽**, signalé par un beffroi. Ce vaste marché couvert qui occupe 11 000 m^2 fut inauguré en 1914. On y découvre un incroyable assortiment de denrées alimentaires et d'articles les plus divers (transistors, appareils photo, télévisions, calculatrices, baladeurs, ventilateurs, réfrigérateurs, vêtements, bagages), importés – souvent en contrebande – de Taïwan, de Corée ou d'ailleurs. Les sens sont constamment sollicités par les odeurs pénétrantes d'épices, de crevette et de poisson séché ou par les monceaux de fruits colorés et appétissants. A l'arrière du marché, de petits étals proposent une grande variété de plats à emporter ou à déguster sur place.

Le **temple hindou de Mariammam ❾** est situé au n° 45 de Truong Dinh, à trois pâtés de maisons du marché Ben Thanh. Édifié à la fin du XIXe siècle, il est le lieu de ralliement des quelque soixante-dix Indiens que compte Ho Chi Minh-Ville, tamouls pour la plupart.

Au n° 97A de Duc Chinh, un grand bâtiment aux beaux vitraux Art nouveau abrite le **musée des Beaux-Arts** (Bao Tang My Thuat) **❿**. Le rez-de-chaussée est occupé par des galeries d'art. Le 1er étage expose des peintures contemporaines sans grand intérêt. Le 2e étage est consacré à l'art officiel : portraits et statues de Ho Chi Minh, héros paysans et ouvriers brandissant des drapeaux rouges et autres scènes de genre. Le 3e étage renferme une belle collection d'œuvres anciennes : porcelaines, statues du Bouddha,

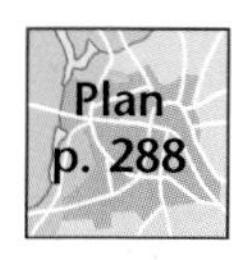

La façade Arts déco du Rex Hotel.

Devant l'ancien hôtel de ville, la fontaine du carrefour de Le Loi et de Nguyen Hué.

Enseigne de l'hôtel Continental.

sculptures indiennes, thai, khmères et cham.

Proche du musée, Le Cong Kieu est la rue des brocanteurs. Une vingtaine de boutiques proposent des céramiques, de l'argenterie, de la verrerie et de l'horlogerie anciennes. La plupart de ces objets ont appartenu à de riches Saigonais qui ont fui le pays en 1975. On peut encore dénicher quelque beaux meubles dans ce bric-à-brac.

Le **marché Dan Sinh**, au n° 104 de la rue Yersin, propose surtout du matériel électronique et des surplus militaires. A l'extérieur, quelques étals présentent des pseudo-souvenirs de l'armée américaine : uniformes, bottes, masques à gaz et fausses plaques d'identité.

Dans le 4e arrondissement, le **musée Ho Chi Minh** (Khu Luu Niem Bac Ho) ⓫ est situé au n° 1 de Nguyen Tat Thanh, juste après un pont situé au confluent du canal Ben Nghe et de la Rivière de Saigon. Il est aussi connu sous le nom de Dragon rouge (Nha Rong). Si le musée, ouvert en 1979, n'apporte guère d'informations supplémentaires sur la vie du dirigeant, l'endroit est très agréable, dans une vieille maison coloniale de 1982 qui fut le siège des Messageries maritimes. C'est de là que le jeune Nguyen That Thanh (nom véritable de Ho Chi Minh) s'embarqua le 5 juin 1911 comme cuisinier à bord du paquebot *Amiral-de-Latouche-Tréville*, entamant un voyage qui devait durer trente ans.

A quelques centaines de mètres, le **marché aux Voleurs**, établi le long des rues Huynh Thuc Kang et Ton That Dan (entrée à hauteur du 25, Nguyen Hué), acquit ce nom durant la guerre du Vietnam. C'est en effet là qu'étaient revendues les marchandises dérobées aux stocks de l'armée américaine. De nos jours, on y trouve des produits acquis à l'étranger par des marins vietnamiens ou envoyés en cadeau à leur famille par les Viet Kieu, une quantité impressionnante de cassettes vidéo et de

Le beffroi du marché de Ben Tanh.

La grâce de l'« ao dai »

Le costume national des Vietnamiennes, l'*ao dai* (« longue robe »), se présente comme une tunique ajustée, au col montant, qui tombe jusqu'aux genoux ou plus bas. Elle est fendue sur les côtés à partir de la taille et se porte sur des pantalons amples. A la fois séduisant et provocant, l'*ao dai* couvre le corps tout en le révélant.

L'*ao dai* date de 1744, année où le seigneur Nguyen Vo Vuong décréta le port d'un nouveau costume national, largement inspiré du style mandchou. Les tuniques boutonnées et les pantalons remplacèrent les jupes longues et les vestes nouées sur le devant. Par la suite, l'empereur Minh Mang (1820-1841) imposa le port du pantalon à toutes les femmes vietnamiennes, tout en fixant les couleurs et les coupes selon la hiérarchie sociale, les professions et les circonstances.

Dans les années 1930, un artiste appartenant au groupe réformateur libéral Tu Luc Van Doan tenta de moderniser l'*ao dai* en introduisant une plus grande variété de couleurs et de formes. Il osa même dessiner une tunique qui découvrait les épaules. Ses innovations, tempérées par quelques concessions, évoluèrent pour composer l'actuel *ao dai*. En 1975, lors de la réunification, l'*ao dai* fut remplacé par un triste uniforme consistant en un corsage porté sur un pantalon. Mais depuis 1987, le port de l'*ao dai* est à nouveau à l'honneur.

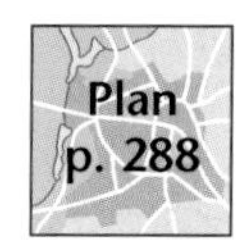

disques compacts pirates et autres biens de consommation venus en contrebande. Mais les bouteilles de whisky de marque y contiennent plus souvent du thé que de l'alcool...

Les quartiers nord-est

En remontant Le Duan, il est impossible de ne pas remarquer l'immeuble de bureaux du **Saigon Trade Center** ⓬, sur Ton Duc Thang : avec ses trente-trois étages, il est pour l'instant le plus haut de la ville.

Si l'on recherche la fraîcheur et le calme, rendez-vous au **Jardin zoologique et botanique** (Thao Cam Vien) ⓭, situé au bout du boulevard Le Duan, dans l'est de la ville. Cette oasis de verdure de 33 ha fut aménagée en 1864 par le botaniste Pierre et le vétérinaire Germain, et représente l'un des premiers projets d'embellissement de la ville menés par les Français. Les jardins, agrémentés de lacs, réunissent près de deux mille espèces végétales tandis que la section zoologique, assez délabrée, abrite des oiseaux, des tigres, des éléphants, des crocodiles, et diverses autres espèces animales à l'air passablement apathique. Une grande partie du parc est maintenant occupée par des attractions foraines.

Le **musée national d'Histoire** (Vien Bao Tang Lich Su) ⓮, adjacent, fut édifié en 1929. Il renferme d'intéressantes collections qui retracent l'histoire du Vietnam, depuis la préhistoire jusqu'à la fondation du parti communiste. On peut y voir des reproductions d'objets exposés au Musée historique, à Hanoi, des sculptures et stèles cham et khmères, des porcelaines chinoises, ainsi que des costumes traditionnels et objets artisanaux des minorités ethniques des Hauts Plateaux. Une bibliothèque de recherches, installée au 3e étage, derrière le bâtiment principal, abrite un fonds très important datant de l'époque française. Le

Jeunes citadines de Ho Chi Minh-Ville.

Den Hung (ancien temple du Souvenir), dédié au roi Hung Vuong, fondateur du royaume de Van Lang et ancêtre de tous les Vietnamiens, s'élève en face du musée.

En face du zoo, sur Nguyen Binh Diem, le **Musée militaire n° 7** (Bao Tang Quan Doi) ⓯, plutôt délabré, expose quelques photographies et, à l'extérieur, du matériel militaire soviétique, chinois et américain – notamment un des chars d'assaut qui défoncèrent les grilles du palais présidentiel en 1975 et des avions de chasse américains. Le tout, mal entretenu, rouille dans les herbes folles. Les rares visiteurs semblent surtout attirés par le restaurant à karaoké installé dans les étages.

LA BANLIEUE NORD

La petite **pagode de l'Empereur de Jade** (Chua Ngoc Hoang) ⓰, au n° 73 de Mai Thi Luu, fut construite en 1892 par la communauté cantonaise. Également connue sous le nom de pagode de la Tortue (Phuoc Hai Tu), c'est l'une des pagodes les plus hautes en couleur de la ville. Elle abrite une profusion de statues de bois de santal ou de papier mâché qui représentent, dans un style naïf, le monde étrange et fascinant des divinités bouddhiques et taoïstes, enveloppées dans des nuages d'encens à l'odeur entêtante. L'Empereur de Jade, principale divinité taoïste, veille sur la salle de culte du haut de son piédestal, entouré de ses gardiens, les « Quatre Diamants ». Sur sa droite, la déesse à trois têtes et dix-huit bras, Phat Mau Chau De, mère des Bouddhas des cinq points cardinaux (les quatre Orients plus le Centre), observe les allées et venues des fidèles. Une porte sur la gauche mène à la salle des Dix Enfers. Des panneaux de bois sculpté dépeignent dans un style réaliste les divers supplices réservés aux damnés. Dans une petite salle, douze statuettes de femmes et d'enfants en céramique représentent les qualités

Le musée d'Histoire.

et les défauts de l'être humain. Chacune d'elles symbolise un des douze signes du zodiaque chinois.

Dans le 3e arrondissement, la **pagode Vinh Nghiem** ⓱, au n° 339 de Nam Ky Khoi Nghia, est la plus grande de la ville mais aussi la plus récente. Cette pagode de style japonais fut construite par l'Association bouddhiste nippo-vietnamienne, entre 1964 et 1973. Elle est le lieu d'une grande animation lors de la fête du Ram Thang Gieng, le 15e jour du 1er mois lunaire. Chacun des sept étages de la tour qui surplombe le temple contient une statue du Bouddha. La salle de culte abrite un immense Bouddha entouré de ses disciples ainsi qu'une grosse cloche offerte par les bouddhistes japonais pendant la guerre du Vietnam pour ramener la paix. Le grand stupa funéraire de trois étages, qui s'élève derrière le temple, renferme des urnes en céramique. La pagode héberge une cinquantaine de moines et une école pour les novices.

CHOLON

Le quartier chinois de **Cholon** (le « Grand Marché »), qui était autrefois une ville jumelle de Saigon, en constitue aujourd'hui le 5e arrondissement.

En 1864, Cholon abritait quelque six mille Chinois, pour la plupart boutiquiers et négociants, deux cents Indiens et quarante mille Vietnamiens. Avec sa population d'un demi-million de Hoa (Vietnamiens d'origine chinoise), elle s'est considérablement agrandie depuis.

Une multitude de petites entreprises familiales prospèrent aujourd'hui dans cette « Chinatown » vouée au négoce et à l'argent. De jour comme de nuit, ses marchés bruyants, ses rues bordées de petits commerces et de restaurants aux enseignes en caractères chinois ne désemplissent pas. Sur Hau Giang, entre Thap Muoi et Ben Phan, le **marché Binh Tay** (Cho Binh Tay) ⓲, le plus grand de Cholon,

Plan p. 288

Détail d'une sculpture de la pagode de l'Empereur de Jade.

Autel principal de la pagode de l'Empereur de Jade.

Saucisses chinoises à Cholon.

Ci-dessous, une avenue de Cholon ; à droite, l'un des innombrables cyclo-pousse.

propose un incroyable choix de marchandises et de produits alimentaires.

Non loin de là, au bout du boulevard Tran Hung Dao, la charmante **église Saint-François-Xavier** (Cha Tam, ou Nha To Phanxico Xavia) (19), peinte dans des tons jaune clair et blanc, remonte au début du XXe siècle. C'est là que le président Ngo Dinh Diem fut capturé, avant d'être exécuté en compagnie de son frère, lors du coup d'État de novembre 1963.

L'**église de Cho Quan**, sise au n° 133 de Tran Binh Trong, est l'une des plus grandes de la ville. Du beffroi de ce sanctuaire construit en 1896, on découvre un splendide panorama sur la ville. Signe des temps, le clocher est aujourd'hui surmonté d'une statue portant une auréole lumineuse éclairée au néon.

A mesure que les Français puis les Américains marquaient cette ville de leur empreinte, les Vietnamiens réagirent à cette greffe architecturale et culturelle en élevant une multitude de pagodes, de temples et de chapelles. La petite **mosquée de Cholon**, dans Nguyen Trai, fut fondée par des Tamouls. La grande mosquée est située au n° 66 de Dong Du, dans le 1er arrondissement. Elle fut bâtie en 1935 par des Indiens sur l'emplacement d'une mosquée plus ancienne. Elle est aujourd'hui fréquentée essentiellement par des musulmans d'origine malaise car les Indiens quittèrent la ville en masse après 1975.

Les pagodes et les temples chinois, richement décorés, sont très différents par leur style des sanctuaires vietnamiens. Il est préférable de visiter ces temples le matin, lorsque les fidèles y viennent prier et déposer des offrandes.

Trois autres sanctuaires, situés dans Nguyen Trai, méritent le détour. Ainsi, au n° 710 s'élève la **pagode** richement ornée de **Pho Mieu** (20), sanctuaire dédié à Tien Hau (la « Dame céleste »), déesse protectrice des navigateurs. Elle fut

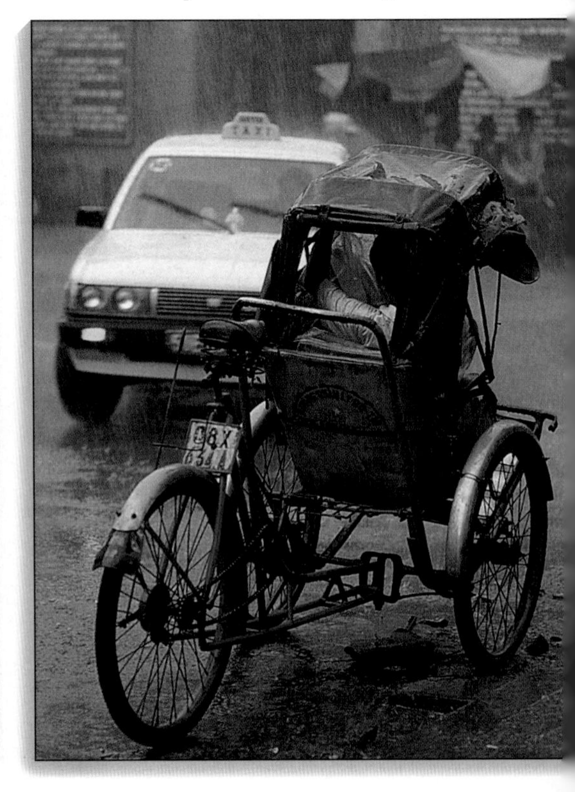

construite par des bouddhistes cantonais à la fin du XVIIIe siècle. Elle est surtout fréquentée par des femmes qui viennent déposer leurs offrandes devant les trois statues de la divinité placées sur l'autel principal, au fond du temple. Les fidèles brûlent de l'encens ou des offrandes votives en papier dans un grand brasero installé à droite de l'autel principal. A la droite de Tien Hau se dresse la statue de Long Mau, divinité protectrice des mères et des nouveau-nés, et à gauche, celle de Ba Me Sanh, déesse de la Fécondité. On pourra voir également des figurines en céramique, des statues vêtues de riches étoffes et la maquette du bateau qui aurait transporté les premiers immigrants de Canton. La cloche de bronze du temple fut fondue en 1830.

A l'inverse de la pagode de Thien Hau, la **pagode Nghia An**, située au n° 678 de la même rue, est principalement fréquentée par des hommes. Ils viennent y prier pour obtenir la paix, le bonheur et surtout la réussite en affaires. Le sanctuaire, aux belles menuiseries de bois doré, abrite en particulier une grande statue de Quan Cong montant un cheval rouge.

Toujours sur Nguyen Trai, au n° 802, la **pagode Ha Chuong** est également dédiée à Tien Hau. Elle renferme d'intéressantes sculptures sur bois de la déesse et du dieu de la Fortune. De belles peintures murales encadrent le maître-autel. Le 15e jour du 1er mois lunaire, on y célèbre la fête chinoise des Lanternes.

Au nord de Cholon

Au nord-ouest de Cholon, dans le 11e arrondissement, près du lac Dam Sen, la petite **pagode bouddhique Giac Vien** ㉑ fut construite en 1803. On l'appelait autrefois Chua Ho Dat, la « pagode de la Fosse de terre », en raison des énormes travaux de remblaiement que nécessitèrent sa construction. Elle renferme

Plan p. 288

A guche, parc à vélos devant le marché de Binh Tay ; ci-dessous, le guichet des paris à l'hippodrome.

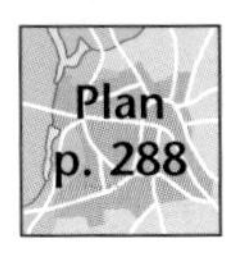

cent cinquante-trois statues et statuettes de bois parmi lesquelles figurent de remarquables sculptures du Bouddha Amitabha, de Sakyamuni et de ses disciples Kasyapa et Ananda, ainsi qu'un magnifique bac à encens en laiton, orné de dragons, placé devant l'autel central. Un palanquin richement décoré, offert par la cour des Nguyen au fondateur du temple, le vénérable Hai Tinh Giac Vien, constitue l'un des trésors du sanctuaire. La statue de ce bonze se dresse dans la seconde salle de la pagode.

La **pagode Giac Lam** ㉒, tenue pour la plus ancienne de la ville, est située dans l'arrondissement de Tan Binh, à 3 km environ au nord-est de Cholon. Elle date de 1744 et a été restaurée pour la dernière fois entre 1906 et 1909. Les piliers de bois sculptés de la salle de culte portent des inscriptions dorées en caractères nôm. On retrouve les mêmes idéogrammes sur les tablettes rouges des ancêtres et les biographies de moines défunts dont on peut voir les portraits accrochés au mur de gauche. La pagode renferme de très belles statues en bois de jacquier doré, représentant le Bouddha, la déesse de la Miséricorde aux dix-huit bras, ainsi que les juges et gardiens des enfers.

Un autel de bois, évoquant un peu un arbre de Noël rouge et or, porte quarante-neuf lampes et quarante-neuf boddhisatvas miniatures, symbolisant les quarante-neuf jours que le Bouddha passa en méditation sous un arbre avant d'atteindre l'illumination. De petits papiers sur lesquels sont inscrites des supplications sont suspendus à cet autel, d'autres sont attachés à une cloche de bronze censée les transmettre aux dieux lorsqu'on la fait sonner.

Ce sanctuaire, qui baigne dans une atmosphère sereine, s'élève au milieu d'un grand jardin. A droite du portail se dressent les tombes richement décorées de moines vénérés. Du haut de la tour de sept étages, la vue sur la ville est superbe.

A droite, l'animation d'un grand boulevard du centre ; ci-dessous, ancien officier sud-vietnamien.

LE CYCLO-POUSSE, DE PARIS À L'ASIE

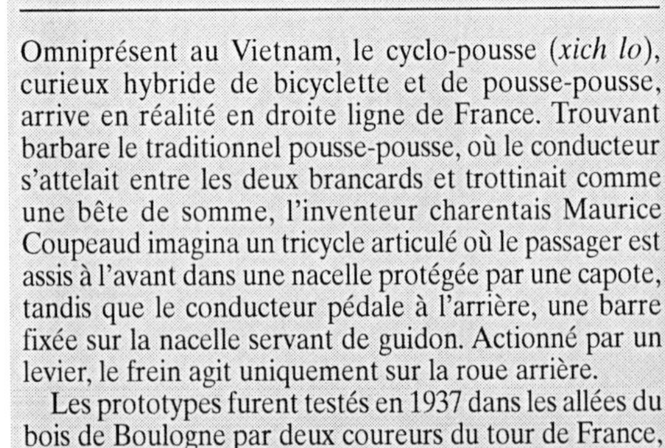

Omniprésent au Vietnam, le cyclo-pousse (*xich lo*), curieux hybride de bicyclette et de pousse-pousse, arrive en réalité en droite ligne de France. Trouvant barbare le traditionnel pousse-pousse, où le conducteur s'attelait entre les deux brancards et trottinait comme une bête de somme, l'inventeur charentais Maurice Coupeaud imagina un tricycle articulé où le passager est assis à l'avant dans une nacelle protégée par une capote, tandis que le conducteur pédale à l'arrière, une barre fixée sur la nacelle servant de guidon. Actionné par un levier, le frein agit uniquement sur la roue arrière.

Les prototypes furent testés en 1937 dans les allées du bois de Boulogne par deux coureurs du tour de France, puis envoyés à Phnom Penh en 1938. Le succès fut immédiat, mais il fallut attendre le feu vert du ministre des Colonies, Georges Mandel, pour que ce nouveau moyen de transport soit agréé. L'autorisation accordée, Coupeaud organisa une course de cyclo-pousse, à l'issue de laquelle il fit une entrée triomphale dans Saigon au guidon de son invention. Le pousse-pousse fut vite délaissé au profit du cyclo-pousse, qui reste un des modes de déplacement les plus pratiques et les moins chers du pays – et le plus écologique. Cependant, avec le développement urbain et l'amélioration des routes, le taxi-moto (*xe om*, ou *Honda om*) se répand partout.

LOAN
XAY DUNG
450 GIA

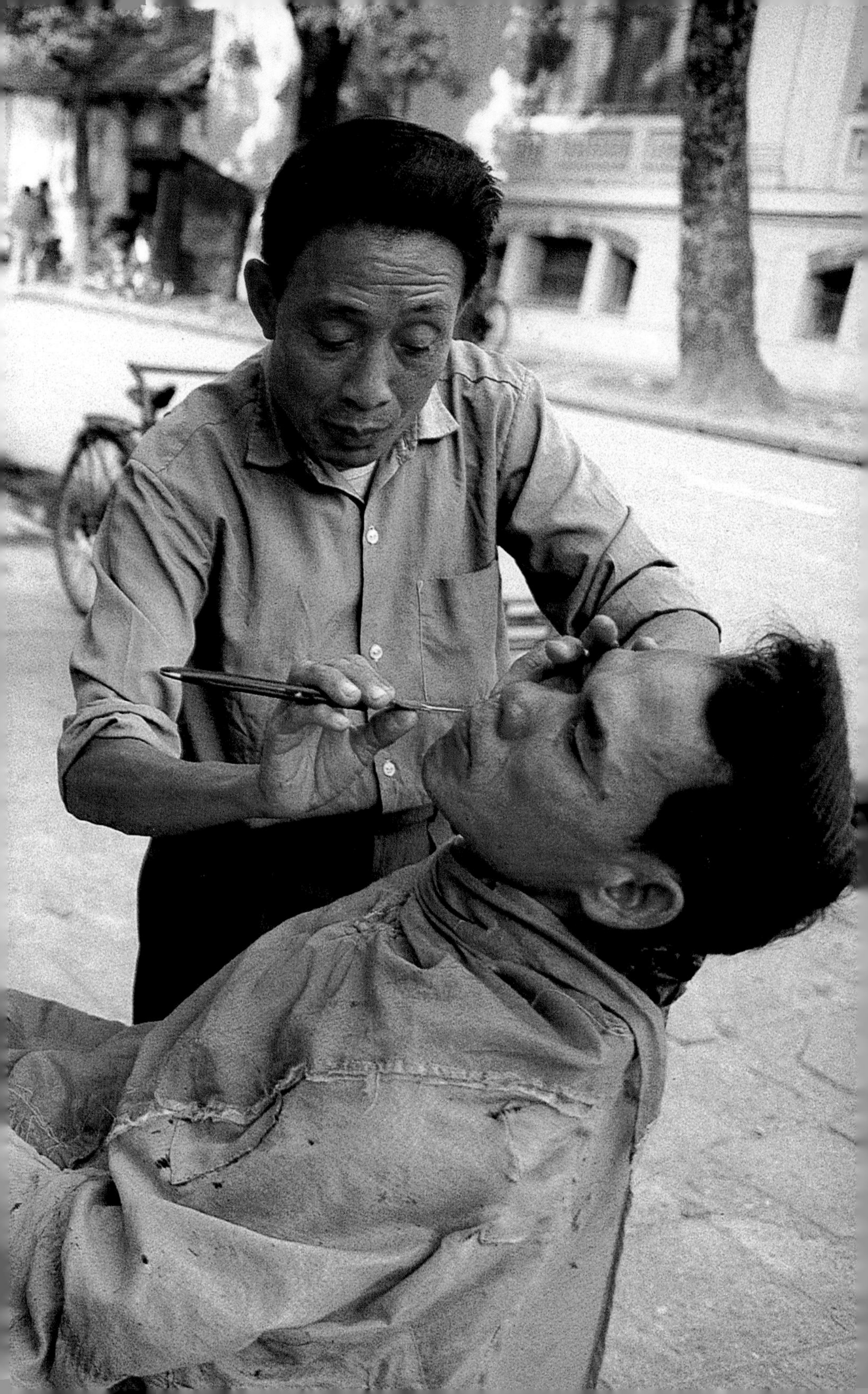

LA RÉGION DE HO CHI MINH-VILLE

Autour de Ho Chi Minh-Ville s'étend une vaste plaine irriguée. Ce paysage agricole est aujourd'hui menacé par l'urbanisation galopante, mais conserve encore certains coins de campagne. Vers le nord, les tunnels de Cu Chi témoignent de l'opiniâtreté des soldats viet-cong. Sur la côte sud, Vung Tau est, depuis l'époque coloniale, la station balnéaire favorite des habitants de la métropole.

Pour découvrir sous un autre angle l'agglomération de **Ho Chi Minh-Ville ⓭**, son port et ses docks, il est possible de parcourir en bateau la Rivière de Saigon et ses canaux. Une des excursions les plus agréables consiste à traverser la rivière (service de bacs réguliers) pour se rendre à la **presqu'île de Thu Thiem**, qui a gardé son aspect rural. Entre les touffes de bambous et les rizières s'élèvent plusieurs temples et pagodes.

LE NORD DE HO CHI MINH-VILLE

Les amateurs d'histoire ne manqueront pas de visiter les souterrains du district de **Cu Chi ⓮**, situés à 35 km au nord-ouest de Ho Chi Minh-Ville par la nationale 22. Cette région joua un rôle vital lors des guerres d'Indochine et du Vietnam. Dans les années 1950, le Viet-minh y creusa un réseau de tunnels que les Viet-cong ne cessèrent d'agrandir par la suite. Ce réseau, long de 200 km, constituait à la fin des années 1960 une véritable ville souterraine sur plusieurs niveaux, avec ses dortoirs, ses hôpitaux de campagne, ses fabriques d'armes, ses cuisines, ses magasins et ses centres de commandement. Les Viet-cong parvinrent à creuser, à l'aide d'outils rudimentaires, jusqu'à 12 m sous terre. Les millions de tonnes de terre rouge provenant de cet immense chantier furent soigneusement dispersées, le plus souvent dans des cratères de bombes, et l'entrée des tunnels et des bouches d'aération dissimulée par des trappes et des sas recouverts de branchages. Certains tunnels débouchaient à l'intérieur même de la principale base américaine du secteur.

Les Américains utilisèrent des chiens pour tenter de détecter les tunnels, mais les soldats du Viet-cong déjouaient leur flair en répandant du poivre aux alentours des issues et, dit-on, en utilisant la même marque de savon que les troupes américaines. Ils envoyèrent également des soldats dans les galeries, mais celles-ci étaient trop étroites pour leur corpulence. Des Mexicains, plus minces, furent alors chargés de s'infiltrer, mais la plupart furent victimes de pièges soigneusement dissimulés, comme de longues tiges de bambou empoisonnées. Seuls les tapis de bombes déversés par les B-52 réussirent à gêner l'action du Viet-cong, faisant 10 0000 morts parmi les 16 000 combattants

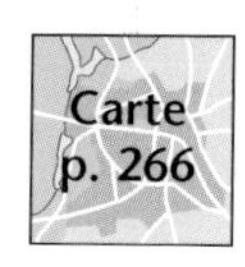
Carte p. 266

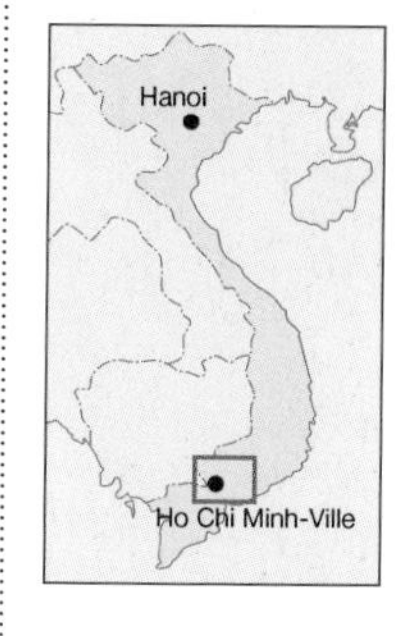

Pages précédentes : salon de coiffure en plein air. A gauche, sur la Rivière de Saigon ; ci-dessous, déchargement d'un sampan.

Le bateau est le moyen de transport des marchandises le plus utilisé au Vietnam. Toutes les plaines basses sont sillonnées d'un réseau de canaux et de multiples cours d'eau naturels, qui sont autant de voies de communication. Dans certaines régions, on ne décharge même pas les bateaux : le commerce se fait sur l'eau.

de la guérilla, mais ce ne fut qu'une demi-victoire, le Viet-cong ayant d'ores et déjà gagné la guerre.

Une section de 50 m de long a été ouverte au public. La visite se fait en rampant sous la conduite de guides équipés de torches électriques. Les dimensions moyennes des tunnels étaient de 60 à 70 cm de large et de 80 à 90 cm de haut seulement, mais le tunnel principal a été agrandi pour permettre le passage des touristes. Il mesure de 70 à 80 cm de large et 1,20 m de haut, ce qui ne le rend guère plus confortable. La voûte, située à 3 ou 4 m sous terre, pouvait supporter le poids d'un char ou d'un canon tracté de 60 t ou l'impact de bombes de 100 kg.

Aux alentours de Cu Chi, toute la région a été dévastée par les bombardements et les défoliants. De vastes étendues brûlées par les produits chimiques ont été replantées d'eucalyptus.

La **province de Tay Ninh**, au nord-ouest de Ho Chi Minh-Ville, partage une frontière de 232 km avec le Cambodge, le long de la Vam Co Dong. Du VIIe au XIVe siècle, le territoire de Tay Ninh appartenait au puissant empire chinois du Funan. Il fit ensuite partie du royaume de Chen La, prédécesseur du Champa. Au XVIIIe siècle, les Nguyen, vainqueurs des Cham, réunirent Tay Ninh à la province de Gia Dinh. Pendant la guerre d'Indochine, les caodaïstes en firent un grand centre de la résistance nationaliste. A la fin des années 1970, cette province subit plusieurs sanglantes incursions des Khmers rouges.

Tay Ninh ⓯, la capitale provinciale, située à quelque 90 km au nord-ouest de Ho Chi Minh-Ville, est le siège de la secte caodaïste. Véritable chef-d'œuvre kitsch, le grand temple, ou « Sainte Mère » de la secte, se trouve à 4 km de Tay Ninh, dans le village de Long Hoa. Ce sanctuaire construit entre 1933 et 1955 associe des éléments architecturaux chrétiens, taoïstes et boud-

Ci-dessous, fidèle caodaïste ; à droite, façade de la cathédrale caodaïste de Long Than.

dhiques. Il intègre également les figures des « trois missionnaires divins » : le poète Nguyen Binh Khiem, le révolutionnaire chinois Sun Yat-sen et Victor Hugo. Avec l'œil de Cao Dai peint sur la sphère qui domine l'autel, cette cathédrale évoque un univers fantastique. En arrivant peu avant midi, on peut assister à l'un des trois offices qui s'y tiennent chaque jour et prendre des photos de la cérémonie après en avoir demandé l'autorisation. Les fidèles, vêtus de robes bleu azur, jaunes et blanches, qui s'avancent en procession vers l'autel, forment un spectacle impressionnant.

La **montagne de la Dame noire** (Nui Ba Den), à 15 km au nord-est de Tay Ninh, culmine à 980 m. Sur ses pentes se dressent plusieurs temples, rupestres pour certains, ainsi qu'une statue en pierre noire de Baghavati, divinité hindouiste protectrice de la région. Un escalier de mille cinq cents marches mène à la **pagode Linh Son**, au sommet de la montagne, d'où l'on a une vue superbe sur la campagne environnante. Au pied du mont s'élève un monument en l'honneur des guérilleros viet-minh tués dans la région lors des combats qui les opposèrent aux Français et aux Américains. Cette montagne sacrée est révérée par tous les groupes ethniques de la province : Vietnamiens, Chinois, Khmers et Cham.

L'est de Ho Chi Minh-Ville

Ba Chieu, au nord-est de Ho Chi Minh-Ville, abrite un temple dédié au général Le Van Duyet, vice-roi de Cochinchine sous le règne de l'empereur Gia Long. Mingh Mang profana sa tombe après un jugement posthume qui déclarait Le Van Duyet coupable de trahison et le condamnait à être dégradé. Tu Duc répara l'injustice, fit restaurer la sépulture et rétablit le général dans son rang par décret impérial.

Le **temple de Ba Chieu**, ou Lang Ong, qui se reconnaît de loin à son

Carte p. 266

L'œil solaire, symbole de la secte caodaïste.

Paysans de la région de Ho Chi Minh-Ville.

Très jeunes, les enfants participent aux travaux des champs.

triple portail, renferme plusieurs autels consacrés à différents cultes. Un portrait de Le Van Duyet, en costume d'apparat, est accroché au-dessus de l'autel principal. Lors des fêtes du Têt, des milliers de pèlerins viennent au temple se faire établir leur horoscope. La fête du temple est célébrée le jour anniversaire de sa mort, le 30e jour du 7e mois lunaire.

Personnage très respecté de son vivant, Le Van Duyet acquit une dimension quasi mythique après sa mort. Au dire de nombreux témoins, son spectre serait apparu plusieurs années après sa mort dans maintes localités du delta du Mékong, où il aurait accompli des miracles. Ces « apparitions » firent grande impression sur les Vietnamiens et les Chinois de Cholon, tout aussi superstitieux.

Selon une autre croyance, toute personne qui manquait à un serment prêté sur la tombe de Le Van Duyet mourait dans les vingt-quatre heures. Aussi, lorsque les juges n'avaient pu déterminer l'innocence ou la culpabilité d'un inculpé, plaignant et accusé se rendaient-ils sur la tombe du vice-roi, où ils devaient égorger une poule et boire son sang tout en répétant la formule rituelle : « Si je mens, je mourrai comme cette poule innocente dont j'ai bu le sang. »

De Ba Chieu, la route continue vers **Thu Duc** ⓰, gros bourg commerçant situé à 19 km au nord-est de Ho Chi Minh-Ville. La ville possède une reproduction à l'identique de la pagode au Pilier unique de Hanoi, édifiée en 1958. Thu Duc fait maintenant partie de la banlieue de Ho Chi Minh-Ville et voit fleurir les résidences des nouveaux riches autour d'un golf et d'un parc d'attractions.

Un peu après Thu Duc, sur la droite, un chemin de terre mène à la **nécropole de la famille Ho**, d'où était issue l'impératrice Ho Thi Hoa, épouse de l'empereur Minh Mang.

Au nord de Thu Duc, sur l'autre rive du Dong Nai, s'étend la pro-

Deux collégiennes en uniforme.

vince de Song Be, longtemps renommée pour ses vergers. De mai à juillet, les amateurs peuvent encore déguster dans les vergers de Lai Thieu et de Thu Dau Mot une grande variété de fruits pulpeux et savoureux, fraîchement cueillis. Mais toute la région se transforme rapidement en une vaste zone industrielle. Les fours à céramique construits autour de l'église de Lai Thieu sont l'œuvre d'immigrants chinois qui mirent à profit les réserves d'argile de la région.

La route de Thu Duc à **Bien Hoa ⑰**, la capitale provinciale, est bordée d'usines flambant neuves. Important centre industriel, Bien Hoa s'élève sur la rive orientale du Dong Nai, à 32 km au nord de Ho Chi Minh-Ville. Aux XVIe et XVIIe siècles, la ville accueillit de nombreux réfugiés chinois. L'un d'eux, Tran Thuong Xuyen, bâtit un fort sur **Cu Lao Pho**, une île au milieu du fleuve ; elle abrite la **tombe de Trinh Hoai Duc**, ministre que l'empereur Gia Long envoya à la cour de Pékin négocier avec les Chinois – suzerains théoriques – l'adoption du nom Viet Nam, qui devait dès lors désigner le pays.

Un grand **temple** dédié au général Nguyen Huu Canh (1650-1700) s'élève sur la rive gauche du fleuve, non loin des docks. Ce héros national, plus connu dans le sud du Vietnam sous le nom de Chuong Binh Le, est vénéré par la population comme un saint protecteur. Deux arbres gigantesques ombragent ce sanctuaire qui accueille plusieurs fêtes annuelles. On y joue alors des pièces tirées du répertoire classique.

Le **temple de Buu Son**, qui s'élève dans le village de **Binh Thuoc**, à 1,5 km de Bien Hoa, abrite une statue cham du dieu Vishnou datant du XVe siècle. Des artisans enseignent l'art de la poterie et du travail du bronze dans une école attenante.

A 50 km au nord-est de Bien Hoa, le **parc national de Cat Tien ⑱** se trouve à la frontière des trois pro-

Carte p. 266

Les paniers peints font de jolis masques pour la fête du Têt.

Ambiance décontractée mais efficace d'un marché du Sud.

vinces de Dong Nai, Song Be et Lam Dong. Cette forêt primaire, qui couvre quelque 10 000 ha, abrite plusieurs espèces animales rares (pythons, crocodiles, écureuils volants et rhinocéros d'Asie).

La côte sud et Vung Tau

De Bien Hoa, la nationale 51 se dirige vers la côte et la péninsule de Vung Tau, au sud-est. Elle traverse le très beau district côtier de **Long Hai** (à 70 km de Bien Hoa), qui s'enorgueillit d'une plage longue de plusieurs kilomètres. A proximité de cette plage et du mont Minh Dam s'élèvent de vénérables pagodes. Le sanctuaire de **Dinh Co** aurait été édifié par les habitants de Long Hai à la mémoire d'une jeune femme dont, nous rapporte la légende, le bateau aurait été coulé par une lame de fond alors qu'elle portait un message à l'empereur Quang Trung de la dynastie des Tay Son, héros national qui vainquit les Mandchous.

En vietnamien, Vung Tau signifie la « baie des bateaux ».

La route entre Long Hai et **Vung Tau** ⓳ longe des marais salants et des élevages de crevettes. Vung Tau, ou la baie des Bateaux (le Cap Saint-Jacques des colons français), est nichée à l'extrémité d'une péninsule située à 125 km (soit deux heures de route) au sud-est de Ho Chi Minh-Ville. Au XVe siècle, après la conquête du Champa par Le Thanh Ton, des navires de commerce portugais jetaient déjà l'ancre dans la baie.

Cette station balnéaire très populaire jouit toute l'année d'un excellent ensoleillement. Port de pêche très actif et centre de l'industrie pétrolière, Vung Tau partage désormais avec les îles Con Dao le statut de zone économique spéciale. Malgré ce développement, la région n'a rien perdu de son charme.

Thuy Van (Bai Sau), la plus grande plage de Vung Tau, s'étire sur 7 km le long de la côte est de la péninsule. Elle est bordée de restaurants, de cafés et de villas coloniales et envahie, le week-end, par les Sai-

gonais. Pour une somme dérisoire, on peut y louer une chaise longue et un parasol. Si l'on préfère plus de tranquillité, on peut se rendre sur l'une des plages ombragées de la baie ou dans l'**anse Tam Duong**, sur la côte ouest de la péninsule. La plage de **Bai Dau** (Mulberry Beach) est plutôt rocheuse, tandis que celle de **Bai Truoc**, près de l'embouchure du fleuve, face au quartier des hôtels, est très envasée et ne se prête guère à la baignade.

Sur la centaine de temples et de pagodes que compte Vung Tau, la plus intéressante est sans doute celle de **Lang Ca Ong**, sur l'avenue Hoang Hoa Tham. Ce sanctuaire, construit en 1911, est dédié aux baleines, censées protéger les pêcheurs des dangers de la mer – culte que les Vietnamiens empruntèrent aux Cham. Des squelettes de baleines, échouées sur les plages de la région depuis 1868, sont conservés dans d'énormes châsses dont certaines mesurent près de 4 m de long. Les pêcheurs viennent nombreux déposer leurs offrandes, plus particulièrement lors de la fête du sanctuaire, le 16e jour du 8e mois lunaire.

Au nord-est de la péninsule, un chemin sinueux gravit le **mont Nui Lon** jusqu'à la pagode dédiée à **Thich Ca Phat Dai**, le bouddha Sakyamuni. Cet édifice construit en 1957 fut agrandi en 1963. Une monumentale statue blanche du Bouddha, juchée sur un piédestal, domine le parc.

Quatre urnes sont placées aux angles de la **tour de Bao Thap**. Elles renferment de la terre qui aurait été prélevée sur les quatre lieux les plus sacrés du bouddhisme en Inde – ceux de la naissance, de l'illumination, des premiers enseignements et de la crémation du Bouddha, moment où il aurait atteint le nirvana.

Accrochée au flanc du mont Nui Lon, parmi les bougainvilliers et les frangipaniers, la **Villa blanche** (Bach Dinh) jouit d'une vue superbe sur Vung Tau. Elle fut bâtie pour Paul

Carte p. 266

Vue d'ensemble de Vung Tau.

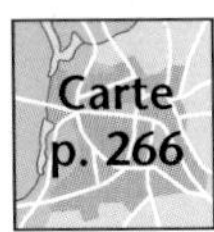

Doumer, gouverneur général de l'Indochine, mais celui-ci revint en France avant son achèvement. L'empereur Thanh Thai y résida de 1907 à 1916 avant d'être exilé à l'île de la Réunion avec son fils, Duy Tan. Après l'indépendance, la villa devint la résidence balnéaire des présidents Dicm ct Thieu.

L'ancienne route de la Petite Corniche, qui épouse les contours du mont Nui Lon, conduit à la pointe sud de la péninsule, où un christ de 30 m de haut fut élevé en 1974 à l'emplacement d'un ancien phare.

Une petite route qui suit le versant oriental du mont Nui Lon vers l'intérieur mène à la **pagode de la montagne Sacrée** (Linh Son Tu), édifiée en 1911.

La **pagode Niet Ban Tinh Xa**, accrochée au flanc du **mont Nui Nho**, près de la plage de **Bai Dua**, est le sanctuaire le plus vénéré de Vung Tau. Ce temple construit en 1971 abrite un bouddha couché, en marbre sur béton, de 12 m de long.

A droite, l'intérieur de la Villa blanche ; ci-dessous, Thuy Van, la grande plage de Vung Tau.

Entre les montagnes de Dalat et les plages de Vung Tau, la vie était douce pour les colons de Saigon. La Villa blanche est le plus bel exemple des résidences d'été de l'ancien cap Saint-Jacques. Ornée de mosaïques romaines à l'extérieur, elle abrite une collection de porcelaines retrouvées dans l'épave d'un navire chinois du XVIIe siècle.

Chaque mètre symbolise l'une des douze étapes de la réincarnation, toutes gravées sur les pieds de la statue. Le sanctuaire renferme également une statue de la déesse Quan Am. Than Thien, le génie du Bien, et Than Ac, le génie du Mal, qui sont censés garder le seuil du nirvana, se tiennent de part et d'autre de l'entrée du sanctuaire.

La **maison communale Thang Tam**, dans la rue Hoang Hoa Tham, est l'un des plus anciens monuments de Vung Tau. Elle renferme une statue khmère pré-angkorienne représentant un bouddha en méditation, qui fut découverte au sommet du mont Nui Lon.

Ancrées à 180 km au large de Vung Tau, les quatorze îles et îlots de l'archipel **Con Dao** ⓴ se trouvent à treize heures de bateau ou cinquante minutes d'avion du continent. Ces îles, couvertes d'une dense forêt vierge riche en bois précieux, sont dotées de magnifiques récifs coralliens et de belles plages désertes ombragées de cocotiers, où les tortues de mer se hissent péniblement pour venir pondre leurs œufs. De février à juillet, les pêcheurs chassent ces inoffensifs reptiles pour s'emparer de leur carapace.

Il est aujourd'hui bien difficile d'imaginer que ce paradis tropical ait pu abriter pendant près d'un siècle la sinistre **colonie pénitentiaire de Poulo Condore**. C'est en effet dans l'île principale de l'archipel, Con Son (baptisée l'île du Diable), que les Français internaient les nationalistes vietnamiens, puis, après l'indépendance, que le gouvernement sud-vietnamien déporta les opposants communistes. Des prisonniers politiques y furent également écroués, en 1975, par Hanoi. On peut visiter les ruines du bagne et un musée dans lequel sont réunis des photos et des documents décrivant les sévices infligés aux prisonniers.

Les rares habitants de l'archipel cultivent l'arachide, exploitent les forêts de teck ou sont pêcheurs de perles. Seule Con Son offre des possibilités d'hébergement.

CHUYEN NGHIEP
SUA CAN

LE DELTA DU MÉKONG

Ce vaste delta est formé par les alluvions qu'ont déposées au fil des siècles les multiples bras et affluents du Mékong (la « mère des eaux » en laotien). Après avoir pris sa source sur le plateau tibétain, il traverse la Chine, la Birmanie, le Laos, le Cambodge et le Vietnam, où il se divise en neuf bras (d'où son nom vietnamien de **Cuu Long**, le « fleuve des Neuf Dragons ») et se jette dans la mer de Chine méridionale au terme d'un parcours de 4 500 km.

Ancien territoire khmer, la région n'était qu'un vaste marécage couvert de mangroves avant que n'arrivent par la mer, au XVIe siècle, les premiers colons vietnamiens. Les seigneurs Nguyen firent assécher de nombreux marais et construisirent un réseau de petits canaux. A la fin du XVIIIe siècle, le canal Thai Hoa, qui reliait Rach Gia à Long Xuyen, et le Vinh Te, entre Chau Doc et Ha Tien, étaient déjà ouverts au trafic fluvial.

Peuplé en majorité de Vietnamiens, le delta compte un fort pourcentage de Khmers, de Cham et de Chinois. Ces divers groupes sont de confession bouddhiste, catholique, caodaïste ou hoa hao.

Le delta regroupe douze provinces (Long An, Dong Thap, Tien Giang, Ben Tre, An Giang, Can Tho, Vinh Long, Tra Vinh, Soc Trang, Kien Giang, Bac Lieu et Ca Mau), desservies par plus de cent bacs (prévoir une longue attente avant d'embarquer) et par un réseau routier dense. Les routes sont en relativement bon état (selon les critères vietnamiens) et les voies fluviales sillonnées d'une flottille de bateaux divers.

C'est entre janvier et mars, lorsque les températures oscillent entre 22° C et 34° C, qu'il faut visiter cette région. En mai débute la saison des pluies. Entre juillet et octobre, les pluies tombent en abondance et certaines provinces sont la proie de graves inondations qui rendent les déplacements extrêmement difficiles.

Les habitants du delta paraissent mieux vêtus et mieux nourris que les gens du Nord. Les ravages causés par les bombes et les défoliants chimiques (l'« agent orange ») s'estompent peu à peu. Les marchés regorgent de poissons et des diverses productions de ce sol alluvial fertile : riz, soja, maïs, sésame, cacahuètes, ananas, potirons, pommes de terre, mandarines, melons, choux, fruits tropicaux et tabac.

AU SUD DE HO CHI MINH-VILLE

Bien que légèrement vallonnée dans sa partie septentrionale, la **province de Long An** se présente comme une vaste plaine située à quelques mètres seulement au-dessus du niveau de la mer. Elle est généreusement arrosée par le Vam Co Dong, le Vam Co Tay et la rivière de Saigon, qui déposent leurs riches alluvions dans d'immenses rizières. C'est également le domaine des

Carte
p. 266

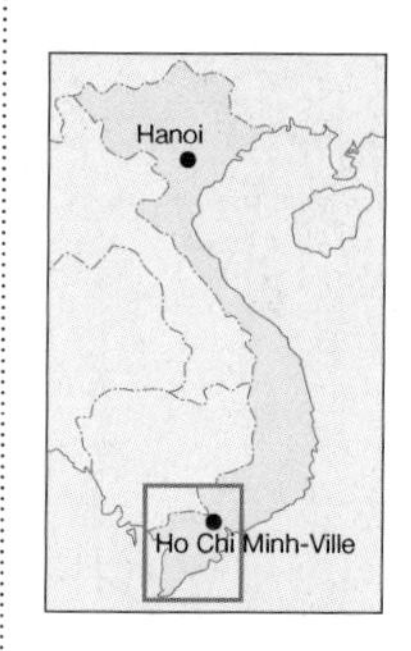

Pages précédentes : le marché flottant de Can Tho. A gauche, déchargement d'un bateau de riz ; ci-dessous, moisson du riz.

Le riz est la principale richesse du delta du Mékong; les terres, fertilisées par les crues annuelles, y portent jusqu'à trois récoltes par an. A elle seule, la région, qui ne représente que 12 % de la surface du pays, assure plus de 40 % de sa production alimentaire. Les travaux de l'université de Can Tho visent à des rendements encore supérieurs.

Rizière du delta.

grandes plantations d'ananas, de manioc, des champs de canne à sucre, des cocoteraies, des bananeraies et des élevages de poissons d'eau douce.

Le Long An forme l'une des trois provinces du Dong Thap Muoi, la « plaine des Joncs ». Cette région marécageuse fit autrefois partie des royaumes de Funan (Ier-VIe siècle) puis de Chen La, avant de passer sous le contrôle des Khmers. Dans la seconde moitié du XVIIe siècle, ces derniers furent évincés par les seigneurs Nguyen, qui établirent sur ces terres des colons vietnamiens et chinois. De nos jours, les Khmers, les Cham, les Thai et les Chinois prédominent dans cette région.

Binh Ta, à 15 km de Ben Luc, est le plus riche site archéologique du Dong Thap Muoi. On y a mis au jour des pièces d'orfèvrerie, des pierres précieuses, de très belles céramiques ainsi que des outils en étain. Parmi les objets d'or figure une stèle en sanskrit promulguant l'ordre de retrait donné à ses troupes par le roi de Funan en l'an 555. Des fouilles entreprises dans le **temple de Go Xoai** ont révélé que la cérémonie du retrait de troupes aurait eu lieu à Da Muc, capitale provinciale du royaume de Funan. On a découvert de nombreux vestiges préhistoriques dans un périmètre de 10 km autour de ce sanctuaire.

La province de Tien Giang est l'un des principaux greniers à riz du pays. La mise en valeur de ses terres extrêmement fertiles débuta au XVIIe siècle, lorsque cet ancien territoire cambodgien fut colonisé par les Vietnamiens. Les fleuves importants qui la traversent (Tien Giang, Go Cong, Ca Han et Bao Dinh), ainsi que le réseau dense de canaux qui quadrillent cette province permettent de gagner facilement Ho Chi Minh-Ville et Phnom Penh.

En 1785, **Rach Gam** et **Xaoi Mut**, sur le Tien Giang, furent le théâtre d'une grande bataille entre les Tay

Ci-dessous, marchande de ramboutans sur le marché de My Tho; à droite, marché flottant.

Carte p. 266

Son et les armées siamoises. Les Thai perdirent quarante mille hommes au cours de cette bataille navale.

My Tho ㉑, la capitale provinciale (100 000 hab.), fut fondée au début des années 1680 par des réfugiés politiques taïwanais, sur la rive gauche du My Tho. La ligne ferroviaire qui reliait autrefois Saigon à My Tho ne fonctionne plus, mais la province est desservie par un bon réseau routier. Depuis Ho Chi Minh-Ville (72 km), il faut compter une heure et demie de trajet en autocar et six heures en car-ferry.

L'économie locale repose sur la pêche, la culture du riz, des orchidées et des fruits – mangues, longanes, bananes et oranges. On retrouve la plupart de ces produits (et bien d'autres) sur les étals du **marché** central, installé entre les rues Trung Trac et Nguyen Hue, près du canal Bao Dinh.

Des messes sont dites deux fois par jour dans l'**église catholique**, construite à la fin du XIXe siècle, qui domine le boulevard Hung Vuong. La communauté catholique de My Tho compte encore près de 7 000 fidèles.

Les **pagodes Vinh Trang** et **Quan Thanh** ne présentent guère d'intérêt, à moins d'apprécier l'art kitsch. En revanche, il est très agréable de se promener en bateau sur le Mékong jusqu'à l'une des îles voisines, comme **l'île de Phung**, ou île du Phénix (compter 30 minutes de trajet). C'est là que vécut, en compagnie de ses disciples, Ong Dao Dua, le « bonze de l'île du Cocotier », fondateur du Tinh Do Cu Si. Cette secte, qui entendait faire la synthèse du bouddhisme et du christianisme, avait fait de Jésus-Christ, de la Vierge Marie et du Bouddha une trinité insolite.

Ong Dao Dua, dont le nom véritable était Nguyen Thanh Nam, naquit en 1909 dans la province de Ben Tre. Après avoir étudié la physique et la chimie en France, de 1928 à 1935, il revint au Vietnam où il se

Pagode de Vinh Trang, près de My Tho.

Amateur de bonsaïs à Vinh Long.

Les serpents entrent dans la composition de nombreux produits de la pharmacopée traditionnelle.

maria et eut une petite fille. En 1945, il quitta sa famille pour mener une vie d'ascète. Il aurait passé trois années à méditer sur une dalle de pierre, au pied d'un poteau, ne se nourrissant que de noix de coco. Sa philosophie prônant la réunification pacifique du pays ne plut guère aux dirigeants successifs du Sud-Vietnam, qui l'emprisonnèrent à maintes reprises. Arrêté par les communistes pour ses « activités antigouvernementales », il mourut en prison en 1990. Ses adeptes se dispersèrent après son arrestation.

On peut encore voir sur l'île les vestiges d'un étrange et immense sanctuaire en plein air où le « bonze de l'île du Cocotier » siégeait au milieu de ses fidèles. Aujourd'hui, les colonnes défraîchies enlacées par des dragons, la réplique d'une fusée Apollo et la tour à étages surmontée d'une énorme sphère de métal tombent en décrépitude.

De l'embarcadère situé au bas du boulevard Le Loi, on gagne en 5 mn de bateau l'**île de Tan Long**, renommée pour ses vergers de longanes. Des cocotiers poussent en abondance sur ses plages, où sont ancrés de nombreux bateaux de pêche.

A 12 km à l'ouest de My Tho, on peut visiter la **ferme aux serpents de Dong Tam**, dont les pensionnaires fournissent diverses substances pharmaceutiques utilisées par la médecine traditionnelle. Leur chair est en effet considérée comme un remède efficace contre différents maux qui vont des troubles mentaux aux rhumatismes et à la paralysie. La bile de serpent associée à d'autres produits soigne ainsi la toux et la migraine, tandis que l'on prépare un excellent remontant en laissant macérer trois espèces de serpents dans de l'alcool.

Un bac relie My Tho à Ben Tre, capitale de la province éponyme, sur le Mi Long. Cette province compte le plus grand nombre de cocoteraies du pays, entrecoupées de vastes rizières.

Carte p. 266

Le marché animé de **Ben Tre** ㉒ est un des meilleurs endroits où acheter de la soie. A voir également, le **temple de Nguyen Dinh Chieu**, dédié à un grand poète résistant du XIXe siècle qui vécut à Ben Tre.

Une croisière sur le canal **de Bai Lai-Ham Luong** permet de découvrir des scènes pittoresques de la vie quotidienne du delta. On peut observer de nombreuses espèces d'oiseaux dans la **réserve ornithologique de Cu Lao Dat**, située près du village d'**An Hiep**.

Au sud-ouest de Ben Tre, la province de Vinh Long, quadrillée par un dense réseau de canaux, n'est qu'à 2 m au-dessus du niveau de la mer.

Vinh Long ㉓, la capitale provinciale (180 000 hab.), possède quelques jolis temples et pagodes, en particulier la **pagode** confucéenne **de Van Thanh Mieu**. Depuis l'embarcadère situé devant l'hôtel Cuu Long, on peut se rendre en bateau à **An Binh** et **Binh Hoa Phuoc**, deux îles sur le cours du Tien Giang. Les amateurs de fruits apprécieront cette croisière d'une heure car on traverse en chemin de nombreux villages dont les vergers produisent des mangues, des ramboutans, des mandarines, des prunes et des longanes. Certains jardins sont ouverts aux visiteurs, en particulier le **jardin des Bonsaïs**, à Binh Than Lihamet, œuvre d'un passionné. Il est également possible de séjourner chez l'habitant dans de nombreuses fermes.

Au sud-est de Vinh Long, la **province de Tra Vinh**, à l'écart des circuits touristiques, s'étend entre les deux bras principaux du Mékong, le Tien Giang et le Hau Giang, qui déversent chaque année des millions de mètres cubes d'alluvions dans la région. Elle est peuplée d'un important groupe khmer de quelque 300 000 personnes, pour la plupart agriculteurs, qui parlent à la fois khmer et vietnamien. De nombreuses fêtes khmères se déroulent dans la province, en particulier dans

« Stand » de fleurs au marché flottant.

la capitale provinciale, **Tra Vinh** ㉔, sur le lac Ba Om et à la pagode des Cigognes (Chau Co), où vivent des centaines de ces oiseaux.

En remontant le Mékong ou en empruntant la nationale 49, on peut se rendre dans la **province de Dong Thap**. Le Dong Thap, qui fait partie de la plaine des Joncs, est célèbre pour ses vastes marais roseliers, ses lacs et ses étangs où les lotus poussent à profusion. Ses forêts de cajeputs abritent une multitude d'oiseaux aquatiques.

La province fit successivement partie des royaumes de Funan, puis de Chan Lap. Au XVIIe siècle, elle fut échangée avec le Vietnam contre une aide militaire.

La nouvelle capitale provinciale, **Cao Lanh** ㉕, a été récemment édifiée de toutes pièces au cœur des marais. C'est le point de départ d'excursions vers les **réserves d'oiseaux de Vuon Co Thap Moi**, où vivent des milliers de cigognes blanches, et de **Tam Nong**, réserve naturelle où l'on a recensé plus de deux cent vingt espèces d'oiseaux. Au sud de la ville, la **forêt de Rung Tram** est une des dernières forêts naturelles du delta. Elle a abrité l'une des principales bases viet-cong, **Xeo Quit**. Les touristes sont encore rares dans la province, sauf à **Sa Dec**, bourgade sur le fleuve connue pour ses jardins de roses, mais où les admirateurs de Marguerite Duras viennent avant tout pour découvrir la ville où elle vécut de 1928 à 1931 et qui servit de cadre au film *L'Amant*. L'école primaire Trung Vuong dirigée par sa mère est toujours debout, tout comme la maison du mandarin Huynh Thuan, le « palais Bleu », où habitait l'amant chinois, fils d'un riche mandarin.

Installée sur le Hau Giang, bras le plus méridional du Mékong, **Can Tho** ㉖ (200 000 hab.), la capitale de la province du même nom, est la ville la plus dynamique du delta. Ce grand port commerçant possède la seule université du delta. Fondée en 1966,

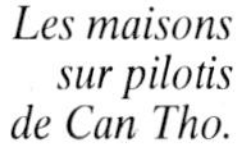
Les maisons sur pilotis de Can Tho.

Carte
p. 266

celle-ci réalise un important programme de recherches rizicoles qui a permis d'améliorer le rendement et la lutte contre les insectes nuisibles.

Le **marché central**, très animé, est installé sous une halle à l'intersection de Hai Ba Trung et de Nam Ky Khoi Nghia. On y trouve une grande variété de fruits et de légumes, qui poussent en abondance dans la région, ainsi que de beaux poissons et fruits de mer. Plusieurs restaurants établis sur les quais proposent diverses spécialités régionales : poisson, grenouille, serpent et tortue. Hormis la **pagode Vang** (1946), de style khmer, qui se dresse dans l'avenue Hoa Binh, cette accueillante cité n'abrite guère de curiosités touristiques. Des promenades en bateau sur le Hau vous permettront de visiter le **marché flottant de Cai Rang** qui se tient non loin de la ville, à l'intersection de sept canaux.

La ville est sillonnée d'un réseau de petits canaux traversés de fragiles ponts de bambou. Une extrême prudence s'impose pour emprunter ces « passerelles de singes », car on risque fort de tomber à l'eau.

La **province d'An Giang**, à l'ouest du Dong Thap, jouxte le territoire cambodgien de Takeo. Cette région frontalière demeure une zone sensible en raison de l'instabilité politique du Cambodge. En pénétrant en territoire vietnamien, le Mékong se divise en deux bras, le Tien Giang et le Hau Giang. L'An Giang, très fertile, produit des fruits, du soja, du tabac et de l'arachide.

A la suite du génocide perpétré par les Khmers rouges, de nombreux Cambodgiens se réfugièrent au Vietnam en 1977-1978 et s'établirent dans le district de Tri Ton.

Long Xuyen, la capitale provinciale, compte environ 100 000 habitants. Son église catholique est l'une des plus grandes du delta. La **petite pagode Quan Thanh De**, construite dans les années 1920 par la communauté cantonaise, est située dans la rue Le Minh Ngu On.

Marché flottant sur la rivière Han, à Can Tho.

Au marché flottant.

De Chau Doc, on aperçoit le Cambodge.

De Long Xuyen, une route mène à Ba Chuc, près de la frontière cambodgienne, via **Chau Thanh**. Elle dessert de nombreux villages de pêcheurs construits sur les canaux.

La cité commerçante de **Chau Doc** ㉗ (65 000 hab.) s'élève sur la rive droite du Hau Giang, près de la frontière cambodgienne. **Le temple de Chau Phu** (Dinh Than Chau Phu), bâti en 1926, est dédié à Thai Ngoc Hau (1761-1829), mandarin de haut rang qui fit construire le canal qui délimite la frontière entre le Cambodge et le Vietnam.

Pour visiter la **mosquée cham de Chau Giang**, il faut traverser le Hau Giang en empruntant un bac. De là, on peut se rendre dans le district de Tan Chau, célèbre dans tout le sud du pays pour sa production artisanale de soie et la prospérité (relative) de ses habitants. Sur le marché de **Tan Chau**, on trouve de nombreux produits cambodgiens.

A 5 km au sud-ouest de Chau Doc, le **mont Nui Sam** doit son nom à sa forme de crabe (*sam* en vietnamien). De nombreux monuments ont été édifiés sur ce superbe site. Au pied de la colline se dresse le **mausolée de Thoai Ngoc Hau** (ancien gouverneur de la province, 1761-1829), entouré des sépultures de ses collaborateurs. A voir également, la **pagode Tay An**, construite en 1847 et restaurée en 1958. Elle est ornée d'une profusion de statues de divinités finement sculptées, en bois pour la plupart. Non loin s'élève le **temple de Dame Chua Xu** (Mieu Ba Chua Xu), fondé en 1820. Ce sanctuaire est réputé être le plus riche du Vietnam, car les pèlerins y viennent en foule depuis Hong Kong et Taïwan. Le 2e jour du 4e mois lunaire débutent plusieurs semaines de festivités qui réunissent des milliers de dévots. Parmi les cérémonies qui se succèdent, celle au cours de laquelle on lave la statue de Dame Chua Xu est l'une des plus suivies. A l'issue du bain rituel, les fidèles sont aspergés de l'eau ainsi bénite.

La **pagode de la Caverne** (Chua Phuoc Dien Tu, ou Chua Hang) est située sur le versant occidental du mont Sam, à l'écart des principaux sanctuaires. La salle de culte consacrée au Bouddha se prolonge par une chapelle rupestre dédiée à la déesse Quan Am.

A 40 km à l'ouest de Chau Doc, le village de **Ba Chuc** vécut une page tragique de l'histoire du Vietnam. Entre le 12 et le 30 avril 1978, les Khmers rouges franchirent la frontière et assassinèrent 3 157 civils dans des conditions atroces. La **pagode des Crânes**, impressionnant mémorial construit en 1991, renferme les crânes et les ossements de plus de mille victimes. Dans le temple voisin sont exposées des photographies assez insoutenables prises peu après le massacre.

C'est à **Phu Tan**, dans le nord-est de la province, que naquit, en 1919, Huynh Phu So, fondateur de la secte bouddhiste du Phat Giao Hoa Hao, qui fut exécuté par le Viet-minh en 1947. On reconnaît les adeptes masculins de cette secte à leur barbe et à leurs cheveux longs noués en chignon. Prônant la simplicité, ils revendiquent un contact direct avec un dieu suprême et rejettent les lieux de culte consacrés.

LE SITE D'OC EO

Les ruines d'**Oc Eo** ㉘, l'ancienne capitale de Funan, sont situées dans la région vallonnée de Ba The, au nord de **Rach Gia**. Un permis spécial est en principe nécessaire pour visiter les ruines, qui se résument au tracé des remparts, de 3 km sur 1,5 km (se renseigner auprès de l'office du tourisme de Ho Chi Minh-Ville ou de Kien Giang). La plupart des objets retrouvés lors des fouilles sont exposés au musée national d'Histoire de Ho Chi Minh-ville, au musée d'Histoire de Hanoi ainsi qu'au musée de Rach Gia.

Ces ruines furent exhumées dans les années 1940 par des archéologues

Carte p. 266

La pagode Tay An, sur le mont Nui Sam.

de l'École française d'Extrême-Orient. Les maisons sur pilotis d'Oc Eo s'alignaient le long de canaux utilisés pour le transport comme pour l'irrigation. Grand centre de l'industrie et du négoce, au carrefour de la Chine et de l'Occident, Oc Eo atteignit son apogée au Ve siècle. Les objets mis au jour (pièces de monnaie, statues, objets usuels) ont révélé que cette cité portuaire entretenait des échanges avec la Thaïlande, la Malaisie, l'Indonésie, la Chine, l'Inde, la Perse et l'Empire romain. Les commerçants et émissaires chinois qui visitèrent Oc Eo et le royaume de Funan nous ont laissé de précieuses descriptions de cette civilisation raffinée.

La province est renommée pour ses poteries noires non vernissées dont on a retrouvé des spécimens sur le site d'Oc Eo. Façonnées dans une argile spéciale constituée de débris de fossiles, elles sont si légères après cuisson qu'elles peuvent flotter sur l'eau.

Le golfe de Siam

Avec son littoral de 200 km parsemé d'îles, ses forêts et ses plaines, la province de Kien Giang offre des paysages plus variés que les provinces environnantes. Elle possède également la plus belle ville du delta, Ha Tien.

Rach Gia ㉙, la capitale provinciale (120 000 hab.), est un port très actif du golfe de Siam. Les marécages qui l'entourent ont été en grande partie asséchés et aménagés en rizières.

La ville compte plusieurs pagodes et temples dignes d'intérêt. La **pagode Phat Lon** (« Grand Bouddha »), rue Quang Trung, est un imposant sanctuaire bouddhique hinayaniste construit par les Khmers au XVIIe siècle.

Le **temple** qui se trouve au n° 18 de Nguyen Cong Tru est dédié à **Nguyen Trung Truc**, chef du mouvement de résistance lancé contre les Français dans les années 1860. Il mena, entre autres, le raid contre le

Moine bouddhiste khmer.

navire de guerre l'*Espérance*, sur le Vam Co Dong. Cette bataille navale qui coûta la vie à tout l'équipage contraignit temporairement les Français à évacuer le Sud. Les autorités coloniales traquèrent Nguyen Trung Truc sans répit et ne parvinrent à le capturer qu'après avoir pris en otages sa mère et d'autres civils qu'elles menaçaient de passer par les armes. Nguyen Trung Truc se livra et fut exécuté le 27 octobre 1868 sur la place du marché de Rach Gia. Il est vénéré comme un héros national et un exemple de piété filiale, et des fidèles venus de tout le delta du Mékong se rassemblent chaque année pour célébrer l'anniversaire de sa mort.

La **pagode d'Ong Bac De**, située au n° 14 de Nguyen Du, en plein centre-ville, fut fondée par la communauté chinoise au XVIIIe siècle. Une statue d'Ong Bac De, réincarnation de l'Empereur de Jade (principale divinité taoïste), trône sur l'autel central. A sa gauche se tient Ong Gon, dieu du Bonheur et de la Vertu et, à sa droite, Quan Cong, général des Trois Royaumes (220-280) déifié par les Chinois.

A voir également, la petite **pagode Pho Minh** (1967), située à l'angle des rues Co Bac et Nguyen Van Cu, ainsi que la **pagode Tam Bao**, qui s'élève au coin des rues Tran Phu et Thich Thien An. Celle-ci, édifiée au XIXe siècle, est agrémentée d'un beau jardin topiaire.

La ville possède en outre un **sanctuaire caodaïste**, construit en 1969, situé près de la gare routière, dans la rue Nguyen Trung Truc, un **temple protestant** qui s'élève un peu plus loin dans la même rue en direction du fleuve ainsi qu'une **église catholique** de briques rouges.

Rach Gia est renommée pour ses poissons et ses fruits de mer ; ses nombreux restaurants vietnamiens et chinois proposent diverses spécialités culinaires : anguille, tortue, serpent, cuisses de grenouilles, calmar et biche.

Carte p. 266

Paysanne du delta pendant la moisson des rizières.

La route reliant Rach Gia à Ha Tien, à une centaine de kilomètres, est assez mauvaise mais fort pittoresque et longe de nombreuses fermes d'élevage de canards.

Le **temple khmer de Soc Soai**, dans le district de Hon Dat, est serti dans un écrin de verdure tropicale. Ce sanctuaire, achevé en 1970, mais meublé à l'ancienne, est empreint d'un charme désuet. Il héberge encore soixante-dix moines.

De Rach Gia, une route secondaire vers le nord-ouest conduit à la presqu'île de **Hon Chong** ㉚, distante de 80 km. Contrastant avec les plaines basses du delta, la région est parsemée de petites montagnes. Malheureusement, ces masses de calcaire sont surexploitées par les cimenteries locales, au point d'en avoir fait totalement disparaître certaines.

Surtout habitée par des pêcheurs, Hong Chong est une bourgade paisible. Aux environs, la **grotte de Chua Hang** et la **plage de Duong** méritent le détour. L'entrée de la grotte est située derrière l'autel d'une pagode bouddhique adossée au roc. Cette grotte renferme une statue en plâtre de Quan Am, la déesse de la Miséricorde, ainsi que des stalactites creuses qui sonnent comme des cloches lorsqu'on les frappe. La **plage de Duong** (Bai Duong) doit son nom aux casuarinas (*duong* en vietnamien) qui la bordent. Avec son sable ivoire et ses eaux translucides, c'est l'une des plus belles du delta.

Il faut prendre un bateau pour visiter la **grotte de Hang Tien** (grotte des Pièces de monnaie), à 7 km de Ha Tien. Elle doit son nom aux pièces de monnaie découvertes par Nguyen Anh – le futur empereur Gia Long – et ses troupes lorsqu'ils s'y réfugièrent, en 1784, pour échapper aux armées Tay Son.

La **grotte de Mo So**, à 17 km au sud de Ha Tien et à 3 km de la route principale, est accessible en bateau durant la saison des pluies, et à pied

Jeune pêcheur.

sec le reste de l'année. Il est possible d'explorer le dédale de tunnels qui s'étend au-delà des trois chambres principales à condition d'être muni d'une torche électrique et de faire appel à un guide local.

On traverse un pont flottant à péage avant de parvenir à **Ha Tien** ❸❶, ville de 80 000 habitants qui se niche dans une anse du Giang Thanh. Les curiosités naturelles de la région, tels le **lac de l'Est** (Dong Ho) et les **monts Ngu Ho** et **To Chau**, qui dominent l'embouchure du Giang Thanh, attirent à Ha Tien de nombreux touristes vietnamiens.

Cette ville située à 6 km de la frontière cambodgienne fut fondée en 1674 par Mac Cuu, un officier cantonais qui, refusant de servir les Mandchous à la chute des Ming, quitta la Chine avec ses hommes et s'établit dans cette province, alors sous contrôle khmer. La colonie chinoise fit rapidement de Ha Tien un centre de négoce et un port prospères. Face aux attaques répétées des pirates thai, Mac Cuu finit par solliciter la protection des Vietnamiens. En 1714, il prêta serment d'allégeance au seigneur Nguyen Phuc Chu de Hué qui, en échange, le nomma gouverneur de Ha Tien. La ville tirait alors l'essentiel de ses revenus d'une maison de jeu et d'une mine d'étain, que le gouverneur utilisa pour battre monnaie.

Son fils Mac Thien Tu poursuivit son œuvre ; il mit sur pied une armée qui lui permit de repousser les attaques des Siamois et des Khmers et fonda une **académie des arts**, le Chieu Anh Cac, ou pavillon du Suprême Accueil.

Cette région ainsi que la pointe méridionale du delta passèrent sous le contrôle direct des Nguyen en 1798.

Ha Tien abrite plusieurs **temples dédiés à la famille Mac**. Les **tombeaux** de Mac Cuu, de ses épouses, de ses enfants et de nombreux parents sont situés sur le versant oriental du mont Binh San. Ces

Carte p. 266

Vue de la plage de Binh An, entre Ha Tien et Rach Gia.

mausolées de style traditionnel chinois sont faits de briques cimentées par une résine végétale. Le **tombeau de Mac Cuu**, le plus monumental, fut édifié en 1809 sur les ordres de l'empereur Gia Long. Il est orné de belles sculptures représentant le Dragon bleu (Thanh Long) et le Tigre blanc (Bach Ho).

Dans la rue Phuong Thanh, on peut admirer la **pagode Tam Bao**, fondée en 1730 par Mac Cuu. Une statue de la déesse Quan Am, debout sur une fleur de lotus, se dresse à l'entrée du sanctuaire.

La **pagode Phu Dung**, qui s'élève à proximité, fut édifiée par Nguyen Thi Xuan, la seconde épouse de Mac Cuu, au milieu du XVIIIe siècle. Sa tombe se trouve à flanc de coteau, derrière la pagode. Le sanctuaire renferme d'intéressantes statues, dont un bouddha Sakyamuni, représenté sous la forme d'un nouveau-né qu'enlacent neuf serpents. Un bouddha chinois en bronze enfermé dans une châsse vitrée orne l'autel principal. Derrière la salle de culte s'ouvre un petit temple taoïste qui abrite des statues de papier mâché de nombreuses divinités taoïstes.

L'un des sanctuaires les plus intéressants de Ha Tien est la **Grotte dévoreuse de nuages** (Thach Dong Thon Van), temple bouddhique situé dans la rue Mac Tu Hoang, à 3,5 km du centre-ville. Cette vaste grotte divisée en plusieurs salles renferme des tablettes funéraires et des autels dédiés à Quan Am et à l'Empereur de Jade. A l'entrée du sanctuaire, la **stèle de la Haine** (Bia Cam Thu) rend hommage aux cent trente personnes massacrées à proximité par les Khmers rouges de Pol Pot, en mars 1978.

Ha Tien est un centre artisanal qui produit de beaux objets en écaille de tortue (les reptiles sont élevés dans des bassins en bord de mer). La cité est également célèbre pour son poivre noir, ses fruits de mer et ses superbes plages telles Mui Nai, Bai No et Bai Bang.

Intérieur du temple de Mac Cuu à Ha Tien.

Carte p. 266

De la côte, on aperçoit les **rochers du Père et du Fils**, creusés, comme la plupart des îles du littoral, de grottes où nichent des colonies d'hirondelles de mer. D'habiles grimpeurs effectuent régulièrement la dangereuse « cueillette » de leurs nids, particulièrement prisés des Chinois.

On peut gagner en bateau l'**île de Hon Giang**, à 15 km au large de Ha Tien. Elle possède en effet une très belle plage bien abritée.

L'île de Phu Quoc

L'île montagneuse et boisée de **Phu Quoc** (550 km^2) est ancrée à 45 km à l'ouest de Ha Tien et à 15 km des côtes cambodgiennes. Revendiquée par le Cambodge, elle est aujourd'hui rattachée à la province vietnamienne de Kien Giang et compte quelque 65 000 habitants qui se consacrent, pour la plupart, à la pêche. L'évêque Pigneau de Behaine, qui utilisa cette île comme base d'opérations entre 1760 et 1780, y accueillit le prince Nguyen Anh – le futur empereur Gia Long – alors pourchassé par les Tay Son. Renommée pour la qualité de son *nuoc mam*, Phu Quoc possède aussi de superbes plages immaculées et de magnifiques fonds marins, extrêmement poissonneux, qui se prêtent à l'exploration. L'intérieur, boisé et rocailleux, est peuplé d'une faune assez riche où les singes et les cerfs côtoient tortues et varans.

Des vols relient tous les vendredis Ho Chi Minh-Ville à Duong Dong, plus gros bourg de l'île et centre de l'industrie de la pêche.

L'extrême sud

A 60 km au sud-est de Can Tho, **Soc Trang** ㉜, capitale de la province du même nom, abrite une importante communauté cambodgienne. La bourgade possède un beau **temple khmer** (Kh'leng), bâti il y a plus de quatre siècles et reconstruit en 1907.

La Grotte dévoreuse de nuages, près de Ha Tien.

Le Viet-cong

Soutenue par Hanoi, la guérilla viet-cong a combattu contre l'ancien Sud-Vietnam et les États-Unis. Elle trouve ses origines dans les mouvements d'opposition au régime du président de la République sud-vietnamienne Ngo Dinh Diem, à partir de 1955. Le terme Viet-cong est une abréviation de Viet Nam Cong San (communistes vietnamiens), expression péjorative imaginée par les Américains et utilisée par Diem pour désigner les rebelles, puis adoptée par ces derniers par dérision. Au départ simple coalition d'opposants à Diem où l'on retrouvait même des membres de la secte cao dai, le mouvement fut bientôt rejoint par des militants sud-vietnamiens du Viet-minh. Ce renfort donna lieu, en 1960, à la création du Viet-cong, bras armé du Front de libération nationale (FLN). Si la plupart des soldats viet-cong étaient originaires du Sud, leur entraînement était assuré par des militaires venus du Nord, d'où ils recevaient également leur matériel. Lors de l'offensive du Têt, le Viet-cong subit de lourdes pertes qui réduisirent considérablement son action. Mais les troupes du Nord ne tardèrent pas à prendre le relais en intervenant directement au Sud. Organisé en petites unités très mobiles, le Viet-cong opérait surtout en zones rurales, utilisant toute la panoplie des techniques de la guérilla : embuscades, sabotages et terrorisme.

Carte p. 266

Orné d'une profusion de sculptures représentant des éléphants, des griffons, des tigres et des danseuses, ce temple s'anime tout particulièrement le 15e jour du 10e mois lunaire, lors du festival de A Ghe Ngo, qui donne lieu à de belles courses de bateaux. Des barques venues de différents villages se mesurent alors, dans le fracas des gongs, à l'imposante pirogue de guerre cambodgienne (*ghe ngo*), longue de 25 m et vieille de plus de deux siècles, manœuvrée par cinquante-deux rameurs. La **pagode d'Argile** (Chua Dat Set), au n° 68 de Mau Tahn, est entièrement construite en terre, y compris les statues et le mobilier.

Mais la principale attraction des environs est la **pagode des Chauves-souris** (Chua Doi) où vit une colonie de chauves-souris frugivores, suspendues par centaines aux arbres à pomme de lait qui entourent la pagode. Tout aussi insolite, un enclos proche héberge des cochons à cinq doigts (au lieu de quatre), élevés avec le plus grand respect : l'un d'eux, mort en 1996, a sa tombe dans les jardins de la pagode.

Ci-dessous, communauté musulmane du Sud ; à droite, proues de barques à Ben Tre.

Dans le delta du Mékong, région d'intenses échanges culturels et commerciaux depuis des millénaires, la population pratique les religions les plus variées. Cela explique peut-être pourquoi le delta est le berceau d'étonnantes religions syncrétiques, comme le caodaïsme, le Hoa Hao et l'Église bouddhique-catholique (Tinh Do Cu Si).

La province de Bac Lieu, créée en 1997, faisait auparavant partie de celle de Minh Hai. Ici, les terres sont imprégnées de sel et la région est dans l'ensemble assez pauvre. **Bac Lieu** ㉝ est surtout une étape sur la route de Ca Mau.

La péninsule de Ca Mau s'étire à la pointe méridionale du Vietnam. La région, encore très isolée, était totalement dépourvue de routes jusqu'à la Deuxième Guerre mondiale. Elle fut un refuge inexpugnable pour le Viet-minh, puis pour le Viet-cong. **Ca Mau** ㉞, capitale de la province du même nom, est située à 178 km au sud de Can Tho. Elle s'élève sur la rive du Ganh Hao, en plein cœur de l'immense mangrove d'U Minh, la deuxième du monde après celle d'Amazonie. Cette plaine inondable d'une altitude moyenne de 2 m, couverte de palétuviers, s'étend sur plus de 1 000 km².

Immenses réserves naturelles, les mangroves, gravement endommagées par les défoliants chimiques déversés par l'aviation américaine lors de la dernière guerre, foisonnent de serpents venimeux, de sangsues et de moustiques. Les habitants de cette région attrapent les reptiles qui sont soit consommés, soit vendus à des laboratoires pharmaceutiques. Parmi les autres animaux « comestibles » que traquent les chasseurs figure le *te te*, curieux saurien qui ressemble au serpent et au lézard, et dont la chair est très appréciée. Les grandes tortues fréquentent les parties plus sèches du delta. Les forêts de cajeputs, arbres qui fournissent une huile utilisée en pharmacie, prospèrent dans les zones salines. Lors de la floraison, des chasseurs de miel enfument les essaims d'abeilles sauvages afin de recueillir du miel et de la gelée royale.

A l'extrême sud du Vietnam, près de la localité de Rach Tau, le **cap Ca Mau** est le réceptacle des alluvions charriées par le Mékong et s'allonge ainsi de 80 m par an.

INFORMATIONS PRATIQUES

AVANT LE DÉPART

PASSEPORT ET VISA

Tout étranger arrivant au Vietnam doit être muni d'un passeport valable au moins six mois après la date de retour et d'un visa. Il existe différentes catégories de visas : pour les touristes, les hommes d'affaires, les journalistes, les diplomates et chargés de mission et enfin pour les Vietnamiens d'origine qui désirent rendre visite à leur famille.

Depuis quelques années, les formalités pour l'obtention d'un visa touristique se sont considérablement assouplies. Il suffit désormais de quelques jours pour l'obtenir. Les délais sont plus longs pour les visas de longue durée accordés aux hommes d'affaires ou aux journalistes. Il est nécessaire de remplir deux formulaires de demande de visa en trois exemplaires, dont un à présenter à l'arrivée au Vietnam, et de fournir trois photos d'identité.

Le prix du visa varie d'un pays à l'autre. A Bangkok, les agences de voyages peuvent le procurer en moins de 48 heures pour environ 380 F (soit au même prix qu'un visa établi à Paris). Le visa touristique est valable un mois, des prolongations (payantes) sont possibles sur place.

Si dans le formulaire de demande de visa doivent figurer les points d'entrée et de sortie du territoire vietnamien, il n'est plus nécessaire de préciser quelles sont les villes et les régions que l'on compte visiter. Les provinces vietnamiennes sont officiellement ouvertes au tourisme depuis avril 1993 et les étrangers peuvent se déplacer librement.

Cependant, il est préférable de se renseigner sur les formalités en vigueur au moment de son voyage, les règles administratives vietnamiennes étant sujettes à de fréquents et brusques changements.

Ambassades et consulats du Vietnam

France
62-66, rue Boileau, 75016 Paris,
tél. 01 44 14 64 00, 01 44 14 64 13,
fax 01 44 14 64 42, 01 44 14 64 24,
courrier électronique : vnparis@imaginet.fr
Belgique
130, av. de la Floride, 1180 Bruxelles,
tél. 02 379 27 37, fax 02 374 93 76, courrier électronique : dzunghuynh@compuserve.com
Canada
470, Wilbrod Street, Ottawa, Ontario, Kin 6M8
tél. 236 1398, fax 236 0819,
courrier électronique : vietem@istar.ca
Suisse
13, chemin Tavenay, 1218 Grand-Saconnex Genève,
tél. 798 98 66, fax 798 98 58

Si l'on décide, une fois sur place, de quitter le Vietnam par un autre aéroport que celui prévu, il faut en aviser les Bureaux d'immigration à Hanoi ou à Ho Chi Minh-Ville, qui apporteront les rectifications nécessaires. Les agences de voyages locales ou les hôtels peuvent également se charger de cette démarche.

Bureaux de police de l'immigration :
– Hanoi
89, Tran Hung Dao
Ouvert du lundi au samedi, de 8 h à 11 h et de 13 h à 17 h.
– Ho Chi Minh-Ville
161-163, Nguyen Du
Ouvert de 8 h à 11 h et de 13 h à 16 h.

Les étrangers d'origine vietnamienne (et les Vietnamiens résidant à l'étranger) sont soumis à un contrôle plus strict. Ils doivent fournir la date et le numéro de leur visa de sortie (si possible), la raison de leur expatriation, les noms et adresses de leurs parents et leurs liens exacts de parenté.

Voyages d'affaires

La procédure est légèrement différente pour les hommes d'affaires. S'ils sont déjà en contact avec un groupe privé, ou avec une entreprise d'État vietnamienne, ils devront joindre à leur demande de visa (valable six mois) l'invitation (lettre, fax, télex ou télégramme) de leur correspondant.

Les hommes d'affaires qui n'ont pas de contact au Vietnam pourront s'adresser à un organisme officiel tel que Vietcochamber - VCCI (Vietnam Chamber of Commerce & Industry, la Chambre du commerce et de l'industrie vietnamienne), ou à la Chambre de commerce et d'industrie française, en précisant la nature de leur visite. Celle-ci leur facilitera les démarches administratives, leur fournira des renseignements et les mettra en contact avec des entreprises d'État ou privées. Vietcochamber publie un annuaire du commerce, où figurent les entreprises d'État, et un magazine sur les échanges commerciaux avec l'étranger. Pour plus de renseignements, contacter :

En France :
Section commerciale de l'ambassade du Vietnam
44, av. de Madrid, 92200 Neuilly,
tél. 01 46 24 85 77

Au Vietnam :
– Hanoi
Poste d'Expansion économique de l'ambassade de France au Vietnam
198, Tran Quang Khai,
tél. (4) 825 85 06/7/8/9, fax 825 85 27,
courrier électronique : hanoi@dree.org

Chambre de commerce française
59, Ly Thu Trong,
tél. (4) 852 48 27, fax 852 59 46,
courrier électronique : ganvn@netnam.org
Vietcochamber
33, Ba Trieu,
tél. (4) 825 30 23, 826 62 36, fax 825 64 46,
courrier électronique : vietnam.chamber@gcc.net
MPI (ministère du Plan et de l'Investissement)
2, Hoang Van Thu,
tél. (4) 845 52 98, 845 43 63 et 823 78 46,
fax 823 24 94 ou 733 05 36

– Ho Chi Minh-Ville
Vietcochamber
171, Vo Thi Sau,
tél. (8) 823 03 39, fax 829 44 72
Service commercial de l'ambassade de France
162, rue Pasteur,
tél. (8) 829 60 56, 822 29 42, fax 823 14 20,
courrier électronique : hochiminh@dree.org
Chambre de commerce et d'industrie française au Vietnam
Saigon Trade Center, 16e étage, 37, Ton Duc Thang,
tél. (8) 910 03 08, fax 910 03 09,
courrier électronique : ccifv.hcm@fmail.vnn.vn

INFORMATIONS TOURISTIQUES

– Paris
Centre culturel vietnamien
24, rue des Écoles, 75005 Paris, tél. 01 43 29 60 89
Centre d'information et de documentation sur le Vietnam contemporain
ISMEA, 14, rue Corvisart, 75013 Paris,
tél. 01 44 08 51 41
Ouvert au public le jeudi et le vendredi de 14 h à 18 h.
Chambre de commerce franco-asiatique
94, rue Saint-Lazare, 75009 Paris,
tél. 01 45 26 67 01
Centre d'histoire et des civilisations de la péninsule indochinoise
22, av. du Président-Wilson, 75016 Paris,
tél. 01 45 53 73 01
IDASE (institut de l'Asie du Sud-Est)
269, rue Saint-Jacques, 75005 Paris,
tél. 01 43 26 15 22
Bibliothèque INALCO
2, rue de Lille, 75007 Paris

Renseignements sur Minitel : 36 15 code ASIAC.

– Bruxelles
Maison du Vietnam
124, bd du Général-Jacques, 1000 Bruxelles 5,
tél. 02 648 82 64

VACCINS ET PHARMACIE

En principe, aucun vaccin n'est obligatoire pour entrer au Vietnam mais il est fortement recommandé de se prémunir contre la méningite, la fièvre typhoïde, le tétanos, le choléra, la poliomyélite et l'hépatite. Il est conseillé de se faire prescrire par son médecin un traitement préventif contre le paludisme, mal endémique dans les régions montagneuses ou humides du Vietnam.

On trouve de nombreux médicaments d'importation dans les pharmacies de Hanoi et de Ho Chi Minh-Ville mais il est prudent d'emporter un antidiarrhéique, un antibiotique à large spectre, des antiseptiques, un collyre, une crème contre les insectes, des pastilles de Micropur ou d'Hydrochlonazone pour purifier l'eau qui n'est pas potable.

Au moment du départ, donner les médicaments non utilisés à des orphelinats ou à des organismes humanitaires constituera un geste très apprécié.

QUAND PARTIR

Il est difficile de déterminer une saison idéale pour se rendre au Vietnam car ce pays est divisé en trois grandes régions climatiques distinctes.

Le nord du pays est caractérisé par trois grandes périodes. D'octobre à février, les températures diurnes varient entre 20°C et 23°C, tandis que les nuits sont fraîches (6°C). Il tombe parfois un fin crachin ou du brouillard.

La chaleur (30°C en moyenne avec des pointes de 40°C) et la sécheresse s'installent entre mars et mai. Puis vient la saison des pluies, de juin à septembre. La température est à peine moins élevée mais les précipitations sont très abondantes.

Le Centre est affecté par une forte saison des pluies. De fin octobre à fin janvier, les précipitations sont presque continues et provoquent d'importantes inondations. En février et mars, les pluies se font rares et les températures ne dépassent pas 30°C. C'est la meilleure saison pour visiter cette région car, ensuite, la chaleur s'intensifie (35°C) et, à partir de juillet, les précipitations sont de plus en plus abondantes.

Le Sud jouit d'un climat agréable. Il y fait toujours beau, les températures ne descendent jamais en dessous de 15°C et atteignent facilement 30°C à 35°C. La saison des pluies, qui dure de mai à octobre, se manifeste généralement par des averses en fin d'après-midi.

CE QU'IL FAUT EMPORTER

Le choix d'une garde-robe dépend de la destination et de la période de séjour. Si l'on se rend dans le Sud, des vêtements légers en coton suffisent. Il est prudent d'emporter des vêtements plus chauds pour visiter Hué, Danang ou Dalat entre décembre et avril, et des lainages (voire un pardessus) en cas de séjour à Hanoi, dans la baie de Halong et les régions montagneuses du Nord durant la même période. Pendant la saison des pluies, des chaussures légères et solides ainsi qu'un parapluie et un imperméable sont indispensables.

Le nudisme ne se pratique pas sur les plages vietnamiennes. Il faut donc prévoir un maillot de bain, et penser également aux lunettes de soleil et aux crèmes solaires, introuvables sur place.

Inutile de faire provision de pellicules ; si les films pour diapositives sont plus chers au Vietnam que dans d'autres pays d'Asie, les pellicules photographiques coûtent deux fois moins cher à Hanoi qu'à Paris. Sur place, mieux vaut cependant vérifier soigneusement la date de péremption des produits.

Une lampe-torche est très appréciable pour la visite de certains monuments et durant les éventuelles pannes de courant électrique.

ALLER AU VIETNAM

EN AVION

La majorité des visiteurs arrivent au Vietnam et en repartent par avion. Un nombre croissant de vols réguliers, et parfois de charters, relient les capitales étrangères à l'aéroport international de Noi Bai, situé à 40 km de Hanoi (45 mn), et à celui de Tan Son Nhat, à 7 km de Ho Chi Minh-Ville (20 à 30 mn).

Bangkok (que des vols relient quotidiennement à Ho Chi Minh-Ville) est le meilleur point de chute en Asie pour les Européens qui se rendent au Vietnam. Vous pourrez, par l'intermédiaire d'agences spécialisées, y obtenir rapidement un visa et un billet d'avion pour le Vietnam (en dehors des fêtes du Têt).

Compagnies aériennes

Plusieurs compagnies aériennes assurent des liaisons régulières entre l'étranger et Hanoi ou Ho Chi Minh-Ville.

– Entre Hanoi et :
Bangkok : Thai Airways, Air France, Vietnam Airlines
Hong Kong : Cathay Pacific, Vietnam Airlines
Kuala Lumpur : Malaysia Airlines, Vietnam Airlines
Moscou : Aeroflot
Paris : Air France, Vietnam Airlines
Pékin et Nanning : China Southern Airlines
Phnom Penh : Vietnam Airlines
Singapour : Singapore Airlines, Vietnam Airlines
Sydney : Quantas, Vietnam Airlines
Taipei : China Airlines, Vietnam Airlines
Vientiane : Lao Aviation, Vietnam Airlines

– Entre Ho Chi Minh-Ville et :
Bangkok : Thai Airways, Vietnam Airlines
Canton : China Southern Airlines
Francfort : Lufthansa, Vietnam Airlines
Hong Kong : Cathay Pacific, Vietnam Airlines
Kuala Lumpur : Malaysia Airlines, Vietnam Airlines
Manille : Vietnam Airlines
Moscou : Aeroflot
Osaka : Japan Airlines
Paris : Air France, Vietnam Airlines
Phnom Penh : Cambodia Airlines, Royal Air Cambodge, Vietnam Airlines
Singapour : Singapore Airlines, Vietnam Airlines
Taipei : China Airlines, Eva Air, Vietnam Airlines
Vienne : Lauda Air
Vientiane : Lao Aviation, Vietnam Airlines
Zurich : Swissair

– Entre Danang et :
Bangkok : Thai Airways

Compagnies aériennes en France

Air France
119, avenue des Champs-Élysées, 75008 Paris, tél. 0 802 802 802, fax 01 43 37 31 91
Aeroflot
33, avenue des Champs-Élysées, 75008 Paris, tél. 01 42 25 31 92, fax 01 42 56 04 80
British Airways et Quantas
13-15, boulevard de la Madeleine, 75001 Paris, tél. 0 825 825 400, fax 04 78 53 34 43
Cathay Pacific
8, rue de l'Hôtel-de-Ville, 92522 Neuilly-sur-Seine, tél. 01 41 43 75 75, fax 01 41 43 75 72
Japan Airlines
1, rond-point des Champs-Élysées, 75008 Paris, tél. 01 44 35 55 25, fax 01 44 35 55 99
KLM
Aéroport Charles-de-Gaulle, T1, porte 20-22, 95712 Roissy, tél. 01 44 56 18 18, fax 01 44 56 18 99
Korean Air
9, boulevard de la Madeleine, 75008 Paris, tél. 0 800 91 6000, fax 01 42 97 30 70
Lauda Air
106, boulevard Haussmann, 75008 Paris, tél. 0 802 816 816, fax 08 02 826 826
Lufthansa
106, boulevard Haussmann, 75008 Paris, tél. 0 802 020 030, fax 01 55 60 42 08
Malaysia Airlines
12, boulevard des Capucines, 75009 Paris, tél. 01 44 51 64 30, fax 01 44 51 64 30

Singapore Airlines
43, rue Boissière, 75016 Paris,
tél. 01 53 65 79 01, fax 01 53 65 79 05
Swissair
45, avenue de l'Opéra, 75002 Paris,
tél. 08 02 300 400, fax 08 02 310 410
Thai Airways
23, avenue des Champs-Élysées, 75008 Paris,
tél. 01 44 20 70 80, fax 01 45 63 75 69
Vietnam Airlines
9, rue de la Paix, 75001 Paris,
tél. 01 44 55 39 34 à 38, fax 01 44 55 39 99

Compagnies aériennes au Vietnam

– Hanoi
Air France
1, Ba Trieu,
tél. (4) 825 34 84, 824 70 66, fax 826 66 94
Ouvert de 8 h à 11 h 30 et de 14 h à 16 h 30.
Vietnam Airlines
1, Quang Trung,
tél. (4) 825 08 88, 832 03 20, 421 66 66,
fax 824 89 89
Ouvert du lundi au samedi de 7 h 30 à 16 h 30; le dimanche de 8 h 30 à 12 h 30.
Aeroflot
4, Tran Thi, tél. (4) 825 67 42, fax 828 73 76
Cathay Pacific
Rez-de-chaussée Hanoi Tower,
49, Hai Ba Trung,
tél. (4) 826 72 98, fax 826 77 09
China Southern Airlines
27, Ly Thai To, tél. (4) 826 92 33, fax 826 92 33
Malaysia Airlines
15, Ngo Quyen,
tél. (4) 826 88 20-21, fax 824 23 88
Singapore Airlines
17, Ngo Quyen,
tél. (4) 826 88 88, fax 826 86 66
Thai Airways
44 B, Ly Thuong Kiet,
tél. (4) 826 79 21/22, fax 826 73 94

– Ho Chi Minh-Ville
Air France
130, Dong Khoi, immeuble Caravelle,
tél. (8) 829 09 81/82, fax 822 05 37
Ouvert du lundi au vendredi de 8 h à 17 h; le samedi de 8 h à 12 h.
Vietnam Airlines
116, Nguyen Hue,
tél. (8) 829 21 18, fax 823 02 72/73
Ouvert du lundi au samedi de 7 h 30 à 16 h 30; le dimanche de 8 h 30 à 12 h 30.
15, Dinh Tien Hoang, Binh Thanh,
tél. (8) 825 83 77/78, fax 844 49 48
Aeroflot
C/O Global Union, 4H, Le Loi, tél. 829 34 89
British Airways
C/O Transviet Promotion Co., 114, Nguyen Hue,
tél. (8) 974 00 41
Cathay Pacific
58, Dong Khoi,
tél. (8) 822 32 03/72, fax 825 82 76
China Airlines
132-134, Dong Koi,
tél. (8) 825 13 88, fax 825 13 90
China Southern Airlines
21-23, Nguyen Thi Minh Khai,
tél. (8) 829 84 17, 829 11 72, fax 823 55 88
Lao Aviation
93 A, rue Pasteur,
tél. (8) 822 69 90, fax 822 69 90
Lauda Air
Saigon Center, 11e étage, 65, Le Loi,
tél. (8) 821 68 96, fax 821 68 97
Lufthansa
132-134, Dong Khoi (hôtel Continental)
tél. (8) 829 85 29/49, fax 829 85 37
Malaysia Airlines
132/134, Dong Khoi (hôtel Continental),
tél. (8) 824 28 85, 829 25 29, fax 824 28 84
Quantas
Saigon Center, 5e étage, 65, Le Loi,
tél. (8) 821 46 60, fax 821 46 69
Royal Air Cambodge
C/O T & T, 9, Dong Khoi,
tél. (8) 890 94 93/94
Singapore Airlines
29, Le Duan,
tél. (8) 823 15 88, fax 823 15 54 29
Swissair
Saigon Center, 65, Le Loi,
tél. (8) 824 40 00, fax 823 65 50
Thai International
65, Nguyen Du
tél. (8) 829 28 10, 822 33 65, fax 822 34 65

EN BATEAU

Bien qu'il n'existe pas de service régulier de transport de passagers, certains cargos disposant d'un nombre limité de cabines acceptent de prendre des voyageurs. Ces bateaux, en provenance de France ou d'autres pays européens ainsi que de Hong Kong, de Singapour ou de Bangkok, rallient Ho Chi Minh-Ville, Danang ou Haiphong. Pour de plus amples renseignements, contacter les agences de voyages ou les compagnies maritimes du pays de départ.

Toute personne qui souhaite arriver au Vietnam en bateau doit au préalable contacter le Bureau de l'immigration à Hanoi pour obtenir une autorisation.

PAR LA ROUTE

On peut passer la frontière sino-vietnamienne à Lang Son, mais il vaut mieux s'assurer de l'état des relations entre les deux pays en planifiant son voyage.

La frontière entre le Laos et le Vietnam est ouverte par la route de Savannakhet à Dong Ha, au poste frontière de Lao Bao. De même, on peut entrer au Vietnam (ou en sortir) par la route depuis le Cambodge. Des autobus et des voitures privées relient quotidiennement Ho Chi Minh-Ville à Phnom Penh, mais il est plus rapide de s'y rendre en avion.

Attention, au moment de la demande de visa, il faut bien spécifier que l'on désire entrer au Vietnam (ou en sortir) par voie terrestre, et demander que le lieu de passage de la frontière figure sur le visa, sinon on risque d'être éconduit par la police de l'immigration vietnamienne. De toute manière, entrer au Vietnam par la route est généralement source de difficultés administratives.

A L'ARRIVÉE

Dès l'arrivée au Vietnam, il est fortement conseillé de faire confirmer ses vols intérieurs (voir p. 350) dont les horaires peuvent avoir été modifiés ainsi que son vol de retour international auprès des compagnies correspondantes.
Aéroport Tan Son Nhat (Ho Chi Minh-Ville)
tél. (8) 844 32 50, 844 50 50 et 844 31 79

DOUANES

A l'arrivée au Vietnam, il faut remplir un formulaire de douanes. Il est possible d'importer sans acquitter de droits une cartouche de 200 cigarettes, 50 cigares, 250 g de tabac et 2 l d'alcool; il faut déclarer les devises au-dessus de 3 000 $US ainsi que les appareils photo et les magnétoscopes, les magnétophones, les bijoux, les cassettes déjà enregistrées. On peut également importer des cadeaux d'une valeur inférieure à 300 F. Les étrangers d'origine vietnamienne peuvent importer des cadeaux d'une valeur inférieure à 1 800 F par personne ou 3 600 F par famille.

Il est strictement interdit d'introduire dans le pays des armes à feu, des explosifs, des narcotiques, des produits inflammables, des animaux ainsi que des dong, la monnaie nationale, non convertibles.

Les douaniers doivent remettre un double de la déclaration, à conserver jusqu'au départ. Ce formulaire leur permettra de vérifier si les objets figurant sur cette déclaration sont bien réexportés. Il est également prudent de conserver les reçus de change et les factures d'achats ainsi que les notes d'hôtel.

Les contrôles douaniers sont devenus beaucoup moins stricts à l'arrivée comme au départ, mais il est toujours possible de tomber sur un fonctionnaire zélé. Une nouvelle déclaration est à remplir lorsqu'on quitte le pays.
Bureau des douanes
2, Ham Nghi, Ho Chi Minh-Ville,
tél. (8) 829 74 49, 829 48 77

Pour exporter des antiquités (ce qui nécessite des démarches qui n'aboutissent pas forcément et implique un passage difficile à la douane), il faut demander une autorisation préalable auprès de la Commission générale des douanes ou à l'adresse suivante :
Bureau de contrôle de l'importation et de l'exportation des objets culturels
178, Nam Ky Khoi Nghia, Ho Chi Minh-Ville,
tél. (8) 822 54 27

TAXE D'AÉROPORT

La taxe internationale d'aéroport exigée à la sortie du pays s'élève à 10 $US par personne, payable en dollars ou en dong, et les taxes nationales d'aéroport sont de 20 000 dong au départ des aéroports de Hanoi, Haiphong, Danang, Ho Chi Minh-Ville et 10 000 dong au départ des autres aéroports.

TRANSPORT DEPUIS L'AÉROPORT

Des navettes Vietnam Airlines relient l'aéroport de Noi Bai au centre de Hanoi pour 4 $US. Les taxis « officiels » demandent entre 20 et 30 $US, tandis que les taxis privés ne prennent parfois que 10 à 15 $US pour la même course.

Un trajet en taxi de l'aéroport de Tan Son Nhat jusqu'au centre de Ho Chi Minh-Ville coûte environ 5 à 6 $US (taxis avec compteurs affichés en dong).

MONNAIE ET DEVISES

L'unité monétaire vietnamienne est le dong. Il n'existe pas de pièces de monnaie. Les billets de banque se présentent en coupures de 100, 200, 500, 1 000, 2 000, 5 000, 10 000, 20 000 et 50 000 dong.

Les taux de change sont soumis à de fréquentes fluctuations en raison d'une forte inflation. Actuellement, il n'existe pas de différence sensible entre les taux officiels et ceux du marché noir, et les risques encourus pour ces transactions illégales sont disproportionnés par rapport aux gains.

Parmi les devises fortes, le dollar américain demeure roi au Vietnam. Nous conseillons aux visiteurs de se munir de dollars en grosses coupures (50 ou 100 $US) pour obtenir un meilleur taux de change et payer certaines transactions, et de petites coupures pour régler directement certains petits achats. Par exemple, les circuits touristiques proposés par les agences locales peuvent être payés en dollars ou en dong. Les tarifs des vols Vietnam Airlines, la compagnie aérienne nationale, sont établis en dong et payables en dong, en dollars ou par carte de crédit. La plupart des hôtels, des agences de voyages et des loueurs de voitures préfèrent les paiements en espèces.

Dans certains hôtels, il est également possible d'effectuer les paiements par carte de crédit et par chèques de voyage. Mais il est conseillé de changer ces chèques de voyage dans les banques d'État, qui pratiquent un taux plus intéressant.

On peut également effectuer des retraits en dong ou en $US avec une carte bleue internationale (Visa, Master ou American Express) dans quelques banques de Ho Chi Minh-Ville et de Hanoi, moyennant 3 à 4 % de frais. Voici quelques adresses :

– Hanoi
ANZ Bank
14, Le Thai Tho, tél. (4) 825 81 90, fax 825 81 88
Crédit Agricole - Indosuez
1, Ba Trieu, 1er étage,
tél. (4) 826 53 23, fax 826 53 22
Distributeur automatique 24 h sur 24.
Crédit Lyonnais
10, Trang Thi,
tél. (4) 825 81 01, 825 81 02, fax 826 69 45
Vietnam National Bank
47-49, Ly Thai To,
tél. (4) 825 83 88, 825 48 18 et 825 03 92,
fax 826 90 67, 824 46 62
Siège ; toutes transactions. Ouvert de 7 h 30 à 11 h 30 et de 13 h à 15 h.

– Ho Chi Minh-Ville
BNP Paribas
2, Thi Sach, 3e étage,
tél. (8) 299 95 04, fax 829 94 86
Crédit Agricole - Indosuez
Regency Chancellor Court, 4e étage,
21-23, Nguyen Thi Minh Khai,
tél. (8) 829 50 48, fax 829 60 65
Crédit Lyonnais
65, Nguyen Du,
tél. (8) 829 92 23/26, fax 829 64 65
Guichet Eximbank
15 A, Le Loi, tél. (8) 823 13 16
Ouvert de 7 h à 19 h, toutes transactions de change.
Hong Kong and Shanghai Banking Corp.
New World Building, 75, Pham Hong Thai,
tél. (8) 829 22 88, fax (8) 823 05 30
Distributeur automatique 24 h sur 24 en $US et en dong.
Vietcombank
29, Ben Chuon Duong,
tél. (8) 829 00 17, 829 39 27 et 825 13 20,
fax 829 07 13
Siège ; toutes transactions bancaires.

Agences de tourisme

Chaque province possède des émanations de l'office de tourisme national (Vietnamtourism), ainsi que des agences privées. Les offices de tourisme officiels ne sont pas des centres d'information, mais des entreprises qui fonctionnent exactement de la même manière que les agences privées et gèrent des hôtels, des restaurants, voire, pour les plus importants, des compagnies de location de voitures. Il existe de multiples agences officielles à Ho Chi Minh-Ville, à Hanoi et dans les provinces, qui proposent des circuits ou des services à des prix souvent très compétitifs.

Dans la liste ci-dessous, les adresses sans précision de nom sont celles des offices de tourisme régionaux.

Le Nord

– Hanoi
Vietnamtourism
30 A, Ly Thuong Kiet,
tél. (4) 826 41 54, fax 825 75 83
Hanoi Tourism
18, Ly Thuong Kiet,
tél. (4) 826 67 14, fax 824 11 01

– Halong
Bai Chay, tél. (33) 863 221

– Haiphong
15, Le Dai Hanh, tél. (31) 847 486

– Hoa Binh
24, Tran Hung Dao, tél. (18) 82 37

– Nam Dinh
115, Nguyen Du, tél. (35) 84 39 et 83 62

– Thai Binh
Ly Bon, tél. (36) 82 70

– Thanh Hoa
21 A, Quang Trung, tél. (37) 298

Le Centre

– Danang
Vietnamtourism
92 A, Phan Chu Trinh, tél. (511) 821 423
Danang Tourism
48, Bach Dang, tél. (511) 822 213

– Hoi An
Office de tourisme
12, Phan Chu Trinh, tél. (510) 861 982
– Hué
Office de tourisme provincial
9, Ngo Quyen, tél (54) 823 577
Office de tourisme de Hué
51, Le Loi, tél. (54) 822 369/288/355

– Quy Nhon
4, Nguyen Hue,
tél. (56) 825 24 ou 822 06

– Vinh
Truong Thi, tél. (39) 846 92

Le Sud
– Ho Chi Minh-Ville
Vietnamtourism
234, Nam Ky Khoi Nghia,
tél. (8) 829 12 76, fax 829 07 75
Saigon Tourist
49, Le Thanh Ton,
tél. (8) 829 89 14, fax 822 49 87
Benthanh Tourism
86, Ly Tu Trong,
tél. (8) 822 41 48, fax 829 62 69

– Buon Me Thuot
3, Pham Chu Trinh, tél. 23 22

– Can Tho
27, Chau Van Liem,
tél. (71) 820 147, 835 275

– Dalat
12, Tran Phu, tél. 820 21, 820 34

– Long Xuyen
6, Ngo Gia Tu, tél. (76) 852 888

– My Tho
56, Hung Vuong, tél. 835 91

– Nha Trang
1, Tran Hung Dao, tél. (58) 822 753/54

– Rach Gia
12, Ly Tu Trong, tél. (77) 820 81

– Phan Thiet
82, Trung Trac, tél. (62) 824 74

– Vinh Long
Cuu Long Tourism
1, 1 Thang 5, tél. (70) 823 616

– Vung Tau
Vung Tau Tourism
59, Tran Hung Dao, tél. (64) 8919 61
OSC Tourism
2, Le Loi, tél. (64) 901 95

A SAVOIR SUR PLACE

Fuseaux horaires

Le Vietnam a sept heures d'avance sur l'heure GMT, donc six heures d'avance (cinq en été) sur l'heure française. Lorsqu'il est midi à Hanoi, il est 6 h à Paris.

Courant électrique

Le courant électrique est généralement de 220 volts dans les villes et de 110 volts dans les zones rurales. Certains hôtels sont équipés des deux voltages. Les prises sont conformes aux normes européennes ou américaines (prévoir un adaptateur). Les pannes et les baisses de tension sont fréquentes dans les hôtels, qui ont souvent leur propre générateur. Pour ceux qui emportent du matériel électronique sensible, il est conseillé d'utiliser un onduleur.

Heures d'ouverture

La journée de travail commence très tôt au Vietnam. Les rendez-vous d'affaires peuvent avoir lieu à partir de 7 h, mais en général à partir de 7 h 30, 8 h.

Les bureaux de l'administration sont généralement ouverts de 7 h 30 à 12 h ou 12 h 30 et de 13 h à 16 h 30, du lundi au samedi.

Les banques ouvrent de 8 h à 16 h, du lundi au vendredi, et ferment le samedi après-midi et le dimanche.

Les magasins sont ouverts assez tard le soir. Restaurants et dancings ferment à 23 h.

Jours fériés

1er janvier : Nouvel An
Fin janvier - début février (1er jour du 1er mois lunaire) : **Têt**, Nouvel An vietnamien ; de trois à huit jours chômés
3 février : anniversaire de la création du parti communiste vietnamien
30 avril : commémoration de la libération de Ho Chi Minh-Ville
1er mai : fête du Travail
19 mai : commémoration de la naissance de Ho Chi Minh
2 septembre : la commémoration de la proclamation de l'Indépendance dans le Nord-Vietnam, en 1945, est aujourd'hui célébrée comme la fête nationale.

MÉDIAS

Presse

Plus de cent périodiques sont publiés à Hanoi et trente-cinq en province. Les principaux quotidiens, *Nhan Dan* (« Le Peuple ») et *Quan Doi Nhan Dan* (« L'Armée populaire »), publiés tous deux à Hanoi, ainsi que le *Saigon Giai Phong* (« Saigon libéré ») sont des organes du parti communiste.

L'Agence vietnamienne d'information (VNA) publie de nombreuses revues en français et en anglais que l'on trouve dans les librairies, les kiosques de rue et les hôtels : *Études vietnamiennes, Femmes du Vietnam, Jeunesse du Vietnam, Vietnam, Sciences sociales*, ainsi que *Vietnam News, Le Courrier du Vietnam.*

Sont également disponibles, avec 48 heures de retard, certains titres de la presse française comme *Le Figaro, Le Monde, Les Échos* et, avec quelques jours de décalage, *L'Express, Le Point, Le Nouvel Observateur, Elle, Marie-Claire* (à des tarifs supérieurs à ceux de la France).

La presse asiatique (*Bangkok Post, Nation, Strait Time* et *Newsweek*) est aussi vendue en kiosque.

Télévision

La télévision a fait ses débuts au Vietnam en septembre 1970 et s'est développée, en particulier à Hanoi et à Ho Chi Minh-Ville, grâce à l'aide de l'Unesco. Les studios de la télévision retransmettent par satellite des programmes vietnamiens sur trois chaînes à travers tout le pays. Les chaînes internationales comme TNT, CNN, BBC, TV5, Discovery, Star World, Star Sports sont également accessibles par abonnement.

Radio

La Voix du Vietnam, la radio nationale, diffuse des bulletins d'information et des programmes culturels en onze langues depuis ses studios de Hanoi et de Ho Chi Minh-Ville. Elle émet des programmes en français, en anglais, en espagnol, en russe, en mandarin, en cantonais, en indonésien, en japonais, en khmer, en lao, en thai. Elle diffuse des programmes le matin, vers midi et en fin de journée.

Si l'on dispose d'un récepteur à ondes courtes, on peut capter les programmes de RFI ou de la BBC, mais la qualité de la réception est très variable selon les régions et les heures.

POSTES ET TÉLÉCOMMUNICATIONS

Services postaux

Les bureaux de poste (*Buu Dien*) sont généralement ouverts tous les jours, de 7 h à 20 h. Bien qu'il existe des bureaux de poste dans les plus petits villages, il est préférable d'expédier son courrier pour l'étranger à partir des grandes villes. Les services postaux sont plus efficaces dans le Sud que dans le Nord. Compter dix à quinze jours pour que le courrier parvienne à destination. Des services de courrier rapide opèrent à Ho Chi Minh-Ville.

Les timbres sont vendus dans les bureaux de poste et dans la plupart des grands hôtels. On peut se procurer des aérogrammes dans certains bureaux de poste. Les taux d'affranchissement pour l'étranger sont assez élevés et varient au gré de l'inflation.

Principaux bureaux de poste

– Hanoi
75, Dinh Tien Hoang,
tél. (4) 825 70 36, fax 825 35 25
Ouvert de 6 h 30 à 20 h 30. Services de télégramme et de télex disponibles jour et nuit. Services téléphoniques de 7 h 30 à 23 h dans un bâtiment annexe.

– Ho Chi Minh-Ville
Poste centrale de Saigon
2, Cong Xa Paris (face à la cathédrale Notre-Dame),
tél. (8) 829 65 55, fax 829 96 15, 829 85 40
Ouvert tous les jours de 7 h 30 à 21 h.

Coursiers internationaux

– Hanoi
Airbone Express/ATC
1, Le Tach, tél. (4) 824 15 13, fax 824 16 89
Federal Express
6 C, Dinh Le, tél. (4) 824 90 54, fax 825 24 79
TNT
25 B, Lang Ha, tél. (4) 514 25 75, fax 514 25 71
UPS
4 C, Tinh Le, tél. (4) 824 64 83, fax 824 64 64

– Ho Chi Minh-Ville
Airbone Express/ATC
80c, Nguyen Du, tél. (8) 829 43 10, fax 829 29 61
DHL
4, Huynh Huu Bac et 2, Cong Xa Paris (comptoir public), *tél. (8) 844 62 03, fax 845 68 41*
Federal Express
146, rue Pasteur,
tél. (8) 829 09 95, fax (8) 823 68 41
TNT
52-54, Truong Son,
tél. (8) 844 64 60, fax (8) 844 89 90

Internet

– Hanoi
Emotion Cybernet Cafe
52, Ly Thuong Kiet et 60, Tho Nhuom,
tél. (4) 934 10 66,
courrier électronique : emotion@fpt.vn

– Halong
Bay Chai
tél. (33) 847 354,
courrier électronique : emotion@fpt.vn

– Ho Chi Minh-Ville
Internet Service
110, Bui Thi Xuan,
tél. (8) 830 03 17,
courrier électronique : vmax.110@hcm.vnn.vn

Téléphone

Il est possible de téléphoner à l'étranger dans les bureaux de poste ainsi que dans les grands hôtels. On trouve également des taxiphones à carte à Ho Chi Minh-Ville et à Hanoi. Les cartes sont vendues dans tous les bureaux de poste.

Les appels internationaux sont relativement chers et se payent en dollars. Les hôtels perçoivent une taxe de 10 % sur les appels internationaux d'une durée minimale de trois minutes. Les communications locales, en revanche, sont parfois difficiles à obtenir.

Liaisons téléphoniques internationales
117/119, Hai Ba Trung, Ho Chi Minh-Ville,
tél. (8) 833 21 70

Pour téléphoner au Vietnam depuis la France, il faut composer le *00* (code international) suivi du *84* (indicatif du pays) puis l'indicatif de la région appelée (*4* pour Hanoi, *8* pour Ho Chi Minh-Ville, etc.) et enfin le numéro de son correspondant.

Pour les appels intérieurs, il faut composer le *01* suivi du code régional et du numéro de son correspondant (7 chiffres pour Hanoi et Ho Chi Minh-Ville, 6 chiffres pour les autres localités). A titre indicatif, voici les codes régionaux des principales destinations touristiques :

Binh Thuan (Phan Thiet)	*62*
Can Tho	*71*
Danang	*510*
Haiphong	*31*
Hanoi	*4*
Ho Chi Minh-Ville	*8*
Lam Dong (Dalat)	*63*
Quang Nam (Hoi An)	*511*
Quang Ninh (Hong Gai et baie de Halong)	*33*
Thua Thien (Hué)	*54*

Télex et télécopie

Les services de télégramme et de télex, forme de communication la plus simple, sont ouverts 24 h sur 24 dans les postes centrales des grandes villes. Le tarif minimal pour les télégrammes est de sept mots.

On trouve des services de télex dans les postes ainsi que dans les grands hôtels. La durée minimale des messages télex est de trois minutes. Les services de télex et de téléphone à l'intérieur du pays ne fonctionnent pas toujours très bien.

Désormais, des télécopieurs sont disponibles dans les grands hôtels et dans les bureaux des compagnies de commerce international. Les bureaux de poste de Hanoi, de Ho Chi Minh-Ville et de Danang possèdent également des télécopieurs publics.

SÉCURITÉ

Le Vietnam est un pays pauvre. Mieux vaut éviter de susciter des tentations en laissant des objets de valeur en évidence dans sa chambre d'hôtel ou en portant des bijoux. Les pickpockets « professionnels » opèrent surtout dans les transports en commun, aux abords des hôtels et sur les marchés. En cas de vol, il est préférable de porter plainte immédiatement : il y a de fortes chances pour que l'on identifie le coupable et que sinon la totalité, du moins une partie des objets dérobés soit restituée.

Police	*113*
Pompiers	*114*
Ambulance	*115*
Renseignements	*116*
Horloge parlante	*117*
Informations générales	*108*

SANTÉ

Précautions sanitaires

Il ne faut jamais boire d'eau non bouillie à moins d'utiliser des pastilles de purification et éviter de consommer de la glace ou des glaçons. On trouve des bouteilles d'eau minérale partout dans le pays. Il ne faut pas non plus manger de crudités, toujours peler les fruits, et éviter également de consommer des coquillages.

Urgences

Il existe des hôpitaux ou des dispensaires dans la plupart des villes. En cas de maladie, la réception de l'hôtel peut faire venir un médecin ou recommander un établissement hospitalier. En cas de problème grave, il est préférable de contacter sa Compagnie d'assistance dans son pays (auprès de laquelle il est fermement conseillé de souscrire une assurance-voyage avant le départ) qui saura prendre les décisions nécessaires. Voici quelques adresses d'hôpitaux et de pharmacies.

– Hanoi
Vietnam International Hospital
Phuong Mai, tél. (4) 574 07 40, fax 869 84 43, urgences 857 41 11
24 h sur 24, médecins internationaux, soins dentaires.

Hôpital Viet Duc, département international
40, Tran Thi, tél. (4) 825 35 31, 843 78 18
Bach Mai, département international
16, Gia Phong,
tél. (4) 852 20 04, 852 20 83, 852 20 89 ou 869 37 31
Hanoi Family Practice Cabinet Docteur Rafi Kot
Van Phuc Building, A2, rez-de-chaussée,
Van Phuc Diplomatic Quarter, 109-112, Kim Ma,
tél. (4) 843 07 48, fax 846 17 50,
Urgences : *tél. 090 40 19 19*
Service médical et Clinique dentaire
tél. 090 44 61 26
Pharmacie
52, Trang Tien

– Ho Chi Minh-Ville
Institut du cœur
520, Nguyen Tri Phuong, Q10,
tél. (08) 865 40 25/26 et 865 15 86
Médecins français 24 h sur 24 au Centre de consultations internationales, urgences ou soins.
Consultation du médecin du consulat de France
27, Nguyen Thi Minh Khai,
tél. (8) 829 72 31 ou 829 72 35
Lundi, mercredi et vendredi matin (de 9 h à 12 h), mardi, mercredi, jeudi et vendredi après-midi (de 15 h à 17 h).
Columbia Asia Gia Dinh (Clinique internationale)
tél. (8) 803 06 78 pour rendez-vous.
Hôpital Cho Ray (Benh Vien Cho Ray), département international
201B, Nguyen Chi Thanh, Cholon,
tél. (08) 825 41 37/8
Institut Pasteur
167, rue Pasteur,
tél. (8) 823 02 52
Injections, analyses médicales.
Emergency Saigon Center
125, Le Loi,
tél. (8) 829 08 98, 829 20 71
Ambulances et soins pendant le transfert à l'hôpital.
Pharmacie Hieu Thuoc Dong Khoi
201, Dong Khoi, tél. (8) 829 05 77
Starlight, cabinet dentaire privé
10c, Thai Van Lung (Dong Dat), tél. (8) 822 24 33
Dentistes francophones et anglophones.
Grand Dentistery
10, Ngo Duc Ke, tél. (8) 824 57 72
Centre dentaire et d'orthodontologie
263, Tran Hung Dao,
tél. (8) 835 75 95 et 835 88 45
Dentistes anglophones.

– Danang
Hôpital (Benh Vien C)
74-76, Haiphong, tél. (511) 821 480 et 821 483

– Hué
Hue General Hospital
(Benh Vien Trung Uong Hue)
16, Le Loi, tél. (54) 822 325

Us et coutumes

Savoir-vivre

Le tourisme est un phénomène récent au Vietnam. Ainsi, il n'est pas impossible d'avoir affaire à des fonctionnaires tatillons. Un conseil cependant : ne jamais perdre son calme. On obtient ce que l'on désire en se montrant diplomate, persévérant mais ferme plutôt qu'en s'emportant. Si des malentendus surviennent, si l'on n'est pas satisfait de l'organisation d'un circuit ou si l'on estime que les prestations ne correspondent pas à ce qui était attendu, mieux vaut éviter de taper du poing sur la table, d'élever la voix et de critiquer ses interlocuteurs en public. Chacun y perdrait la face et cela ne ferait qu'aggraver les choses. Si l'on désire se plaindre, il faut le faire de manière que son interlocuteur ne s'estime pas insulté. Les Vietnamiens sont en général très amicaux, polis, hospitaliers et prêts à rendre service.

Cadeaux

Autant que possible, il est souhaitable d'emporter dans ses bagages des stylos, des briquets, des cigarettes, de l'alcool, des échantillons de parfum et de produits de beauté : ces petits cadeaux feront extrêmement plaisir aux Vietnamiens avec lesquels on se lie d'amitié. Il ne faut pas se froisser si, lorsqu'on offre un cadeau, la personne n'ouvre pas le paquet. Le faire est considéré comme impoli au Vietnam.

Visite des sanctuaires

Lors de la visite des temples et des pagodes, il faut se déchausser et retirer ses chaussettes. De plus, il convient d'éviter les tenues trop légères. Ne jamais photographier l'intérieur d'un sanctuaire sans en avoir demandé l'autorisation aux moines. De même, si l'on désire prendre une personne ou un groupe en photo, attendre d'avoir obtenu leur assentiment.

Pourboires et aumône

Les gens du Nord sont beaucoup plus réservés que ceux du Sud, c'est peut-être ce qui explique que les pourboires soient plus facilement acceptés et appréciés dans le Sud que dans le Nord. Si un serveur ou un garçon d'étage refuse un pourboire, il ne faut pas insister, car il se sentirait humilié. Inversement, faire une petite donation dans les temples et les pagodes qui sont pourvus de troncs destinés à les recueillir sera très apprécié.

Le voyageur risque d'être harcelé par les mendiants, particulièrement à Ho Chi Minh-Ville mais également à Hanoi. Si l'on décide de leur donner une aumône, il faut le faire de manière discrète pour éviter d'être suivi par une horde de leurs semblables. Les Vietnamiens n'apprécient guère, par ailleurs, ce genre de spectacle.

COMMENT SE DÉPLACER

Les déplacements ne sont pas toujours très aisés au Vietnam. Ainsi, le réseau routier est bon dans le Sud mais en assez mauvais état dans le Nord, en raison des ravages causés par la guerre. En dehors des grands axes, les voies de communication ne sont souvent que de simples pistes, qui se transforment en bourbiers lors de la saison des pluies. La route nationale 1, principale voie de communication du pays, traverse tout le pays de Ca Mau, dans l'extrême Sud, jusqu'à Dong Dang, sur la frontière chinoise.

Seuls les voyageurs doués de patience et de persévérance se hasarderont à emprunter les transports publics, extrêmement lents. Si le confort n'est pas l'un de vos soucis majeurs, vous pouvez prendre les autobus privés qui relient certaines grandes villes. Ils sont très bon marché mais extrêmement inconfortables.

Bien que toutes les provinces soient officiellement ouvertes aux étrangers, des touristes en visite dans des villages d'ethnies montagnardes, régions « sensibles », ont eu maille à partir avec la police locale. Ils se sont vu confisquer leur passeport, leur véhicule et parfois même arrêter sans pouvoir contacter leur ambassade. La plupart du temps, ces manœuvres d'intimidation avaient pour seul but d'extorquer de l'argent à de « riches » étrangers. Quoi qu'il en soit, afin d'éviter de se trouver en infraction, mieux vaut se présenter spontanément à la police dans les régions reculées et les zones frontalières.

Les organismes touristiques d'État de chaque région peuvent fournir diverses informations d'ordre touristique ainsi que des cartes routières. Les réceptionnistes des hôtels sont également très coopératifs et peuvent aider dans la mesure de leurs moyens.

EN AUTOCAR

Le Vietnam possède un réseau très dense d'autobus publics, qui se rendent partout où il est possible d'aller. Il existe des services omnibus et express. Le mot « express » n'est pas toujours appliqué à bon escient mais les véritables express sont beaucoup plus rapides que les autobus « locaux », qui s'arrêtent constamment pour déposer ou embarquer un passager. Il faut savoir que le voyage Saigon-Hanoi en autocar express dure quarante-huit heures. D'autre part, de nombreux minibus destinés aux étrangers relient toutes les destinations à un tarif supérieur aux autobus publics.

Gares routières

– Hanoi

Gare de Kim Lien
Kim Lien
Express quotidien pour Buon Me Thuot, Danang, Gia Lai, Ho Chi Minh-Ville, Kon Tum, Nha Trang, Pleiku, Quang Ngai et Qui Nhon. Les départs se font en général à 5 h. Nombreux omnibus quotidiens pour Sam Son, Thanh Hoa et Vinh.

Gare de Kim Ma
Kim Ma (face Nguyen Thai Hoc), tél. (4) 845 28 46
Autobus desservant Lao Cai, Son La, Dien Bien Phu.

Gare Long Bien
26 A, Tran Nhat Duat, près du pont.
Minibus pour Haiphong, Halong.

Gare de Gia Lam
Gia Lam (près de l'aérodrome), tél. (4) 827 15 29
Bus pour la baie de Halong, Lang Son.

Gare de Son La
8, Nguyen Trai (près de l'université de Hanoi).
Autobus desservant Hoa Binh, Mai Chau, Son La.

– Ho Chi Minh-Ville

Gare routière de Mien Dong
227/6, Quoc Lo 13, Binh Thanh, tél. (8) 899 209
A 5 km du centre-ville sur la nationale 13 (liaison de bus entre le marché de Benh Thanh et Mien Dong). Autocars express quotidiens à destination de Buon Me Thuot, Dalat, Danang, Haiphong, Hanoi, Hué, Nha Trang, Pleiku, Quang Ngai, Qui Nhon, Vinh et Vung Tau.

Gare routière de Mien Tay
137, Hung Vuong, Binh Chanh, tél. (8) 877 65 93/94
Située à An Lac, à 10 km à l'ouest de la ville (liaison de bus entre le marché de Benh Thanh et An Lac). Autocars à destination du sud du pays. Ils desservent : An Phu, Bac Lieu, Ben Tre, Ca Mau, Can Tho, Chau Doc, Ha Tien, Long An, Long Phu, Long Xuyen, My Thuan, Phung Hiep, Rach Gia, Sadec, Tay Ninh, Tra Vinh, Vinh Chau, Vinh Long et de nombreuses autres petites villes du Sud.

Gare routière de Tay Ninh
8, Cach Mang Thang, Tan Binh, tél. (8) 849 52 07
Autocars desservant Tay Ninh.

Gare routière de Cholon
86, Trang Tu, tél. (8) 855 77 29
Autobus pour My Tho. Services d'autobus quotidiens pour Phnom Penh. Mais les autorités des deux côtés de la frontière n'encouragent pas les étrangers à utiliser ce moyen de transport bon marché ; ils préfèrent les voir emprunter des voitures avec chauffeur, ce qui leur rapporte plus de devises.

– Dalat
Gare routière
(près de l'ancienne station-service Caltex)
Autocar express quotidien reliant, dans les deux sens, Hué à Nha Trang et à Ho Chi Minh-Ville. Express pour Danang, Quang Ngai et Qui Nhon deux ou trois fois par semaine. Desserte omnibus pour de nombreuses autres destinations telles que Hanoi, Ho Chi Minh-Ville, Phan Rang, Cat Tien, Danang et Quang Ngai. Attention, ces véhicules ne partent que lorsqu'ils ont fait le plein de passagers.

– Danang
Gare routière de Da Nang
200, Dien Bien Phu (à 3 km du centre),
tél. (511) 821 265, 821 291
Guichets ouverts de 7 h à 11 h et de 13 h à 17 h.
Autocars express à destination de Buon Me Thuot, Dalat, Gia Lai, Haiphong, Hanoi, Hong Gai, Ho Chi Minh-Ville, Lang Son, Nam Dinh et Nha Trang. Omnibus pour Dong Ha, Hoi An, Hué, Kon Tum, Quang Hgai, Qui Nhon, Satay, Tra My, Trung Phuoc, Vinh et d'autres villes.

– Hué
Gare routière d'An Cuu
46, Hung Vuong, tél. (54) 823 817
Autocars à destination du Sud : Ho Chi Minh-Ville, Buon Me Thuot, Danang, Nha Trang, Pleiku, etc.
Gare d'An Hoa
Face au 499, Le Duan, tél. (54) 823 014
Autocars à destination du Nord, principalement de Hanoi, Khe Sanh et Vinh.
Gare de Dong Ba
Autocars et taxis collectifs locaux. Pour tous renseignements sur les horaires, s'adresser à la **gare routière d'An Cuu**, située en face.

– Nha Trang
Gare routière du Tourisme de la jeunesse (Du Lich Thanh Nien)
6, Hoang Hoa Tham
Express desservant Buon Me Thuot, Dalat, Danang et Ho Chi Minh-Ville.
Gare routière des express (Tram Xe Toc Hanh)
46, Le Thanh Ton, tél. (58) 223 97/ 84
Autocars à destination de Buon Me Thuot, Dalat, Danang, Hué, Ho Chi Minh-Ville, Quang Binh, Quang Ngai, Qui Nhon et Vinh.

– Vung Tau
52, Nam Khoi Nghia (à 1,5 km du centre-ville)
Omnibus pour Ho Chi Minh-Ville, Bien Hoa, My Tho et Tay Ninh.
Arrêt situé en face des hôtels Ha Long et Hoa Binh
Autocars express et minibus pour Ho Chi Minh-Ville.

EN VOITURE

Location de véhicules

L'une des façons les plus agréables de voyager à travers le pays consiste à louer une voiture ou un minibus avec chauffeur. Pour circuler dans le nord du pays, il est conseillé de louer un 4x4. Il est impossible de louer une voiture sans chauffeur, le Vietnam ne reconnaissant pas le permis de conduire international.

On peut louer un véhicule à la journée à partir de 40 $US par l'intermédiaire de son hôtel ou d'une agence de tourisme.

De nombreuses agences louent des véhicules pour un ou plusieurs jours. Les tarifs sont calculés en dollars, au kilomètre pour les courtes distances et sur une base forfaitaire pour les plus longs trajets.

Cartes routières

Il n'existe pas de bonne carte routière du Vietnam. On peut cependant utiliser la carte Asie du Sud-Est, de Bartholomew World Travel, la carte Chine/Extrême-Orient, de Hallwag, ou la carte Vietnam, Laos, Cambodge de Nelles Verlag.

On trouve par ailleurs de bons plans de ville dans les grandes agglomérations vietnamiennes.

EN TRAIN

Il est également possible de voyager en train si l'on désire se rendre d'une seule traite de Ho Chi Minh-Ville à Hanoi et surtout si l'on n'est pas pressé : les trains sont vieux et poussifs et roulent en moyenne à 25 km/h tout au long des 1 730 km qui séparent les deux villes. Le voyageur a le choix entre trois trains différents : le train classique, le « rapide » (quotidien) et l'« express » (3 départs par semaine).

Le premier, le plus inconfortable, met soixante-huit heures pour couvrir la distance et ne possède ni couchettes ni wagon-restaurant. Le « rapide » est équipé de couchettes et met quarante-huit heures à joindre les deux villes. L'« express », qui effectue le trajet en quarante-deux heures, est (en principe) équipé de voitures à compartiments climatisés à quatre couchettes dites « molles » (équivalent de notre première classe). Le prix d'une couchette est de 110 $US, soit cinq à sept fois plus que le prix payé par les Vietnamiens. D'autre part, les horaires, la composition des trains et les temps de trajet se révèlent assez variables.

Il est possible de payer son billet de train, qui coûte à peine moins cher qu'un billet d'avion Hanoi-Ho Chi Minh-Ville, en dollars ou en dong. L'achat des billets doit se faire au plus tard la veille du départ. Le voyage en train n'est donc pas particulièrement bon marché. Mais un trajet en train représente une expérience unique qui permet de découvrir le pays et de lier connaissance avec ses habitants.

Gares ferroviaires

– Hanoi (Ga Ha Noi)
Nam Bo (extrémité ouest de Tran Hung Dao, angle de Le Duan), tél. (4) 825 39 49
Guichets ouverts tous les jours de 7 h 30 à 11 h 30 et de 13 h 30 à 15 h 30. Liaisons avec Ho Chi Minh-Ville *via* la côte, Pho Lu, Haiphong et Lang Son.

– Ho Chi Minh-Ville
1, Nguyen Thong, district 3, à 2 km du centre-ville, tél. (8) 844 39 52, 844 02 18
Guichets ouverts tous les jours de 7 h 15 à 11 h et de 13 h à 15 h. Express quotidiens pour Hanoi.

– Danang
122, Haiphong, à environ 1,5 km du centre-ville, tél. (511) 823 810

– Hué
Le Loi, tél. (54) 822 175
Guichets ouverts de 6 h 30 à 17 h.

– Nha Trang
19, Thai Nguyen
Guichets ouverts de 7 h à 14 h. Trains quotidiens vers le nord et Hanoi à 9 h 45 et 22 h.

EN AVION

Dès l'arrivée au Vietnam, il est conseillé de confirmer ses vols intérieurs auprès de Vietnam Airlines :

– Hanoi
1, Quang Trung,
tél. (4) 825 08 88, 832 03 20, 421 66 66,
fax 824 89 89
Comptoir Vietnam Airlines hôtel Daewoo
360, Kim Ma, tél. (4) 831 50 69
Aéroport de Noi Bai
tél. (4) 884 33 89 ou 886 53 18

– Ho Chi Minh-Ville
116, Nguyen Hue,
tél. (4) 829 21 18, 832 03 20, fax 823 02 72/73
15, Dinh Tien Hoang, Binh Thanh
tél. (8) 825 83 77/78, fax 849 49 48
Aéroport de Tan Son Nhat
tél. (8) 845 63 21

Vietnam Airlines relie plus de six fois par jour Ho Chi Minh-Ville à Hanoi. L'aller simple coûte environ 900 F. La compagnie assure également des vols réguliers entre Ho Chi Minh-Ville et Buon Me Thuot, Pleiku, Qui Nonh, Dalat, Danang, Hué, Haiphong, Nha Trang et Phu Quoc.

Hanoi est reliée par vols réguliers à Danang, Hué et Nha Trang. Toujours de la capitale, des vols plus ou moins réguliers desservent Buon Me Thuot, Pleiku, Dalat, Dien Bien Phu, Qui Nhon, et Na San, dans la province de Son La, dans le Nord.

Les tarifs des billets d'avion sont annoncés en dong et payables en espèces, soit en dong, soit en $US, ou par carte de crédit. A défaut d'espèces, il faudra changer des chèques de voyage à la banque. Il est prudent de réserver plusieurs jours à l'avance pour être sûr d'obtenir le vol souhaité. Les plans de vol pouvant être modifiés à la dernière minute, un appel à la compagnie aérienne avant le départ permet d'être informé des changements possibles.

TRANSPORTS URBAINS

Autobus
Les touristes aventureux qui désirent emprunter les autobus à Ho Chi Minh-Ville ou à Hanoi risquent d'avoir quelques problèmes. En effet, les bus sont généralement bondés. De plus, il n'existe aucune carte détaillée des itinéraires d'autobus et de tramways. Enfin, les arrêts ne sont pas toujours indiqués.

Cyclo-pousse
Pour les courtes distances, le cyclo-pousse (*xich lo*) est le mode de transport le plus commode et le plus économique. Il est cependant indispensable de discuter le prix de la course (calculé au kilomètre ou à l'heure) avant le départ afin d'éviter des surprises désagréables et une altercation avec le chauffeur. Les conducteurs qui connaissent un peu l'anglais ou le français peuvent servir de guide-interprète. Certains se révèlent être de véritables mines d'informations, mais il faut rester malgré tout prudent. L'accès aux axes principaux est maintenant interdit aux cyclo-pousses. Il faut compter 3 000 dong et plus pour un court trajet et 10 000 dong pour une heure.

Vélo, moto
On trouve des vélos à louer dans les grandes villes (généralement dans les cafés) pour environ 2 $US par jour. Si l'on prévoit de séjourner dans une ville un mois ou deux, le plus simple est d'acheter une bicyclette et de la céder en fin de séjour. Certaines boutiques de Hanoi et de Ho Chi Minh-Ville proposent désormais des VTT.

Les vélos de fabrication locale sont d'assez mauvaise qualité. On trouve de grands parcs à vélos gardés (et donc payants) dans toutes les agglomérations et des stands de réparation (très utiles) à presque tous les coins de rue.

La location de motos est aussi possible (compter 10 $US par jour). Il est prudent de vérifier l'état et les conditions avant de signer le contrat.

CULTURE ET LOISIRS

MUSÉES

– Hanoi

Mausolée de Ho Chi Minh
Ba Dinh, tél. (4) 823 08 96
Ouvert les mardis, mercredis, jeudis, samedis, dimanches et jours fériés de 8 h à 11 h.

Musée de l'Armée
30, Dien Bien Phu, tél. (4) 823 42 64
Ouvert de 8 h à 11 h 30 et de 13 h 30 à 16 h 30 du mardi au samedi, et de 8 h à 14 h le dimanche.

Musée des Beaux-Arts
66, Nguyen Thai Hoc, tél. (4) 823 30 84
Ouvert du mardi au dimanche, de 8 h à 11 h 30 et de 13 h 30 à 16 h 30.

Musée de Géologie
6, Pham Ngu Lao, tél. (4) 826 68 02

Musée d'Histoire
1, Pham Ngu Lao, tél. (4) 825 35 18
Ouvert du mardi au dimanche, de 8 h à 11 h 45 et de 13 h 30 à 16 h30.

Musée de la Révolution
25, Tong Dan, tél. (4) 825 41 51
Ouvert de 8 h à 11 h 30 du mardi au samedi, et de 8 h à 14 h le dimanche.

Musée d'Ethnographie
Nguyen Van Huyen, tél. (4) 826 03 52, 756 21 92
Ouvert de 8 h 30 à 11 h 30 et de 13 h 30 à 16 h 30 du mardi au dimanche.

– Ho Chi Minh-Ville

Musée des Crimes de guerre
28, Vo Van Tan, tél. (8) 829 03 25
Ouvert de 8 h à 11 h 30 et de 13 h à 16 h 30.

Musée d'Histoire
2, Nguyen Binh Khiem, tél. (8) 822 07 43, 829 81 46
Ouvert de 8 h à 11 h 30 et de 13 h à 16 h; fermé le lundi et les jours de fête.

Musée Ho-Chi-Minh
1, Nguyen That Thanh, tél. (8) 825 57 40
Ouvert les mardis, mercredis, jeudis et samedis de 8 h à 11 h 30 et de 14 h à 16 h 30.

Palais de la Réunification
7, Le Duan (entrée 106, Nguyen Du), tél. (8) 822 48 87, 822 36 52
Ouvert tous les jours de 8 h à 11 h 30 et de 13 h à 17 h; fermé le dimanche après-midi et lors de réceptions officielles.

Musée de la Révolution
114, Nam Ky Khoi Nghia (angle 65, Ly Tu Trong), tél. (8) 829 82 50
Ouvert du mardi au dimanche, de 8 h à 11 h 30 et de 14 h à 16 h 30.

– Danang

Musée d'Art cham
A l'angle de Trung Nu Vuong et de Bach Dang, tél. (511) 826 590
Ouvert tous les jours de 7 h 30 à 16 h 30.

– Hué

Musée impérial
3, Le Truc
Ouvert tous les jours de 6 h 30 à 17 h 30.

Musée Ho-Chi-Minh
7-9, rue Le Loi

– Nha Trang

Institut océanographique
Cau Da, à 6 km au sud de Nha Trang
Ouvert tous les jours de 7 h à 11 h 30 et de 13 h 30 à 17 h.

Musée Ho-Chi-Minh
16, Tran Phu

– Vinh

Musée de Nge Tinh
Dans la citadelle de Nge Tinh

FÊTES TRADITIONNELLES ET SPECTACLES

Grandes fêtes

Le **Têt**, qui marque le début de la nouvelle année lunaire, est la fête la plus importante au Vietnam. Elle est célébrée fin janvier ou début février, le jour de la pleine lune, entre le solstice d'hiver et l'équinoxe de printemps.

Les festivités durent officiellement trois jours mais, pendant la semaine qui précède le Têt, de magnifiques marchés aux fleurs se tiennent à Ho Chi Minh-Ville et à Hanoi. Cette célébration donne lieu à de nombreuses manifestations religieuses ou profanes à travers tout le pays, plus particulièrement dans la capitale et ses environs. Voici le calendrier des principales festivités :

La **fête de Mai Dong** est célébrée du 4e jour au 6e jour du 1er mois lunaire, dans le temple de Mai Dong, situé dans le district de Hai Ba Trung, à Hanoi. Elle honore la mémoire de Le Cham, femme qui aida les sœurs Trung à combattre les troupes chinoises au Ier siècle de notre ère.

La **fête de Dong Da**, observée le 5e jour du 1er mois lunaire dans le district de Dong Da, à Hanoi, commémore la victoire du roi Tay Son Quang Trung sur les Mandchous, en 1789, et honore la mémoire des soldats tombés au champ d'honneur.

La **fête d'An Duong Vuong** a lieu du 6e au 16e jour du 1er mois lunaire dans le temple d'An Duong Vuong, qui se trouve dans le village de Co Loa, près de Hanoi. Elle célèbre la mémoire du roi Thuc An Duong Vuong, l'un des fondateurs du Vietnam, qui éleva la citadelle de Co Loa.

La **fête de Le Phung Hieu** se déroule le 7e jour du 1er mois lunaire dans le temple de Le Phung Hieu, dans le district de Hoang Hoa (province de Thanh Hoa).

La **fête de Lim** a lieu le 13e jour du 1er mois lunaire dans la pagode du village de Lim (province de Ha Bac). Les festivités incluent des chants et diverses activités culturelles.

La **fête de Ha Loi** est observée le 15e jour du 1er mois lunaire dans le temple de Ha Loi, qui se trouve à Me Linh, faubourg de Hanoi. Elle célèbre la lutte des sœurs Trung contre les Han au Ier siècle de notre ère.

La **fête du temple de Den Va**, dédié à Tan Vien, génie de la Montagne, a lieu le 15e jour du 1er mois lunaire à Bat Bat, dans les faubourgs de Hanoi.

Ram Thang Gieng, la plus importante fête bouddhiste, se déroule le 15e jour du 1er mois lunaire.

La **fête du village de Van**, dans le district de Viet Yen (Hanoi), est célébrée du 17e au 20e jour du 1er mois lunaire.

La **fête de Khu Lac et de Di Nau** a lieu les 7e et 26e jours du 1er mois lunaire dans le district de Tam Nong (province de Vinh Phu).

Autres fêtes

La **fête de Lac Long Quan** est observée du 1er au 6e jour du 3e mois lunaire dans le village de Binh Minh (province de Ha Son Binh), en l'honneur de Lac Lon Quan, l'ancêtre mythique du peuple vietnamien. Durant ces festivités, qui comportent des feux d'artifice et des concerts de musique classique, on peut voir des personnes âgées vêtues de la longue tunique de soie traditionnelle et une magnifique procession de jeunes filles portant des offrandes de fruits et de fleurs à travers les rues étroites de Binh Minh.

La **fête de Huong Tich** est célébrée durant tout le printemps dans les monts Huong Son, dans la province de Ha Son Binh, à l'ouest de Hanoi.

La **fête du Sacrifice du buffle** a lieu au printemps dans les collines de Tay Nguyen.

La **fête de la pagode de Thay** se déroule à Quoc Hai, dans la province de Ha Son Binh, le 7e jour du 3e mois lunaire. Elle est organisée en l'honneur de To Dao Hanh, moine et maître bouddhiste renommé. On peut assister, dans ce superbe cadre historique, à des représentations de marionnettes sur l'eau et à des courses de bateaux.

8 mars : fête des Femmes.

12 mars : la **fête du Den** se déroule sur le site de Hoa Lu, l'ancienne capitale située dans la province de Ha Nam Ninh. Elle célèbre le roi Dinh Bo Linh et le général Le qui luttèrent contre les Song.

16 mars : **fête de De Tham**, dans le district de Yen The, à Hanoi.

8 avril : **fête de la pagode de Dau**, à Thuan Thanh.

Pâques : surtout célébré dans le sud du pays.

12 avril : anniversaire de Hung Vuong, fondateur de la première dynastie historique vietnamienne.

15 mai : commémoration de la naissance, de l'illumination et de la mort du Bouddha dans tous les temples et pagodes vietnamiens ainsi que dans les demeures des fidèles.

1er juin : fête des Enfants.

Juillet-août : le 1er jour du 7e mois lunaire, de la nourriture et des cadeaux sont offerts dans les temples et les maisons aux âmes errantes des défunts.

Septembre-octobre : la fête de la Mi-automne a lieu le jour de la pleine lune du 8e mois lunaire. On prépare à cette occasion des gâteaux de lune faits de riz gluant, farcis de graines de lotus ou de pastèque, de jaunes d'œufs de cane salés, de cacahuètes et de raisins de Corinthe. A la nuit tombée, les enfants déambulent en procession, portant des lanternes en papier aux couleurs vives représentant des dragons, des bateaux, des papillons, des crapauds ou des licornes.

La **fête du temple de Kiep Bac** se déroule le 20e jour du 8e mois lunaire, dans la province de Hai Hung. Elle célèbre la mémoire du général Tran Hung Dao, héros national qui écrasa les armées mongoles au XIIIe siècle.

20 novembre : fête des Enseignants.

25 décembre : Noël.

Spectacles

Théâtre de marionnettes sur l'eau (Thang Long Water Puppet)
57 B, Dinh Tien Hoang, Hanoi, tél. (4) 826 05 53
Tous les jours à 21 h, spectacle à ne pas manquer, achat de billet à l'avance conseillé.

Opéra de Hanoi
Trang Tien, tél. (4) 825 43 12

ACHATS

L'artisanat vietnamien offre un large éventail de produits : laques, objets incrustés de nacre, céramiques, bois précieux, objets en écaille de tortue, articles de vannerie, broderies, peintures sur soie, tapis de laine, sculptures, statuettes et objets en bois, marbre et os, bijoux, jades, gravures et estampes, soieries. On peut également rapporter de son voyage les très seyants chapeaux coniques vietnamiens et *ao dai*, les ravissants costumes traditionnels portés par les Vietnamiennes. Les tissus sont très bon marché et on peut trouver des vêtements sur mesure dans différents modèles et tissus locaux.

Les lourdes taxes imposées par l'État aux particuliers sur la vente d'objets anciens ont limité le commerce des antiquités. Cette activité est en grande partie clandestine dans le Nord et très surveillée dans le Sud. Les magasins d'antiquités du centre de Ho Chi Minh-Ville ou du vieux Hanoi proposent des sculptures sur bois vietnamiennes, des bouddhas en bronze laotiens, des objets en porcelaine, en argent ou en ivoire, de petites statuettes de jade et des objets de culte. Les prix, en dollars, doivent être marchandés. Il ne faut pas oublier qu'en général les objets anciens sont interdits à l'exportation et qu'il faut un permis si l'on désire exporter des antiquités.

– Hanoi

Marchés et rues commerçantes
Les principaux marchés de la capitale sont ceux de Dong Xuan, au cœur du vieux Hanoi, et de Hom, à l'angle des rues Pho Hue et Tran Xuan Soan. Les rues Trang Tien, Hang Kay et les rues latérales, au sud du lac Hoan Kiem, constituent les principales artères commerçantes de la capitale.

Boutiques

Librairie internationale
61, Trang Tien, tél. (4) 824 89 14
Quelques livres en français et en anglais, des livres d'art en russe et en anglais mais surtout des manuels scolaires.

Thang Long Book Store
55, Trang Tien, tél. (4) 825 70 43
La plus importante librairie.

Indochine House
13, Nha Tho, tél. (4) 824 80 71
Belles reproductions d'objets anciens de toutes les régions du Vietnam.

Art Gallery - Artisanat
3, Le Thai To, tél. (4) 825 54 15
Artisanat du nord du Vietnam.

Tan My
109, Hang Gai, tél. (4) 825 15 79
Broderies de qualité et de bon goût.

Shop 98
98, Hang Gai, tél. (4) 825 16 06
Grand choix de broderies, personnel francophone.

Tuyet Lan
65, Hang Gai, tél. (4) 825 79 67
Tee-shirts brodés et autres broderies.

Nga Silk
4, Le Thai To, tél. (4) 828 92 22
Grand choix de soieries.

Song
5-7, Nha To, tél. (4) 828 97 50
Artisanat, vêtements, linge de maison de très bon goût et de qualité.

Xunhasaba
32, Hai Ba Trung, tél. (4) 825 23 13
Librairie du ministère de la Culture. Livres et revues, telles que *Études vietnamiennes*, édités en français ; reproductions d'objets d'art.

– Danang

Art Articles Shop
48, Bach Dang
Produits artisanaux.

– Ho Chi Minh-Ville

Marchés et rues commerçantes
Les principaux marchés sont ceux de Ben Thanh, au cœur de la ville, et de Bin Tay, à Cholon. Les rues Le Loi, Nguyen Hue, Le Thanh Ton et Dong Khoi sont les principales artères commerçantes. La rue Dong Khoi compte de nombreux magasins d'artisanat, de souvenirs et d'antiquités. On y trouve également des galeries d'art où sont exposées les œuvres, de style traditionnel ou moderne, d'artistes vietnamiens. La plupart des boutiques acceptent les cartes de crédit.

Boutiques

Minh Huong
85, Mac Thi Buoi, tél. (8) 822 30 74
Broderies de qualité. On parle français.

Nga Shop
61, Le Than Ton, tél. (8) 825 62 89
Laques de bon goût et bois sculpté.

Celadon Green
29, Dong Du, tél. (8) 823 68 16
Articles céladon et artisanat raffiné.
Nguyen Frères
2A, Le Duan, tél. (8) 822 96 54
Articles de décoration ou d'ameublement, ancien, reproductions, tableaux, livres, etc.
Vietsilk
29 et 177, Dong Khoi, tél. (8) 829 11 48
Ao dai, tissus et vêtements soie.
Phuong Tam
153, Dong Khoi, tél. (8) 822 58 35
Reproductions en laque d'affiches.
Mimosa Handicraft (mezzanine)
159, Dong Khoi, tél. (8) 829 73 98
Broderies et tissus de qualité du Vietnam et du Laos.
Lac Long
143, Le Than Ton, tél. (8) 829 33 73
Peaux et articles de cuir.
Maison de la Soie
75A, Le Thanh Ton, tél. (8) 822 22 70
Vêtements sur mesure.
Librairie Xuan Thu
185, Dong Khoi, tél. (8) 822 46 70
Journaux et magazines internationaux. Livres en anglais, français, vietnamien et russe.
Librairie Bookazine
28, Dong Khoi, tél. (8) 829 74 55
East Meet West
24, Le Loi, tél. (8) 823 15 53
Artisanat de tout le Vietnam.
Sodasy
115, Le Than Ton, tél. (8) 829 66 21
Articles en ivoire, en nacre et en écaille de tortue.
Alpha Bijouterie
163, Dhong Khoi, tél. (8) 825 83 56
Bijoux au goût et aux normes européennes.

SPORTS

Mis à part les très belles plages des diverses régions du Vietnam, comme Phan Thiet, Nha Trang ou Danang, les touristes pourront aussi profiter des nombreuses piscines publiques des grandes villes (Hanoi et Ho Chi Minh-Ville). Quelques courts de tennis sont également ouverts aux étrangers. Quant aux amateurs de course à pied, ils pourront se joindre aux sportifs vietnamiens qui, dès l'aube, envahissent les parcs, ou encore assister aux séances de tai-chi-chuan.

Depuis le début des années 1990, les parcours de golf se sont multipliés au Vietnam et sont généralement ouverts aux visiteurs non membres. En voici quelques adresses :

– Hanoi
King's Island Golf Club
Dong Mo Ha Tay (45 km de Hanoi), tél. (4) 834 666
– Ho Chi Minh-Ville
Palm Song Be Golf Club
Commune de Thuan Giao, Thuan An,
tél. (65) 855 802 (Song Be),
tél. (8) 823 12 18, 823 12 23/24 (Ho Chi Minh-Ville)
Golf Vietnam
Hanoi Highway Thu Duc (parc Lam Vien),
tél. (8) 825 29 51

– Dalat
Dalat Palace Golf Club
Dong Thien Vuong
(à proximité de l'hôtel Sofitel Palace Dalat),
tél. (63) 821 201, fax 824 325,
courrier électronique : dpgc@hcm.vnn.vn
Réservations à Ho Chi Minh-Ville :
tél. (8) 823 55 06, courrier électronique : nnguyen@hcm.vnn.vn

– Phan Thiet
Ocean Dune Golf Club
1, Ton Duc Thang, Phan Thiet (derrière l'hôtel Novotel Coralia Ocean Dune Resort)
Réservations à Ho Chi Minh-Ville :
tél. (8) 823 55 06,
courrier électronique : nnguyen@hcm.vnn.vn

OÙ LOGER

Avec l'arrivée de nombreux touristes, de très bons établissements ont été construits et sont maintenant ouverts à Ho Chi Minh-Ville, à Hanoi, à Halong, à Nha Trang, à Danang, etc. ; d'autres ont été restaurés. Les hôtels édifiés durant la période coloniale française puis pendant la guerre du Vietnam ont un charme vieillot et demeurent confortables. La gentillesse et la bonne volonté des employés et l'excellente nourriture proposée compensent le manque de confort de certains établissements hôteliers. La qualité des services s'améliore constamment. La plupart des prestations hôtelières sont payables en dollars et en dong et aussi par cartes de crédit. Les tarifs ci-dessous sont sujets à modification.

LE NORD

Hanoi

Asia
5, Cua Dong, tél. (4) 826 90 07, fax 824 51 84
Agréable hôtel. De 30 à 50 $US.

Camillia
13, Luong Ngoc Quyen,
tél. (4) 823 35 83, fax 824 42 77
Chambres de 20 à 60 $US.
Daewoo
360, Kim Ma,
tél. (4) 831 50 00, fax 831 50 10,
courrier électronique : hotel@daewoohn.com.vn
Hôtel de la chaîne coréenne, 411 chambres, 8 restaurants et bars, piscine. Quartier excentré mais proche de l'aéroport. A partir de 140 $US.
De Syloia
17A, Trang Hung Dao,
tél. (4) 824 53 46, fax 824 10 83
Hôtel de 33 chambres, beaucoup de charme. Un service excellent. Très apprécié des hommes d'affaires. De 90 à 170 $US.
Green Park
48, Tran Nhan Tong, tél. (4) 822 77 25, fax 822 59 77
Hôtel situé près du parc Lénine, 40 chambres de 80 à 140 $US.
Hilton Hanoi Opera
1, Le Thanh Tong,
tél. (4) 933 05 00, fax 933 05 30
Ouvert début 1999, cet hôtel, situé près de l'opéra de Hanoi, dispose d'une piscine, d'une salle de sports, d'un sauna, de salles de conférences et de plusieurs restaurants. 269 chambres. A partir de 150 $US.
Madison
16, Pho Bui Thi Xuan,
tél. (4) 822 81 64, fax 822 55 33
Petit hôtel de charme, belles chambres. De 50 à 80 $US.
Melia
44B, Ly Thuong Kiet,
tél. (4) 934 33 43, fax 934 33 44,
courrier électronique : solmelia@meliahanoi.com.vn
Excellent hôtel de la chaîne Melia sur une avenue centrale. Tarifs des chambres à partir de 110 $US.
Meritus Westlake
1, Thanh Nien, Ba Dinh,
tél. (4) 823 88 88, fax 829 38 88,
courrier électronique :
westlake.mwh@meritushotels.com.vn
Grand hôtel du groupe Mandarin (Singapour) situé au bord du lac de l'Ouest (Ho Tay), piscine, tennis et tous les services d'un hôtel 5 étoiles. 322 chambres avec vue sur le lac ou sur le fleuve Rouge. Tarifs à partir de 140 $US.
Métropole Sofitel
15, Ngo Quyen,
tél. (4) 826 69 19, fax 826 69 20,
courrier électronique : sofitel@sofitelhanoi.vnn.vn
Le vénérable Métropole, rénové en 1993 puis agrandi en 1997, est l'hôtel de prédilection des hommes d'affaires étrangers. Plusieurs restaurants, français et asiatiques, salles de conférences, blanchisserie, boutiques, piscine. Réservations conseillées. 244 chambres à partir de 170 $US.
Prince
96A, Hai Ba Trung,
tél. (4) 824 83 14/15/16, fax 824 83 23
21 chambres. Possède un autre hôtel dans la même rue si celui-ci est complet. De 45 à 60 $US.
Sunway
19, Pham Dinh Ho, tél. (4) 971 38 88, fax 971 35 55
Chaîne internationale. 143 chambres confortables, bonne restauration. De 90 à 150 $US.
Thuy Tien
1C, Tong Dan, tél. (4) 824 47 75, fax 824 47 84
Hôtel près du centre, 59 chambres de 70 à 80 $US.
Trang Tien
35, Trang Tien, tél. (4) 825 61 15, 824 73 86
Très central, 36 chambres de différentes catégories, de 10 à 50 $US.

Municipalité de Haiphong

– Haiphong
Bach Dang
42, Dien Bien Phu, tél. (31) 847 244, 847 657
30 chambres climatisées, restaurant. A partir de 15 $US.
Cat Bi
29, Tran Phu
A partir de 15 $US.
Commerce
62, Dien Bien Phu, tél. (31) 824 706
Hôtel colonial non rénové. Grande salle de restaurant. 40 chambres à partir de 35 $US.
Duyen Hai
5, Nguyen Tri Phuong, tél. (31) 476 57
Deux restaurants, un bar. Chambres de 15 à 30 $US.
Golden Tulip Royal Garden Harbour View
4, Tran Phu, tél. (31) 827 827, fax 827 828
Hôtel de standing international de la chaîne Royal Garden avec tous les services. 127 chambres à partir de 90 $US.
Huu Nghi
60, Dien Bien Phu, tél. (31) 823 310
Hôtel récent et propre. Chambres avec climatisation à partir de 45 $US.

– Do Son
La ville se trouve à 21 km au sud-est de Haiphong.
Do Son
tél. (31) 810

Baie de Halong

On rencontre dans cette région beaucoup de touristes vietnamiens. Les hôtels de Bai Chay constituent le point de départ pour les excursions dans la baie de Halong. La plupart sont établis dans la rue Bai Chay, qui donne sur la baie.

– Baie de Halong, Bai Chay
Halong (ancien Hôtel de la Plage)
tél. (33) 846 320/21, fax 846 218
Halong I
Cet édifice colonial rénové est doté de chambres avec terrasse et vue sur la baie. Restaurant. A partir de 80 $US. Hôtel d'État.
Halong II
Grand bâtiment rénové face à la baie de Halong, moins de charme que le précédent mais très correct. A partir de 40 $US. Hôtel d'État comme le précédent.
Halong III
Face à la mer. Chambres simples, restaurant. A partir de 35 $US. Hôtel d'État comme les précédents.
Halong Plaza
8, Halong Road, tél. (33) 845 810, fax 846 867
Le plus récent hôtel de la baie de Halong. De standing international mais un peu éloigné du centre d'attraction et de l'animation de Halong. A partir de 140 $US.
Heritage
88, Halong Road, tél. (33) 846 888, fax 846 999
Excellent service. Piscine, discothèque et karaoké. A partir de 110 $US.

Province de Vinh Phu

– Lam Tao
Lam Tao
Coa Mia Phuong Chau

– Viet Tri
Song Lo
Place Tan Dan

– Vinh Yen
Vinh Yen
Place Ngo Quyen

Province de Lao Cai

– Sapa
Auberge Dong Trung
A l'extrémité de la rue principale, tél. (20) 87 12 43
Chambres de 6 à 15 $US.
Forestry
Situé à l'entrée du village, tél. (20) 87 12 30
En surplomb sur la colline, 11 chambres à 15 $US.
Trade Union
Proche de l'église, tél. (20) 87 12 12
Deux villas de 11 et 7 chambres, entre 12 et 15 $US.
Victoria Sapa
Sapa District, Lao Cai Province,
tél. (20) 87 15 22, fax 87 15 39,
courrier électronique : victoriasapa@fpt.vn
Hôtel (style chalet) récent de la chaîne Victoria, piscine (chauffée), tennis, sauna, massage, pétanque, location bicyclettes. 77 chambres à partir de 85 $US.

Province de Thai Binh

– Thai Binh
Huu Nghi
Ly Bon, tél. (36) 82 70

– Tien Hai
Dong Chau
Plage de Dong Minh

Province de Ninh Binh

– Ninh Binh
Star
267, Tran Hung Dao,
tél. (30) 87 15 22, fax 87 12 00
Chambres correctes à partir de 10 $US.
Thuy Anh
55 A, Truong Han Sieu,
tél. (30) 87 16 02, fax 87 12 00
Chambres très propres, excellent restaurant et personnel chaleureux.Tarifs entre 8 et 25 $US.
Hoa Lu II et II
Tran Hung Dao, tél. (30) 87 12 17, fax 87 41 26
Chambres de 25 à 45 $US.
Van Xuan Inter Hôtel Complex
Tél. (30) 86 06 48, fax 86 06 47
Trang Am
Tél. (30) 87 47 44, fax 87 47 43

Province de Ha Son Binh

– Ha Dong
Song Nhue
Tél. 46, My Duc

– Hoa Binh
Hoa Binh Tourist Hotel
Tél. (18) 81 01
Hôtel Hoa Binh I : sur pilotis. Bien tenu.
Hôtel Hoa Binh II : bâtiment sans charme.

– My Duc
Huong Son
Huong Son

– Nam Dinh
Vi Hoang
115, Nguyen Du, tél. (35) 843 93 62

Province de Thanh Hoa

– Thanh Hoa
Khach San Thanh Hoa
Sur la nationale 1, dans le centre
Chambres à partir de 5 $US.
Tourist Hotel
21A, Quang Trung, tél. (37) 82 98

On peut aussi réserver des locations dans les hôtels et les bungalows construits sur les **plages de Sam Son**, à 16 km au sud-est de Thanh Hoa. Il faut compter au minimum 10 $US pour une chambre. Ces possibilités d'hébergement sont intéressantes lorsque les hôtels affichent complet l'été.

Le Centre

Province de Nghe Tinh

– Vinh
Chuyen Gia Giao Te
Thanh Ho, tél. (39) 841 75
Restaurant. 90 chambres dont 25 climatisées.
Cua Lo
Nghe Tinh, sur la plage de Cua Lo, à 14 km au nord-est de Vinh, tél. (39) 813
48 chambres dont la moitié seulement est climatisée ; restaurant.
Hong Ngoc
86 B, Le Loi, tél. (39) 841 314
De 25 à 30 $US.
Huu Nghi
Le Loi
A partir de 15 $US.
Nang Luong
2, Nguyen Trai, tél. (39) 844 788

Province de Quang Binh

– Dong Hoi
Bank Guesthouse
tél. (84-52) 821 715
Hôtel neuf, climatisé. Chambres de 15 à 25 $US.
Hoa Binh
Ly Thuong Kiet, tél. (84-52) 822 347
Entre 15 et 25 $US.
Nhat Le
16 D, Quang Xuan Ky, tél. (84-52) 822 180
Construction récente. Confortable.

Province de Quang Tri

– Dong Ha
Dong Truong Son
tél. (53) 82 39
Nha Khach Dong Ha
Tran Phu, tél. (53) 83 61
Cadre agréable. 24 chambres confortables à partir de 15 $US.

Province de Thua Tien Hué

– Hué
Century Riverside Inn Hué
49, Le Loi, tél. (54) 823 390, fax 822 399
Hôtel rénové de la chaîne Century, face à la rivière des Parfums. 150 chambres spacieuses, restaurant avec vue sur la rivière et repas sur terrasse, bar, boutiques, salon de massage, salles de conférences, piscine, tennis, terrasses. Service agréable. A partir de 60 $US.
Dong Da
17, Ly Thuong Kiet, tél. (54) 823 071, fax 823 204
De 35 à 55 $US.
Huong Giang
51, Le Loi, tél. (54) 822 122, fax 823 424
Cet hôtel est situé dans un cadre reposant au bord de la rivière des Parfums. Restaurant vietnamien, tennis, billard. Chambres de 65 à 230 $US.
Saigon Morin
30, Le Loi, tél. (54) 823 526, 825 870, fax 825 155
Hôtel colonial rénové en 1997. Agréable piscine dans la cour intérieure. Ne donne pas directement sur la rivière des Parfums mais sur la rue Le Loi. Restaurants, grandes chambres de 65 à 300 $US.
Vida
31, Thuan An, tél. (540) 826 145/46, fax 826 147
Petit hôtel familial. De 20 à 35 $US.

De nombreuses villas, plus ou moins grandes, font office d'hôtels et de Guest Houses. Elles sont surtout situées sur la rive droite du fleuve. Tous les établissements susmentionnés sont situés sur cette rive. Il existe quelques petits hôtels, d'un confort plus sommaire, sur la rive gauche :
Hang Be
173, Huynh Thuc Khang, tél. (54) 8237 52
Hôtel familial. Restaurant. De 25 à 45 $US.
Thuan Hoa
7 B, Nguyen Tri Phuong, tél. (54) 8225 53, 25 76
66 chambres dont 44 climatisées, restaurant, cafétéria. A partir de 15 et 30 $US.
Thuong Tu
18, Dinh Tien Hoang
Mini hôtel de 8 chambres.

Province de Quang Nam Da Nang

– Danang
Bach Dang
50, Bach Dang, tél. (511) 823 649, fax 216 59

Hôtel bien situé au bord de la rivière Han mais bâtiment assez austère. Quelques chambres climatisées, restaurant, bar. A partir de 45 $US.
Elegant
22, Bach Dang, tél. (511) 89 28 93, fax 83 51 79
Hôtel récent et élégant, chambres à partir de 45 $US.
Furama Resort Danang
68, Ho Xuan, Bac My An (China Beach),
tél. (511) 847 888, 847 333, fax 847 666,
courrier électronique : furamadn@hn.vnn.vn
A 12 km au sud de Danang, sur la route de Hoi An. Grand hôtel installé sur China Beach, dans un cadre superbe. 200 chambres avec vue sur la plage, le lagon ou la campagne. Bar agréable et confortable, restaurants, salles de conférences, deux piscines, salle de sport, massages, tennis, sports nautiques. A partir de 170 $US. Réservation conseillée.
Hai Au
177, Tran Phu, tél. (511) 822 722, fax 824 165
En plein centre, ancien hôtel rénové, restaurant. Chambres climatisées à partir de 50 $US.
Royal
Quang Trung, tél. (511) 823 295, fax 827 279
Hôtel de bonne tenue. Chambres à partir de 70 $US.
Song Han
36, Bach Dang, tél. (511) 822 540, fax 821 109
Agréablement situé le long du fleuve. Restaurant. Chambres à partir de 40 $US.
Tien Sa (Riverside)
68, Bach Dang,
tél. (511) 832 591/92, fax 83 25 93
Hôtel assez récent, face à la rivière Han. Chambres de 40 à 70 $US.
Tien Thinh
310, Hoang Dieu,
tél. (511) 834 566/68, 834 577, fax 82 07 48
Petit hôtel familial. De 25 à 40 $US.

– Hoi An
Hoi An
6, Tran Hung Dao,
tél. (510) 861 445, 861 728, fax 861 636
Agréable hôtel de 115 chambres réparties dans des bâtiments de différents styles. Piscine, restaurant, massages. Tarifs à partir de 35 $US.

Province de Binh Binh

– Quy Nhon
Dong Phuong
39, Mai Xuan Thuong
30 chambres simples à partir de 8 $US.
Seagull
489, Nguyen Hue, tél. (56) 822 401
Hôtel situé sur la plage, restaurant, chambres confortables de 35 à 50 $ US.

Province de Quang Ngai

– Dzung Quat (à 30 mn du parc industriel)
Central
784, Quang Trung, Quang Ngai Province,
tél. (55) 829 999 fax 822 460
Hôtel récent, piscine.

Province de Gia Lai

– Plei Ku
Ialy
89, Hung Vuong,
tél. (59) 824 843, 824 628, fax 822 151
De 15 à 35 $US.
Pleiku
124, Le Loi, tél. (59) 824 628
Hôtel-restaurant. De 35 à 50 $US.

Province de Dac Lac

– Buon Me Thuot
Highland
65, Phan Trinh, tél. (50) 855 960, fax 851 912
Bâtiment de style soviétique avec 28 chambres à partir de 40 $US.
Victory (Ancien Thang Loi rénové)
1, Phan Chu Trinh, tél. (50) 857 615, fax 857 622
Hôtel de 40 chambres, de 35 $US à 50 $US.
White Horse (Bach Ma)
61, Hai Ba Trung, tél. (50) 852 121
Hôtel privé offrant un bon service. Chambres à partir de 20 $US.

Province de Khanh Hoa

– Nha Trang
Ana Mandara Resort
Beach Side Boulevard Tran Phu,
tél. (58) 829 829, fax 829 629
Villas dans jardin tropical sur la plage, un peu en retrait du centre. Activités nautiques. Piscine, restaurant, bar. De 137 à 263 $US.
Hai Yen
40, Tran Phu, face à la plage,
tél. (58) 822 828, 822 974, fax 821 902
104 chambres climatisées, restaurant, bar, boîte de nuit, salon de coiffure. Chambres climatisées de 35 à 65 $US.
Que Huong
60, Tran Phu, tél. (58) 825 047, fax 825 344
Bien situé en dehors du bruit de la ville, petit hôtel avec piscine et court de tennis. Chambres avec climatiseur et télévision, de 20 à 100 $US.
Nhatrang Lodge
42, Tran Phu, tél. (58) 810 500, fax 828 800

Hôtel sur 13 étages face à la mer. Bien situé, chambres confortables de 50 à 140 $US.

Saigon-Nhatrang
18, Tran Phu,
tél. (58) 825 226, 820 090, fax 820 000,
courrier électronique : sg-nthotel@ang.vnn.vn
Nouvel hôtel de 174 chambres, 2 restaurants, piscines, tennis.

Villas de Bao Dai
Sur la côte, près de Cau Da, à 6 km au sud de Nha Trang, tél. (58) 224 49, 211 24
Les chambres rénovées de cette ancienne résidence impériale sont climatisées. Superbes vues sur la côte et la mer de Chine méridionale. De 35 à 50 $US pour une chambre spacieuse avec vue sur la mer. Éloigné du centre.

Province de Lam Dong

– Dalat

Empress Dalat
5, Nguyen Thai Hoc, tél. (63) 833 888, fax 829 399
Hôtel de 19 chambres à partir de 50 $US.

Golf 1
11, Dinh Tien Hoang, tél. (63) 824 083/84
Situé près du terrain de golf. Chambres climatisées de 30 à 50 $US.

Golf 2
115, Ba Thang Hai, tél. (63) 829 055
Chambres de 25 à 35 $US.

Golf 3
4, Nguyen Thi Minh Khai,
tél. (63) 822 316, fax 830 396
Chambres de 45 à 70 $US.

Lavy
Lu Gia, tél. (63) 825 465, fax 825 466
Chambres de 30 à 40 $US.

Novotel Dalat
7, Tran Phu, tél. (63) 825 777, fax 825 666,
courrier électronique : novotel@netnam.org.vn
Très bel hôtel rénové dans ancien bâtiment colonial. 2 restaurants, 2 bars, 4 salles de réunion. Golf. 144 chambres de 90 à 140 $US.

Sofitel Palace Dalat
12, Tran Phu,
tél. (63) 825 444, fax 825 666,
courrier électronique : sofitel@netnam2.org.vn
Superbe hôtel colonial, entièrement rénové. Belle vue sur le lac Xuan Huong. 43 grandes chambres luxueuses et raffinées, 2 restaurants, cuisine française, 3 bars, salles de réunion. Golf. Chambres de 160 à 210 $US.

Il est possible de loger dans les villas coloniales construites dans les collines autour de la ville. S'adresser à l'office du tourisme de la province de Lam Dong (*12, Tran Phu*). On peut également prendre une chambre dans l'ancienne résidence du gouverneur général de l'Indochine ou le palais d'Été de Bao Dai qui sont à 2 km du centre (*1, Trieu Viet Vuong, tél. (63) 822 093*). Certaines villas ont un confort rudimentaire ou n'ont pas encore été rénovées.

Pour obtenir des renseignements sur les possibilités de camping, de randonnées pédestres et de visite des villages tribaux de la région, s'adresser au bureau du tourisme de la jeunesse du Lam Dong de la province de Thuan Hai (*Hiep Hoi Du Lich, 6 B, Nguyen Thi Minh Khai*).

– Phan Rang

Huu Nghi
354, Thong Nhat

Thong Nhat
164, Thong Nhat
Chambres à partir de 8 $US.

– Phan Tiet

Bambou Village Resort
Km 11,8, Ham Tien,
tél. (62) 847 007, fax 847 095,
courrier électronique : Dephan@netnam2.org.vn
Petit complexe hôtelier de 20 bungalows sur la plage, piscine, restaurant, ping-pong, billard, sports nautiques, tarifs de 50 à 70 $US.

Coco Beach Resort
Km 12,5, Ham Tien,
tél. (62) 847 11, fax 847 115,
courrier électronique : paradise@cocobeach.net
Petit complexe hôtelier de trois villas et dix-neuf bungalows en bord de plage. Deux restaurants. Piscine et sports nautiques. Géré par un couple d'Européens depuis 1995. Entre 65 et 80 $US pour les bungalows et de 130 à 160 $US pour les villas.

Palmira Resort
Km 11, Ham Tien Village 3,
tél. (62) 847 004, fax (62) 847 006,
courrier électronique :
cocogarden@palmiraresort.com
Piscine, tennis, 44 chambres dans villas, 2 restaurants, bars. De 55 à 70 $US.

Saigon Muine Resort
Km 12,2, Ham Tien,
courrier électronique :
saigonmuineresort@hcm.vnn.vn
Complexe hôtelier de 44 chambres, dans villas ou bungalows. Restaurant, piscine, sauna, billard, volley-ball sur plage. De 55 à 80 $US.

Victoria Phan Thiet Resort
Km 9, Ham Tien, tél. (62) 848 437, fax 848 440,
courrier électronique : victoriaphanthiet@fpt.vn
Complexe de la chaîne Victoria en partenariat avec une société française. Ouvert au milieu des années

1996. Petits cottages sur la plage, dans un cadre idyllique. Piscine, télévision, deux restaurants, bars, activités nautiques. Dispose de 50 chambres de 75 à 100 $US.
Novotel Coralia Ocean Dune Resort
1, Ton Tuc Thang, tél. (62) 822 393, fax 825 682, courrier électronique : fonovpht@hcm.vnn.vn
Grand hôtel rénové de la chaîne Accor avec 123 chambres en bord de plage, piscine, sports nautiques, golf, 2 bars et 2 restaurants. Cadre très agréable. De 110 à 160 $US.

Province de Dong Nai

– Bien Hoa
Dong Nai
57, route n° 15, tél. (61) 822 67
Ninh Chu
Tél. (61) 820 42
Hôtel Vinh An
107, route n° 1, tél. (61) 823 77

LE SUD

Ho Chi Minh-Ville

- Centre-ville :
A Chau
2, Le Lai, tél. (8) 833 18 14
Chambres avec ventilateur à partir de 8 $US.
Delta Caravelle
19, Lam Son, tél. (8) 823 39 99, fax 824 39 99
Cet hôtel rénové en 1998 est en plein centre-ville, en face du Continental. Très belle vue sur la ville de la terrasse du 10e étage. 335 chambres climatisées, restaurant, bar sur le toit, salles de conférences. Chambres à partir de 120 $US.
Continental
132-134, Dong Khoi (ex-rue Catinat), tél. (8) 829 44 56, fax 829 09 36
Ce superbe hôtel colonial, rouvert en 1990 après deux ans de travaux de rénovation, a malheureusement perdu de son charme. Restaurant, café, salon de coiffure, salle de conférences, sauna et salon de massage. 85 chambres de 95 à 160 $US.
Equatorial
242, Tran Binh Trong, tél. (8) 839 00 00, fax 830 00 11, courrier électronique : info@hcm.equatorial.com
Hôtel de classe internationale de 334 chambres, bien équipé. 3 restaurants, 2 bars, superbe piscine et club de sport, 6 salles de réunion. A partir de 100 $US.
Grand Hôtel
8, Dong Khoi, tél. (8) 823 01 63, fax 823 57 81
Ancien Hôtel Catinat rénové. 108 grandes chambres sur extérieur ou sur la piscine intérieure. Atmosphère inexistante. Restaurant au rez-de-chaussée fréquenté par une clientèle vietnamienne. Tarifs à partir de 80 $US.
Huong Sen
66-68, Dong Khoi, tél. (8) 829 14 15, fax 819 80 76
Hôtel ancien rénové de 50 chambres, en plein centre-ville. A partir de 55 $US.
Majestic
1, Dong Khoi, tél. (8) 829 55 14/17, fax 829 14 70
Hôtel colonial de charme rénové en 1996, face à la Rivière de Saigon. Très belle perspective du fleuve et de la ville depuis le bar et restaurant panoramique. Bars, restaurants, piscine agréable, salle de conférences. 130 chambres à partir de 95 $US. Hôtel très chaleureux au service raffiné.
New World
76, Le Lai, tél. (8) 822 88 88, fax 823 07 10
504 chambres, piscine, courts de tennis, salle de sport, trois restaurants. Situé près du marché central. A partir de 85 $US.
Palace
56-64, Nguyen Hue, tél. (8) 822 23 16, 829 28 60, fax 829 98 72
Superbe vue sur la ville depuis le restaurant situé au 14e étage ; bar au 15e et petite piscine au 16e. Au cœur de la ville. Tarif à partir de 55 $US.
Pension Loan
3 et 3i, Ly Chinh Thang, tél. (8) 844 53 13, 843 50 46, fax 843 88 64
Chambres de 20 à 25 $US.
Renaissance Riverside
8-15, Ton Duc Thang, tél. (8) 822 00 33, fax 823 56 66
Nouvel hôtel de la chaîne Renaissance, face à la Rivière. 349 chambres sur 21 étages, piscine extérieure, restaurant oriental. Tarifs à partir de 110 $US.
Rex
141, Nguyen Hue, tél. (8) 29 21 85, fax 29 85 54
Cet hôtel fut la résidence des officiers américains et conserve un étonnant décor kitsch. Deux restaurants, bar en terrasse, petite piscine sur le toit. Surtout apprécié par les Américains. 87 chambres climatisées. De 95 à 200 $US.
Sofitel Plaza Saigon
170, Le Duan, tél. (8) 824 15 55, fax 824 16 66, courrier électronique : sofitelsgn@hcm.netnam.vn
Hôtel récent de la chaîne Accor dans un quartier résidentiel, 290 belles chambres, 2 bars, 2 restaurants, 6 salles de réunion, très agréable piscine sur le toit avec belle vue sur Saigon. Tarifs à partir de 120 $US.
Tan Loc
179, Le Thanh Ton, tél. (8) 823 00 28, fax 829 80 00
Près du marché central. Climatisation. Chambres de 40 à 70 $US.

Victory
14, Vo Van Thanh, tél. (8) 823 17 55, fax 829 96 04
Restaurant et boutique. Propre, simple, avec ascenseur et climatisation. De 38 à 60 $US.
Vien Dong
275A, Pham Ngu Lao,
tél. (8) 836 89 41, fax 836 89 41
Chambres à partir de 45 $US. Ascenseur, climatisation.

– Quartier de Cholon
Dong Khanh
2, Trang Hung Dao, tél. (8) 835 24 10
De 60 à 150 $US.
Thien Hong (Arc-en-Ciel)
52-56, Tan Da, tél. (8) 825 25 50, 825 69 24
90 chambres pour la plupart climatisées, deux restaurants, un bar, une discothèque et une boutique d'artisanat. A partir de 35 $US.

– Près de l'aéroport
Garden Plaza Park Royal
309-311, Nguyen Van Troi,
tél. (8) 842 11 11, fax 842 43 70
Hôtel récent dont les chambres donnent sur un atrium. Superbe piscine, boutique. A partir de 110 $US.
Omni Saigon
251, Nguyen Van Troi,
tél. (8) 844 92 22, fax 844 92 00
Une piscine, trois restaurants, une salle de sport. Chambres à partir de 180 $US.
Than Binh
201-203, Hoang Viet, tél. (8) 824 11 75
Sur la route de l'aéroport, à 5 km du centre. 52 chambres dont 42 climatisées, restaurants, cafétéria, piscine, tennis, boîte de nuit, sauna, salon de massage. A partir de 40 $US.
Than Son Nhat
200, Hoang Van Thu, tél. (8) 824 10 79
25 chambres, piscine. De 30 à 45 $US.

Vung Tau

Anoasis Beach Resort
Domaine de Ky Van, Long Hai, Baria,
tél. (64) 868 227, 868 228, fax 868 229
Superbe complexe de villas de luxe et de bungalows dans un magnifique parc de 13 ha de verdure tropicale, face à la mer avec sa plage privée. Situé à deux heures de Saigon. Piscine, sports nautiques. Restaurants. A partir de 149 $US.
Bungalows de la plage de Rung Duong
Thuy Van
Près d'un centre d'élevage de crevettes. Ces bungalows meublés, en bord de plage, sont abrités dans un bois de filaos. Possibilité de camper.
Beach Motel 29
29, Thuy Van, tél. (64) 853 481
De 15 à 20 $US avec climatiseurs.
Palace
11, Nguyen Trai, tél. (64) 852 265, fax 859 878
145 chambres, bon restaurant (spécialités de fruits de mer), salle de conférences, bar, boîte de nuit, salon de massage, sauna, tennis. De 30 à 80 $US.
Petro House
89, Tran Hung Dao,
tél. (64) 852 014, fax 852 015
De 55 à 195 $US.
Royal
48, Quang Trung, tél (64) 859 852, fax 859 851
Établissement moderne. De 45 à 120 $US.
Sea Breeze
9, Nguyen Trai,
tél. (64) 852 392, fax 859 856
De 35 à 60 $US.

On peut également louer des chambres dans les anciennes villas de style colonial situées sur la plage de Bai Dau, à 3 km au nord de Vung Tau.

Province de Thien Giang

– My Tho
Cong Doan
66, 30 Thang 4, tél. (73) 874 324
Situé en plein centre et à proximité des départs en bateau. Chambres de 8 à 18 $US.
Song Tien
101, Trung Trac, tél. (73) 872 009
Chambres à 10 et 20 $US.
Rang Dong
25, 30 Thang 4, tél. (73) 874 400 ou 874 410
Le meilleur hôtel de la ville. De 12 à 25 $US.

Province de Ben Tre

– Ben Tre
Dong Khoi
16, Hai Ba Trung, tél. (75) 822 240
Chambres climatisées de 18 à 35 $US.
Hung Vuong
166, Hung Vuong, tél. (75) 822 408
Chambres climatisées à partir de 18 $US.

Province de Cuu Long

– Vinh Long
Cuu Long
1 Thang 5, tél. (70) 822 494
Un bâtiment est situé face au fleuve, le second de l'autre côté de la rue. Chambres de 15 à 25 $US et de 28 à 50 $US.

Province de Dong Thap

– Sa Dec
Sa Dec
108/5A, Hung Vuong, tél. (70) 861 430
Très bonne cuisine, personnel serviable. 40 chambres climatisées de 15 à 25 $US.

Province d'An Giang

– Long Xuyen
Cuu Long
15, Nguyen Van Cung,
tél. (76) 841 365, fax 843 176
Chambres de 20 à 30 $US.
Long Xuyen
17, Nguyen Van Cung,
tél. (76) 852 927, fax 852 308
Trente-sept chambres dont celles climatisées à partir de 13 $US.
Thang Loi
1, Le Hong Phong,
tél. (76) 852 637, fax 852 568
Bon restaurant. Climatisé. De 12 à 20 $US.

– Chau Doc
Chau Doc
17, Doc Phu Tu, tél. (76) 866 484
30 chambres. Chambres avec ventilateur : 6 $US, chambres climatisées : 20 $US.
Hang Chau
32, Le Loi,
tél. (76) 866 196, 866 197, fax 867 773
Victoria Chau Doc
293, Tran Van Kheo Cai Khe Ward, Le Loi,
tél. (76) 865 010, fax 865 020
Superbe hôtel de la chaîne Victoria, 98 chambres en bordure de fleuve, de 60 à 90 $US.

Province de Hau Giang

– Can Tho
Hau Giang
34, Nam Ky Khoi Nghia, Thanh Po,
tél. (71) 355 37, 251 81
Hôtel agréable et accueillant. Restaurant, boutique, boîte de nuit. Chambres à partir de 25 $US.
Quoc Te (International)
12, Hai Ba Trung, tél. (71) 822 079, fax 821 039
Quarante et une chambres spacieuses, confortables et climatisées. Restaurants. Chambres avec télévision et réfrigérateur à partir de 28 $US et jusqu'à 80 $US.
Saigon Cantho
55, Phan Dinh Phu, tél. (71) 825 831, fax 823 288
Hôtel récent géré par Saigon Tourist. Chambres de 68 à 98 $US.
Victoria Cantho
Quai Cai Khe, tél. (71) 810 111, fax 829 259,
courrier électronique : victoriact@hcm.vnn.vn
Hôtel de la chaîne Victoria de 92 chambres, restaurants, piscine, le plus luxueux du delta du Mékong avec des projets de développements touristiques dans la région. Tarifs de 70 à 120 $US.

Province de Kien Giang

– Ha Tien
Les hôtels de Ha Tien sont à peu près de même standing. Les prix sont modestes, comme le confort.
Dong Ho
A l'angle de Ben Tran Hau et de To Chau,
tél. (77) 852 141
Bâtiment rénové avec 20 chambres à partir de 15 $US.
Ha Chau
Tran Cong Han, tél. (77) 852 553
Chambres de 5 à 15 $US selon le confort.
Sao Mai
Tran Cong Han, tél. (77) 852 740
A proximité de la gare routière, entièrement rénové, chambres élevées avec vue agréable. Tarifs de 13 à 20 $US.
To Chau
En face du Dong Ho, Tau Chau, tél. (77) 852 148
Bâtisse coloniale avec vue sur la rivière. Grandes chambres simples à partir de 8 $US.

– Rach Gia
1 Thang 5 (Hôtel du 1er-Mai)
39, Nguyen Hung Son, tél. (77) 863 414
18 chambres climatisées – quand l'électricité n'est pas en panne ! Plomberie également défectueuse. Mais bon restaurant. Chambres de 12 à 26 $US.
Binh Minh
48, Pham Hong Thai, tél. (77) 863 016, 862 154
Près du marché. Chambres avec ventilateur pour 8 $US.
Nha Kach Uy Ban
31, Nguyen Hung Son, tél. (77) 863 237
Chambres simples à partir de 3 $US.
Palace
41, Tran Phu, tél. (77) 863 049
Hôtel récent. Tarifs plus élevés, à partir de 25 $US.
Thanh Binh
11, Ly Truong, tél. (77) 863 267, 863 053
Face à l'Office du tourisme. Chambre propres avec ventilateur et sanitaires entre 6 et 8 $US.
To Chau
4 F, Le Loi (près du cinéma Thang Loi),
tél. (77) 863 718
Bon établissement. 31 chambres. Chambres doubles climatisées : 20 $US.

– **Île de Phu Quoc**
Kim Hoa Resort
Ba Keo, Duong Dong Village,
tél. (77) 84 70 39, fax 84 61 44
Très simple, 9 chambres à partir de 10 $US.
Saigon Phu Quoc Resort
Duong Dong Town,
tél. (77) 84 69 99, fax 84 71 63
Complexe hôtelier de 38 chambres dont 12 avec vue sur la mer, piscine. A partir de 30 $US.
Tropicana Resort
Duong To, Duong Dong,
tél. (77) 84 71 27, fax 84 71 28
Complexe hôtelier très agréable. 15 chambres à partir de 35 $US.

OÙ SE RESTAURER

La cuisine vietnamienne offre un large choix de plats aux arômes délicats, relevés de fines herbes, d'épices et de *nuoc mam* (sauce de poisson macéré). Les trois principales composantes d'un repas vietnamien sont le riz, la soupe et le *nuoc cham*, condiment fait de *nuoc mam*, de jus de citron, de carottes râpées, de piment, d'ail et de sucre.

En raison du coût très élevé de la viande, les Vietnamiens consomment essentiellement du poisson et des fruits de mer, particulièrement dans le Sud. On peut cependant déguster de nombreux plats à base de porc, de poulet, de bœuf, de canard et de pigeon, plus toutes sortes de légumes ainsi que de délicieux fruits tropicaux. On trouve des baguettes de pain, legs de l'époque coloniale française, dans tout le pays. Elles servent à préparer de succulents sandwichs qui, avec les pâtés impériaux, constituent d'excellents en-cas.

Les amateurs de nourriture exotique pourront fréquenter les restaurants spécialisés dans la préparation de plats d'anguille, de tortue, de serpent, de chauve-souris et de diverses venaisons. Les crustacés et mollusques (langoustes, crabes et huîtres) sont généralement excellents. Par ailleurs, de nombreux restaurants sont spécialisés dans la cuisine française ou chinoise.

L'eau courante n'est pas potable et, à moins de la purifier, il est impératif de boire de l'eau minérale. L'eau minérale vietnamienne est très gazeuse et a un goût particulier. Certains hôtels ou restaurants servent de l'eau minérale française qu'ils font payer très cher ou de l'eau minérale locale conditionnée et vendue par une société française.

Toutes les boissons (bières, sodas) d'importation sont à des tarifs plus élevés. Aussi, il ne faut pas hésiter à goûter la bière vietnamienne de chaque région. Elle est bonne, peu alcoolisée et bon marché. La bière BGI, anciennement bière française, est aussi répandue dans tout le pays.

Le thé vert est la boisson nationale. Seuls les grands hôtels servent un thé vert d'excellente qualité. Ailleurs, il est souvent amer car l'eau utilisée pour sa préparation est constamment maintenue en ébullition.

Les Vietnamiens produisent également une très forte eau-de-vie de riz, le *chum*, parfumée avec différents fruits.

RESTAURANTS

En dehors des restaurants des hôtels, de nombreux restaurants proposent des spécialités vietnamiennes, asiatiques, et des plats français ou internationaux.

Il est important de vérifier les heures des repas car le personnel de ces restaurants ne sert pas en dehors des horaires indiqués. Nos horaires de repas ne sont pas toujours les horaires vietnamiens.

Dans les grandes villes comme à la campagne, il ne faut pas hésiter à fréquenter les petites gargotes qui proposent à toute heure de la journée une grande variété de plats délicieux. On y mange souvent très bien, mais attention tout de même aux conditions d'hygiène. Les crudités et les crustacés sont à éviter.

Hanoi

Quelques restaurants *cha ca*, spécialité de Hanoi à base de poisson, accompagné de pâtes de riz, de cacahuètes grillées et de coriandre fraîche :
Le Cha Ca
14, Cha Ca, tél. (4) 825 39 29
Le plus ancien mais sa propreté est douteuse.
Le Chaca 66
66, Hang Ga, tél. (4) 826 78 81
Restaurant plus récent.
Le Chaca
34, Hang Tre, tél. (4) 825 79 24
Même spécialité que ci-dessus.
A Fresco
23 L, Hai Ba Trung, tél. (4) 826 77 82.
Excellentes pizzas et salades.
Club Opera
59, Ly Thai To, tél. (4) 824 53 59
Situé derrière le Métropole Sofitel dans une maison coloniale. Bonne cuisine vietnamienne.
Dinh Lang
1, Le Thai Tho, tél. (4) 828 62 90
Touristique, mais la vue sur le lac et la musique traditionnelle ajoutent à son charme.
Emperor
18B, Le Thanh Ton, tél. (4) 826 88 01
Bonne cuisine vietnamienne dans une ambiance agréable. Ouverture récente.
Hoa Sua
81, Tho Nhuom, tél. (4) 824 04 48

Restaurant de l'École professionnelle d'arts ménagers pour enfants en difficulté. Bonne cuisine française et vietnamienne.
Il Padrino
42, Le Thai To, tél. (4) 828 84 49
Bonne cuisine italienne.
La Salsa
25, Nha To, tél. (4) 828 90 52
Bar à tapas, tenu par des Français.
Le Beaulieu
Hôtel Sofitel Métropole
Restaurant français réputé.
Mai Anh
32, Le Van Huu, tél. 825 84 92
Le meilleur *pho* au poulet de Hanoi.
Nam Phuong
19, Phan Chu Trinh, tél. (4) 824 09 26
Superbe cadre dans une maison coloniale rénovée. Cuisine de toutes les régions.
Piano Bar
50, Hang Vai
Cuisine vietnamienne, musique certains soirs, dans les vieux quartiers.
Seasons of Hanoi
95 B, Quan Thanh, tél. (4) 843 54 44
Dans le vieux quartier de Hanoi, petite maison coloniale rénovée. Cadre chaleureux et nombreuses spécialités traditionnelles.
The Spices Garden
15, Ngo Quyen, tél. (4) 826 69 19
Excellent restaurant vietnamien du Sofitel Métropole.
Van Xuan
15, Hang Cot, tél. (4) 927 28 88
Cuisine vietnamienne avec musique traditionnelle.

Cafés, glaces, pâtisseries

Bao Ngoc
246, Hang Bong
Pâtisseries locales, produits laitiers.
Emotion Café
52, Ly Thuong Kiet,
tél. (4) 934 10 66,
courrier électronique : emotion@fpt.vn
Fanny
48, Le Thai Tho, tél. (4) 828 56 56
Très bonnes glaces faites par des Français.
Kinh Do Café
252, Hang Bong
Pâtisseries locales, produits laitiers.
Maila Café
57, Ly Thu Trong, tél. (4) 824 75 79
Café en terrasse agréable.
Moca Café
14-16, Nha To, tél. (4) 825 63 34
L'endroit idéal pour un très bon café. Repas possibles.
Paris Deli
2, Phan Chu Trinh, tél. (4) 934 52 69
Face à l'Opéra, dans un cadre chaleureux, pour un café, un sandwich ou une pâtisserie.

Bars

Diva Café
57, Ly Thai To, tél. (4) 934 40 88
Apocalypse Now
5C, Hoa Ma, tél. (4) 971 27 83

Hué

An Dinh Palace
97, Phan Dinh Phung. tél. (54) 833 019
Réservation indispensable pour un dîner impérial dans un cadre exceptionnel. Spécialités locales.
Tinh Gia Vien
20/3, Le Thanh Ton, tél. (54) 822 243
Demeure privée avec un jardin tranquille orné de bonsaïs. Repas traditionnels de Hué. Les 12 plats de la cuisine royale sont superbement décorés. Réservation conseillée.

Danang

Hana Kim Dinh
7, Bach Dang, tél. (511) 830 024
Restaurant situé sur le quai face à la rivière Han. Cuisine vietnamienne.
Kim Do
176, Tran Phu, tél. (511) 821 846
Restaurant le plus connu de Danang, bonne cuisine vietnamienne.
Seafood
63, Hoang Van Thu, tél. (511) 824 230
Spécialiste de poissons et de fruits de mer en provenance de la mer de Chine. Grandes salles de restaurant.

Hoi An

Nhu y, Little Mermaid
2, Tran Phu, tél. (510) 861 527
Petit restaurant d'excellentes spécialités de la région.
Tam Tam Café
110, Nguyen Thai Hoc,
tél. (510) 862 212, fax 862 207
Grand restaurant et bar tenu par des Français, cuisine vietnamienne et française, cadre agréable et chaleureux d'une maison ancienne. Bonne ambiance.

Ho Chi Minh-Ville

Augustin
10, Nguyen Thiep (angle avec Dong Khoi),
tél. (8) 829 29 41et 823 16 26
Bonne cuisine méridionale à prix très corrects. On parle français. Réservation conseillée.

Banh Xeo
46 A et 49 A, Dinh Cong Trang
Excellents restaurants de rue, très animés et prisés par les Saigonais. Plats typiques vietnamiens.
Blue Ginger
37, Nam Ky Khoi Nghia, tél. (8) 829 86 76
Restaurant de diverses spécialités dans un cadre très agréable avec musique traditionnelle. Charmante cour intérieure.
La Camargue
16, Cao Ba Quat, tél. (8) 824 31 48 et 824 31 49
Cuisine occidentale sur l'agréable terrasse d'une maison coloniale.
La Marine
17 A 4, Le Thanh Ton, tél. (8) 829 22 49
Cuisine française, pizzas, piano-bar.
Le Bordeaux
F7-F8, D2, Van Than Bac, tél. (8) 899 98 31
Cuisine française très raffinée. Éloigné du centre : il est préférable de réserver.
Mandarine
11 A, Ngo Van Nam, tél. (8) 822 97 83
Superbe maison rénovée dans un endroit privilégié de Saigon. Nombreuses spécialités traditionnelles servies dans un cadre exceptionnel, musique et service irréprochable. Réservation conseillée.
Pagolac 1
410 A, Nguyen Thi Minh Khai,
tél. (8) 839 44 54
Spécialité saigonaise de bœuf aux sept parfums.
Restaurant 13
13, Ngo Duc Ke, tél. (8) 832 54 82
Restaurant de rue très fréquenté.
O'Briens
74 A, Hai Ba Trung, tél. (8) 829 31 98
Pub. Pour ses spécialités de pizzas et de viandes.
Pho Hoa
260 c, rue Pasteur (face à l'Institut Pasteur),
tél. (8) 829 79 43
La bonne adresse pour le *pho*.
Ristorante Sandro
142, Vo Thi Sau, tél. (8) 820 35 52
Excellente cuisine italienne.
Tannam
60-62, Dong Du, tél. (8) 829 86 34
Restaurant vietnamien à la décoration traditionnelle, en plein centre. Spécialités de la mer (crabes).
Tib
187, Hai Ba Trung,
tél. (8) 829 72 42
Ce restaurant sert diverses spécialités, en particulier de Hué, de bonne qualité.
Vy
164, rue Pasteur,
tél. (8) 829 62 10 et 829 07 29
Bonne cuisine vietnamienne, dans jardin extérieur.

Pour ceux qui sont tentés par la cuisine chinoise, c'est à Cholon que se trouvent les meilleurs restaurants de spécialités :

Bau Sen
132, Le Hong Phuong, tél. (8) 835 41 32
Diverses spécialités, toutes surprenantes. Restaurant typique de Cholon.

Enfin, les éventaires du marché Ben Thanh proposent de nombreux plats cuisinés des différentes régions du Vietnam.

Café, glaces, pâtisseries

Dong Du Café
31, Dong Du, tél. (8) 823 24 14
Pour déguster une glace. En plein centre, face à la Mosquée.
Java Café
Saigon Center, rez-de-chaussée, sur le côté
65, Le Loi, tél. (8) 821 47 42
L'endroit idéal pour boire un très bon café.
Gourmet Royal
105, Dong Khoi, tél. (8) 829 54 29
Pour une halte pâtisserie.
Paris Deli
31 D, Dong Khoi, tél. (8) 829 75 33
Spécialités de pâtisseries.
Saigon Bakery
281 C, Hai Ba Trung, tél. (8) 820 20 83
Pâtisseries excellentes, tartes aux fraises de Dalat, bon pain.

Bars musicaux, discothèques

Apocalypse Now
2 B, Thi Sach, tél. (8)824 14 63
Ambiance « underground ».
Lucky Plazza
69, Dong Khoi, tél. (8) 823 88 22
Même style que le précédent.
Panorama
32e et 33e étage du Saigon Trade Center,
37, Ton Duc Thang,
tél. (8) 910 04 90
Pour boire un verre avec superbe vue sur Saigon.
Saigon Saigon
Terrasse de l'hôtel Delta Caravelle,
19, Lam Son, tél. (8) 823 49 99
Un endroit agréable et confortable pour prendre un verre avec vue panoramique sur Saigon.
Terrasse de l'hôtel Majestic
1, Dong Khoi, tél. (8) 295 514
De cet hôtel colonial, vue imprenable sur la Rivière de Saigon.

ADRESSES UTILES

AMBASSADES ET CONSULATS

– Hanoi
Ambassade de Belgique
48, Nguyen Thai Hoc,
tél. (4) 823 50 05/06 ou 845 22 63, fax 845 71 65
Ambassade du Canada
31, Hung Vuong,
tél. (4) 823 55 00, fax 823 53 33,
courrier électronique : hanoi@dfait-maeci.gc.ca
Ambassade de France
57, Tran Hung Dao,
tél. (4) 825 27 19, fax 826 42 36,
courrier électronique : ambafrance@hn.vnn.vn
Ambassade de Suisse
77b, Kim Ma,
tél. (4) 823 20 19, 823 20 20, fax 823 20 45
Ambassade du Cambodge
71 A, Tran Hung Dao,
tél. (4) 825 37 88/89, fax 826 52 25
Ambassade de Chine
46, Hoang Dieu
tél. (4) 845 37 36, fax 823 28 26
Ambassade du Laos
22, Tran Binh Trong,
tél. (4) 825 45 76, fax 822 84 14
Ambassade de Birmanie (Myanmar)
Immeuble A3 Van Phuc, Quartier diplomatique,
tél. (4) 845 33 69, fax 845 24 04
Ambassade de Thaïlande
63-65, Hoang Dieu,
tél. (4) 823 50 92, fax 823 50 88

– Ho Chi Minh-Ville
Consulat de Belgique
260 G, rue Pasteur, tél. & fax (8) 824 35 71
Consulat du Canada
Metropolitan Building, suite 1002
235, Dong Khoi, tél. (8) 824 50 25, fax 829 45 28,
courrier électronique : hochi@dfait-maeci.gc.ca
Consulat de France
27, Nguyen Thi Minh Khai,
tél. (8) 829 72 31, 829 72 35,
fax 829 16 75, 829 66 36,
courrier électronique : fslthcm@hcm.fpt.vn
Ouvert de 9 h à 12 h, du lundi au vendredi.
Consulat de Suisse
270 A, Bach Dang,
tél. (8) 843 11 06, 841 22 11,
fax 844 76 01, 841 20 28
Consulat du Cambodge
41, Phung Khac Khoan,
tél. (8) 829 27 51, fax 829 27 44
Consulat de Chine
39, Nguyen Thi Minh Khai,
tél. (8) 829 24 57, fax 829 50 09
Consulat du Laos
93, rue Pasteur,
tél. (8) 829 92 75, 829 76 67, fax 829 92 72
Consulat de Thaïlande
77, Tran Quoc Thao,
tél. (8) 822 26 37, fax 829 10 02

A Ho Chi Minh-Ville

Institut des échanges culturels franco-vietnamiens (IDECAF)
31, Thai Van Lung, tél. (8) 822 45 77
Maison de la Francophonie
31, Le Duan, tél. (8) 823 28 52, fax 823 27 95
Port de Ho Chi Minh-Ville
3, Nguyen Tat Thanh, tél. (8) 940 00 21

BIBLIOGRAPHIE

OUVRAGES GÉNÉRAUX

Feray (P.-R.), *Le Viêt-nam*, coll. « Que sais-je ? », nº 398, PUF, Paris, 1996 (4e édition revue).
Huard (P.) et Durand (M.), *Connaissance du Viet-nam*, Imprimerie nationale, Paris, 1954.
Le Thanh Khoi, *Le Viêt-nam, histoire et civilisation*, Minuit, Paris, 1955 ; *Histoire de l'Asie du Sud-Est*, coll. « Que sais-je ? », PUF, Paris, 1959.
Mus (P.), *Planète Viêt-nam*, Arma Artis, Paris, 1988.

HISTOIRE

d'Argenlieu (Th.), *Chronique d'Indochine*, Albin Michel, Paris, 1985.
Devillers (P.), *Paris-Saigon-Hanoi*, Gallimard, Paris, 1988.
Férier (G.), *Les Trois Guerres d'Indochine*, Presses universitaires de Lyon, 1994.
Fourniau (C.), *Annam-Tonkin, 1885-1896. Lettrés et paysans face à la conquête française*, L'Harmattan, Paris, 1989.
Franchini (P.), *Les Guerres d'Indochine* , Pygmalion, Paris, 1988 (2 vol).
Hemery (D.), *De l'Indochine au Vietnam*, coll. « Découvertes Gallimard », Paris.
Herr (M.), *Putain de mort*, Albin Michel, Paris, 1980.
Joyaux (F.), *La Nouvelle Question d'Extrême-Orient*, Payot, Paris, 1985-1988 (2 vol).
Karnow (S.), *Vietnam*, Presses de la Cité, Paris, 1983.
Lacouture (J.), *Ho Chi Minh*, Le Seuil, Paris, 1968.
Lacouture (J. et S.), *Vietnam, voyage à travers une victoire*, Le Seuil, Paris, 1976.

Le Than Khoi, *Histoire du Viêt-nam des origines à 1858*, Sudestasie, Paris, 1982.
Le Van Hao, *Essais sur la civilisation vietnamienne*, Études vietnamiennes, n°63, Hanoi, 1980.
Meyer (Ch.), *La Vie quotidienne des Français en Indochine, 1860-1910*, Hachette, Paris, 1985.
Pomonti (J.-C.) et Tertrais (H.), *Vietnam, communistes et dragons*, Le Monde éditions, Paris, 1994.
Richer (P.), *L'Asie du Sud-Est. Indépendances et communismes*, Imprimerie nationale, Paris, 1981.
Ruscio (A.), *Vivre au Vietnam*, Éd. Sociales, Paris, 1981 ; *Vietnam*, L'Harmattan, Paris, 1989.
Sheehan (N.), *L'Innocence perdue*, Le Seuil, Paris, 1990.
Taboulet (G.), *La Geste française en Indochine*, A. Maisonneuve, Paris, 1955.
Todd (O.), *Cruel Avril*, Robert Laffont, 1987.
Terdières (A.), *La Guerre du Vietnam (1945-1975)*, Lavauzelle, Paris, 1979.

ETHNOLOGIE-SOCIOLOGIE

Bergman (A.-E.), *Femmes du Vietnam*, Éd. des Femmes, Paris, 1975.
Condominas (G.), *L'Asie du Sud-Est*, in *Ethnologie régionale, II*, coll. « Encyclopédie de la Pléiade », Gallimard, Paris, 1978 ; *L'Exotique est quotidien. Sar Luk, Viet-nam central*, coll. « Terre humaine », Plon, Paris, 1965.
Corrèze (F.), *Vietnamiennes au quotidien*, L'Harmattan, Paris, 1982.
Dournes (J.), *Akhan : contes oraux de la forêt indochinoise*, Payot, Paris, 1977.
Lemercinier (G.) et Houtart (F.), *Hai Van, une commune du delta du fleuve Rouge*, Univ. de Louvain, 1979.
Mai Thu Van, *Vietnam : un peuple, des voix*, Horay, Paris, 1983.

RELIGIONS

Lafont (P.-B.), *Le Bouddhisme vietnamien*, in *Histoire des religions*, coll. « Encyclopédie de la Pléiade », Gallimard, Paris, 1976.
Nguyen Huy Lai (J.), *La Tradition religieuse, spirituelle et sociale au Vietnam*, Beauchesne, Paris, 1981.
Nguyen Tran Huan, *Les Sectes religieuses au Vietnam*, in *Histoire des religions, III*, coll. « Encyclopédie de la Pléiade », Gallimard, Paris, 1976.
Oury (G.-M.), *Le Viêt-nam des martyrs et des saints*, Fayard, Paris, 1988.

ARTS

Bezacier (L.), *L'Art vietnamien*, Éd. de l'Union française, Paris, 1955 ; *Viet Nam*, in *Asie du Sud-Est, I*, Picard, Paris, 1972.
Groslier (B.-P.), *Indochine*, coll. « Archaelogia Mundi », Nagel, Genève, 1966.
Le Van Hao, *Hué, un chef-d'œuvre de poésie urbaine*, Sudestasie, Paris, 1982.
Tran Van Khe, *Le Théâtre vietnamien, Théâtres d'Asie*, Éd. du CNRS, Paris, 1961 ; *La Musique vietnamienne traditionnelle*, Annales du musée Guimet, PUF, Paris, 1962 ; *Marionnettes sur eau du Viêtnam*, Maison des cultures du monde, Paris, 1984.

LITTÉRATURE CLASSIQUE

Anthologie de la poésie vietnamienne, coll. « Connaissance de l'Orient », Gallimard, Paris, 1981.
Durand (M.) et Nguyen Tran Huan, *Introduction à la littérature vietnamienne*, Maisonneuve et Larose, Paris, 1969.
Huu Ngoc et Corrèze (F.), *Anthologie de la littérature populaire du Viêt-nam*, L'Harmattan, Paris, 1982.
Nguyen Du, *Kim-Van-Kieu*, coll. « Connaissance de l'Orient », Gallimard, Paris, 1987 ; *Vaste recueil de légendes merveilleuses*, coll. « Connaissance de l'Orient », Gallimard, Paris, 1989.

LITTÉRATURE CONTEMPORAINE

Bao Ninh, *Le Chagrin de la guerre*, Picquier, Paris, 1997.
Bergot (E.), *Sud lointain*, Presses de la Cité, Paris, 1990.
Bodard (L.), *La Duchesse*, Grasset, Paris, 1979.
Collectif, *En traversant le fleuve*, Picquier, Paris, 1996.
Dorgelès (R.), *Sur la route mandarine*, Albin Michel, Paris, 1929.
Duong Thu Huong, *Les Paradis aveugles*, Éd. des Femmes, Paris, 1991 ; *Histoire d'amour racontée avant l'aube*, L'Aube, Paris, 1991.
Duras (M.), *Un barrage contre le Pacifique*, Gallimard, Paris, 1950 ; *L'Amant*, Minuit, Paris, 1984.
Greene (G.), *Un Américain bien tranquille*, 10/18, Paris, 1996.
Guillebaud (J.-Cl.) et Depardon (R.), *La Colline des anges*, Le Seuil, Paris, 1993.
Hougron (J.), *La Nuit indochinoise*, coll. « Bouquins », Robert Laffont, Paris, 1989 (2 vol).
Lê (L.), *Fuir Paris*, La Table ronde, Paris, 1988 ; *Les trois Parques*, Christian Bourgois, Paris, 1997.
Lewis (N.), *La nuit du dragon*, 10/18, Paris, 1996.
Nguyen Dinh Thi, *Front du ciel*, Julliard, Paris, 1968.
Nguyen Huy Thiep, *Un général en retraite*, L'Aube, Paris, 1990 ; *Le Cœur du tigre*, L'Aube, Paris, 1993.
Nguyen (P. L.), Walter (G.), *La montagne des parfums*, coll. « Le Livre de poche », LGF, Paris, 1998.
Nguyen-Rouault (F.), *Une famille de Saigon*, L'Aube, Paris, 1999.
Ragon (M.), *Ma sœur d'Asie*, Albin Michel, Paris, 1982.
Schoendoerffer (P.), *La 317e Section*, La Table ronde, Paris, 1963 ; *Le Crabe-tambour*, Grasset, Paris, 1976.

CRÉDITS PHOTOGRAPHIQUES

Illustration de couverture : Jean-LéoDugast

© Dieulefils, Pierre : 18-19, 36-37, 39, 40, 78, 79
Dinh Duc, Trinh : 41
Dugast, Jean-Léo : 107, 140, 143, 158, 209, 304-305
Evrard, Alain : 177, 330
Farnay, Rachel : 110g, 113
Holmes, Jim : 54, 60, 65, 88, 101, 124, 134, 146h, 148h, 148, 153h, 159, 164h, 170, 180h, 198, 200, 202h, 208h, 208, 211, 224h, 224, 225, 231, 236, 240h, 242h, 245h, 254h, 256h, 256, 257, 258, 261, 264, 270, 272h, 273, 276h, 279, 280h, 280, 281h, 284h, 285, 289, 292g/d, 293g, 294h, 295h, 300g/d, 301g, 306, 310h, 315, 320h, 322h, 326h, 336
Karnow, Catherine : 8-9, 12-13, 17, 22-23, 43, 48, 50, 52, 53, 58-59, 61, 64, 66-67, 71, 72, 89, 94-95, 96, 106, 114, 120-121, 122, 123, 125, 128-129, 132-133, 138-139, 145, 147, 149, 150h, 150, 151, 152, 153, 155h, 155, 156h, 156, 157, 163, 164, 165, 166, 167g/d, 168, 171h, 171, 176, 180, 181, 182h, 182, 183, 184h, 184, 185, 188-189, 191, 194, 195, 196, 204, 206, 214-215, 216, 218, 219, 220, 221, 222, 223, 226, 227, 228, 232-233, 242, 244, 245, 252, 254, 262-263, 268-269, 286-287, 290, 291h, 291, 293d, 295, 296h, 301d, 302, 303, 308d, 318, 322
Lynch, Joseph : 6-7, 68, 69, 70, 80-81, 84g, 91, 100, 116, 210, 230, 298, 308g, 312, 313, 314, 320g, 326, 327, 331, 332, 333
Naylor, Kim : 20, 62g, 84d, 169d, 174, 203, 229, 237, 241, 253, 272, 274, 275, 277, 282, 283, 311, 324
Page, Tim : 25, 30g, 49, 56-57, 74, 75, 77g/d, 82, 83, 85g/d, 87, 90, 169g, 172, 173, 175, 179, 192, 193g/d, 197, 199, 201, 217, 243, 246, 247, 250-251, 255, 259, 278, 284, 334, 335
Photobank : 10-11, 24, 26, 51, 55, 98, 105, 115, 127, 190
Rutherford, Scott : 109, 111, 112
Thoma, Zdenka : 126
Turnnidge, Brenda : 99
Van Cappellen, Wim : 14, 202, 205
Wassman, Bill : 62d, 130-131, 146, 207, 239
Westlake, Martin : 73, 86, 154, 238h, 294, 296, 297, 299h, 299, 300h, 307, 309h, 309, 310, 312h, 316-317, 319, 320d, 321, 323, 325, 328, 329
New York Public Library Picture Collection : 38
Plum Blossoms Gallery : 102-103, 104, 110d
U.S. National Archives : 21, 42, 46g/d, 76
Vietnam News Agency : 44, 45, 47, 144
Vietnam Tourism : 63, 97, 160-161, 238, 240

Encadrés (de gauche à droite et de haut en bas)
Pp. 92-93 (de gauche à droite et de haut en bas) **:** Jim Holmes ; Jim Holmes ; Liba Taylor ; Jim Holmes ; Trip/Viesti Collection ; Jim Holmes ; Jim Holmes ; Jean-Léo Dugast ; Jean-Léo Dugast.
Pp. 118-119 : en haut et de gauche à droite : Jim Holmes ; Jim Holmes ; Trip/ R. Nichols ; Jim Holmes ; au centre et de gauche à droite : Trip/W. Jacobs ; Jean-Léo Dugast ; en bas et de gauche à droite : Tibor Bognar ; Jim Holmes ; Tibor Bognar ; Trip/R. Nichols.
Pp. 208-209 : en haut et de gauche à droite : Jim Holmes ; Jean-Léo Dugast ; Jim Holmes ; Panos Pictures ; au centre et de gauche à droite : Trip/J. Sweeney ; Panos Pictures ; en bas et de gauche à droite : Jim Holmes ; Jean-Léo Dugast ; Peter Barker ; Jim Holmes.
Pp. 244-245 (de gauche à droite et de haut en bas) **:** Jim Holmes ; Jim Holmes ; Trip/W. Jacobs ; Trip/ R. Nichols ; Tibor Bognar ; Tibor Bognar ; Jean-Léo Dugast ; Trip-W Jacobs ; Trip/B. Vikander.

Cartes : Cosmographics © Apa Publications GmbH & Co. Verlag KG (Singapour), 1999

INDEX

A

B

C

D

E

F

G

H

J

K

L

T